U0450599

《合肥通史》编纂委员会

主　　任：凌　云
副 主 任：韩　冰　钟俊杰　林存安　吴春梅
委　　员（以姓氏笔画为序）：
　　　　　王家贵　王道才　吴利林　汪秀坤　李尚才
　　　　　罗　平　查　凯　洪家友　夏毓平　黄群英
　　　　　谢　军

《合肥通史》编纂委员会办公室

主　　任：夏毓平
副 主 任：夏元荣　许昭堂
成　　员：王东征　贾　猛　李平原

《合肥通史》学术指导委员会

顾　　问：卜宪群　黄传新　朱士群

主　　任：陆勤毅

委　　员（以姓氏笔画为序）：

　　　　　王道才　宁业高　朱万曙　朱玉龙　汤奇学

　　　　　张　生　苏士珩　沈世培　施立业　翁　飞

　　　　　戴　健

明清
—卷—

陈 瑞 ◎ 主编

合肥通史

《合肥通史》编纂委员会
编

全国百佳图书出版单位
时代出版传媒股份有限公司
安徽人民出版社

图书在版编目(CIP)数据

合肥通史　明清卷/陈瑞主编.—合肥:安徽人民出版社,2016.8
ISBN 978-7-212-09193-4

Ⅰ.①合… Ⅱ.①陈… Ⅲ.①合肥市—地方史—明清时代 Ⅳ.①K295.41

中国版本图书馆 CIP 数据核字(2016)第 167680 号

合肥通史　明清卷
HEFEI TONGSHI　MINGQINGJUAN

《合肥通史》编纂委员会　编

陈　瑞　主编

出 版 人:徐　敏			
选题策划:刘　哲　丁怀超		责任印制:董　亮	
责任编辑:袁小燕		装帧设计:程　慧	

出版发行:时代出版传媒股份有限公司　http://www.press-mart.com
　　　　　安徽人民出版社　http://www.ahpeople.com
地　　址:合肥市政务文化新区翡翠路 1118 号出版传媒广场八楼　邮编:230071
电　　话:0551-63533258　0551-63533292(传真)
制　　版:合肥市中旭制版有限责任公司
印　　刷:安徽新华印刷股份有限公司

开本:710mm×1010mm　1/16	印张:35.25	字数:520 千
版次:2017 年 5 月第 1 版	2017 年 5 月第 1 次印刷	

ISBN 978-7-212-09193-4　　　定价:180.00 元

版权所有,侵权必究
发现印装质量问题 请联系:(0551)63533291

绪　论

明清两代是中国历史上的最后两个封建王朝。在明清两朝，作为中国内陆的一个小区域，合肥地区的历史发展是在全国历史发展已步入封建社会晚期及向近代转型这一大背景下演绎的，受时代背景的深刻影响，合肥地区的历史发展也呈现出了晚期封建社会及转型期社会所特有的一些景象。以下从政治、经济、文教、军事等方面对明清时代合肥地区的历史面貌及发展特点进行概述。

一、政治

合肥地区位于安徽省中部，地处江淮腹地，战略地位极为重要，是全国范围内较为著名的军事重镇和区域政治中心，明清两朝统治者十分重视对该地区的统治和控制。

早在元末，朱元璋攻克庐州后，为加强控制，改庐州路为庐州府，在当地设置江淮行省。明朝建立后，洪武初，以庐州府领六安、无为二州，合肥、舒城、庐江、巢、英山五县；其中，合肥县为庐州府附郭县及府治所在地。包括合肥地区在内的整个庐州府属于南直隶管辖。

明代，包括合肥地区在内的整个庐州府是京师（后为南京）的重要屏障，鉴于此，统治阶级十分重视对合肥地区的政治控制。在行政管理方面，通过设置府、县等层级的管理机构进行统治；在各县之下，则通过设置坊厢、乡里对城乡编户人口进行管理；在交通冲要之地，还设立巡检司进行管理。在行政监察方面，通过直隶六道之一的淮西道进行治理。

清代，合肥地区行政区划设置基本沿袭明代。顺治二年(1645)，清廷置庐州府，下辖无为、六安二州，合肥、舒城、庐江、巢、英山、霍山六县；其中，合肥县为庐州府附郭县及府治所在地。包括合肥地区在内的整个庐州府隶属江南省，由江南布政使司管辖。顺治十八年(1661)，清廷设江南左、右布政使司，庐州府隶属江南左布政使司管辖。康熙六年(1667)七月，清廷改江南左布政使为安徽布政使，安徽正式建省，庐州府属之。

有清一代，鉴于包括合肥地区在内的整个庐州府所具有的重要战略地位，统治阶级十分重视对该地区的统治。在行政管理方面，主要通过府、县两级实施政治统治和管理；在交通冲要之地，则设立巡检司以加强对基层社会的控制和秩序维护。

二、经济

明清两代，合肥地区的经济历经元末和明清易代之际的社会动荡后，总体上朝着恢复和发展的方向前进，取得了一些成就。进入近代以后，合肥地区的经济紧跟时代潮流，迈出了走向近代化的步伐。

明代，合肥地区的经济主要包括农业、手工业、商业等门类。在农业方面，明代，合肥地区农业经济大致经历了初期恢复、中期发展、后期衰败的曲折历程。元末农民战争和社会动荡，严重破坏了合肥地区的农业生产环境。在朱元璋控制合肥地区及建立明朝后，统治阶级中的有识之士及合肥地区的地方官十分重视恢复和发展当地的农业经济。明代前中期，合肥地方官府乃至中央政府实施了招徕逃亡、吸收移民、鼓励垦荒、减免租税、赈济灾荒，兴修水利、改善生产条件等一系列惠农利农举措，使得合肥地区农业生产得到了不同程度的恢复与发展，主要体现在人口数量不断增长，耕地面积日渐增加，耕地类型日益丰富，粮食产量不断提高，粮食作物和经济作物广泛种植，农作物品种日益丰富等方面。到了明代后期，由于吏治腐败、剥削沉重、自然灾害频发等因素的综合作用，致使农业生产环境趋于恶化,合肥地区的农业经济日益衰退。在手工业方面,明代,合肥地区丝织、棉织、采矿、车船及军器制造、造纸、酿酒等手工业部门皆获得不同程度的恢复与发展。在商业方面,明代,合肥地区的商业经济获得了一定程度的发展,主要表现为:商品流通和商业往来日趋活跃,与境外的商业互动日渐频繁;境内商业市镇和商业店铺分布广泛且十分繁荣,以徽商为主体的外籍商人活动较为活跃。

清代,合肥地区的经济主要包括农业、手工业、商业、交通运输业、邮政电信业等门类。在农业方面,明清易代之际,合肥地区战火连绵,人民大量死亡流徙,田土荒芜,农业经济遭到严重破坏。为巩固统治,清代前期,封建官府在合肥地区实行了招徕流民、奖励垦荒、蠲免赋税、劝课农桑,兴修水利、治理灾荒,整顿赋役制度、清除里役积弊等一系列恢复与发展农业经济的政策,取得了人口数量增长、耕地面积增加、粮食生产水平提高、经济作物广泛种植、水产养殖兴盛等发展成就。在手工业方面,清代,合肥地区手工业的发展环境有所改善,纺织、酿酒、采矿、竹木编织等手工行业生产日益兴盛。在商业方面,清代,合肥地区的商品经济日趋兴盛,商品交易活动日渐频繁,商品交易量扩大,外籍商人经营活动活跃,商业市镇日益繁荣。在交通运输业方面,除了陆路运输外,合肥地区的水路运输居于重要地位,轮船、汽船、帆船等各类运输工具得到运用,进入近代,交通运输业中的近代化因素不断成长。在邮政电信业方面,近代以前,合肥地区实行驿站制度,进入近代后,裁驿归邮,新式邮政开始萌生。在新式邮政逐渐推广的同时,有线电报在合肥地区也获得发展。

三、文教

明清两代,合肥地区的文化、教育在前代的基础上有一定程度的发展,在某些方面还展示了其独特的地域风貌。

明代,合肥地域文化的发展成就主要体现为:文学、艺术方面,当地诗文创作兴盛,涌现出一批诗文著作,出现了诸多书法、绘画人才;

哲学方面，合肥人蔡悉卓有成就，以理学闻名于世；史学方面，合肥人对《春秋》、《礼记》、《尚书》、"四书"、礼学等研究有所造诣，出现了一批《戴记》研究世家；宗教方面，地域宗教文化发达，佛道盛行，寺观林立，对民众生活影响深刻；民俗方面，合肥地域民俗文化多姿多彩，民间信仰与人情风俗地域特色浓厚。明代，合肥地区的学校教育分为官学、私学两类。府学、县学、官办书院、社学等官学教育相对发达，宗族或个人捐资兴办的私学也有所发展。

与明代相比，清代合肥地区的文化成就更为突出，主要体现在文学、史学、戏曲等领域。文学方面，诗文创作氛围浓厚，佳篇巨制不断涌现。史学方面，合肥籍人士探经研史，注疏成说，从事正史、方志等各类史志的编纂活动。庐剧开始出现并获得长足发展，得到社会各阶层的广泛认同；徽剧在合肥地区的影响力日益显著，满足了人们的文化需求。清代，合肥地区的民俗活动丰富多彩，呈现出南北杂陈、风气渐奢的特点。岁时节日、民间信仰、宗教活动都打上了鲜明的合肥地域烙印。清代，合肥地区的府学、县学、书院、社学、义学教育发达，官学教育体系不断完善，教育管理体制日渐成熟。近代以后，随着西方教会势力的进入，合肥地区出现了一批教会学校。这些教会学校按照西方教育模式，构建了正规的教学体制，成为合肥地区新式教育的滥觞。到了清末光绪年间，特别是新政推行后，开办新式学堂成为时代潮流，合肥地区的新式教育开始起步并获得较大发展，呈现出学堂数量可观、教育层次完备的显著特征。

四、军事

合肥地区居皖之中，军事战略地位十分重要，在历史上就是闻名全国的军事重镇，明清两朝统治者十分重视对该地区的军事控制。

明朝建立后，极为重视包括合肥地区在内的整个庐州府对于京师（后为南京）的拱卫作用。在军事方面，明廷在合肥地区实行卫所制度，通过设置合肥卫、庐州守御千户所、庐州卫指挥使司等军事机构来加强控制。到了明末,为应对农民起义,还在当地设立庐州兵备道、安庐巡抚以控制地方。清代,合肥地区的军事战略地位仍十分重要。在军事方面,清初,庐州卫仍然存在并发挥作用。与此同时,合肥地区发挥主要军事控制作用的则为新建的庐州营和六安营。太平天国运动爆发后,以李鸿章为代表的封建官僚在合肥地区掀起了创办团练、招募淮勇的活动,团练组织在地方军事控制方面发挥着极为重要的作用。

与合肥地区所具有的重要军事战略地位相对应,元明、明清及清民国改朝换代之际,合肥地区往往成为正统王朝与反抗势力的必争之地,成为兵家殊死较量的重要战场。

元末,在反元斗争中,以合肥地区为根据地、由白莲教骨干赵普胜等人领导的巢湖水师与长期占据庐州的左君弼义军,在推翻元朝腐朽统治过程中曾立下汗马功劳。后来,这些队伍先后归附朱元璋政权,又为大明王朝的建立立下卓越功勋。到了明末,合肥地区成为张献忠农民起义军活动的重要区域,张献忠智取"铁庐州"和巢湖练水师,成为明末农民战争史上的典型战例和战争佳话。

鸦片战争以后,为了反抗封建压迫和剥削,洪秀全、杨秀清等人在广西金田村揭竿而起,发动了大规模反清运动,史称太平天国运动。居于皖之中、地处江淮腹地、号称"淮右襟喉,江南唇齿"的合肥地区,由于经济、政治、军事位置的重要,成为清军与太平天国争夺的主战场。太平天国在与清军争夺中屡克庐州,取得著名的三河大捷。

清末民初,合肥地区再次成为革命党人与清廷军事斗争的重要战场。革命党人在合肥地区苦心经营,巧妙地利用地方武装,实现了庐州光复。

纵观明清合肥地区的历史,前后历时五百余年,其发展的历程在总体上与全国保持一致,与此同时又不同程度地呈现出一定的自身地域特色。

目　录

绪论 /001

第一章　明朝统治在合肥地区的确立 /001

第一节　合肥地区归附明政权 /003
一、巢湖水师归附朱元璋 /004
二、朱元璋夺取庐州与左君弼归附明政权 /005

第二节　明代合肥地区的行政区划与管理机构的设置 /007
一、行政设置及统属关系 /007
二、设官分职 /010

第二章　明代合肥地区的经济 /017

第一节　农业 /019
一、恢复与发展农业的举措 /019
二、农业经济恢复与发展的表现 /041

第二节　手工业 /067
一、丝织业 /067
二、棉织业 /069
三、采矿业 /070
四、车船及军器制造业 /071
五、造纸业 /072
六、酿酒业 /072

第三节　商业　/073

一、各地商业流通的加强　/073

二、商业市镇的分布　/075

三、商人活动的活跃　/077

四、商税征收　/084

第三章　明代合肥地区的文化、教育与科技　/087

第一节　文学与艺术　/089

一、诗文创作　/089

二、书法艺术　/097

三、绘画　/100

第二节　哲学与史学　/100

一、哲学　/100

二、史学　/103

第三节　宗教　/106

一、佛教　/106

二、道教　/115

第四节　民间信仰与人情风俗　/116

一、民间信仰　/116

二、人情风俗　/122

第五节　教育　/125

一、官学教育　/125

二、民办教育　/146

三、书院教育　/148

第六节　科技　/150

一、医学　/150

二、天文历法　/151

三、地理学 /152

第四章 明代中后期合肥地区社会矛盾的激化 /153
第一节 天灾人祸与社会动荡 /155
一、吏治的腐败与人民负担的加重 /155

二、自然灾害的频发与社会动荡的日益增多 /157

第二节 明末农民起义军在合肥地区的活动 /168
一、张献忠起义军第一次进攻合肥地区 /169

二、张献忠智取铁庐州 /171

三、张献忠巢湖练水师 /174

第五章 清朝统治在合肥地区的确立 /177
第一节 清初合肥地区的军事斗争 /179
第二节 清初合肥地区的行政区划与管理机构 /183
一、行政区划的演变 /183

二、管理机构的设置 /184

第六章 清代前期合肥地区经济的恢复与发展 /197
第一节 恢复与发展社会经济的举措 /199
一、招徕流民，奖励垦荒 /199

二、蠲免赋税，劝课农桑 /209

三、兴修水利，治理灾荒 /212

四、整顿赋役制度，清除里役积弊 /228

第二节 农业生产的恢复与发展 /233
一、人口数量的增长 /234

二、耕地面积的增加 /239

三、粮食生产水平的提高 /241

四、经济作物的广泛种植 /243

五、水产养殖业的兴盛 /245

第三节 手工业的恢复与发展 /249

一、纺织业 /250

二、酿酒业 /251

三、采矿业 /252

第四节 商业的恢复与发展 /256

一、商品交易量的扩大 /256

二、外籍商人经营活动的活跃 /259

三、商业市镇的发展与繁荣 /262

第七章 清代中期合肥地区的社会状况 /265

第一节 吏治的窳败 /267

一、官场贪污腐化之风的盛行 /267

二、官府对民众欺压的加重 /269

第二节 人地矛盾的日益突出 /270

第三节 社会风气的日渐败坏 /273

一、奢靡趋利之风的盛行 /273

二、社会问题的日益突出 /276

第八章 清代合肥地区的文化与教育 /291

第一节 文化 /293

一、文学 /293

二、史学 /317

三、戏曲 /324

四、民俗 /328

五、宗教信仰 /356

第二节 教育 /363

一、府学 /364

二、县学 /367

三、书院 /375

四、社学 /382

五、义学 /383

第九章　太平天国在合肥地区的主要活动与淮军的兴起　/385

第一节　太平天国在合肥地区的主要活动　/387

一、首克庐州　/387

二、治理庐州　/395

三、庐州失守　/398

四、再克庐州　/400

五、三河大捷　/403

六、庐州再度失守　/407

第二节　淮军的兴起　/410

一、庐州地区团练的兴起与活动　/410

二、李鸿章的团练活动　/423

三、李鸿章投奔曾国藩　/427

四、李鸿章与淮勇招募　/430

第十章　合肥地区近代化事业的开启　/443

第一节　与西方文明的初步接触　/445

一、西方教会势力的进入　/445

二、西方传教士的教育、医疗、慈善活动　/451

第二节　合肥地区经济近代化的开端　/454

一、近代交通航运事业的开启　/454

二、近代邮政电信事业的初创　/465

第三节　合肥地区新式教育的起步与发展　/475

一、初等教育的广泛开办　/477

二、中学堂的设立 /486

三、师范传习所与实业学堂的兴办 /489

四、教育行政机构渐次设立 /490

第十一章 辛亥革命与合肥 /493

第一节 合肥地区革命组织的出现与同盟会的活动 /495

第二节 庐州光复 /498

一、庐州光复的过程 /499

二、庐州光复之初的社会秩序 /503

第三节 辛亥三杰的革命活动 /506

一、倪映典领导广州新军起义 /507

二、吴旸谷领导安庆光复 /510

三、范鸿仙领导组建铁血军 /515

大事记 /522

参考文献 /541

后 记 /552

第一章
明朝统治在合肥地区的确立

第一章 明朝统治在合肥地区的确立

在元末群雄逐鹿的乱世中,崛起于陇亩之间的贫家子弟朱元璋获得了淮西勋贵集团的辅助,活跃在合肥地区的由白莲教骨干赵普胜等人领导的巢湖水师与庐州左君弼义军先后归附朱元璋农民起义军政权及其建立的大明政权。明王朝成立后,由南直隶管辖庐州府,庐州府领六安、无为二州以及合肥、舒城、庐江、巢、英山五县,各县之下推行乡里制。为进行有效管理,拱卫大明江山,庐州府及所辖州县设置了各个层级的行政管理机构与相关人员。

第一节 合肥地区归附明政权

元顺帝至正十一年(1351)五月初,白莲教首领滦城人韩山童与颍州人刘福通联合杜遵道、罗文素、盛文郁、王显忠、韩咬儿等,倡言韩山童实为宋徽宗八世孙,当为中国主,在颍州颍上县聚集徒众3000人,杀白马、黑牛,誓告天地,准备发动起义。由于事机泄密,地方官派兵前来镇压,韩山童被捕遇害,其妻杨氏、子韩林儿逃避武安山(今江苏徐州市境内)中[①]。刘福通等逃出重围,再次起兵,于五月初三日攻克颍州,元末农民大起义正式爆发[②]。安徽江淮一带是白莲教活动较为活跃的区域,也是南方红巾义军活动的重要地区,其中以白莲教骨干赵普胜等领导的巢湖水师与庐州左君弼义军影响最大。随着时间的推移,上述活跃在合肥地区的起义队伍先后归附朱元璋农民起义军政权及其建立的大明政权。

---

① (明)宋濂等:《元史》卷42《顺帝纪五》,中华书局1976年版。
② 因当时起义队伍以头裹红巾为标志,故称红巾军。元末农民大起义,又称红巾军大起义。

一、巢湖水师归附朱元璋

元末,活跃在巢湖一带的赵普胜等领导的巢湖水师,是南方红巾起义军的组成部分之一,他们对彭莹玉等天完红巾军在南方一带的军事活动给予了积极配合。当时活动在巢湖周围的起义队伍主要有三支:一支由赵普胜领导,一支由金花姐、李普胜领导,一支由左君弼领导。在这三支起义队伍中,左君弼部曾于至正十四年(1354)攻占庐州,一度投降元朝,后又归附朱元璋。金花姐和李普胜部势力较大,活动范围较广,这支起义军中有较为著名的俞廷玉、俞通海父子,廖永安、廖永忠兄弟等。而势力最大的要数赵普胜领导的这一支。赵普胜,巢县人,白莲教首领彭莹玉的门徒,善用双刀,故号"双刀赵"。元末响应红巾军起义,以巢湖为根据地,据有含山等地。史称:"李扒头据无为州,双刀赵据含山,聚众结水寨,俱称彭祖家"①。至正十二年(1352)春,彭莹玉率军攻打江州、饶州、徽州、信州等地,赵普胜率巢湖水师与之配合,南下攻占无为、铜陵、繁昌、安庆、池州等地,配合彭莹玉在江南的攻势。九月,赵普胜等在长江中游小孤山附近大败元军,杀元江西行省平章星吉,克江州。到至正十二年(1352)底,赵普胜统率的军队已"号百万"②。至正十三年(1353),元军大举反扑,彭莹玉战死瑞州,天完政权都城陷落。迫于形势,赵普胜率水师退居黄墩,并与李普胜、俞廷玉、廖永安兄弟、赵伯仲兄弟及合肥人张德胜、叶升、无为人桑世杰,含山人华高,"以战船千余结水军屯巢湖捍盗"③。此时,左君弼自恃力量较强,挤压赵普胜、李普胜等,赵、

---

① (清)钱谦益:《国初群雄事略》卷2《滁阳王》,中华书局1982年版。
② (明)宋濂等:《元史》卷144《星吉传》。
③ (明)何乔远:《名山藏·廖永忠传》,福建人民出版社2010年版。另参见韩儒林主编:《元朝史》,下册,人民出版社1986年版,第104—105页。

李等急欲寻求同盟,以求出路。至正十五年(1355)春,朱元璋欲渡江取采石,苦于无舟楫。赵普胜等同意助朱元璋渡江,但李普胜欲趁机谋害朱元璋、并吞其所部。朱元璋闻之,借机将李普胜杀死。赵普胜闻讯后,率部分水师归附天完政权,而俞廷玉、俞通海、廖永安、廖永忠、张德胜、叶升、桑世杰、华高等巢湖水师的一部分则投奔朱元璋①。

二、朱元璋夺取庐州与左君弼归附明政权

元顺帝至元四年(1338),白莲教南方领导人彭莹玉发动的袁州起义失败后,逃往淮西一带,继续从事传教和组织武装起义活动。在此过程中,庐州人左君弼"党于彭祖"②,皈依白莲教,成为彭莹玉的得力门徒。到至正十二年(1352),左君弼已聚众数千人,所部接受南方红巾军建立的天完政权的领导,成为当时庐州乃至江淮一带一支重要的起义队伍。至正十三年(1353)十月,彭莹玉战死于瑞州;十二月,元军攻占天完政权都城蕲水。此时,元宣让王帖木儿不花镇守庐州,以所部兵及诸王乞塔歹等分道镇压各地抗元队伍,致使庐州一带起义军损失惨重。至正十四、十五年,元军在高邮、湖广、江西等地接连溃败,使各地红巾起义军获得喘息和发展的机会。至正十五年(1355),天完政权在庐州设置汴梁行省,以左君弼为行省首脑,负责

---

① 据康熙《巢县志》(清康熙十二年刻本)卷15《人物志·忠勋》记载,元末,巢湖水师中归附朱元璋的巢县籍将领主要有廖永坚、永安、永忠兄弟,俞廷玉、通海、通源、通渊父子,以及孙世、陈拳等:"元季江淮起兵,(廖永)安与兄永坚及弟永忠,聚兵保乡里,统战船千余艘,与俞廷玉父子等,俱屯巢湖,为水寨以捍寇患。左君弼据庐州作乱,永安与颇为所窘。乙未春,闻明祖驻和州,乃谋纳款乞援,与诸将共迎。""俞廷玉,其先凤阳临淮人,元戊寅年迁居巢县。壬辰,天下扰乱,招集义旅。甲午,同廖氏兄弟及男通海、通源、通渊等,于巢湖围札水寨。乙未,和州归附。"此外,巢县人孙世,"少有勇力,集众屯巢湖。乙未归附。"巢县人陈拳,"元末,同俞、廖结巢湖水寨,保护乡里。乙未,归附太祖。"

② (明)黄金:《皇明开国功臣录》卷32《左君弼传》,台湾明文书局印行本。

淮南地区军政①。然而,立足于巢湖一带,由赵普胜、李普胜领导的抗元武装——巢湖水师,"与庐州左君弼素相仇"②,两支起义队伍相互猜忌,素为不和。鉴于北有刘福通、东有朱元璋、南有赵普胜,左君弼局促于庐州一隅,感到难以向外拓展,于是转而与苏州张士诚联合,成为张士诚部起义军的一个组成部分。

至正二十三年(1363)二月,张士诚派遣部将吕珍进攻韩林儿、刘福通于安丰(今安徽寿县),左君弼助吕珍攻之,城陷,刘福通被杀。三月,朱元璋亲率徐达、常遇春出击安丰,击败吕珍。左君弼又出兵助珍,被常遇春击败,败退庐州③。朱元璋命徐达等移师庐州,"攻围凡三月,不下"④。因洪都(今江西南昌)战事吃紧,六月,朱元璋"召徐达、常遇春于庐州,令还师援洪都"⑤,庐州解围。

至正二十四年(1364)四月,徐达等再次率兵攻庐州。"君弼闻达至,惧不敌,遁入安丰,令其将张焕、殷从道等城守。达等至,督兵围之。"⑥至七月,徐达、常遇春攻克庐州。"时庐州被围久,众皆饥困,不能战。张焕与贾丑潜通款于达,请攻东门,已为内应。于是我师急攻之,城中诸军悉救东门,张焕乃断钓桥开西门出降。达兵入城,执其部将吴副使并左君弼母、妻及子,送建康。"⑦至此,庐州遂为朱元璋所有。

左君弼自庐州出逃至安丰,降元,元汴梁守将李克彝令其守陈州(今河南淮阳)。吴元年(1367)二月,朱元璋致书招降君弼。明洪武元年(1368),徐达率兵北伐,平定山东后,西指汴、洛。二月,徐达军至陈桥,左君弼等率所部兵迎降,最终归附明政权。

---

① 邱树森:《左君弼事迹考略》,《元史及北方民族史研究集刊》第5辑,1981年。
② (明)孙宜:《洞庭集·大明粗略二》,北京图书馆出版社1998年版。
③ 《明太祖实录》卷12癸卯三月辛丑,台湾"中央研究院"历史语言研究所校勘本。
④ 《明太祖实录》卷12癸卯五月癸酉。
⑤ 《明太祖实录》卷12癸卯六月甲子。
⑥ 《明太祖实录》卷14甲辰四月丁未。
⑦ 《明太祖实录》卷15甲辰秋七月丁丑。

第二节　明代合肥地区的行政区划与管理机构的设置

一、行政设置及统属关系

合肥地区在元代属河南江北行省辖下的庐州路管辖。元末群雄混战，元顺帝至正二十三年（1363），农民起义军首领之一的朱元璋遣大将徐达等围攻庐州城。次年七月，庐州被徐达、常遇春攻克，守城将领左君弼弃城走安丰。朱元璋克庐州后，对庐州地方行政区划进行了调整，改庐州路为庐州府，在此设置江淮中书行省，命巢县人平章俞通海管摄行省事务。随着朱元璋集团的不断征战，到洪武元年（1368）朱元璋建立明朝前夕，庐州府及其周边地区，已悉数纳入朱元璋吴政权之版图。洪武初，以庐州府领六安、无为二州，合肥、舒城、庐江、巢、英山五县。合肥为庐州府附郭县及府治所在地。当时的庐州府直属于南直隶管辖[①]。

有明一代，在合肥地区各县之下，行政设置为乡、里。具体而言，分别为：合肥县，明初至天顺年间，乡、里的设置情况为东、西、南、北、梁县[②]五乡，编户五十六里[③]；至万历年间，合肥县下辖东、西、南、北、梁县五乡，编户六十四里，其中在城八里，东乡、西乡、南乡、北乡各十一里，梁县乡十二里[④]。巢县，明初至天顺年间，乡、里的设置情况为

---

① （清）张廷玉等：《明史》卷40《地理志一》，中华书局1974年版；《明太祖实录》卷15甲辰秋七月己卯；天顺《大明一统志》卷14《庐州府》，《四库全书》本。

② 关于梁县地位的变化，万历《合肥县志》（明万历元年刻本）上卷《邑纪》云："国朝洪武初改路为庐州府，革梁县以益，合肥仍为附邑，直隶京师。"

③ 天顺《大明一统志》卷14《庐州府》。

④ 万历《合肥县志》上卷《疆域表》。

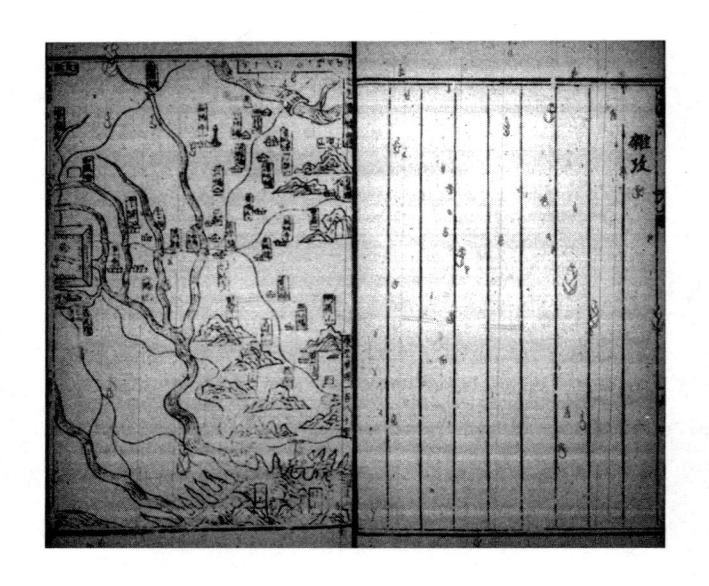

明代合肥县疆域图（一），来源于万历《合肥县志》

下辖十七里①；后又拨无为州西北乡一带增置三里，共二十里②。庐江县，明初至天顺年间，乡、里的设置情况为下辖十九里；成化五年(1469)，知县梅江增在城一里，编户至二十里③。在庐江县境内，"里"一级的称法为："在城谓之坊，近城谓之厢，在乡谓之里。"④

在监察区划设置方面，洪武二十九年(1396)十月，明朝中央政府将全国原有的按察分司48道归并整合为41道，合肥地区归属直隶六道之一的淮西道治理⑤。

在军事区划设置方面，明朝实行卫所制度。早在明朝建立前的元至正二十四年(1364)九月，朱元璋在庐州府地方设置了合肥卫⑥。

---

① 天顺《大明一统志》卷14《庐州府》。
② 康熙《巢县志》卷2《沿革志》。
③ 天顺《大明一统志》卷14《庐州府》；顺治《庐江县志》卷2《舆地志下·乡图》，清顺治十三年刻本。
④ 顺治《庐江县志》卷2《舆地志下·乡图》。
⑤ 《明太祖实录》卷247洪武二十九年冬十月甲寅。
⑥ 《明太祖实录》卷15甲辰九月庚午。

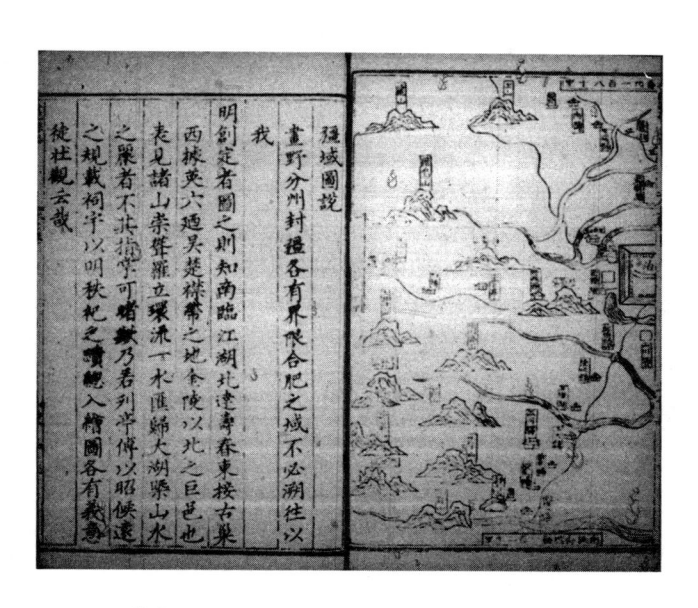

明代合肥县疆域图（二），来源于万历《合肥县志》

明洪武三年（1370），改合肥卫为庐州守御千户所[1]。洪武十三年（1380）正月，朱元璋为加强统治，罢中书省，升六部，改大都督府为五军都督府，并昭告天下。其诏书中，将庐州千户所归五军都督府之一的中军都督府统辖[2]。同年八月，朝廷改庐州千户所为庐州卫指挥使司[3]。

---

① 《明太祖实录》卷48洪武三年春正月壬子。
② 《明太祖实录》卷129洪武十三年春正月癸卯。
③ 据（清）张廷玉等《明史》卷90《兵志二》记载，中军都督府在京下辖留守中卫等；在外下辖扬州卫等，添设庐州卫等。《明太祖实录》卷133洪武十三年八月辛酉记载，"置寿州、泗州、庐州、仪真四卫指挥使司。"关于明代庐州卫署所在地及其相关设施的建置情况，康熙《庐州府志》（清康熙十二年刻本）有所记载："庐州卫署在府治东，旧为江淮行省。明洪武元年，改合肥卫。十三年，改庐州卫。正厅五间。至嘉靖间，指挥汪文臣重修。后堂三间，厅之前抱厦三间，左经历司三间，宅附厅后。右镇抚司厅三间。东西翼司房各十二间，仪门五间，正门三间。门之外五千户所列于东西。卫署相传即张辽府，本属魏峨，因于明崇祯壬午城破，贼焚。"

二、设官分职

明代合肥地区主要设置有府、州、县等各个层级的管理机构及相关人员进行行政管理。

在庐州府一级，明代主要设知府、同知、通判、推官等官僚进行管理①。其中，知府一人，正四品；同知，正五品；通判，无定员，正六品；推官一人，正七品。其属，经历司经历一人，正八品；知事一人，正九品。照磨所，照磨一人，从九品，检校一人。司狱司，司狱一人②。在府一级，知府的职权和责任重大。据《明史》记载："知府掌一府之政，宣风化，平狱讼，均赋役，以教养百姓。每三岁，察属吏之贤否，上下其考，以达于省，上吏部。凡朝贺、吊祭，视布政使司，直隶府得专达。凡诏赦、例令、勘札至，谨受之，下所属奉行。所属之政，皆受约束于府，剂量轻重而令之，大者白于抚、按，布、按，议允乃行。凡宾兴科贡，提调学校，修明祀典之事，咸掌之。若籍帐、军匠、驿递、马牧、盗贼、仓库、河渠、沟防、道路之事，虽有专官，皆总领而稽核之。"同知、通判、推官等官则协助知府处理政务，他们各有分工，各司其职：同知、通判分掌清军、巡捕、管粮、治农、水利、屯田、牧马等事。推官理刑名，赞计典。经历、照磨、检校受发上下文移，磨勘六房宗卷③。

明初，巢县曾是无为州的辖县，但不久即同无为州一道，属庐州府管辖。从行政管理角度讲，明代无为州这一级的行政官僚设置，对巢县有诸多影响。在明代，无为州设知州一员，从五品；州同知一员，从六品；判官二员，从七品，一治农，一主牧。寻省主牧，并于治农。其属，吏目一人，从九品。知州下设州同司江防，吏目司追缉④。在州

---

① 康熙《庐州府志》卷3《官秩表上》。
② （清）张廷玉等：《明史》卷75《职官志四》。
③ （清）张廷玉等：《明史》卷75《职官志四》。
④ 嘉庆《无为州志》卷12《职官志·品秩》，清嘉庆八年刻本；（清）张廷玉等：《明史》卷75《职官志四》。

这一级,知州的职权和责任较为重大。据《明史》记载:"知州掌一州之政。凡州二:有属州,有直隶州。属州视县,直隶州视府,而品秩则同。"同知、判官等协助知州处理政务,他们各有分工,各司其职:"同知、判官,俱视其事州之繁简,以供厥职。"①

在合肥、巢、庐江三县县级政权中,明代主要设知县、县丞、主簿、典史等官僚进行管理。其中,知县一人,正七品;县丞一人,正八品;主簿一人,正九品。其属,典史一人②。据方志记载,明代,合肥、巢、庐江三县设知县、县丞、主簿、典史等官③;其中关于明代庐江县的职官设置及其相关情况,方志记载较为详细:"明设知县一员,总一县政务,号亲民官。秩正七品,月俸米七石五斗,钦给马一匹,马夫一十名,柴薪皂隶四名。县丞,初置一员,佐理政务,寻裁革。主簿一员,专理马政,秩正九品,月俸米五石五斗,马一匹,马夫一十名,柴薪皂隶二名。嘉靖初年裁革。首领官典史一员,职掌与元同。秩未入流,月俸米三石五斗,马一匹,夫十名,柴薪皂隶一名。"④在县这一级,知县的职权和责任较为重大。据《明史》记载:"知县掌一县之政。凡赋役,岁会实征,十年造黄册,以丁产为差。赋有金谷、布帛及诸货物之赋,役有力役、雇役、借倩不时之役,皆视天时休咎,地利丰耗,人力贫富,调剂而均节之。岁歉则请于府若省蠲减之。凡养老、祀神、贡士、读法、表善良、恤穷乏、稽保甲、严缉捕、听狱讼,皆躬亲厥职而勤慎焉。若山海泽薮之产,足以资国用者,则按籍而致贡。"县丞、主簿、典史等协助知县处理政务,他们各有分工,各司其职:"县丞、主簿分掌粮马、巡捕之事。典史典文移出纳。"⑤

除了上述管理机构外,明代,合肥地区还设立巡检司以缉捕盗贼、盘诘奸伪,设立税课司(局)以征收捐税,设立驿站以管理邮传迎

---

① (清)张廷玉等:《明史》卷 75《职官志四》。
② (清)张廷玉等:《明史》卷 75《职官志四》。
③ 雍正《合肥县志》(清雍正八年刻本)卷 11《职官》;康熙《巢县志》卷 10《职官》;顺治《庐江县志》卷 4《官政志·秩官》。
④ 顺治《庐江县志》卷 4《官政志·秩官》。
⑤ 顺治《庐江县志》卷 4《官政志·秩官》。

送,设立仓储以贮存、管理钱粮,设立医学以管理医疗,设立阴阳学以管理地方阴阳活动,设立僧纲(正、会)司以管理佛教事务,设立道纪(正、会)司以管理道教事务,设立庐州兵备道、安庐巡抚以控制地方、应对农民起义。

巡检司,为明代县级衙门之下的基层组织。巡检司主要设置在关津、要冲之处,其主要任务是盘查过往行人,稽查无路引外出之人,缉拿奸细、截获脱逃军人及囚犯,打击走私,维护正常的商旅往来。巡检司设巡检、副巡检,俱从九品,主缉捕盗贼,盘诘奸伪。凡在外各府州县关津要害处俱设,俾率徭役弓兵警备不虞。据方志记载,明代,合肥、巢、庐江三县境内皆设有数量不等的巡检司机构。在合肥县境内,明代设有二处巡检司,一为石梁镇巡检司,在城东一百二十里;一为庐镇关巡检司,去城南二百里,在舒城境上①。在巢县境内,明代在县境西南设有焦湖巡检司②。焦湖巡检司是应庐州府知府卫宗孟等人的奏请而于正统十一年(1446)三月设立的,置巡检一员③;嘉靖十五年(1536)九月壬午,户部等衙门会议漕运事宜,提出"将直隶巢县焦湖巡检司并税课局裁革,其防诰[诘]盗贼及商民投报货税,俱令本县兼理",得到明世宗的允准④;到了万历十一年(1583)十月,焦湖巡检司复立,复设巡检一员⑤。在庐江县境内,明代,县"西有冷水关,有巡检司。"⑥冷水关巡检司设于明洪武五年(1372),置巡检一员,统弓兵三十名,专以捕盗贼、诘奸细为职,秩从九品,月俸米五

---

① 万历《合肥县志》上卷《创设》。据(清)张廷玉等《明史》卷40《地理志一》记载,在合肥县境内,"西南有庐镇关巡检司,后徙于县东之石梁镇"。
② (清)张廷玉等:《明史》卷40《地理志一》。
③ 《明英宗实录》卷139 正统十一年三月丁亥。
④ 《明世宗实录》卷191 嘉靖十五年九月壬午。
⑤ 《明神宗实录》卷142 万历十一年十月甲子。关于焦湖巡检司的兴废沿革,康熙《巢县志》卷11《公署·属司》云:"焦湖巡检司,旧为东口河泊所,在县西,后改为巡检司。明嘉靖十三年,本州倅许承恩署县事,申革。至知县周思充,始复之。万历十五年,知县赵成愈乃令改迁于萧公庙左今衙舍。寇焚,止存基地。"
⑥ (清)张廷玉等:《明史》卷40《地理志一》。

石①。该巡检司的具体位置,在县治西三十里衙厅②。

税课司(局),为明代设置的掌管征收商贾、侩屠、杂市捐税及买卖田宅税契的机构。府设税课司,县设税课局。设大使一人,从九品,典税事。凡商贾、侩屠、杂市,皆有常征,以时榷而输其直于府若县。凡民间贸田宅,必操契券请印,乃得收户,则征其直百之三。明初,改府州县官店为通课司,后改通课司为税课司、局。明代合肥地区的税课司、局虽有设置,但有时也会面临被裁革的命运,其职能则多由知县等代为兼理。如在巢县境内,早在元至正二十四年(1364)十二月,朱元璋下令"裁革诸处通课司一十六所",其中之一为巢县境内的一处通课司③。明代,设有税课局,嘉靖间被裁革,其职能改由"本县兼理"④。在庐江县境内,明代设有税课局,并"设税课局大使一员,掌收商税课钞。正统元年(1436)裁革"⑤。

驿,即驿站,为明代设立的供传递公文的人中途休息、换马的地方或机构。掌管驿站的官员为驿丞,其主要负责邮传迎送之事。凡舟车、夫马、廪糗、庖馔、裯帐,视使客之品秩,仆夫之多寡,而谨供应之。支直于府若州县,而籍其出入⑥。据文献记载,明代,合肥地区设有数量不等的驿站机构。在合肥县境内,明代大致设立过坡冈、护城、长桥、金斗、西山口、派河等驿站。如,正统三年(1438)三月,因巡抚山东两淮行在刑部右侍郎曹弘"合肥县坡冈马驿至护城寺,护城寺至定远县张家桥,俱相去七十余里,宜设驿以便走递"的奏请,在合肥

---

① 顺治《庐江县志》卷 4《官政志·秩官》。
② 顺治《庐江县志》卷 5《公宇志·公署》。
③ 《明太祖实录》卷 15 甲辰十二月辛卯。
④ 《明世宗实录》卷 191 嘉靖十五年九月壬午。关于巢县税课局的兴废,康熙《巢县志》卷 9《田赋志·贡课》云:"旧有税课局。万历年裁革税课大使,县官带摄。泰昌初,并革税课,立碑于大内。"康熙《巢县志》卷 11《公署·属司》云:"税课局在县治街左,亦为许倅议革,改为圣谕亭。"
⑤ 顺治《庐江县志》卷 4《官政志·秩官》。
⑥ (清)张廷玉等:《明史》卷 40《地理志一》。

县境内设护城、长桥二驿①；成化十四年（1478）正月，"并直隶庐州府金斗、坡冈二驿为金斗水马驿"②；弘治九年（1496）十月丙戌，户部会议各处巡抚都御史所奏事宜，其中提及"裁革直隶庐州府西山口驿"，得到孝宗皇帝的允准③。另据万历《合肥县志》记载，明代该县境内有二处驿站，一为护城驿，在城东北八十里；一为派河驿，在城南四十里④。在巢县境内，明洪武年间，在去县北四十里的高井铺设置高井驿；弘治年间，该驿迁至柘皋镇，建有驿官廨舍数间⑤。此外，明代该县境内还设有镇巢驿，该驿站"旧系水驿，在治西门外，临天河"⑥，后改为马驿。

仓，为贮存、管理钱粮的地方或机构。设大使一人，府从九品，州县未入流；副使一人；库大使一人，州县设。据万历《合肥县志》记载，明代该县境内有"仓七：城内二，乡五"，其中，预备仓，在县学前；惠民仓，在县治东，嘉靖四年（1525）知府龙诰建；本仁仓，在东乡；弘济仓，在南乡；广义仓，在西乡；博爱仓，在梁县乡；济惠仓，在店埠镇⑦。据顺治《庐江县志》记载："际留仓，旧在县治西丁字街。景泰二年（1451）知县李显迁于县门右。""预备仓，在南门桥外。旧凡五所，四在各乡。知县胡旸合建于此。……嘉靖己未年（三十八年，1559），知县汤彬移于城内马神祠前，岁久倾圮。万历己酉年（三十七年，1609），知县章达令老人盛朝用督工重建。崇祯壬午年（十五年，1642），贼毁，止余屋六间。"⑧

医学，为明代设立的用以管理医疗事务的机构。府设正科一人，从九品；州设典科一人；县设训科一人。洪武十七年（1384）置，设官

---

① 《明英宗实录》卷40 正统三年三月己丑。
② 《明宪宗实录》卷174 成化十四年春正月辛未。
③ 《明孝宗实录》卷118 弘治九年十月丙戌。
④ 万历《合肥县志》上卷《创设》。
⑤ 康熙《巢县志》卷11《公署·属司》；《明孝宗实录》卷118 弘治九年十月丙戌。
⑥ 康熙《巢县志》卷11《公署·属司》。
⑦ 万历《合肥县志》上卷《创设》。
⑧ 顺治《庐江县志》卷5《公宇志·公署》。

不给禄。在巢县境内,明洪武间创设医学,"复为居民领佃,废去。"此后知县马如麟偿其佃价,重新设立。其位置在县治街南①。在庐江县境内,洪武十七年(1384)创设医学,设"训科一员,以精医药者为之。秩未入流,不制禄。统医生五名,专治药饵、疗疾病,所以寿民命也"②。医学的位置原在县治南,"知县刘梦熊重建于棂星门前右。嘉靖四年(1525),知县周良会迁于阴阳学相对。"③

阴阳学,为明代设立的用以管理地方阴阳活动的机构。府设正术一人,从九品;州设典术一人;县设训术一人。洪武十七年(1384)置,设官不给禄。在庐江县境内,洪武十八年(1385)开创阴阳学,设"训术一员,以精星历之学者为之。秩未入流,不制禄。统阴阳生五名,专以占节候、卜时日、掌漏刻,所以授民时者。"④阴阳学的位置原在县治西南,"正德十年(1515),知县刘梦熊兴学,创建于棂星门前左。嘉靖四年(1525),知县周良会迁于县治前左。"⑤

僧纲(正、会)司,为明代设立的用以掌管佛教事务的机构。府僧纲司,设都纲一人,从九品;副都纲一人。州僧正司,设僧正一人。县僧会司,设僧会一人。洪武十五年(1382)置,设官不给禄。在庐江县境内,明代设有僧会司,其位置"在金刚寺内"⑥。在巢县境内,洪武年间设僧会司,无相对固定的办公设施:"原无定居,惟视僧道官住所,即为司。"⑦在庐江县境内,洪武十五年(1382)开设僧会司,设僧会一员,"以僧人有戒行者充,所以统摄概县一十余寺僧众也。"⑧

道纪(正、会)司,为明代设立的用以掌管道教事务的机构。府道纪司,设都纪一人,从九品;副都纪一人。州道正司,设道正一人。县

---

① 康熙《巢县志》卷11《公署·属司》。
② 顺治《庐江县志》卷4《官政志·秩官》。
③ 顺治《庐江县志》卷5《公宇志·公署》。
④ 顺治《庐江县志》卷4《官政志·秩官》。
⑤ 顺治《庐江县志》卷5《公宇志·公署》。
⑥ 顺治《庐江县志》卷5《公宇志·公署》。
⑦ 康熙《巢县志》卷11《公署·属司》。
⑧ 顺治《庐江县志》卷4《官政志·秩官》。

道会司，设道会一人。洪武十五年（1382）置，设官不给禄。关于庐州府道纪司及其管理人员的设置情况，文献有所记载：明正统十四年（1449）十一月，复设庐州府道纪司署都纪一员[1]；成化十二年（1476）二月，设庐州府道纪司[2]。在巢县境内，明洪武间设道会司，办公设施不固定："原无定居，惟视僧道官住所，即为司。"[3]

庐州兵备道。所谓兵备道，是指明朝于各省重要地方设立的整饬兵备的道员。庐州兵备道设立的目的，是为了应对日益蔓延的农民起义。庐州府"旧辖凤阳、颍州道，未有兵备使。"崇祯八年（1635），农民起义军渡过黄河，"充斥江左"，朝议添设庐州兵备道[4]。江西临川人汤开远、河南祥符人史可法曾担任庐州兵备道。据记载，"（汤开）远以望重膺此殊擢，莅任有剸剧才。"[5]史可法，"为安庐道六载，廉敏而爱民，贪吏望风解绶"[6]。

安庐巡抚。明朝设立的巡抚是以"巡行天下，抚军按民"为职责的官员。巡抚出抚地方，节制"三司"，实际掌握着地方军政大权。安庐巡抚设立的目的，是为了镇压日益炽烈的农民起义。"崇祯十年（1637）七月，以史可法为右佥都御史，巡抚安、庐、池、太等处军务。时以寇患，故创设。"[7]

---

[1]《明英宗实录》卷185 正统十四年十一月己丑。
[2]《明宪宗实录》卷150 成化十二年二月丁酉。
[3] 康熙《巢县志》卷11《公署·属司》。
[4] 康熙《庐州府志·名宦传》。
[5] 康熙《庐州府志·名宦传》。
[6] （清）计六奇撰，魏得良、任道斌点校：《明季北略》卷13《史可法巡抚安庐》，中华书局1984年版，上册，第220页。
[7] （清）计六奇撰，魏得良、任道斌点校：《明季北略》卷13《史可法巡抚安庐》，上册，第220页。

第二章
明代合肥地区的经济

元末旷日持久的战争和社会动荡,对合肥地区的社会经济特别是农业生产造成了严重破坏。明代前中期,官府实行招徕逃亡、鼓励垦荒、减免租税、赈济灾荒、兴修水利等一系列恢复和发展农业生产的措施,使得合肥地区的农业经济获得了恢复和发展;明末,由于农业生产整体环境的恶化,合肥地区的农业经济日益衰退。明代,随着农业生产力水平的提高和经济作物的种植,合肥地区的手工业获得了不同程度的恢复与发展。明代,随着社会生产力的发展和社会秩序的安定,合肥地区的商业市镇日益兴盛,商人活动十分活跃,商业经济获得了一定程度的发展。

第一节 农业

明代,合肥地区农业经济大致经历了初期恢复、中期发展、后期衰败的曲折历程。元末旷日持久的战乱,对合肥地区农业生产造成了严重破坏,当地农业生态环境一度处于恶化之中。明代前中期,通过一系列惠农政策措施的实施,使得合肥地区农业生产得到了不同程度的恢复与发展。明末,由于吏治腐败、剥削沉重、自然灾害频发等因素的综合作用,合肥地区的农业经济日益衰败。

一、恢复与发展农业的举措

(一)招徕逃亡,吸收移民,鼓励垦荒

史载,在元末庐州路境内,"兵革之际,民多窜匿"[①],持续的社会动乱引发了罕见的人口大逃亡,严重干扰了合肥地区农业生产的进

---

① 《明太祖实录》卷15甲辰秋七月己卯。

行。到了明初,这种"寇盗未息"、人口逃亡的社会局面,仍未得到根本改善。如明初,永康人吕文燧任庐州知府,"时寇盗未息,民或不知有父子之亲"①。

人口和土地是发展农业生产的根本条件。要恢复残破的农业经济,必须把逃亡流失的劳动力人口重新组织起来,从事土地的开垦与耕种。包括合肥、巢、庐江三县在内的整个庐州府的农业经济的恢复与发展,得到了朱元璋及地方官的高度重视。据记载,早在元至正二十四年(1364)七月,朱元璋夺取庐州后,即着手恢复与发展庐州当地的社会秩序和社会经济,改庐州路为府,设置江淮行省,命平章俞通海摄行省事。鉴于"兵革之际,民多窜匿"的客观现实,身为江淮行省长官的俞通海,"日加招辑,为政有惠爱,由是复业者众。"通过对庐州一带逃亡人口的招徕和安抚,使他们重新回归到土地上,从事农业生产。到了至正二十五年(1365)八月,朱元璋还"命江淮行省平章俞通海及参议邹天庭核实庐州军民粮粟之数"②。由此足见战争年代朱元璋对庐州府经济的依赖。除了俞通海之外,至正二十四年(1364)就任庐江知县的江西庐陵人伍塾,在任上"招抚百姓"③,重视对逃亡百姓的招徕与安抚。明正德年间,刘六、刘七农民起义军曾转战合肥地区,对当地的社会经济造成一定的破坏。合肥知县孙聪,"癸酉(正德八年,1513)来任。俶傥有才,莅邑当流贼残毁之后,百方安辑,招抚流移,四野之民以渐复业。"④地方官通过安辑百姓、招抚流移等办法,使当地农民得以复业。

除了招徕逃亡外,大规模地吸收移民从事农业生产也是明初合肥地区恢复与发展农业经济的重要举措。元末农民战争之后,合肥地区人口形势较为严峻,急需补充大量的劳动人手,以长江以南等地方移民为主体的境外移民纷纷来到合肥地区。据1990年版《肥东县

---

① 雍正《合肥县志》卷12《名宦》。
② 《明太祖实录》卷17乙巳八月壬辰。
③ 顺治《庐江县志》卷4《官政志·名宦》。
④ 万历《合肥县志》下卷《名宦传》。

志·人口志》(油印稿)记载:"明代,本地屡遭兵灾,土地荒芜,先后从江西瓦屑坝、江苏句容以及山西、山东、河南迁来一些人口在此定居。"此处所谓"明代",实际上主要是指元末明初这一历史时期。另据学者研究,明初合肥地区①的移民家族主要来自江西、徽州、宁国、句容、安庆以及北方省份,其中来自江西12族、徽州11族、宁国8族、句容6族、安庆1族、北方省份2族、其他1族,合计41族②。就整个庐州府而言,有学者指出:"《明史》记载的洪武二十六年(1393)庐州府人口为367200人。谨慎地估计移民人口占70%,则为25.7万人左右,其中江西移民和徽州移民各为6.4万余人;宁国、句容移民各4万人;余为其他。"③

为了恢复和发展农业经济,明代统治者十分重视实行鼓励垦荒的政策。洪武元年(1368),明太祖朱元璋颁布诏令,鼓励人民开垦荒芜的无主田地:"州郡人民,因兵乱逃避他方,田产已归于有力之家,其耕垦成熟者,听为己业。若还乡复业者,有司于旁近荒田内,如数给与耕种。其余荒田,亦许民垦辟为业,免徭役三年。"④洪武十三年(1380),朱元璋又下诏曰:"陕西、山东、北平等布政司及凤阳、淮安、扬州、庐州等府,民间田土,许尽力开垦,有司毋得起课。"⑤在洪武之后,史籍中关于明代合肥地区地方官鼓励垦荒的事例也有不少记载。如明英宗正统十三年(1448)十月,户部主事沈翼奏:"奉命踏勘庐州府及庐州、六安二卫田地未起科者五千六百八十九顷有奇,从轻起科,得粮一万一千九百九十九石九斗有奇,乞下所司每岁如数征纳。"得到英宗的允准⑥。明孝宗弘治八年(1495)十一月,户部会各部都察院议处明年漕运并各处合行事宜,其中提及:"直隶庐江县流民,请编

---

① 按,此处统计含无为州。
② 曹树基:《中国移民史》第五卷《明时期》,福建人民出版社1997年版,第74页。
③ 曹树基:《中国移民史》第五卷《明时期》,第77页。
④ 《明太祖实录》卷34洪武元年八月己卯。
⑤ 万历《大明会典》卷17《户部四·田土》,江苏广陵古籍刻印社1989年版。
⑥ 《明英宗实录》卷171正统十三年十月壬戌。

甲报官,俟造册之年,编作畸零人户,听当轻差,其开垦田地照例起科。"①弘治十二年(1499)十月,户部会议巡抚等官所陈事宜,其中提及:"凤、扬、淮、庐等府,有逃户遗产,请听贫民垦种。五年之后,如例征银。"②该提议得到孝宗的允准。说明弘治年间,封建官府鼓励庐江县及庐州府境内的流民和贫民进行荒地垦种。方志对弘治年间及此前巢县境内农民垦荒也有所记载:"昔弘治初年所志'风尚'……又云:……贫农佣佃耕种,租牛垦土。然山农值旱,圩农陟水,有终岁勤动,常怀饥馁者。"③明世宗嘉靖二年(1523)四月,户部条上修省事宜,其中提及:"山东、河南、庐、凤诸府被兵者,敕有司招抚流移,存恤死亡。"得到世宗的允准④。嘉靖年间,庐州知府张瀚针对庐州当地"一遇水旱,易于流徙"⑤的情况,实行招徕流移、鼓励垦荒的政策:"余尝出守庐阳,巡行阡陌,劝民开垦,而流移还集。"⑥"余守庐阳,凡逃民遗产,悉听地邻有力者耕种。行经荒芜,必下车询问,责令认佃。与之约曰:'逃者当年来还,佃人除工费,均分花息。二年还,给三之一。三年,给四之一。出三年不反,给佃人永远管业。另查荒田,给付逃户,不许告争,官司给帖付照。'故庐郡渐少抛荒。"⑦到了明穆宗隆庆年间,巢县境内民间牧场,"因废马不养,将草场荒地给与贫民领佃开垦。"⑧隆庆三年(1569),"民人王言、袁三省新垦九龙荒厂下等田地,升科租银五两八钱,共租银八十两零七钱二分六厘五毫。后又续垦。"⑨

除了上述举措外,屯田也是明代庐州府境内开荒垦种的重要途

---

① 《明孝宗实录》卷106弘治八年十一月乙酉。
② 《明孝宗实录》卷155弘治十二年十月丙辰。
③ 康熙《巢县志》卷7《风俗志·四民》。
④ 《明世宗实录》卷25嘉靖二年四月丁丑。
⑤ (明)张瀚撰、盛冬铃点校:《松窗梦语》卷1《宦游纪》,中华书局1985年版,第9页。
⑥ (明)张瀚撰、盛冬铃点校:《松窗梦语》卷4《三农纪》,第72页。
⑦ (明)张瀚撰、盛冬铃点校:《松窗梦语》卷1《宦游纪》,第9页。
⑧ 康熙《巢县志》卷9《田赋志·马政》。
⑨ 康熙《巢县志》卷9《田赋志·马政》。

径之一。明代庐州府境内的屯田分为民屯和军屯两种,其中以军屯较为广泛且富有特色。民屯的事例,如万历十五年(1587)十月,明神宗"以灾伤,诏庐、凤、淮、扬、徐、滁、和等处民屯钱粮征免改折有差"①。说明时至万历年间庐州府境内仍有民屯存在。军屯的事例,如明初,朱元璋"命诸将分军屯种于滁、和、庐、凤地方,开立屯所"②。正统元年(1436)九月,明朝廷命广洋卫指挥同知陈暹提督南京各卫屯种时提及:"先是,南京各卫屯所散在庐州、凤阳等府县,巡抚侍郎周忱会南京守备襄城伯李隆、少保户部尚书黄福议委(陈)暹提督。"③景泰三年(1452)九月,户部奏疏中提及:"南京锦衣等卫屯田旗军,多在应天并直隶庐州、滁州等处地方屯种,递年夺占民田,不纳子粒。"④嘉靖二十六年(1547)九月,因为出现"灾伤",故规定:"其凤阳、庐州各卫所屯田子粒,准依减定分数征银。"⑤万历十一年(1583)闰二月,巡按直隶御史徐金星在奏疏中提及:"江北屯田自庐、滁抵六合,延袤七十二圩。"⑥万历十三年(1585)五月,南京兵部尚书郭应聘条陈勾补事宜时提及:"国初,分锦衣等卫军士屯种于庐、凤、滁、和之间。其后,逃亡日众,实在屯军只一万一千七百六十六名。至嘉靖间,屯田御史张鉴清核各卫屯田,听舍余军余顶补,共补过屯军三万二千二百八十八名。"⑦由上述记载可以看出,从明初至万历年间,庐州府境内的军屯一直存在着。而且,军屯的成效非常显著,如据文献记载,明初,仅庐州卫的屯田总额即高达2089顷16亩5分⑧,但之后随着时间的推移,军屯的效果则每况愈下。

---

① 《明神宗实录》卷191万历十五年十月丁丑。
② 万历《大明会典》卷18《户部五·屯田》。
③ 《明英宗实录》卷22正统元年九月乙巳。
④ 《明英宗实录》卷220景泰三年九月甲辰。
⑤ 《明世宗实录》卷327嘉靖二十六年九月己未。
⑥ 《明神宗实录》卷134万历十一年闰二月甲寅。
⑦ 《明神宗实录》卷161万历十三年五月辛巳。
⑧ 乾隆《庐州卫志》卷3《屯田》,清乾隆十二年刻本。

(二)减免租税,赈济灾荒

明洪武三年(1370)三月,鉴于"各处郡邑供给有先后,丰歉有不同。虽尝免其租税,犹虑凋弊之余未能苏息。……其徽州、严州、金华、衢州、处州、广信、池、饶、庐等郡以次归附,供亿军国之需亦甚烦劳",明太祖朱元璋下诏免除了包括合肥地区在内多地的税粮[1]。洪武十三年(1380),明太祖朱元璋诏曰:"陕西、山东、北平等布政司及凤阳、淮安、扬州、庐州等府,民间田土,许尽力开垦,有司毋得起课。"[2]为鼓励垦荒、恢复发展农业经济,明太祖要求包括合肥地区在内的各处官府"毋得起课",实行免除租税的优惠政策。洪武十五年(1382)四月,朱元璋下诏免浙江、江西、河南、山东、直隶府州税粮:"其今年夏秋税粮尽行蠲免,官田减半征收。"[3]属于"直隶府州"管辖范围之内的合肥地区,也在蠲免减征之列。

洪武之后,特别是在遇到灾荒年份时,上至朝廷下至庐州府、庐州卫及合肥、巢、庐江三县的官府往往执行减免租税、改折银两、赈济灾荒等政策措施,在官府倡导下,一些地方富民也热心于灾荒赈济,上述举措对于救济合肥地区作为农业劳动力人手的灾民、稳定当地的社会经济秩序、恢复与发展当地的农业生产起到了极为重要的作用。官修的明代历朝实录对此有所记载,现整理如表2-1-1《〈明实录〉所载明代合肥地区租税减免及灾荒赈济一览表》。

表2-1-1 《明实录》所载明代合肥地区租税减免及灾荒赈济一览表

时间	相关史实	史料出处
永乐四年(1406)五月	户部言:"直隶常州、安庆、庐州及六安等州县水,民饥。"明成祖朱棣命给米稻赈之[4]。	《明太宗实录》卷54永乐四年五月丁酉

---

[1] 《明太祖实录》卷50洪武三年三月庚寅朔。
[2] 万历《大明会典》卷17《户部四·田土》。
[3] 《明太祖实录》卷144洪武十五年四月壬辰。
[4] 张廷玉等《明史》卷6《成祖本纪二》记载,永乐四年"五月丁酉,振常州、庐州、安庆饥。"

(续表)

时间	相关史实	史料出处
宣德元年(1426)七月	巢县上奏提及:"人民乏食,已将预备仓谷借给,俟秋成如数还官。"	《明宣宗实录》卷19 宣德元年七月甲子
宣德二年(1427)七月	合肥县上奏言及:"人民缺食,已给官仓米、麦赈济。"	《明宣宗实录》卷29 宣德二年七月甲辰
宣德八年(1433)七月	巢县上奏提及:"因灾伤贫民缺食,已发预备仓粮赈济。"	《明宣宗实录》卷103 宣德八年七月戊寅
宣德九年(1434)十月	巡抚侍郎曹弘在奏书中言及庐州府等地方:"今岁五六月亢旱不雨,苗稼尽枯;至七月霪雨,低田涝伤,民皆乏食。"宣宗命曹弘督所在有司设法劝分赈济。	《明宣宗实录》卷113 宣德九年十月庚戌
宣德十年(1435)六月	礼部办事官吕中言及,庐州府等地方"蝗旱灾伤,人民艰食,无以赈济。臣见龙江抽分场所积柴薪如山,乞量将货易米麦等物赈济饥民,俟丰年还官。"英宗令襄城伯李隆、少保兼户部尚书黄福议行。	《明英宗实录》卷6 宣德十年六月庚申
正统四年(1439)十月	庐州府属县上奏言及:"水旱灾伤,人民饥窘,已发仓廪验口赈贷。"英宗命行在户部移文所司加以存恤,毋令失所。	《明英宗实录》卷60 正统四年十月戊子
正统六年(1441)六月	庐州府民许再兴等十五人,"各出谷千石有奇赈济"。	《明英宗实录》卷80 正统六年六月癸巳
正统七年(1442)五月	"巢县民饥,发官稻赈贷之,凡五千三百余石。"	《明英宗实录》卷92 正统七年五月乙酉
正统八年(1443)二月	庐州府民王景等"各出稻、麦千石有奇,佐官赈济"。	《明英宗实录》卷101 正统八年二月乙卯
正统八年(1443)十一月	"巢县民饥,发官稻赈贷,凡五千三百石有奇。"	《明英宗实录》卷110 正统八年十一月丙寅
正统十一年(1446)八月	庐州府等地方上奏提及:"六月、七月天雨连绵,河水泛涨,淹没居民田亩。"英宗命户部遣官覆视以闻。	《明英宗实录》卷144 正统十一年八月辛酉

（续表）

时间	相关史实	史料出处
正统十一年（1446）十一月	庐州府上奏称，夏秋大水，"秋粮子粒无征"，英宗命勘实蠲之。	《明英宗实录》卷147 正统十一年十一月庚辰
正统十二年（1447）三月	朝廷下令"免庐州府并庐州卫被灾秋粮子粒一万四千五百余石、草一万七千二百六十余包。"	《明英宗实录》卷152 正统十二年三月辛酉
正统十二年（1447）十月	庐州府上奏称："巢县饥民一千二百九十余户，所司已发官廪五千余石验口赈济。"得到朝廷允准。	《明英宗实录》卷159 正统十二年十月辛未
正统十三年（1448）十二月	庐州府等地上奏称："六七月亢旱，秋粮子粒无征。"英宗命户部勘实蠲之。	《明英宗实录》卷173 正统十三年十二月戊辰
正统十四年（1449）二月	巢县上奏称："岁歉，民多缺食，已发廪赈济，俟秋成抵斗偿民[官]。"得到朝廷允准。	《明英宗实录》卷175 正统十四年二月己卯
景泰五年（1454）七月	庐州府等地发生大水，代宗命户部遣官赈济。	《明英宗实录》卷243 景泰五年七月癸酉
景泰六年（1455）二月	朝廷下令"免直隶庐州府所属州县及庐州卫去年灾伤秋粮子粒八千七百三十余石、谷草一万五千一百余包。"	《明英宗实录》卷250 景泰六年二月戊子
景泰六年（1455）七月	巡抚淮安等处左副都御史王竑上奏时曾言及，因灾伤赈恤庐州卫缺食军民粮食。	《明英宗实录》卷256 景泰六年七月甲申
景泰六年（1455）八月	庐州府等地上奏称"今夏亢旱"，代宗命户部遣官覆视以闻。	《明英宗实录》卷257 景泰六年八月甲辰
景泰六年（1455）十月	庐州民人戴庸等"各出谷千石以上，助官赈恤"。	《明英宗实录》卷259 景泰六年十月辛未
景泰六年（1455）十二月	朝廷"以被灾故"，减免庐州府及庐州卫等处当年秋粮子粒、草。	《明英宗实录》卷261 景泰六年十二月己巳

（续表）

时间	相关史实	史料出处
天顺元年（1457）二月	朝廷下令减免庐州府等地上年灾伤秋粮子粒、草。	《明英宗实录》卷275 天顺元年二月戊戌
天顺四年（1460）七月	庐州府等地上奏称："四月、五月阴雨连绵，江河泛涨，麦禾俱伤……租税无征。"事下户部，英宗令所司覆视以闻。	《明英宗实录》卷317 天顺四年七月辛丑
天顺五年（1461）七月	朝廷下令蠲免庐州府等地上年被灾税粮子粒、米、麦、草。	《明英宗实录》卷330 天顺五年七月丁未
天顺五年（1461）九月	庐州府等地上奏称："六月中旬暴雨……粮草无征。"英宗命户部勘实以闻。	《明英宗实录》卷332 天顺五年九月甲子
成化元年（1465）十一月	朝廷根据巡视金都御史吴琛上奏，减免庐州府等地方粮草。	《明宪宗实录》卷23 成化元年十一月丙辰
成化六年（1470）七月	朝廷减免庐州府及庐州卫等处被灾秋粮、草。	《明宪宗实录》卷81 成化六年秋七月辛巳
成化十年（1474）四月	朝廷"以去秋水灾"，减免庐州府所属州县及庐州卫等处秋粮子粒、米、豆、马草。	《明宪宗实录》卷127 成化十年夏四月丁丑
成化十一年（1475）三月	朝廷"以水灾故"，减免庐州府所属成化十年税粮、马草。	《明宪宗实录》卷139 成化十一年三月戊午
成化十一年（1475）六月	朝廷"以水灾故"，减免合肥县等处秋粮、豆。	《明宪宗实录》卷142 成化十一年六月壬辰
成化十四年（1478）四月	朝廷"以水灾故"，减免庐州府等地方成化十三年夏麦、秋粮、草。	《明宪宗实录》卷177 成化十四年夏四月庚戌
成化十五年（1479）四月	朝廷"以去年水旱故"，减免庐州府等地方"无征夏税小麦"、税粮米豆、税丝、草，以及庐州卫等卫所子粒。	《明宪宗实录》卷189 成化十五年夏四月丙午
成化二十年（1484）八月	朝廷"以水旱灾"，减免庐州卫等处上年秋粮子粒、米、豆、马草。	《明宪宗实录》卷255 成化二十年八月辛未

（续表）

时间	相关史实	史料出处
成化二十一年（1485）五月	朝廷因"去年水旱灾伤"，减免庐州府及庐州卫等处秋粮、米豆、草。	《明宪宗实录》卷266成化二十一年五月辛酉
弘治五年（1492）六月	朝廷以水灾减免庐州府等地方弘治四年税粮。	《明孝宗实录》卷64弘治五年六月丁未
弘治十一年（1498）六月	朝廷以水灾减免庐州府等地方粮草。	《明孝宗实录》卷138弘治十一年六月癸酉
弘治十六年（1503）九月	吏部尚书马文升言："近闻直隶淮、扬、庐、凤四府及浙江宁波等府旱灾，人民艰食，请敕大臣一人往浙江、才干部属二人往直隶赈之。"户部提议："其庐、凤则兼委管屯金事阎玺，各随宜赈济。"得到孝宗允准。	《明孝宗实录》卷203弘治十六年九月丁丑
弘治十六年（1503）九月	南京守备太监傅容等奏："应天及凤、庐二府并滁、和二州大旱，灾重、民穷、盗发，欲将南京户部所收水兑余米，差官给赈。"户部议："请如奏。"	《明孝宗实录》卷203弘治十六年九月丁丑
弘治十六年（1503）十月	户部会官议处各巡抚都御史及漕运事宜，其中提及："拟将两淮运司引盐三十万引及淮、扬二钞关见收今年及明年船料，并赎罪折钞银，照旧仍收本色粮米，以赈淮、扬、庐、凤四府，徐、和、滁三州缺食军民。"得到朝廷允准。	《明孝宗实录》卷204弘治十六年十月丁未
弘治十六年（1503）十一月	朝廷以旱灾减免庐州府等地方粮草子粒。	《明孝宗实录》卷205弘治十六年十一月戊寅
弘治十六年（1503）十一月	南京监察御史王良臣上奏称："今各处灾伤，而淮、扬、庐、凤等处尤甚。"并提出赈济办法。得到朝廷允可。	《明孝宗实录》卷205弘治十六年十一月壬午
弘治十七年（1504）二月	巡抚直隶都御史张缙以地方灾伤，请以庐州府等地方弘治十七年兑军粮米折收银两，存留本处，以备赈济，俟三年后补还。孝宗曰："既地方灾重，饥民死亡数多，兑运粮米准如数存留，此后亦不必补还。"	《明孝宗实录》卷208弘治十七年二月丙午

（续表）

时间	相关史实	史料出处
弘治十七年（1504）八月	朝廷以旱灾减免庐州府等地方夏税子粒。	《明孝宗实录》卷215弘治十七年八月甲申
弘治十七年（1504）十二月	朝廷以水旱灾减免庐州府等地方粮草子粒。	《明孝宗实录》卷219弘治十七年十二月丙寅
正德三年（1508）九月庚子	朝廷以灾伤减免庐州府等地方夏税子粒。	《明武宗实录》卷42正德三年九月庚子
正德三年（1508）九月癸亥	庐州府等地方发生旱灾，由于"灾荒重大"，朝廷命吏部左侍郎王琼随宜赈济。	《明武宗实录》卷42正德三年九月癸亥
正德六年（1511）正月	朝廷以水灾减免庐州府等地方正德五年粮草子粒。	《明武宗实录》卷71正德六年正月己卯
正德六年（1511）十一月	朝廷命户部右侍郎兼金都御史丛兰巡视庐州府等地方，兼理赈济。	《明武宗实录》卷81正德六年十一月辛未
正德七年（1512）正月	总督漕运兼巡抚凤阳等处都御史张缙上奏称，庐州府等"地方水灾兼流贼劫害，军民俱困，乞留各钞关银暨徐州所寄京粮备用。"户部提议："徐州粮留十万石，以其半给淮、扬、徐、邳，半给凤、庐、滁、和。"得到武宗允准。	《明武宗实录》卷83正德七年正月戊辰
正德九年（1514）九月	朝廷以旱灾减免庐州府等地方夏税。	《明武宗实录》卷116正德九年九月癸亥
正德十年（1515）十二月	朝廷以旱灾减免庐州府等地方秋粮。	《明武宗实录》卷132正德十年十二月己卯
正德十二年（1517）十一月	朝廷"以地方水灾故"，以两淮、两浙盐价银赈济庐州府等地方。	《明武宗实录》卷155正德十二年十一月丁亥

（续表）

时间	相关史实	史料出处
正德十二年（1517）十二月	朝廷以水灾减免庐州府等地方秋粮。	《明武宗实录》卷156 正德十二年十二月壬子
正德十三年（1518）正月	朝廷"以水灾故"，"留庐、凤、淮、扬并徐州兑运粮五万五千石，并折粮脚价银四万两及两淮、两浙盐价银各三万两，分发庐、凤等府赈济"。	《明武宗实录》卷158 正德十三年正月丁巳
正德十三年（1518）九月	朝廷以庐州府等处水灾，命巡抚都御史丛兰、李充嗣发所在仓库粮赈济。	《明武宗实录》卷166 正德十三年九月己未
正德十四年（1519）四月	朝廷以灾伤减免庐州府等地方税粮。	《明武宗实录》卷173 正德十四年四月甲子
正德十四年（1519）四月	南京御史张翀等上奏称，庐州府等"诸郡水灾重大"，请求户部予以赈济，得到武宗允准。	《明武宗实录》卷173 正德十四年四月乙丑
嘉靖元年（1522）十一月	朝廷以灾伤减免庐州府等地方税粮。	《明世宗实录》卷20 嘉靖元年十一月戊辰
嘉靖二年（1523）十二月	朝廷以灾伤减免庐州府等地方嘉靖元年、二年未征草场子粒银两。	《明世宗实录》卷34 嘉靖二年十二月庚子
嘉靖二年（1523）十二月	南京户部右侍郎席书上奏称："今岁南畿旱涝相仍，民饥殊甚……以地言之，江北凤、庐、淮、扬、滁、和诸州府灾为甚"，请求加大赈济力度，得到世宗允准。	《明世宗实录》卷34 嘉靖二年十二月甲辰
嘉靖三年（1524）十一月	巡按凤阳都御史胡锭等言："淮、阳[扬]、庐、凤、徐、滁、和先旱后水又河溢，漂没田庐人畜，请行蠲恤。"得到世宗允准。世宗曰："朕览奏，心甚测[恻]然，一切改折蠲赈，俱如所拟灾伤分数，亟行查勘以闻。"	《明世宗实录》卷45 嘉靖三年十一月壬戌
嘉靖五年（1526）十月	朝廷以水灾减免庐州府等地方税粮。	《明世宗实录》卷69 嘉靖五年十月丙辰

（续表）

时间	相关史实	史料出处
嘉靖五年（1526）十月	世宗以灾伤下诏减免庐、凤、淮、扬四府税粮，停征应解物料及留淮南盐价四万接济。	《明世宗实录》卷69嘉靖五年十月甲子
嘉靖十年（1531）二月	朝廷以水灾减免庐州府等地方秋粮。	《明世宗实录》卷122嘉靖十年二月甲戌
嘉靖十一年（1532）九月	世宗以旱蝗灾害下诏："改折庐、凤、淮、扬四府，徐、滁、和三州正兑米八万石，改兑米三万石，仍免租有差。"	《明世宗实录》卷142嘉靖十一年九月丁卯
嘉靖十六年（1537）十月	世宗以水灾下诏减免庐州府等地方税粮，"令抚按设法赈济，务使贫民得沾实惠，毋事虚文。"	《明世宗实录》卷205嘉靖十六年十月庚戌
嘉靖二十年（1541）正月	朝廷以灾伤减免庐州府等地方税粮。	《明世宗实录》卷245嘉靖二十年正月壬寅
嘉靖二十三年（1544）九月	朝廷以庐州府等地方"灾伤重大"，命正兑米俱准折免。	《明世宗实录》卷290嘉靖二十三年九月壬子
嘉靖二十四年（1545）闰正月	总督漕运右都御史王暐奏："庐、凤、淮、扬先以被灾，其正兑改兑米，已蒙折征及量拨支运。然庐州、滁、和被灾尤甚，而所征米原无改兑，未获均沾支运之惠，乞留漕运折粮银数万济之。"户部建议："听以所给两淮余盐银赈济。"得到世宗允准。	《明世宗实录》卷295嘉靖二十四年闰正月乙亥
嘉靖二十六年（1547）九月	朝廷以灾伤同意"凤阳、庐州各卫所屯田子粒，准依减定分数征银。"	《明世宗实录》卷327嘉靖二十六年九月己未
嘉靖三十二年（1553）九月	世宗以"灾饥"下诏："免庐、凤、淮、阳[扬]四府所属州县及各卫所秋粮有差，仍敕有司出赎金赈济。"	《明世宗实录》卷402嘉靖三十二年九月甲子
嘉靖三十七年（1558）十一月	朝廷以水灾减免庐州府所属州县等处税粮。	《明世宗实录》卷466嘉靖三十七年十一月丙申

（续表）

时间	相关史实	史料出处
嘉靖四十一年（1562）十月	朝廷以庐州府所属州县卫所等处发生水灾，蠲免秋粮。	《明世宗实录》卷514 嘉靖四十一年十月癸亥
隆庆四年（1570）十月	朝廷"以水灾改折直隶庐州府、淮安卫所屯粮有差。"	《明穆宗实录》卷50 隆庆四年十月丁未
万历八年（1580）八月	庐州府等处发生水灾。神宗根据巡按御史陈用宾奏请，下诏准改折漕粮及停征岁额，以被灾轻重为差。	《明神宗实录》卷103 万历八年八月庚申
万历十四年（1586）十月	户部覆南直巡按御史李栋题称："查勘过扬、淮、庐、凤、滁、和等处，各照被灾分数于本年夏秋存留粮内蠲免有差。"	《明神宗实录》卷179 万历十四年十月甲申
万历十五年（1587）十月	神宗以灾伤下诏令庐州府等处民屯钱粮征免改折。	《明神宗实录》卷191 万历十五年十月丁丑
万历十六年（1588）三月	淮扬巡按御史刘怀恕奏："庐、凤、淮安灾甚，请各仓本、折米、麦、草料等岁运在十二年以前积逋未输者，免十三年、十四年者，暂停追呼。十五年运解如额。其米、豆积多者，亦以灾伤轻重，分别改折之数。"得到神宗允准。	《明神宗实录》卷196 万历十六年三月辛卯
万历十七年（1589）三月	朝廷以庐州府等处被灾府州县万历十六年分起本色米每石改折银六钱，麦每石改折银四钱。	《明神宗实录》卷209 万历十七年三月辛亥
万历十七年（1589）十月	督理荒政右给事中杨文举上奏称："据徐州道揭报灾数，庐、凤为甚"，建议加大赈恤力度。得到神宗允准。	《明神宗实录》卷216 万历十七年十月癸卯
万历二十一年（1593）正月	南直隶巡按曹楷以淮、扬、庐、凤四府灾，请蠲十八、十九年以前药材、猪、羊银两。得到神宗允准。	《明神宗实录》卷256 万历二十一年正月己卯
万历二十一年（1593）九月	户部覆："庐、凤、淮、扬水灾特甚，除京运钱粮照旧征纳，其余照各州县被灾轻重，分别蠲赈。"得到神宗允准。	《明神宗实录》卷264 万历二十一年九月癸丑

除了《明实录》的相关记载之外,顺治《庐江县志》对明代庐江县的相关做法也有所记载:"凡夏秋有水旱灾伤,县即白于府,委官踏勘,复白于巡抚,委官复勘,分计各乡灾伤之数,合计一县分数具疏,驰奏下之户部。八分以下者斟酌减免,以上者全免。此外又有诏赦蠲免节年逋负钱粮物料马驹等项,此皆惠政之大者。"[①]在遇到水旱灾害时,根据受灾程度的不同,实行减免或全免。方志对明代庐江县境内减免赋税的情况有较为详细的记载:"景泰五年,免粮草十之一;六年,免六之一;七年,免粮草六之二,免粮马并驹七百十三。天顺四年,免粮草十之一;六年,免夏税十之二,秋粮十之三,草十之五;八年,免粮草三之一。弘治十六年,免粮草十之六。正德元年,免粮草之半,免户口盐钞十之七;三年,免粮草六之五;四年,免粮三之一,草十之一;六年,免粮草十之四;九年,免夏税五之一;十年,免夏税十之四,粮草十之九;十二年,免粮草十一分之一,免六安仓米八百余;十三年,免粮草十之一,免拨补巢县料米四百余;十四年,免逋负米麦一千七百,草一千三百余;十五年,免麦二之一,粮三之一,草二之一,桑丝绢四之三,盐钞三之一,塘课十之四。嘉靖元年,免税粮之半;二年,全免;二十三年,免粮草十之七;二十四年,免粮草十之四;二十五年,免税粮十之二分半;三十八年,免粮草十之三;三十九年,免粮草十之二分四;四十一年,免税粮十之一分半。"[②]

(三)兴修水利,改善农业生产条件

兴修水利是明代合肥地区恢复与发展农业生产的一项重要的保障性措施。合肥地区地处南北气候过渡地带,境内山冈丘陵湖泊纵横,自然灾害频发,给农业生产造成了极大破坏。明代,合肥地区的地方官非常重视水利兴修和灾害治理,为数众多的陂、塘、圩、堰、坝等水利灌溉设施得到了不同程度的开掘和修缮,这为合肥地区农业

---

① 顺治《庐江县志》卷4《官政志·惠政·蠲赋》。
② 顺治《庐江县志》卷4《官政志·惠政·蠲赋》。

经济的恢复和发展奠定了重要的物质基础。

在合肥县境内,明洪武年间,县主簿叶升开筑各乡塘陂①。正统年间,县主簿方某修筑东南乡圩②。嘉靖年间,庐州知府张瀚在任期间鉴于境内水利失修、水灾猖獗的情势,积极致力于兴修水利、为民造福:

余(指张瀚)行阡陌间,相度地形,低洼处令开塘,高阜处令筑堤。遇雨堤可留止,满则泄于塘,塘中畜潴,可以备旱。富者独力,贫者并力,委官督之,两年开浚甚多。余行日,父老叩谢于道,曰:"开塘筑堤,不惟灌溉有收,且鱼虾不可胜食,子孙世世受遗惠矣。"余曰:"此郡守分内事耳,何谢为?"③

到了万历年间,庐州知府冯圣世在任期间致力于水利建设,与合肥知县胡震亨一道"浚河修闸"④。

关于明代合肥县境内的水利建设及水利设施的相关情况,时人文集和方志等文献也屡有记载。如正德元年(1506)应庐州知府马汝砺相邀来合肥编纂《庐州府志》的杨循吉,在《庐阳客记》"水利"中写道:"田平用塘陂,高用堰坝塍,低用圩,是之谓三农。合肥县前奠平陆,凡百里,左湖右山,而后亦广野,故有塘有圩。"⑤指出当时合肥县境内的水利设施主要有塘、圩等类型。万历《合肥县志》记载的水利设施主要有陂、塘、圩等类型,其中陂24、塘39、圩23,具体分布如表2-1-2《明万历〈合肥县志〉所载水利设施一览表》所示。

---

① 雍正《合肥县志》卷11《职官》。
② 雍正《合肥县志》卷11《职官》。
③ (明)张瀚撰、盛冬铃点校:《松窗梦语》卷1《宦游纪》,第9—10页。
④ 康熙《庐州府志·名宦传》。
⑤ (明)杨循吉:《庐阳客记·水利》,《四库全书存目丛书》本,史部第247册,齐鲁书社1996年版。

表 2-1-2　明万历《合肥县志》所载水利设施一览表

类型	名称	所在乡	史料出处
陂(23)	发椒、什蒿、炼山、籼稻、黄鳝、三冲、乌鸠、周稍、董大、鹅儿	东乡	万历《合肥县志》上卷《水利》
	上高、陆家、应山、鱼龙、柳河	西乡	
	罗汉、侯鹰、竹塘、青阳、赤山、独龙	北乡	
	折鱼、拱陂	梁县乡	
塘(39)	石牛、苏陂、卢陂、龙谷、石记、稻陂	东乡	
	童安、黑龙、黄龙、万胜、丁安、清明、圆培、万湖、永安、大丰、附陂、周家、大塘	南乡	
	三墩、大官、龙胜、小官、葛成、钱陂、枯草	西乡	
	白龙、金斗、大陂、赤山、再兴、陷湖、龙塘	北乡	
	城山、金银、白水、东赤、独树、莲子	梁县乡	
圩(22)	关城、马圩、大圩、张生、三汊、许家、姚埠、尖圩	东乡	
	牛角、马河、黄固、姚家、大圩、东湾、施家、西湾、新圩、黄家、后湾、□□	南乡	
	官圩	北乡	
	黄城	西乡	

在巢县境内，明嘉靖年间，知县周思充在任期间"存商税以修圩岸"①，重视水利建设。到了万历年间，巢县境内圩的修筑屡见于文献记载。如巢县乡绅张承芳《李公圩记》详细记载了万历三年（1575）知县浙江遂安人李宾阳主导修筑李公圩的事迹：

圩，旧贾塘也。巢之田，山圩居半，而贾塘其最大，其为害亦最甚也。盖其吞湖受江，计亩辽阔，当江湖之冲，水啮堤坏，剥落如弦。方其春涨冲湖，波随泛溢，加以风涛震撼，溃决顷刻。一望汪洋，而民其鱼矣。故每岁未暇犁锄，而荷锸执杵之夫，鳞次号召，迄难底绩。岁

---

① 康熙《巢县志》卷10《职官志·守令》。

甲戌，宾阳李公，下车发政，首询民瘼，啾然叹曰：民命所系，此为急乎。遂躬履其所，相度周咨，烝我髦士若刘权、张自蕴、黄严等，相与讲求经画，遂洞见其要。谓土堤之不可撼浪也，须石以易之；疲民之不可以役使也，须利以济之；愚民之难与虑始也，须身以先之。乃捐俸资百五十余金，择日祭告，鸠工饬材，伐石于山，运土于河，于是舆者、异者、负者、担者，欢呼载道，鼕鼓振金，争趋竞劝。而刘生辈亦能以公之心为心，通众合作，计亩均工，剂量公平，罔不周悉。乃以石甃于外，土实于中。又相以地势、水势之宜而曲折，以避其波涛击搏之处。计其高七尺五寸，阔二丈五尺，长六千武。登登陾陾，坚固牢实。昔时荒烟沮洳之区，绵亘逶迤，视之若长虹跨于明河，亦一奇观也。始事于乙亥二月，而讫工于季夏，其告成亦神速矣。是年江潮如故，而圩卒无恙，大获有年。非公诚以通天，悦以使民，能如是乎？民咸举手加额，从而歌曰……遂易其名曰李公圩，志不忘也。①

万历十七年（1589）任巢县知县的马如麟，鉴于"巢连苦水旱，民多凋瘵"，在任上"清里甲，筑圩堤，平狱靖盗，靡不周悉"②，重视修筑圩堤，进行水利建设。万历三十六年（1608），江水暴涨异常，导致巢县境内发生罕见水灾："五月下旬，无不破之圩。民居多漂没，乃群搭栅于冈阜。六月十六日又增水一尺，水入城，直至谯楼门内。""次年春，上司发预备仓稻给圩夫修圩岸，兼行赈恤，民无饥者"③。在遭遇特大水灾时，封建官府不忘组织"圩夫修圩岸"，进行必要的水利建设。

关于明代巢县境内水利设施的类型，正德年间杨循吉在《庐阳客记》"水利"中写道："巢县西滨巢湖，东通大江，多圩田。其南多山，则亦有堰、有坝，而塘之大小，杂然相望。然当垄阪之间，为塘以灌，皆

---

① （明）张承芳：《李公圩记》，康熙《巢县志》卷17《艺文志上》。
② （明）阎錄：《建弘济桥碑记》，康熙《巢县志》卷17《艺文志上》。
③ 康熙《巢县志》卷4《祥异志·编年合纪》。

民私力自润,仅仅不足,旱则耕农先忧之,大率其田视诸邑为瘠。"①在杨循吉笔下,明中叶巢县境内主要修筑有圩、堰、坝、塘等水利设施。清康熙《巢县志》称:"巢汇焦湖,环三百六十港汊,实为淮西巨泽,众流经络,有陂塘堰港以蓄水,有圩岸闸坝以止水,其为民利莫大焉。"②据清康熙《巢县志》引明隆庆年间知县柳应侯所修《县志》云:"圩塘堰坝,旧志所载,与今不同,岂兴革变迁,沧海桑田与?今载所知者,以俟考焉。"③明隆庆《县志》主要记载了当时巢县境内存在的圩、塘、堰、坝等水利设施及其分布情况,具体如表2-1-3《明隆庆〈巢县志〉所载水利设施一览表》所示。

---

① (明)杨循吉:《庐阳客记·水利》。
② 康熙《巢县志》卷9《田赋志·水利》。
③ 康熙《巢县志》卷9《田赋志·水利》。

表 2-1-3 明隆庆《巢县志》所载水利设施一览表

类型	名称	所在乡图	史料出处
陂(4)	三乡陂、上金陂、下金陂、黄篆陂	上乡三图	康熙《巢县志》卷9《田赋志·水利》
塘(20)	土陂塘、石陂塘、陈陂塘、高林塘、石次塘、小陂塘、柘陂塘、康陂塘、新陂塘、鲍塘、宿陂塘、秦陂塘、黄泥塘、谢陂塘、吴家塘、东西石次塘、严家塘、桐陂塘、泉塘、土门塘	上乡三图	
圩(95)	朴树圩、鸡鱼河圩、芦溪圩、沙圩、鸭池圩、墨城圩、墨家圩、草青瞒塘圩、施家圩、董家圩、义城圩	上乡三图	
	鸭舌圩、石家小圩、十步圩、解家圩、蒋家圩、厚家圩、钱家圩、城子圩、周家圩、金家圩、李家圩、上金塘(圩)、马蹄圩、陶塘坝圩,以上俱上乡四图。荒圩、许家圩、孙家圩、万岁圩、曹家圩、郭家圩、李家圩、柳庄圩、杨家圩、曹破圩、宁家圩、帅家圩、百胜圩、沈家圩、朱家圩、姜家圩	下乡一图	
	三乡圩、吴家小圩、武城圩、都城圩、塔儿圩、黄兰陂圩、庙城圩、竺家圩、朱家圩	下乡二图	
	周端圩、河塘圩、金塘圩、天井圩、河西圩	下乡三图	
	官庄圩、王家圩、武家圩、贾塘圩(亦名李公圩)、曹城圩、三家圩、瓦子圩、高家小荒圩、小官圩	新安乡一图	
	虎口圩、义城圩、亚父圩、刘小圩、山口前圩、山口后圩、郭家圩、蔡家圩、沈家圩、落城圩、沙滩圩、策城圩、吴城圩	新安乡二图	
	三胜圩、官圩、吴城圩、郭家圩、张小圩、高小圩、魏家圩、黄洲圩、上桥圩、南州圩、朱家圩、鲍小圩、尹城圩	新安乡三图	
	东塘圩、安城圩、刘家圩、周小圩	新安乡四图	
	新筑圩	添保乡二图	
堰(5)	野汩堰、鲁家堰、西野堰、武家堰、周家堰	上乡三图	

在庐江县境内,据天顺《大明一统志》记载,"西塘:在庐江县西三

十五里,溉田四百余顷"①。正德年间杨循吉在《庐阳客记》"水利"中写道:"庐江县南有山,东滨湖,而平田居其七八,故有塘、有堰、有坝、有荡,湖山并资,以为灌溉,由是岁鲜不登。"②在杨循吉笔下,明中叶庐江县境内主要有塘、堰、坝、荡等水利设施,"以为灌溉",农业也因此常获丰收。另据顺治《庐江县志》记载,明至清初,该县水利设施主要有塘49、堰21、坝26、陂17、荡4、泊4③以及圩96。其中以圩最为广泛,具体分布情形如表2-1-4《清顺治〈庐江县志〉所载明至清初圩一览表》所示。

---

① 天顺《大明一统志》卷14《庐州府·山川》。
② (明)杨循吉:《庐阳客记·水利》。
③ 顺治《庐江县志》卷2《舆地志下·水泉》。

表 2-1-4　清顺治《庐江县志》所载明至清初圩一览表

类型	名称	所在乡图	史料出处
圩(94)	吴家圩、夏黎河圩、彭家圩、古阁圩	北慕善乡一图	顺治《庐江县志》卷2《舆地志下·土田》
	天井圩、下小圩、火烧圩、张家圩、梅山圩、官圩、官庄圩、刘家圩、青草圩、北小圩、养马圩、潘家圩、潭家圩、施家湾圩、鲍家圩、黄河圩、夏圩、姚家墩圩、章家圩、寺圩、古城圩、新新沟圩、周伏圩、蔡家圩	南慕(乡)一图	
	竹肖东圩、沈仁二圩、刘家圩、沈家圩、竹肖西圩、邓家沟圩、张添二圩、孔家圩、红石嘴圩、梅家圩、张家圩、寺圩	南慕(乡)二图	
	养马圩、天井圩、火烧圩	庐江(乡)二图	
	张家圩	庐江(乡)四图	
	官召圩、上大圩、七陂圩、实征圩、赵家圩、阮蓝圩、官才州圩、丘家泊圩、小李家圩、东湖圩、西后圩、南毛家圩、小官圩、乾板圩、北毛家圩、大圩、南小家圩、上新圩、大李家圩、范家小圩、顾家滩圩、潘家圩、上北官圩、小姑圩、卢官圩、下北官圩、郑家圩、宋家圩、施家圩、南官圩、新圩、潘家圩、钱中圩、袁家圩、谈成圩、朱真圩、胡家圩	庐江(乡)五图	
	王家圩、漂沙圩、柴埠渡圩、刘家圩	新兴(乡)一图	
	莲河圩	三公(乡)一图	
	天井圩、新圩、荒圩、白汤圩	三公(乡)二图	
	南都圩、北都圩	安丰图	
	明新增新丰、新兴圩,系巢湖水滩		

二、农业经济恢复与发展的表现

(一)人口数量的增长

人是生产力诸要素中最主要的因素,人口数量的增减盈缩在传统农业经济中起到至关重要的作用。

文献记载了明代合肥地区户口的有关情况,从中可见当地人口发展变化的一些趋势。

据《明史》记载,庐州府,洪武二十六年(1393)编户为48720,口为367200。弘治四年(1491),户36548,口486549。万历六年(1578),户47373,口622698①。由上可见,明代整个庐州府的人口数在洪武二十六年至万历六年这185年间增长1.7倍。

万历《合肥县志》记载了明永乐至隆庆六年间不同时期合肥县户口的相关数字:

皇明:

高皇帝朝旧籍不存。

文皇帝永乐十六年,户6923,口64274;二十六年,户6980,口70435。

章皇帝宣德七年,户7351,口83468。

睿皇帝正统七年,户7469,口94547。

景皇帝景泰三年,户7960,口112359。

睿皇帝天顺七年,户7561,口102359。

纯皇帝成化八年,册籍无考;十八年,册籍无考。

敬皇帝弘治五年,册籍无考;十五年,户7599,口125691。

毅皇帝正德七年,户8140,口165529。

---

① (清)张廷玉等:《明史》卷40《地理志一》。

肃皇帝嘉靖元年，户8421，口163737；十一年，户9220，口128039；二十一年，户9245，口128069；三十一年，户9234，口131343；四十一年，户10496，口191274。

今上隆庆六年，户10598，口116209①。

由上可见，明初洪武年间合肥县户口数字失考，合肥县户数从永乐十六年（1418）的6923增至隆庆六年（1572）的10598，在154年间增长1.5倍；口数从永乐十六年的64274增至隆庆六年的116209，在154年间增长1.8倍。历经永乐、宣德、正统、景泰、正德、嘉靖、隆庆等不同时代，合肥县户口总体上呈现不断增长的趋势。

清康熙《巢县志》转引了明隆庆年间知县柳应侯所修《县志》记载的明初洪武二十四年（1391）至明后期隆庆五年（1571）间不同时期巢县户口的相关数字：

洪武二十四年，户2186，口17982。

永乐十年，户2107，口18901。

弘治五年，户2405，口36490。

弘治十五年，户2550，口40380。

正德七年，户2550，口40380。

嘉靖元年，户2999，口43432，男24670丁，妇18772口。

嘉靖十一年，户3010，口，男、妇俱同前。

嘉靖二十一年，户3100，口，男、妇俱同前。

嘉靖四十一年，户3410，口，男、妇俱同前。

隆庆五年，一条鞭册，户3516，口44907，男25343丁，妇19564口②。

---

① 万历《合肥县志》上卷《食货志·户口》。
② 康熙《巢县志》卷9《田赋志·户口》。

由上可见,明代巢县户数从洪武二十四年(1391)的 2186 增至隆庆五年(1571)的 3516,在 180 年间增长 1.6 倍;口数从洪武二十四年(1391)的 17982 增至隆庆五年(1571)的 44907,在 180 年间增长 2.5 倍。历经洪武、永乐、弘治、正德、嘉靖、隆庆等不同时代,巢县户口总体上呈现不断增长的趋势。

清顺治《庐江县志》记载了明初宣德至明末崇祯年间不同时期庐江县户口的相关数字:

明洪武、永乐未有所考。

宣德年,户 2117,口 25680。

景泰、天顺年,户 1286,口 38870。

成化年,户 2126,口 29650。

弘治年,户 2554,口 37378。

正德年,户同前,口 37320。

嘉靖元年,户 2569,民户 1752,军户 698,杂役户 119,口 38448,男子 24148,妇女 14300。

嘉靖十一年,户口同前。

嘉靖二十一年,户口同前。

嘉靖三十一年,户 2612,民户 1752,军户同前,杂役户同前,口 38826,男子 24336,妇女 14690。

嘉靖四十一年,户 2648,民户 1850,军户同前,杂役户同前,口 38927,男子 24048,妇女 14479。

万历年,户 2554,口原额 37478,后议差丁 13013,九则征派。十四年奉文编审,每丁征银一钱,余归派粮麦内。四十六年知县李番申详,每丁征银五分,余派入鞭内。

崇祯年,户 2673,口 25183[①]。

---

① 顺治《庐江县志》卷 4《官政志·户口》。

由上可见，明代庐江县户数从宣德年间①的 2117 增至嘉靖四十一年（1562）的 2648，在 130 年间增长 1.3 倍；口数从宣德年间的 25680 增至嘉靖四十一年（1562）的 38927，在 130 年间增长 1.5 倍。历经宣德、正统、景泰、天顺、成化、弘治、正德、嘉靖、万历、崇祯等不同时代，庐江县户口总体上呈现不断增长的趋势。

值得指出的是，明代合肥地区的户口总体上呈现不断恢复与增长的趋势，这与当地农业经济恢复与发展的总体趋势是一致的。在一定意义上可以说，明代合肥地区户口所呈现的这种不断恢复与增长的趋势正是该地区农业生产恢复与发展的重要表现之一。

（二）耕地面积的增加、耕地类型的丰富与粮食产量的提高

如前所述，为恢复和发展农业生产，明朝统治者实行鼓励垦荒、减免赋税等一系列激励政策。在上述激励政策的影响下，自洪武年间起，合肥地区的荒地不断得到垦种，耕地面积呈现日益增长的趋势。

万历《合肥县志》记载了明代一些年份合肥县的田亩数字：

原额官民田地塘 5947 顷 32 亩 4 分 7 厘 1 毫 5 丝 2 忽。
毅皇帝正德七年，6150 顷 96 亩 5 厘 6 毫 2 丝。
肃皇帝嘉靖四十一年，6152 顷 58 亩 8 分 8 厘 6 毫 2 丝②。

清康熙《巢县志》转引了明隆庆年间知县柳应侯所修《县志》记载的明代一些年份巢县的田亩数字：

洪武二十四年：官民田地塘溇 838 顷 64 亩 2 厘 7 毫。
永乐十年：官民田地塘溇 867 顷 65 亩 6 厘 2 毫。

---

① 按，此处选择以宣德七年（1432）为计算年代。
② 万历《合肥县志》上卷《食货志·田亩》。

成化二十三年：官民田地塘溇 1781 顷 25 亩 2 分 9 厘。
正德七年：官民田地塘溇 1507 顷 65 亩 3 分 5 厘 1 毫 1 丝。
嘉靖元年：官民田地塘溇 1793 顷 9 亩 1 厘 5 毫 1 丝。
隆庆五年：官民田地塘共 7793 顷 52 亩 9 分 5 厘①。

此处，自明洪武二十四年(1391)至隆庆五年(1571)这 180 年间，巢县官民田地塘的统计数字足足增加 9.3 倍。而且，随着时间的推移，历经洪武、永乐、成化、正德、嘉靖、隆庆等不同时代，巢县田亩数总体上呈现不断增长的趋势。

据顺治《庐江县志》记载："明洪武十八年遣官经量田土，二十四年造册。至宣德间，本县免实征官民田地塘共计一千八百八十六顷四亩七分八厘七毫七丝五忽，后渐垦辟。至嘉靖元年造册，实在二千七百七十二顷六十三亩三分七厘二毫二丝五忽。"②由此可见，庐江县自宣德至嘉靖元年(1522)约 90 年间，官民田地塘的统计数字增加 1.5 倍。

在耕地面积增加过程中，除了传统意义上的开荒垦种增加的田亩之外，圩田的开发与利用是地处巢湖流域的合肥地区农业经济中的一个重要特色。就合肥县而言，正德年间杨循吉所著《庐阳客记》称："合肥县前奠平陆，凡百里，左湖右山，而后亦广野，故有塘有圩。"③万历《合肥县志》记载："（嘉靖）四十年大水，东郭街市可以行舟。自是年至隆庆二年，东南圩田连遭淹没，民多逃亡。"④就巢县而言，正德年间杨循吉所著《庐阳客记》称："巢县西滨巢湖，东通大江，多圩田。"⑤方志记载了明代巢县境内圩田利用的一些情况："（万历）二十五年夏，霖雨不止，圩田不得载莳。次年同。"万历四十八年

---

① 康熙《巢县志》卷 9《田赋志·田亩》。
② 顺治《庐江县志》卷 2《舆地志下·土田》。
③ （明）杨循吉：《庐阳客记·水利》。
④ 万历《合肥县志》上卷《祥异》。
⑤ （明）杨循吉：《庐阳客记·水利》。

(1620),"是年春夏雨水盛,圩田多不耕种"。天启四年(1624),"是年雨水盛,圩田淹没无收获"。"(崇祯)十六年夏,大水,圩田间有存者"。崇祯十七年(1644),"夏秋大旱,圩田中亦无水,山居有去十里二十里外汲水者"①。在庐江县境内,明嘉靖三十一年(1552)大旱,居民钱龙等见巢湖水涸滩出,告县开垦新丰、新兴二圩,本年成熟,知县何汝璋踏验取租②。此外,方志还记载了明代庐江县境内圩田利用的一些情况:嘉靖十八年(1539),"江潮大涌,湖田尽没。"嘉靖四十年(1561),"水,圩田尽没。"③

明代,随着时间的推移,合肥地区的耕地类型日益丰富,这也是当地农业发展的一个重要标志。就合肥县而言,据万历《合肥县志》记载,该县土地按占有性质分为官田与民田两大类型④。此外,还有圩田、牧马草场等类型⑤。就巢县而言,据清康熙《巢县志》引明隆庆年间知县柳应侯所修《县志》的内容,至明代中叶,巢县境内耕地类型已十分丰富:"按,田地旧额,有官田,有民田。盖没入者谓之官田,世业者谓之民田。又有圩田及冈田地、滩田地、棉豆地。盖地下而筑堤以障水者,谓之圩田。地高而经开垦者,谓之冈田地。其水去退滩者,谓之滩田地。圩田则边湖、边河处有之,冈田地则边山处有之,惟滩田地、棉豆地,各处有之。……此系柳公志。"⑥由此可见,明代中叶时,该县土地按占有性质分为官田与民田两大类型。按照地理位置、用途等分为圩田、冈田地、滩田地、棉豆地等多种类型。此外,还有牧马草场⑦等名目。就庐江县而言,明代,该县境内土地按占有性质分为官田与民田两大类型。按照地理位置、用途等分为圩田、湖田、高

---

① 康熙《巢县志》卷4《祥异志·编年合纪》。
② 顺治《庐江县志》卷2《舆地志下·土田》。
③ 康熙《庐江县志》卷2《祥异》,清康熙三十七年刻本。
④ 万历《合肥县志》上卷《食货志·田亩》。
⑤ 万历《合肥县志》上卷《祥异》、上卷《食货志·马政》。
⑥ 康熙《巢县志》卷9《田赋志·田亩》。
⑦ 康熙《巢县志》卷9《田赋志·马政》。

田、冈田、湖滩田、牧地、桑地、豆地等多种类型①。

伴随着耕地面积的不断增加,必然推动粮食总产量的提高。由于资料记载的缺乏,有关明代合肥地区粮食总产量和亩产量的确切数字不得而知,但从各县向官府缴纳的税粮总量增加这一趋势中,仍可判定一些地方粮食总产量是在不断回升和提高的。如据康熙《巢县志》记载,明洪武二十四年(1391),巢县夏税小麦为1003石2斗2升1合1勺,秋粮米为6947石8斗4合4勺;到了永乐十年(1412),夏税小麦为1106石9斗9合8勺,秋粮米为7334石8斗1升9合②。由此可见,在洪武二十四年(1391)至永乐十年(1412)明初这21年间,夏税小麦增长了10.3%,秋粮米增长了5.6%。

(三)粮食作物的广泛种植与品种的日益丰富

明代,合肥地区水稻、麦、豆、黍、稷等粮食作物得到广泛种植,作物品种日益丰富。

关于水稻种植,正德年间杨循吉在《庐阳客记》"物产"中写道:"大抵庐所产多稻。稻,水禾也,一岁一稔,视雨泽优缩为丰歉占候,故其民逸。稻有二,有早稻,有晚稻。春种夏熟者,早稻也;夏种秋熟者,晚稻也。晚稻玄穗而修芒,雨不足则艺之。"③嘉靖年间,庐州知府张瀚所著《松窗梦语》一书记载说:庐州府"地产红米,丰岁一金可易四石。"④

在合肥县境内,明代,当地多生产水稻,主要有籼稻、晚稻、糯稻、香稻四大品种⑤。

在巢县境内,据康熙《巢县志》记载,清初,当地种植的水稻已有

---

① 参见顺治《庐江县志》卷2《舆地志下·土田》、卷4《官政志·马政》、卷4《官政志·赋法》、卷6《学校志·学田》;康熙《庐江县志》卷2《祥异》。
② 康熙《巢县志》卷9《田赋志·田亩》。
③ (明)杨循吉:《庐阳客记·水利》。
④ (明)张瀚撰、盛冬铃点校:《松窗梦语》卷2《东游纪》,第37页。
⑤ 万历《合肥县志》上卷《食货志·物产》。

红稻、白稻、糯稻、晚稻四大类品种,其中红稻又有百日籼、直头籼、麻姑籼、竹芽籼、四红籼、胡籼稻、王瓜籼、拖犁黄8个品种;白稻有观音籼、银条籼、六十籼、青秸籼、冷水籼、大粒籼、乱芒籼、麻谷籼、千家爱9个品种;糯稻有羊须糯、虎皮糯、硃砂糯、柳条糯、齐籼糯、牛筋糯、青科糯、红芒糯、马鬃糯、累糯、深水糯、燕口红12个品种;晚稻有黑晚稻、白晚稻2个品种①。根据粮食作物的种植规律,上述这些水稻作物品种也应是明代巢县境内生产的主要品种。

在庐江县境内,据顺治《庐江县志》记载,当地种植的水稻主要有红籼稻、白籼稻、早糯稻、晚糯稻、黑晚稻、白晚稻、香稻等品种②。根据粮食作物的种植规律,上述水稻作物品种也应是明代庐江县境内生产的主要品种。

明代,合肥地区水稻种植较为广泛,在各类粮食作物中所占比重最大,这可从明朝政府在当地实征税粮的数字中见其一斑。明代田赋分夏税、秋粮两项。夏税主要征收税目有麦、米、绢、钱钞等,秋粮主要征收税目有米、绢、布、钱钞等,名色繁多。据《大明会典》记载,明洪武二十六年(1393)庐州府实征税粮中,秋粮米达75360石③;弘治十五年(1502)庐州府实征税粮数中,秋粮米达66837石2斗1升2合6勺零④;万历六年(1578)庐州府实征税粮数中,秋粮米67045石5斗2升3合2勺⑤。在官府征缴的各类粮食作物中,所占份额最大。

关于麦类作物种植,在合肥县境内,明代,麦类作物主要有大麦、小麦、荞麦等品种⑥。在巢县境内,据康熙《巢县志》记载,当地种植的麦类主要有大麦、小麦、米麦、荞麦等四个品种⑦。在庐江县境内,据

---

① 康熙《巢县志》卷9《田赋志·土产》。
② 顺治《庐江县志》卷3《食货志·土产》。
③ 万历《大明会典》卷24《户部十一·会计一·税粮一》。
④ 万历《大明会典》卷24《户部十一·会计一·税粮一》。
⑤ 万历《大明会典》卷25《户部十二·会计一·税粮二》。
⑥ 万历《合肥县志》上卷《食货志·物产》。
⑦ 康熙《巢县志》卷9《田赋志·土产》。

顺治《庐江县志》记载，当地种植的麦类主要有荞麦、大麦、小麦等品种①。根据粮食作物的种植规律，上述清初巢、庐江二县境内已有的麦类作物品种也应是明代生产的主要品种。

在明代合肥地区各类粮食作物中，麦类作物种植所占比重居于第二位，这也可从明朝政府在当地实征税粮的数字中见其一斑。据《大明会典》记载，明洪武二十六年（1393）庐州府实征税粮数中，夏税小麦为 15830 石②；弘治十五年（1502）庐州府实征税粮数中，夏税小麦为 9872 石 1 斗 4 升 3 合 9 勺零③；万历六年（1578）庐州府实征税粮数中，夏税小麦为 9885 石 1 斗 3 升 4 勺④。在官府征缴的各类粮食作物中，麦类作物所占份额居于第二位。

关于豆类作物的种植，明代，合肥县境内主要有黄豆、黑豆、赤豆、绿豆、豌豆、蚕豆六大品种⑤。在巢县境内，据康熙《巢县志》记载，当地种植的豆类主要有红豆、绿豆、黄豆、黑豆、黑豌豆、白豌豆、青豆、蚕豆等品种⑥。在庐江县境内，据顺治《庐江县志》记载，当地种植的豆类主要有赤豆、黄豆、豌豆、红豆、扁豆等品种⑦。根据粮食作物的种植规律，上述清初巢、庐江二县境内已有的豆类作物品种也应是明代生产的主要品种。此外，在巢县境内，据清康熙《巢县志》引明隆庆年间知县柳应侯所修《县志》云："又有圩田及冈田地、滩田地、棉豆地。……圩田则边湖、边河处有之，冈田地则边山处有之，惟滩田地、棉豆地，各处有之。"⑧由此处所谓"棉豆地"的记载可以窥见明代该县豆类作物种植之一斑。在庐江县境内，据顺治《庐江县志》记载的明嘉靖元年该县官民田、地、塘的编审数字，其中在官地类型中提及：

---

① 顺治《庐江县志》卷 3《食货志·土产》。
② 万历《大明会典》卷 24《户部十一·会计一·税粮一》。
③ 万历《大明会典》卷 24《户部十一·会计一·税粮一》。
④ 万历《大明会典》卷 25《户部十二·会计一·税粮二》。
⑤ 万历《合肥县志》上卷《食货志·物产》。
⑥ 康熙《巢县志》卷 9《田赋志·土产》。
⑦ 顺治《庐江县志》卷 3《食货志·土产》。
⑧ 康熙《巢县志》卷 9《田赋志·田亩》。

"一则一斗豆地,亩科黄豆二斗,耗九合八勺"①;在民地类型中提及:"一则亩科豆一斗,耗七合"②。由上述所谓"豆地""科黄豆""科豆"等记载可以窥见明代该县豆类作物种植之一斑。

就黍、稷、粟、穄、菽种植而言,明代,合肥县境内有黍、稷等粮食作物的种植③。在巢县境内,据康熙《巢县志》记载,当地种植有菽、粟等杂谷④。在庐江县境内,据顺治《庐江县志》记载,当地种植有粟、黍、稷、穄等粮食作物⑤。根据粮食作物的种植规律,上述清初巢、庐江二县境内已有的杂谷类作物也应是明代生产种植的重要品种。

(四)经济作物的大量种植

明代,合肥地区粮食作物的广泛种植及产量的逐步提高,以及以明太祖朱元璋为代表的统治阶级所采取的鼓励性与强制性相结合的推广经济作物种植的政策,使得当地经济作物的种植和生产得到了长足发展。

1.桑枣

早在龙凤十一年(1365)六月,明政权尚未建立之时,朱元璋就曾下令:"凡农民田五亩至十亩者,栽桑、麻、木棉各半亩,十亩以上者倍之。其田多者率以此为差。"同时,对不种者则规定了相应的处罚措施:"不种桑使出绢一匹"⑥。明朝建立后,此项政策在全国推行。关于朱元璋通过行政命令要求民间种植桑树等经济作物的有关情况,《明史》和《大明会典》均有记载。《明史》云:"太祖初立国即下令,凡民田五亩至十亩者,栽桑、麻、木棉各半亩,十亩以上倍之。麻亩征八两,木棉亩四两。栽桑以四年起科。不种桑,出绢一疋。不种麻及木

---

① 顺治《庐江县志》卷2《舆地志下·土田》。
② 顺治《庐江县志》卷2《舆地志下·土田》。
③ 万历《合肥县志》上卷《食货志·物产》。
④ 康熙《巢县志》卷9《田赋志·土产》。
⑤ 顺治《庐江县志》卷3《食货志·土产》。
⑥ 《明太祖实录》卷17乙巳六月乙卯。

棉,出麻布、棉布各一疋。此农桑丝绢所由起也。"①万历《大明会典》云:"国初令天下农民,凡有田五亩至十亩者,栽桑、麻、木棉各半亩,十亩以上者倍之。田多者以是为差,有司亲临督视,惰者有罚。"②洪武时所征夏税、秋粮中,皆有绢一项,其中合肥地区普遍征收的是"农桑丝折绢"。洪武二十五年(1392)十一月,明太祖朱元璋"诏凤阳、滁州、庐州、和州等处民户种桑、枣、柿各二百株。"③征收农桑丝绢政策的推行,以及明太祖朱元璋直接诏令庐州府等地栽种桑树的举动,有力地促进了明代合肥地区蚕桑种植业的发展。

明代合肥地区蚕桑种植业的相关情况,还可从各地所科丝绢的数量及拥有的桑地、桑树数量中见其一斑。在合肥县境内,据万历《合肥县志》记载,在弘治十五年(1502)所征夏税中,桑丝276斤14两6钱6分2厘5毫,折绢221匹5尺8寸6分;在嘉靖四十一年(1562)所征夏税中,桑丝276斤3两9钱1分2厘5毫,折绢221匹2尺2寸6分5厘④。到了隆庆六年(1572),实行一条鞭法,确定该县所征夏税中农桑丝绢的数额为221疋1丈5尺8寸6分⑤。关于明代合肥县蚕桑种植业的发展情况,还可从方志"物产"中窥其端倪。据万历《合肥县志》上卷《食货志·物产》:"木:多榆,多槐,多杨柳,多桑柘……帛:多丝,多麻,多布,多木棉,有绢。"⑥此处所谓"多桑柘""多丝""有绢",表明该县桑树种植及丝织业发展已经达到一定的水平。

在巢县境内,据清康熙《巢县志》引明隆庆年间知县柳应侯所修《县志》记载的不同年份的编审数字:成化二十三年(1487),巢县官民桑地总额为4顷5亩2分,共栽桑16208株,科丝1155两,折绢62疋2丈2尺9寸。前件内,官桑地该6亩6分,共栽桑264株,科丝59

---

① (清)张廷玉等:《明史》卷78《食货二·赋役》。
② 万历《大明会典》卷17《户部四·农桑》。
③ 《明太祖实录》卷222洪武二十五年十一月壬寅。
④ 万历《合肥县志》上卷《食货志·税粮》。
⑤ 万历《合肥县志》上卷《食货志·课类》。
⑥ 万历《合肥县志》上卷《食货志·物产》。

两 4 钱,折绢 2 疋 2 丈 9 尺 1 寸;民桑地 3 顷 98 亩 6 分,共栽桑 15944 株,科丝 1195 两 8 钱,折绢 59 疋 2 丈 3 尺 8 寸。正德七年(1512),巢县农桑 16334 株,科丝 78 斤 9 两 6 钱 5 分,折绢 62 疋 2 丈 6 尺。嘉靖元年(1522),农桑 15988 株,科丝 1196 两 1 钱,折绢 62 疋零①。此外,在巢县境内,"有姥山鼎峙巢湖之中"②。明末崇祯年间,合肥知县熊文举在《姥山记》中曾写道:"若使春水一棹经过,桑麻楚楚,四面桃花,水天一色,正不辨山之为姥也。"此处所谓"桑麻楚楚",在一定程度上反映了姥山一带桑树种植的盛况。

在庐江县境内,据顺治《庐江县志》记载的明嘉靖元年(1522)该县官民田、地、塘的编审数字,其中在官地类型中提及:"一则桑地,亩栽桑四十株,科官税丝一两,私税一两五钱。"③对于该县境内桑地、桑树种植、科税丝的情况有所反映。此外,明正德十五年(1520),因庐江县发生灾害而减免该县"桑丝绢四之三"④。此处"桑丝绢"的减免,反映了明代该县境内桑树种植业的一个侧面。

2.棉花

就庐州府而言,据正德年间杨循吉《庐阳客记》"物产"记载:"绵布,无山泽皆种花,农余辄谋卒岁,俗不工织,召侨工为之,所至然也。三冬壃户亦足御寒,妇纺而已。惟天旱花俭,则不免购诸市城,然后衣江南之缕。"⑤到明中叶正德初年,庐州府境内的棉花种植已十分普遍,在正常年份棉花生产已能达到自给。在合肥县境内,万历《合肥县志》"物产"类有"多木棉"⑥的记载,说明当地棉花种植已经达到较为普及的程度。就巢县而言,清康熙《巢县志》引明隆庆年间知县柳应侯所修《县志》指出,明代,该县田地类型中有所谓"棉豆地"这一类

---

① 康熙《巢县志》卷 9《田赋志·田亩》。
② 康熙《庐州府志·名宦传》。
③ 顺治《庐江县志》卷 2《舆地志下·土田》。
④ 顺治《庐江县志》卷 4《官政志·惠政》。
⑤ (明)杨循吉:《庐阳客记·物产》。
⑥ 万历《合肥县志》上卷《食货志·物产》。

型,且云:"惟滩田地、棉豆地,各处有之。"①由"棉豆地"的记载可以窥见明代该县棉花种植之一斑。在庐江县境内,明代,该县物产中有"木绵"一项,清顺治《庐江县志》则依照"明旧志"进行了记载②。

3.茶叶

关于茶叶种植,明代,庐州府被《明史》列为全国的产茶区之一。就合肥县而言,万历《合肥县志》列出该县上缴官府的"课钞"中有茶一项:"茶:干茶 337 斤 6 两,每斤折价 4 分 5 厘;叶茶 1□6 斤□两,每斤折价 3 分。"③这在一定程度上反映了该县茶叶种植及茶税上缴的一个侧面。在巢县境内,天启年间,当地贡士任学燹在任家山衕内建有延寿庵。在延寿庵所在地,"有茂林修竹,山可种茶,每年庵僧擅其利"④。于此可见,种植茶叶为当地庵僧带来了一定的经济利益。

4.药材

关于药材种植,嘉靖年间任庐州知府的张瀚在其所著《松窗梦语》一书中记载说,庐阳"尤多药物,江南、江右商贾咸集聚焉。庐人藉以充足,有以也"⑤。说明当时庐州府药材种植业已十分发达,吸引了不少来此牟利的外地商人。就合肥县而言,天顺《大明一统志》仅列出了合肥县一种土产:"石斛:合肥县出。"⑥万历《合肥县志》"物产"则专门列出了药材的种类:"药:多艾,多香附,多芫花,多车前,多门冬,多山查,多旱莲,多薄荷,多桑白,多樱粟,多茵陈,多草麻,多地骨,多芜蔚即益母草,多忍冬藤,多何首乌,多紫花地丁;有商陆,有细辛,有枳谷,有柴胡,有桔梗,有茴香,有瓜蒌,有枳实,有山药,有南星,有木瓜,有厚朴,有苍耳,有牛旁,有鼠黏,有石菖蒲,有天花粉,有白匾豆,有䗪虫,有蝌蚪。多白蚯蚓。"⑦由此可见,至万历年间合肥县

---

① 康熙《巢县志》卷 9《田赋志·田亩》。
② 顺治《庐江县志》卷 3《食货志·物产》。
③ 万历《合肥县志》上卷《食货志·课类》。
④ 康熙《巢县志》卷 14《祀典志·宫观院寺庵》。
⑤ (明)张瀚撰、盛冬铃点校:《松窗梦语》卷 2《东游纪》,第 37 页。
⑥ 天顺《大明一统志》卷 14《庐州府·土产》。
⑦ 万历《合肥县志》上卷《食货志·物产》。

药材种类已有近 40 种之多。

5. 其他经济作物

除了上述经济作物外,明代,合肥县还种植有芝麻、桃、杏、梨、枣、石榴、李、栗、柿、樱桃、胡桃、葡萄、银杏、榆、槐、杨柳、冬青、松、栢、桧、椿、楸、橡、檀、樗、梓、乌桕、梧桐、竹、靛、红花等油料、染料作物与林木①。明代,庐江县还种植有葛、靛、红花、苎麻②等经济作物。

(五) 畜牧业的发展

明代,朝廷十分重视发展畜牧业,合肥地区是当时全国重要的畜牧业养殖基地之一。明代,合肥地区主要畜养马、牛二种牲畜,其中又以养马为主。

1. 养马业

(1) 有关合肥地区养马的制度规定

明太祖洪武六年(1373)二月,明朝制定养马之法,"命应天、庐州、镇江、凤阳等府,滁、和等州民养马。江北以便水草,一户养马一匹,江南民十一户养马一匹。官给善马为种,率三牝马置一牡马。每一百匹为一群,群设群头、群副掌之。牝马岁课一驹。牧饲不如法至缺驹损毙者,责偿之。其牧地,择旁近水草丰旷之地。春时牧放游牝,秋冬而入。寺官以时巡行群牧,视马肥瘠而劝惩之,任满,吏部考其生息多寡,以为殿最焉"③。按照上述规定,合肥地区地处江北,民间一户养马一匹;马种由官府提供,牝马、牡马的饲养配置比例为 3∶1;每 100 匹编为一群,群设群头、群副进行管理;牝马岁课一马驹。牧饲不如法至缺驹损毙者,责令赔偿。洪武二十年(1387)八月,明太祖朱元璋诏令:"以典牧所系官马、牛分给庐州府属县民牧养。"④

---

① 万历《合肥县志》上卷《食货志·物产》。
② 顺治《庐江县志》卷 3《食货志·物产》。按,苎麻又称白麻,据顺治《庐江县志》卷 3《食货志·课钞》记载,明代庐江县"岁办物料"中有白麻一项,课额为白麻 577 斤 6 两 8 钱 8 分 5 厘。
③ 《明太祖实录》卷 79 洪武六年二月戊子。
④ 《明太祖实录》卷 184 洪武二十年八月壬子。

将原本属于官养的马、牛分拨给庐州府属县民间牧养。洪武二十三年(1390)春正月,明太祖下诏令增加江北养马人户,"命江北民增至五户养一马。仍命太仆寺江南、江北各存牝马万匹为孳生种马,其余悉发草地牧放。江北之人,每户再给钞三百贯,别市种马孳生,以补见缺之数。其正、从马二匹,官止岁收驹,余听民自鬻"①。洪武二十八年(1395)三月,针对"民间马户既养孳生马匹,又于有司供应差役,是一户而充两差,实为重复",为减轻民间马户负担,朝廷罢除太仆寺群监官,以其马匹隶地方有司牧养,并且重新确定了 37 个"管牧州县",其中"庐州府无为州、六安州及巢、舒城、合肥、庐江四县"被包含在内②。成祖永乐四年(1406)二月,朝廷规定"直隶应天、太平、镇江、扬州、庐州、凤阳六府所辖五州二十九县,滁、和二州,全椒、含山二县,各增设州判官一员,县主簿一员,专理马政。"③朱棣迁都北京后,"孳牲益蕃,增养马地方益广,更以五丁养一马。每儿马四匹,起其一以赴京备用,余者积银买马,备南京骑操。"④对此,《明太宗实录》也有记载:永乐十五年(1417)九月,朝廷再定应天、凤阳、滁、和等府州养马例,议定"凤阳、庐、扬、滁、和在江北者,五丁养一马"⑤。孝宗弘治二年(1489)七月,兵部覆奏"南京太仆寺卿秦崇等所言举马政四事",其中秦崇等提及:"南太仆寺岁所解备用马匹,自弘治三年为始,凤、庐二府并滁、和二州,以十分为率,请令解马七分,解折价银三分。"得到孝宗允准⑥。弘治十六年(1503)正月,南京太仆寺少卿胡谅在奏疏中提及:"江北庐、凤、淮、扬四府所属并滁、和、徐三州,先以都御史张敷华奏:'牧马群长皆五年一更,副群头革去。'"⑦对群长、副群头等马政管理的相关人员进行了调整。正德十六年(1531)九月,南京给事

---

① 《明太祖实录》卷 199 洪武二十三年春正月壬辰。
② 《明太祖实录》卷 237 洪武二十八年三月戊午。
③ 《明太宗实录》卷 51 永乐四年二月丁丑。
④ 康熙《巢县志》卷 9《田赋志·马政》。
⑤ 《明太宗实录》卷 192 永乐十五年九月丙寅。
⑥ 《明孝宗实录》卷 28 弘治二年七月癸未。
⑦ 《明孝宗实录》卷 195 弘治十六年正月己丑。

中王纪请以江南北起表马匹,尽征价值,官自为买。兵部覆言:"种马骡驹起表系旧制,即如纪言,脱有边警,胡以取给?发直以鬻,猝亦难办。惟仍照正德二年间御史王济题请例,南京太仆寺派本、折色马共七千五百匹,本色三千七百四十九匹,折色三千七百五十一匹。应天、扬州、淮安、庐州、凤阳五府,滁、和二州本、折相半,宁国、太平、镇江三府,广德、徐二州俱听折色,则民称便,而马亦可恃以为用矣。"得到世宗允准①。由上可见,明朝廷根据实际需要,对养马的相关制度屡有调整和变更,这对有明一代合肥地区的养马业产生了重要影响。

关于明代马政的变化及对合肥地区养马业的影响,方志也有所记载,如万历《合肥县志》称:"明兴,高皇帝之立马政,至精至审,初论丁牧马,后更以田,免其租入以秣食,牝牡岁课驹上于太仆,民乐其省。久之,法稍弛,驹益以瘠,言官议拟备用,实弗用也。乃更履亩掊财贾致,市马贡之,民间不复知赋马之出自种马,俾种马为虚器,一马政而二征于民,民日歉焉。呜呼,江淮之马政三变矣。计丁口则力协,其弊也,民流马无所归;故变而计田给之,则赋定,其弊也,土荒马无所赉;又变而率钱买马。至是孳生之意微矣。祖宗时岂不知江淮之牧不如汧渭之产,其所以蕃育气类,益虚以控实,殆有微意存焉尔。"②康熙《巢县志》称:"前朝洪武间,战马养于天下卫所,民间养马,止于江南江北数府而已。在江南,则十一户养一马,在江北则五户养一马。岁征一驹,外给官钞三百贯买附余种马一匹。如种马无驹,附余者有驹,则以附余者补数。若皆有驹,则卖一与本群无驹者偿官,其户内税粮,尽免征纳。永乐间,迁都北京,孳牲益蕃,增养马地方益广,更以五丁养一马。每儿马四匹,起其一以赴京备用,余者积银买马,备南京骑操。正统间,二岁征一驹。成化间,三岁征一驹。弘治十七年,以丁力不敷,命下议处,免粮田地养马。每田地二顷养一儿马,三顷养一种马。每种马四匹,配一儿马,攒于一处,以便孳生。每

---

① 《明世宗实录》卷6正德十六年九月甲寅。
② 万历《合肥县志》上卷《食货志·马政》。

五十匹为一群,内选群长一人,兽医一人。州县每乡各设牧马草场,惟英山以山险不设。弘治间,始以草场分给贫民开种纳租。"①顺治《庐江县志》记载称:"明洪武间,派江北地方五户养一马,岁征一驹,外给官……(成化)三年,复二岁征一驹;十三年,奏准养马人户每十年一次审编。弘治六年,以江北丁力不便,议处免粮田地养马,每田二顷养一儿马,三顷养一骒马。以五十马为一群,内选一人作群长,一人作医兽②。"③"迨明洪武初年,战马养于天下卫所,民间养马止于江南、江北数郡。在庐五户养马一匹,岁征一驹,税粮量行免纳,谓之免征。永乐迁都北平,诏以五丁养一马,儿马四匹,起一赴京备用,余皆征银买马,以备骑操。正统间,诏二岁征一驹。成化间,诏三岁征一驹,以养马草场分给平民,开种纳租。弘治十七年,以丁力不便,诏议处免粮田地养马,田地二顷养儿马一,三顷养骒马一、牝牡各一,攒于一处,以便孳牧。约五十五匹为一群,群有长、有医各一人。州邑设牧马草场,唯英山以山险免设。嘉靖三十九年,太仆寺少卿赵釴奏准,江淮马匹不堪备用,徒重民以倒死赔偿之累,每起俵一匹,额解折色银三十两。隆庆三年,准兵部奏议,民间种马孳生,不堪起俵,徒费民财,牧养议处,变卖一半,纳价助边,起俵本色,间二岁一征。"④由上可见,明朝廷关于养马制度的不断调整和变更,深刻影响合肥地区养马业的发展和民间马户的切身利益。

(2)合肥地区养马业概况

明代,合肥县原额养种印马717匹,其中牡马144匹,牝马573匹,奉例减去358匹,止养牝牡马359匹,其中牡马72匹,牝马287⑤。据清康熙《庐江县志》引《(庐州)府志》称,明代整个庐州府额养儿骒马共4374匹⑥,由此可见明代合肥县额养马匹占庐州府的16.39%。

---

① 康熙《巢县志》卷9《田赋志·马政》。
② 按,此处"医兽"应为"兽医"之误。
③ 顺治《庐江县志》卷4《官政志·马政》。
④ 康熙《庐江县志》卷6《兵驿·马政》。
⑤ 按,万历《合肥县志》上卷《食货志·马政》记载的此处数字为217,应为287之误。
⑥ 康熙《庐江县志》卷6《兵驿·马政》。

明代，合肥县境内共有31处马场："火焰、马鞍、龙安、延陂，以上坐落东乡；大羽林、小羽林、万神二、九龙、永安、龙冈二、三里二、万年，以上坐落南乡；龙胜二、黑龙二、常安、葛城，以上坐落西乡；青龙、金斗、七里、迎山，以上坐落北乡；安胜二、小马、白龙二、梁店，以上坐落梁县乡。"[1]而明代整个庐州府有牧马草厂共105处[2]，由此可见明代合肥县牧马草场数占庐州府的29.52%。

明代，巢县额养种马190匹，儿马38匹，骒马152匹。而明代整个庐州府额养儿骒马共4374匹[3]，由此可见明代巢县额养马匹占庐州府的4.34%。

在巢县境内，至明中叶，"时孳驹类多弱小不堪，时行拣退，遂致逋欠数多，马户逃窜，而孳牧之法滞碍难行"。正德年间，御史王某奏准，令马户别买解用，官民颇便。至隆庆二年（1568），"奉本府帖文，为酌陈马政绪议，以备采择事。抄蒙南京太仆寺故牒，奉兵部札付前事，仰各府州县掌印官，将原养种马，从公选其老弱瘦小者，变卖一半。每马一匹，变价银十两，解部发寺备用"。按照上述规定，巢县将原额种、儿、骒马，拘集到官，验将老弱瘦小不堪者变卖95匹。每匹照征草料银一两解府，类解余马照旧。马户领养，共原马190匹。每岁折征草料银190两，解北京兵部。又备用折色马各匹不等，共征银1390两2钱1分7厘，及水脚银13两9钱零。又据方志记载，明代，"民间设立牧场，后因废马不养，将草场荒地给与贫民领佃开垦。每年额征租银，起解滁州太仆寺。及天启间，军需孔亟，北京户部周题请变价充饷。本县（指巢县）恪遵，尽数丈量，变银解部充饷"[4]。

明代，巢县境内共有牧马草场13处："新安乡三处：新安厂、长龙厂、古牧厂。柘皋乡六处：下阁厂、包家坊厂、柘皋厂、铜炀厂、岘山厂、龙胜厂。添保乡二处：高林厂、九龙厂。在城二处：兴安厂，在县

---

① 万历《合肥县志》上卷《食货志·马政》。
② 康熙《庐江县志》卷6《兵驿·马政》。
③ 康熙《庐江县志》卷6《兵驿·马政》。
④ 康熙《巢县志》卷9《田赋志·马政》。

北门外；河滩厂，在县西小河滩。"①而明代整个庐州府有牧马草场共105处②，由此可见明代巢县牧马草场数占庐州府的12.38%。

明代，庐江县额养种马510匹，儿马102匹，骒马408匹。而明代整个庐州府额养儿骒马共4374匹③，由此可见明代庐江县额养马匹占庐州府的11.66%。

在马政运作方面，明代，庐江县主要是通过设置群长、牧马主簿等人员来进行管理。全县共设群长10名，兽医10名，俱以免粮人户佥充。嘉靖九年（1530），该县设牧马主簿，按季点阅马匹，糜费无纪，谓之马群长，而充役之家无不消乏。嘉靖十年（1531），奉例裁革冗员，马政始清。然群长一名，犹费银四五十两，兽医半之，但此役不系佥点殷实，止以挨次轮当。概县种马510匹，十年止用群长100户，兽医100户，而其余310户为空闲矣。"及十年，编审马册，则又以次如前，是劳者愈劳而逸者终逸，不均甚矣。"嘉靖四十三年（1564），知县刘裁具由申请，每一群长，以一儿、四课［骒］攒役，兽医亦附之，免粮1400亩，每亩议银2分，亦足以供役。十年轮序一周，劳役适均，于民甚便④。关于马的饲养，原本集中于牧马草场饲养，后来逐渐变为"分养民家"："孳牧之法，每骒马四匹配一儿马，攒于一处，以便群盖。故每乡各设马厂房屋并草场，地方管马官按季下乡点视，悉为民便。后政弛厂废，弘治九年，以场地给民开种，岁纳子粒，故马皆分养民家，每季赴县查点。"

按照规定，庐江县"起俵本折马"，但自弘治年间开始逐渐加大了折色征银的力度，而且马头、马户的负担日益沉重。据方志记载，该县自弘治九年（1496）以后，骒马4匹、儿马1匹为一小群，逐年起俵本折马1匹，内轮一户承管赴京交俵，余4户帮贴，每马征银24两，后又改征银30两。嘉靖三十七年（1558），添设总督军门，每亩带征

---

① 康熙《巢县志》卷9《田赋志·马政》。
② 康熙《庐江县志》卷6《兵驿·马政》。
③ 康熙《庐江县志》卷6《兵驿·马政》。
④ 以上引文均出自顺治《庐江县志》卷4《官政志·马政》。

银 6 厘，共 856 两 8 钱，以供军饷。其银俱于各儿、骒马头名下征完，纳户拖欠负累，马头包赔。又或马头收费，临时逃躲。嘉靖四十三年（1564），攒审马册，知县刘裁清出诡隐粮亩，将各人户应纳免粮银数开立赓经，呈府印发，金见年群长仪门外征收，令各户随粮多寡径赴收头交纳起解，不许马头包收侵费，纳户无拖欠负累，民甚便之。嘉靖四十四年（1565），知县刘裁因民贫详申军门带征银准免三分之一，民更德之①。在折色征银方面，折色马价等费用的征收主要依据田亩和丁粮："养马有免征官民田地塘，牧马有铁脚等八场地，兽医于养马人户内金点。自免征本色以来，折色马价、兽医工食俱从合邑丁粮起派。前项人丁田地始归并里甲，一例当差矣。若牧地虽另设租赋，要不离乎田也。"

明代，庐江县境内共有牧马草场 8 处：齐安场，在安丰乡二图，田地 19 顷 64 亩 4 分 5 厘 2 毫；凤台场，在新兴乡一图，田地塘 29 顷 24 亩 1 分 7 厘；龙兴场，在三公乡二图，田地 7 顷 2 分 7 厘 6 毫；暖池场，在安丰乡一图，田地塘 8 顷 82 亩 7 分 8 厘 2 毫；铁脚山场，在北慕善乡一图，田地塘 2 顷 51 亩 6 分 2 厘；揪住山场，在南慕善乡一图，田地塘 2 顷 51 亩 6 分 7 厘；会龙场，在庐江乡四图，田地塘 3 顷 97 亩 6 厘 2 毫 5 丝；寨山场，在南慕善乡二图，田地 8 顷 97 亩 8 分 6 厘 5 毫。据清康熙《庐江县志》引《（庐州）府志》称，明代整个庐州府有牧马草场共 105 处②，由此可见明代庐江县牧马草场数占庐州府的 7.62%。

自明初开始，养马业便成为加在合肥地区人民身上的沉重负担，有的养马户为此或屡屡拖欠，或倾家荡产，或家破人亡。上述这些情况在发生重大自然灾害的年份更是如此，对养马户的冲击也更为沉重。如洪武二十八年（1395）冬十月，朱元璋对兵部臣说："江淮养马之民，遇有马死，有司令其买补，乃去家离业，购于远方，至有历年不返毙于道路者，朕甚悯之。"③宪宗成化三年（1467）九月，户部会六部

---

① 以上引文均出自顺治《庐江县志》卷 4《官政志·马政》。
② 康熙《庐江县志》卷 6《兵驿·马政》。
③ 《明太祖实录》卷 242 洪武二十八年冬十月辛亥。

等衙门官议漕运总兵及各处巡抚等官听言事宜条奏,其中提及:"直隶淮、扬、庐、凤四府,徐、滁、和三州,地势卑湿,不利畜牧,致解官之马多以不堪退回。"①成化二十二年(1486)春正月,兵部在覆议时提及:"先巡抚凤阳等处都御史刘璋所奏,淮、扬、庐、凤四府,徐、滁、和三州,土地卑湿,与江南等产马小弱,每岁重价买纳,多被验退,折阅转售,复破产追赔,民困殊甚。"②成化二十三年(1487)十月,户部会各部都察院并漕运等官议上漕运等事宜时提及:"直隶庐、凤二府及应天府江浦县弘治元年解京马匹,请暂照江南事例,每匹折收银十二两,以苏民困。"③弘治十八年(1505)四月,"巡抚凤阳都御史张缙以淮、扬、凤、庐四府及滁、和二州灾荒民困,请令印马御史止将见有马驹照例印烙,其民间倒失并亏欠者,俟年丰时印补"。得到孝宗允准④。正德三年(1508)十一月,"暂免凤、庐、淮、扬四府,滁、和、徐三州正德二年以前积欠马匹,以地方灾伤重大故也"⑤。嘉靖二年(1523)十一月,"以应天、庐、凤等府灾伤,暂停征所欠马价"⑥。同年十二月,朝廷下令"停征淮、扬、庐、凤、徐、滁、和等府州嘉靖元年、二年,未及三年额办牲口,俱俟年丰带征"⑦。嘉靖十九年(1540)六月,"以灾伤改庐、凤、淮、扬、徐、和、滁等处本年马为折色"⑧。嘉靖二十年(1541)三月,"以灾伤诏庐、扬二府,和、滁二州所属州县,备用马匹改征折银"⑨。嘉靖三十三年(1554)十二月,"以庐州、淮安二府灾荒,准改折预征本色马匹三分之一"⑩。万历八年(1580)三月,根据南京太仆寺卿萧廪的请求,下令"裁庐、凤、淮、扬四府本色马匹。庐、凤减

---

① 《明宪宗实录》卷46成化三年九月癸酉。
② 《明宪宗实录》卷274成化二十二年春正月甲戌。
③ 《明孝宗实录》卷5成化二十三年十月己丑。
④ 《明孝宗实录》卷223弘治十八年四月辛巳。
⑤ 《明武宗实录》卷44正德三年十一月丁未。
⑥ 《明世宗实录》卷33嘉靖二年十一月辛未。
⑦ 《明世宗实录》卷34嘉靖二年十二月戊申。
⑧ 《明世宗实录》卷238嘉靖十九年六月己卯。
⑨ 《明世宗实录》卷247嘉靖二十年三月戊戌。
⑩ 《明世宗实录》卷417嘉靖三十三年十二月甲午。

七分为六分"①。天启七年(1627)七月,巡视屯马御史李时馨在奏疏中提及:"今日马价,庐、凤、淮、扬欠至二十万有余。"②

为减轻养马户的负担,朝廷常下诏对进贡的马匹予以蠲免,如顺治《庐江县志》称:"蠲赋……此外又有诏赦蠲免节年逋负钱粮物料马驹等项,此皆惠政之大者。"③将蠲免马驹视为"惠政"。方志记载了明代该县蠲免种马及驹的一些事例:宣德十年(1435),免种马并驹一百五十六。正统四年(1439),免种马四十七;十四年(1449),六十九。景泰六年(1455),免马驹五百一十九;七年(1456),免粮马并驹七百一十三。天顺元年(1457),免马驹一百五十④。

2.养牛业

除了养马业之外,养牛业也是明代合肥地区畜牧养殖业的重要内容之一。据文献记载,洪武二十年(1387)八月,明太祖朱元璋曾下诏令:"以典牧所系官马、牛分给庐州府属县民牧养。"⑤明朝廷通过行政命令将原本属于官养的牛分拨给庐州府属县民间牧养。

据万历《合肥县志》记载,明代,合肥县原额养牛 66 只,其中犍牛 24 只、母牛 42 只⑥。

就巢县而言,清康熙《巢县志》记载明代马政时提及:"旧种马后附以种牛,今其略具牛犊银一款之下,不更载。"⑦康熙《巢县志》介绍明弘治年间及此前巢县境内农民垦荒时提及:"昔弘治初年所志'风尚'……又云……贫农佣佃耕种,租牛垦土。"⑧上述记载反映了明代巢县境内养牛业的一些侧面。

清顺治《庐江县志》记载了明代庐江县民间养牛业的一些情况:

---

① 《明神宗实录》卷 97 万历八年三月己酉。
② 《明熹宗实录》卷 86 天启七年七月丁亥。
③ 顺治《庐江县志》卷 4《官政志·惠政》。
④ 顺治《庐江县志》卷 4《官政志·惠政》。
⑤ 《明太祖实录》卷 184 洪武二十年八月壬子。
⑥ 万历《合肥县志》上卷《食货志·马政》。
⑦ 康熙《巢县志》卷 9《田赋志·马政》。
⑧ 康熙《巢县志》卷 7《风俗志·四民》。

"洪武间,分派民间养牛。弘治二年,奉例额派免征无粮人户领养牛。二年,依例五丁朋养一牛,市民亦如之。每母牛二岁征一犊,如无孳生者,准作亏欠,纳银三钱。堪中者印记,不堪者变卖。印过者俵与解过牛户领养,供南京内府、光禄寺等衙门取用。验出不堪者,就彼发付典膳所喂养。十六年,以实征人户丁田相应者,每十丁养一牛,作二起,五丁轮养一年。若遇派取,就令该年人户解俵,每二岁征一犊。本县原拟额养犍、母牛二①十三只:犍牛六只,母牛二十七只。"②由上可见,明初,官府就开始强令庐江县民间养牛,弘治年间开始实行朋养制。

自明初开始,养牛业也是加在合肥地区人民身上的一项沉重负担,在遇到灾荒年份更是如此,不少养牛户因此而破产。如弘治二年(1489),南京太仆寺卿秦崇等提及:"凤阳等府所养官牛数多而支用数少,牧养陪补甚为民累。往尝奏准凤阳止留三千只,庐、扬二府及滁、和等州共留二万只,然尚有不均之叹,请于二万只内留犍牛八百、牝牛千二百,令庐、扬等府州均派所属牧养,岁资其牛犊之用,尚余一万八十只,请鬻银解太仆寺贮用,以便民。"③所谓"牧养陪补甚为民累",揭示了合肥地区养马户的辛酸苦累。嘉靖七年(1528)十二月,巡抚凤阳都御史唐龙在给世宗皇帝的进言中称:"庐、凤、扬三府及滁州,频岁灾荒,请暂宽种牛亏欠倒失者,俟丰年买补。"④由此可见,在频岁灾荒情境之下,养牛户因"种牛亏欠倒失"往往损失惨重。

(六)家禽养殖业及水产养殖捕捞业的发展

1.家禽养殖业

据万历《合肥县志》"物产"记载,明代合肥县境内"多鹅,多鸭,多

---

① 按,此处"二"应为"三"之误。
② 顺治《庐江县志》卷4《官政志·马政》。
③ 《明孝宗实录》卷28弘治二年七月癸未。
④ 《明世宗实录》卷96嘉靖七年十二月乙酉。

鸡,多鸽"①,表明当时鹅、鸭、鸡、鸽等类家禽养殖已经达到一定的水平。

2.水产养殖与捕捞业

合肥地区是明代著名的鱼米之乡。据天顺《大明一统志》记载,合肥地区规模较大的湖、河、溪、潭、浦、塘主要有:"巢湖:在巢县西一十五里,一名焦湖,周围四百余里,港汊大小三百六十,占合肥、舒城、庐江、巢四邑之境。""白湖:在庐江县东北三十里,周回七十余里,跨六乡,与巢湖相连,流入大江。""金斗河:源出鸡鸣山,东流至府城。自西水关流入城中,至东门外历金斗驿流入巢湖。""店埠河:在府城东四十里,水出圆疃通巢湖。""金城河:在府城西九十里。""三河:在府城南九十里。其源有三,合而为一,入巢湖。""柘皋河:在巢县西北。源出合肥县浮槎山,流入巢湖。""肥水:在府城南七十五里,水出鸡鸣山,北流二十里,分为二,其一东南流入巢湖,其一西北流入淮水。""绣溪:在庐江县西五十里,发源马槽山下,西日映之,纹如锦绣。其水绕城而下,经升仙桥,汇为广陂湖,又东流入于江。""龙潭:在府城东北故梁县治后,相传蜃母所居。每山水乍溢,有物自江而入,或露头角,群鱼从之溯流而上,渔者随捕之,所获倍常"。"筝笛浦:在府城内后土庙侧,渔人尝夜闻筝笛声及香气氤氲。""藏舟浦:在府城西北隅。""西塘:在庐江县西三十五里,溉田四百余顷。"②又,正德年间杨循吉在《庐阳客记》中写道:"庐之壤,抱湖而吞江,水泽所及,环匝千里"③"合肥县前奠平陆,凡百里,左湖右山,而后亦广野,故有塘有圩"④"巢县西滨巢湖,东通大江,多圩田。其南多山,则亦有堰、有坝,而塘之大小,杂然相望"⑤"庐江县南有山,东滨湖,而平田居其七八,

---

① 万历《合肥县志》上卷《食货志·物产》。
② 天顺《大明一统志》卷14《庐州府·山川》。
③ (明)杨循吉:《庐阳客记·物产》。
④ (明)杨循吉:《庐阳客记·水利》。
⑤ (明)杨循吉:《庐阳客记·水利》。

故有塘、有堰、有坝、有荡,湖山并资"①。上述合肥地区湖、河、溪、潭、浦、塘、圩、堰、坝、荡等密布、水环境优越、水利设施众多的自然水利因素,成为当地发展水产养殖与捕捞业得天独厚的条件。

巢县焦湖秋月景图,来源于康熙《巢县志》

明代,合肥地区水产养殖与捕捞业的发展主要体现在以下两个方面:

一是捕鱼业及养鱼业。天顺《大明一统志》记载,龙潭,在庐州府城东北故梁县治后,"每山水乍溢,有物自江而入,或露头角,群鱼从之溯流而上,渔者随捕之,所获倍常。"②由此可见,当地渔业资源十分丰富,捕鱼业十分发达。正德年间杨循吉在《庐阳客记》中称:"巢湖多鱼,其利常擅于滨湖之人。鱼不限于湖而兼于江,故也方春,雪消水涨,江流来入,鱼之方乳者,如针如苗,泛泛乘波而至,湖水甘而宜鱼,或更序骤肥,不啻倍尺。暨秒秋,而水复于江,鱼方以湖为乐也,则不去。天既寒矣,相与潜伏于深渊之中,不食而处,渔人则求其迹而网之,一举或盈船焉。操奇赢之术者,每交冬辄来,卤之以去,所售

---

① (明)杨循吉:《庐阳客记·水利》。
② 天顺《大明一统志》卷14《庐州府·山川》。

岁亦不赀,是一方之大利也。"①由此可见,明代,巢湖一带渔业资源十分丰富,丰富的鱼资源成为"一方之大利",是当地人民生存谋利的重要利源之一。明末,巢县人辛承祚所著《浮丘钓台记》一文,在描写其家乡巢湖时提及"(浮丘钓)台前贾帆渔舸往来不绝"②。由"渔舸往来不绝"的描述,可以看出明代巢湖一带捕鱼业的热闹场景。就合肥县而言,明代,该县境内渔业资源较为丰富:"鱼:多鲤,多鲫,多鲇,多鳠,多鲚,多鲖,多鳅,有鳜,有鲂,有鳙,有鲟,有鳊,有鳝,有鳗鲡。介:多龟,多鳖,多蟹,多虾,多螺,多蚌。"③就巢县而言,当地鱼资源也十分丰富,如明万历三十六年(1608)五六月间,江水暴涨异常,当地发生大水灾。水灾泛滥,曾引发鱼群大流动:"鱼甚多,圩民取以鬻食。"④

巢县浮丘钓台景图,来源于康熙《巢县志》

养鱼业的发达,还可从地方上缴的税课中见其一斑。如据康熙《巢县志》记载,明代,该县岁办各色课钞中有鱼塘课钞、鱼膘折鱼线

---

① (明)杨循吉:《庐阳客记·物产》。
② (明)辛承祚:《浮丘钓台记》,康熙《巢县志》卷17《艺文志上》。
③ 万历《合肥县志》上卷《食货志·物产》。
④ 康熙《巢县志》卷4《祥异志·编年合纪》。

胶等名目①。据顺治《庐江县志》记载,自明初起,该县"岁办课例"中有鱼塘课钞名目,"岁派物料"中有鱼胶名目②。

二是菱芡等水产植物养殖。正德年间杨循吉所著《庐阳客记》称:"巢湖又有菱芡之实,可以充腹,芰芦菰米莫不适用,芡则屑而作饵,若常飨焉。"③由此可见,菱芡等水产植物成为明代巢湖一带民众颇为重要的食物来源之一。

第二节　手工业

明代,合肥地区农业生产水平的逐步提高和经济作物的大量种植,为手工业的发展提供了充足的人力和生产原料。在此大背景下,明代合肥地区的丝织、棉织、采矿、造纸、酿酒等手工业部门皆获得不同程度的恢复与发展。

一、丝织业

明代,以朱元璋为代表的统治阶级,对蚕桑种植业高度重视,为丝织业的恢复与发展创造了良好条件。据《明史》记载:"太祖初立国即下令,凡民田五亩至十亩者,栽桑、麻、木棉各半亩,十亩以上倍之。麻亩征八两,木棉亩四两。栽桑以四年起科。不种桑,出绢一疋。不种麻及木棉,出麻布、棉布各一疋。此农桑丝绢所由起也。"④洪武二十五年(1392)十一月,明太祖"诏凤阳、滁州、庐州、和州等处民户种

---

① 康熙《巢县志》卷9《田赋志·贡课》。
② 顺治《庐江县志》卷3《食货志·课钞》。
③ (明)杨循吉:《庐阳客记·物产》。
④ (清)张廷玉等:《明史》卷78《食货二·赋役》。

桑、枣、柿各二百株。"①征收农桑丝绢政策的推行，以及朱元璋通过行政命令让庐州府等地栽种桑树的举动，为合肥地区丝织业的发展奠定了基础。

丝、绢是织绸缎等的原料。有关明代合肥地区丝织业的发展情况，可从各地所科丝、绢数量及"物产"中有丝、绢的相关记载，见其一斑。就合肥县而言，在明弘治十五年（1502）所征夏税中，桑丝276斤14两6钱6分2厘5毫，折绢221匹5尺8寸6分；在嘉靖四十一年（1562）所征夏税中，桑丝276斤3两9钱1分2厘5毫，折绢221匹2尺2寸6分5厘②。隆庆六年（1572），该县实行一条鞭法，确定全县所征夏税中农桑丝绢的数额为221疋1丈5尺8寸6分③。此外，万历《合肥县志》"物产"中还有"多丝""有绢"④的文字记载。这也在一定程度上反映出明代该县丝织业的兴盛。

就巢县而言，明成化二十三年（1487），该县科丝1155两，折绢62疋2丈2尺9寸。前件内，官桑地科丝59两4钱，折绢2疋2丈9尺1寸；民桑地科丝1195两8钱，折绢59疋2丈3尺8寸。正德七年（1512），该县科丝78斤9两6钱5分，折绢62疋2丈6尺。嘉靖元年（1522），科丝1196两1钱，折绢62疋零⑤。上述税课丝、绢的相关记载，在一定程度上反映了明代巢县丝织业的发展状况。

就庐江县而言，明正德十五年（1520），因灾害而减免该县"桑丝绢四之三"⑥。此处"桑丝绢"的记载，反映了该县丝织业的一个侧面。另据记载，明嘉靖元年（1522）及以前该县官地有一种类型为："一则桑地，亩栽桑四十株，科官税丝一两，私税一两五钱"⑦。此处"科官税丝"、"（科）私税（丝）"的相关规定，反映出当地丝织业有一定的发展。

---

① 《明太祖实录》卷222洪武二十五年十一月壬寅。
② 万历《合肥县志》上卷《食货志·税粮》。
③ 万历《合肥县志》上卷《食货志·课类》。
④ 万历《合肥县志》上卷《食货志·物产》。
⑤ 康熙《巢县志》卷9《田赋志·田亩》。
⑥ 顺治《庐江县志》卷4《官政志·惠政》。
⑦ 顺治《庐江县志》卷2《舆地志下·土田》。

此外，清顺治《庐江县志》"物产"转引"明旧志"的内容称当地有丝、绢出产①。该志还记载，自明初起，庐江县交纳两京工部的"岁派物料"中有"黄丝"一项②。这也从一个侧面反映出明代该县丝织业的发展状况。

文献记载表明，明代庐州府境内的丝织业似可分为官办与民办两种类型。其中，有关官办丝织业的例子，如嘉靖三年（1524）四月，世宗下诏："以应天、太平、庐州等府灾，停岁造缎匹。"③嘉靖七年（1528）七月，世宗下诏："浙江、江西、山东、河南、山西、湖广、福建、四川各布政司，苏、松、常、镇、徽、宁、池、泰［太］、庐、凤、淮、扬等府及广德州各处，岁造缎匹有自正德初年至十六年止，全无解报者，多因各处地方频年灾伤，小民困苦，征解不全，或经收人等侵欺，以致文移催征殊无了时，着抚按官严督有司从公查勘，自嘉靖元年以前，各处一应拖欠段绢，若系侵欺者照数追价完解，果系小民未纳料银者悉与蠲免。"④上述所谓"岁造缎匹"，即是指由庐州府等处官办织染局织造的丝织品。

二、棉织业

正德年间杨循吉所著《庐阳客记》记载："绵布，无山泽皆种花，农余辄谋卒岁，俗不工织，召侨工为之，所至然也。三冬堇户亦足御寒，妇纺而已。惟天旱花俭，则不免购诸市城，然后衣江南之缕。""绵丝亦常有余，传布出境。"⑤由此可见，明中叶正德初年及以前，庐州府境内的棉布纺织业已有一定程度的发展，当地的普遍做法是"召侨工为之"；"妇纺"即由家庭妇女从事家庭纺织业也是较为通行的做法。此

---

① 顺治《庐江县志》卷3《食货志·物产》。
② 顺治《庐江县志》卷3《食货志·课钞》。
③ 《明世宗实录》卷38嘉靖三年四月丁巳。
④ 《明世宗实录》卷90嘉靖七年七月丁亥。
⑤ （明）杨循吉：《庐阳客记·物产》。

外,一些富余的绵丝等纺织品还被输送到境外。就合肥县而言,万历《合肥县志》有"多木棉"①的记载,这也可从一个侧面间接反映出当地棉织业的发展程度。明弘治初年所修巢县志"风尚"提及:"商所货竹木、布帛、钉铁、油麻,皆外商所贩。"②由"布帛"等丝棉纺织品成为外商贩运的重要物资之一,可见至弘治年间巢县境内棉织业和丝织业已达到一定的水平。此外,隆庆年间知县柳应侯所修《县志》指出,明代巢县境内,"惟滩田地、棉豆地,各处有之。"③"棉豆地"的广泛分布,也在一定程度上间接反映了明代该县棉织业的发展水平。明代,庐江县主要物产中有"木绵"一项④,这也可视为当地棉织业发展的一种征兆。

三、采矿业

明代,庐江县以出产矾而著名,如天顺《大明一统志》记载:"矾,庐江县出"⑤;"昆山,在庐江县南四十里,产矾,又名矾山。"⑥正德初年杨循吉所著《庐阳客记》称:"庐江县境,山总一十有二,山多深曲而类,不甚高大。产矾,出美泉。"⑦"庐江作矾,三下釜而后良。"⑧顺治《庐江县志》记载:"矾山:治东南四十五里,出矾。《一统志》作昆山,唐置矾场。……其矾课所,洪武初革。山之东北,有祠山庙,下有矾蓬。"⑨又据顺治《庐江县志》记载,明代庐江县交纳两京工部的"岁派物料"中有"明矾"一项⑩。由"庐江作矾,三下釜而后良""矾课所""矾

---

① 万历《合肥县志》上卷《食货志·物产》。
② 康熙《巢县志》卷7《风俗志·四民》。
③ 康熙《巢县志》卷9《田赋志·田亩》。
④ 顺治《庐江县志》卷3《食货志·物产》。
⑤ 天顺《大明一统志》卷14《庐州府·土产》。
⑥ 天顺《大明一统志》卷14《庐州府·山川》。
⑦ (明)杨循吉:《庐阳客记·山》。
⑧ (明)杨循吉:《庐阳客记·物产》。
⑨ 顺治《庐江县志》卷2《舆地志下·山川》。
⑩ 顺治《庐江县志》卷3《食货志·课钞》。

蓬""明矾"成为岁派物料之一种等可以看出,明代庐江县矾矿开采一直持续进行,开采提炼技术先进,官府在当地设置矾课所以征收矾课。文献记载表明,明代庐江矾矿的产量较为可观。如洪武三年(1370)十月朝廷制定矾课征收办法。户部建言:"庐州府黄墩、昆山及安庆府桐城县皆产矾,岁入官者二十二万七百斤,每三十斤为一引,共七千三百五十八引,每引官给工本钱一百五十文。其私煎者,论如私盐法。"该办法得到明太祖朱元璋的认可①。由此可见,庐江县境内黄墩、昆山两地矾矿开采是由官府主导进行的,采取官府投资开采、官府征税的形式,属于官府手工业的一个组成部分。对于民间私自开采者,则予以严惩。

除了矾矿之外,明代庐江县境内还有银矿,民间有人从事沙淘煎银的活动:"铅山洞:治东七十里铅山下。洞口仅容一人入。遇雨,傍有水流溪中,淘沙者取沙淘,日可煎银五六分。俗相传洞内有银矿。"②

在巢县境内,明代还有人从事煤炭开采:"峙刀山:去县二十里。山北为万家山分支处,山南为金庭山分支处。明季,为不逞之徒横踞,取煤于县基,则挖伤祖气。"③

四、车船及军器制造业

永乐十九年(1421)十一月,明成祖朱棣准备亲征阿鲁台。为亲征做准备,朱棣"命侍郎张本、都御史王彰等分往山西、山东、河南三布政司,直隶应天、镇江、庐州、淮安、顺天、保定、顺德、广平、直[真]定、大名、永平、河间十三府,滁、和、徐三州督有司造车,发丁壮挽送,期明年二月至宣府馈运。"④由庐州府成为明朝廷指定的"造车"的府

---

① 《明太祖实录》卷57洪武三年冬十月辛巳。
② 顺治《庐江县志》卷3《食货志·物产》。
③ 康熙《巢县志》卷6《山川》。
④ 《明太宗实录》卷243永乐十九年十一月甲申。

之一,说明当地车辆制造业已达到一定的水平。所谓"督有司造车",说明当地车辆制造业是官府组织的官手工业的组成部分之一。

由于明初统一全国及立国后稳定社会秩序的需要,明朝廷十分重视军器制造业的发展。洪武十一年(1378),工部定天下岁造军器之数:甲胄之属13465、马步军刀21000、弓35010、矢1720000。其中,庐州府甲胄150、步军刀400、弓288、矢50000[①]。洪武十六年(1383)十一月,又命庐州府制造水磨明甲100[②]。

五、造纸业

明代,庐江县境内的造纸业有一定的发展。如据顺治《庐江县志》记载,自明初起,庐江县交纳两京工部的"岁派物料"中有夹榜纸、咨呈纸、皂皱纸、红大榜纸、草纸、黄草榜纸、白榜纸等纸张品种[③]。

六、酿酒业

明代,庐州府的酿酒业已经达到一定的水平,如正德年间杨循吉所著《庐阳客记》指出:"(庐州)郡城酿法,用嘉平之月,以秋蘖而注诸缸,俟其熟也,漉而煮之,泥以大罂,可经岁不坏,其味微甘,是为上醖矣;次有一等寻常市酤,色黄而苦,取应廛井,逐旦夕之利,早作暮酸,饮之则泄,然列城皆用之;又次投丸药为白醪;又次以甑炊糟粕,沥其汗为烧酒,性大热焉。"[④]由此可见,至明中叶,庐州府城一带的酿酒技术已十分先进,酿酒有一套严密的程序和方法;由于技术和原料的差别,酿出的酒在色香味等方面具有高下不同的品质;以酒"逐旦夕之利"即酿酒谋利,以及酒的买卖交易十分活跃;"列城皆用之"表明,城

---

① 《明太祖实录》卷118洪武十一年五月丙子。
② 《明太祖实录》卷157洪武十六年十一月己酉。
③ 顺治《庐江县志》卷3《食货志·课钞》。
④ (明)杨循吉:《庐阳客记·物产》。

市中酒的消费十分普遍,已成为一种风尚。此外,万历《合肥县志》还有"多曲,多酒"①的记载。这也证明酿酒是当地一种较为普遍的行为。

据万历《合肥县志》记载,合肥境内酒的品种有"曰贡,曰烧,曰黄,曰白,曰豆,凡五种"②。正德年间杨循吉所著《庐阳客记·物产》云:"又有秫,亦数种,以用酿酒。"③由上可见,明代,庐州府境内酒的品种十分丰富,酿酒的主要原料为豆、秫等粮食作物。

又据方志记载,自明初开始,巢县、庐江县"岁办课例"中有"酒课钞"一项,其中,明代巢县酒课钞为 319 贯 350 文④,庐江县酒课钞为 78 贯文⑤。这在一定程度上也可视为当地酿酒业发展的一个侧面。

第三节　商　业

明代,合肥地区社会经济的发展,促进了当地与境外的商品流通和商业往来。在合肥地区,商业市镇和店铺日渐繁荣,商人活动十分活跃;商税征收有条不紊地得以开展;一些地方官出于恤商等目的,致力于裁减商税。

一、各地商业流通的加强

明代,合肥地区与境外的商品流通和商业往来得到加强,稻米、鱼产品、丝绵纺织品、竹木、布帛、钉铁、油麻、薪、食盐、马匹等物资成

---

① 万历《合肥县志》上卷《食货志·物产》。
② 万历《合肥县志》上卷《食货志·物产》。
③ (明)杨循吉:《庐阳客记·物产》。
④ 康熙《巢县志》卷 9《田赋志·贡课》。
⑤ 顺治《庐江县志》卷 3《食货志·课钞》。

为境内外交易的重要对象。

（一）稻米。明代庐州府所产稻米等粮食成为许多地方特别是江南发达地区粮食的重要来源之一。正德年间杨循吉所著《庐阳客记》称："庐之壤，抱湖而吞江，水泽所及，环匝千里，其民以是工于农而务五谷。岁逢丰穰，则粒米狼戾，转输他售者，车舟不绝焉。盖吴楚间上下千里，皆资其利。"①说明至迟在正德年间，在丰收年份，庐州府所产米谷被源源不断地输往境外，在吴地与楚地之间广阔的地域范围内进行商品流通；并且，为米谷等粮食输入地解决了缺粮等生计问题。此外，明末贵池人吴应箕曾说："江南地阻人稠，半仰食于江、楚、庐、安之粟。"②也指出庐州府所产粮食中的很大一部分是供应给江南缺粮地区。在巢县境内，明末，稻米还成为当地"土寇"等农民起义武装进行商品贸易流通的重要物资之一："是年（指崇祯十五年）春，潜山山中有土寇数百，盘踞凌家山，兼出没于河南。扱鞋长袿，持短枪，步行无马。又抢掠远方耕牛及人家稻米，在河南招人贸易。贱其直，仍送出营，不加害，于是无赖者间与通利。及北方骑贼渡河，乃遁。"③

（二）鱼产品。据正德年间杨循吉所著《庐阳客记》记载，明代，巢湖一带鱼产品十分丰富，吸引了大量渔商前来贩运："操奇赢之术者，每交冬辄来，卤之以去，所售岁亦不赀，是一方之大利也。"④由此可见，明代，巢湖一带的鱼产品被鱼商源源不断地贩往外地。

（三）丝绵纺织品。据正德年间杨循吉所著《庐阳客记》记载，明代，庐州府境内丝绵纺织业有一定的发展，富余的产品则输往境外："绵丝亦常有余，传布出境。"⑤不足的年份，则从市场上购买"江南之缕"："惟天旱花俭，则不免购诸市城，然后衣江南之缕。"⑥

---

① （明）杨循吉：《庐阳客记·物产》。
② （明）吴应箕：《楼山堂集》卷10《兵事策·策十·防江》，《续修四库全书》本，第1388册，上海古籍出版社2002年版。
③ 康熙《巢县志》卷4《祥异志·编年合纪》。
④ （明）杨循吉：《庐阳客记·物产》。
⑤ （明）杨循吉：《庐阳客记·物产》。
⑥ （明）杨循吉：《庐阳客记·物产》。

（四）竹木、布帛、钉铁、油麻、薪、食盐等。明弘治初年所修巢县县志"风尚"提及："商所货竹木、布帛、钉铁、油麻，皆外商所贩。巢民性惮远涉，无行货者。即为行货，亦土产、稻米、鱼、薪而已。而盐策独徽商巨贾司焉。巢之市贾要皆取诸外商，以资贸易。"①由此可见，竹木、布帛、钉铁、油麻、土产、稻米、鱼、薪、食盐等成为明中叶巢县一带贩运交易的重要商品。

（五）马匹。明成化二十二年（1486）正月，兵部在覆议中提及："先巡抚凤阳等处都御史刘璋所奏，淮、扬、庐、凤四府，徐、滁、和三州，土地卑湿，与江南等产马小弱，每岁重价买纳，多被验退，折阅转售，复破产追赔，民困殊甚。"②于此可见，由于所产马匹"小弱"，达不到官府的标准，庐州府等地养马户常常用高价购买优质马匹以交差。尽管如此尽力去做，但经常遇到"被验退"的情况，养马户又不得不将这些被验退的马匹减价转售。这种不得已而为之的马匹买卖，使得许多养马户纷纷破产，成为养马户难以应付的沉重负担。又据文献记载，为了应对"虏警"即来自北方少数民族的侵扰，正德九年（1514）八月，明朝廷发太仆寺银 22.5 万两，"遣官市马于山东、辽东、河南、庐、凤等四府、保定等六府，共一万五千匹。"③由此可见，庐州府等地所产马匹，作为一种商品，成为太仆寺采买的对象。

二、商业市镇的分布

明代，合肥地区经济的发展和商品流通的加强，使得境内一些商业市镇和店铺日渐繁荣，一些新的商业市镇和店铺得以催生。

据万历《合肥县志》记载，明代，合肥县境内重要的商业市镇和店铺主要有派河镇，去城南 40 里；桃花镇，去城南 25 里；三河镇，去城南 90 里；青阳镇，去城南 60 里；长城镇，去城西 90 里；店埠镇，去城

---

① 康熙《巢县志》卷7《风俗志·四民》。
② 《明宪宗实录》卷274 成化二十二年春正月甲戌。
③ 《明武宗实录》卷115 正德九年八月乙未。

东30里;撮城镇,去城东40里;顾军镇,去城110里;梁店镇,去城东北120里;圆疃镇,去城东□十里;清水镇,去城北100里;左路镇,去城100里;草市,在北门外;侯家店,去城西40里;百家店,去城西70里;三乡店,去城50里;王友才店,去城西120里①。上述记载虽侧重于明代合肥县境内商业市镇和店铺的地理分布,但也在客观上反映出明代该县境内商业市镇和店铺获得发展的一些侧面。

据顺治《庐江县志》记载,清初,庐江县境内重要的商业市镇和店铺主要有鱼市,在钟楼下;南关市,在升仙桥北岸;桐城桥湾,在桐城桥西岸;金牛市镇,在治西北40里②;盛家桥镇,在治东北50里;砖桥市镇,在治南60里;罗家埠镇,在治北25里;罗昌市镇,在治南50里;沙溪市镇,在治南15里;黄泥河镇,在治南40里;黄屯市镇,在治东南60里;亭头店,在治东北20里;程途店,在治西南20里;丁家河店,在治西30里③。顺治《庐江县志》由知县孙宏喆主持编纂于顺治十三年(1656),根据市镇和店铺的成长规律,该志所记市镇和店铺的有关内容,其中不少当是明代的史事,可以视为明代该县商业市镇和店铺分布的一个缩影。

据清康熙《巢县志》记载,清初,巢县境内重要的商业市镇主要有:柘皋镇,去县西北60里;下阁镇,去县西北30里;铜炀镇,去县西50里;中庙镇,去县西90里;散兵镇,去县南30里;鸡啼河镇,去县南50里;十字河镇,去县南70里;吕婆店市,在县南10里;东口市,去县西南10里;高林市,去县南60里④。清康熙《巢县志》成书于康熙十二年(1673),根据市镇成长的规律,该县志所记市镇内容,不少应是明代的史事,可以视为明代该县商业市镇分布和发展的一个缩影。至于县志对于东口市"旧有官仓数处,旧屯合肥、舒城、庐江三县漕粮

---

① 万历《合肥县志》上卷《镇市·店附》。
② 此处原文为"金牛市镇在治西北四十五",康熙《庐江县志》卷3《疆域·市镇》作:"金牛市镇在治西北四十里。"
③ 顺治《庐江县志》卷2《舆地志下·坊市》。
④ 康熙《巢县志》卷8《城池·镇市》。

于此,今俱改屯县河南街,古仓曰圮",高林市"旧有碑载其地居民稠杂,花园六所,仓场巡检司俱在焉,今俱废,古街尚存"以及吕婆店市"人烟辏集,有秀山铺通无为州驿路"的描述,更反映出了明代这三处市镇地理位置的重要和商业繁荣的盛况①。

三、商人活动的活跃

明代,合肥地区多活跃着来自徽州、南京、苏州、江南、江右等外地商人的身影;本籍商人活动不甚活跃。

(一)徽州商人

明代,合肥地区人数最多、势力最大、行为最为活跃的商人是徽商。广大徽商遍布合肥地区的城乡市场,经营多种行业,对所在地商业经济的发展做出了重要贡献。

在庐州府境内,明天顺嘉靖间歙县人许芳,命其长子许滋前往庐州府一带经商,许滋在庐州发了大财,广置田产:"(许芳)知伯子滋善治生,乃命商游荆襄,营业庐州,居积几致万金,田产日赢。……会庐州民大饥馑,即命滋发廪赈贷,人于是感恩刻骨。"②明景泰弘治间徽商许赠(1454—1504),在庐州府及凤阳府一带经商,其言行受到庐凤境内士大夫的称赏:"公商于外,宜于家,人无间言。公教子以义方,作云山书室,命子孙业儒,视兄之子如己子,虑其骄奢,训戒周至。……庐凤士大夫由此皆啧啧于公焉。公与之处,乐闻善言,不资人之势,虽居要地,与公契者,足迹不至其官所,可谓能自立者矣。……以弘治甲子十月初五日终于正阳之馆,距生景泰甲戌年五十有一。……挽者近三千人,观者万人,皆叹息,以为商而感人如此,虽达官贵

---

① 康熙《巢县志》卷8《城池·镇市》。
② 歙县《许氏世谱》第5册《明故处士许君德实行状》,转引自张海鹏、王廷元主编《明清徽商资料选编》,黄山书社1985年版,第318页。

人未之有也。"①

在巢县境内,明弘治初年所修县志"风尚"指出:"商所货竹木、布帛、钉铁、油麻,皆外商所贩。……而盐策独徽商巨贾司焉。巢之市贾要皆取诸外商,以资贸易。"②由此可见,徽商是明中叶巢县境内主要"外商"之一,徽商巨贾垄断了当地食盐买卖。此外,明成化嘉靖间徽商汪添祥(1468—1546)在当地经商,经过三年多时间便发家致富,后其子汪崖也在当地经商:"翁名添祥,字弘昌,性轩其别号也。……翁早岁,亦颇未裕,出营什一于巢,逾三纪,大殖有家。有子曰崖,未成童,而屹然巨人也。曰儿足以干蛊矣。遂委而归,与贤大夫游。"③明嘉靖万历间休宁居安人黄廷吉,随其父在巢县一带经商,后迁往合肥境内从事商业经营:"(黄廷吉)甫冠,从父贾巢,再迁合肥。所条画便宜,往往奇中,其于贵贱弃取,若执左契,诸老人皆自以为不及。"④明崇祯六年(1633),在巢县一带经商的徽商吴潢、吴湘兄弟二人,曾将自身房屋产业巢县天保乡十字河楼房铺屋,出卖给朱姓:"立满足收领约人吴潢、吴湘,今凭中收到朱名下原置庐州府巢县天保乡十字河楼房铺屋一所,契内该股价银一百五十两整,是身兄弟当面一并收足讫。其屋于崇祯六年七月廿五日出卖,因兄弟向羁本簿,未便交业,今凭中交屋之后,听从朱宅执业管理,毋得异说。恐后无凭,立此满足收领存照。"⑤又据康熙《巢县志》记载,明万历年间,休宁人查价,"其人负诗名,好山水,缘其族多有在巢者,遂薄游湖南北,无所不至,尤爱湖南姥峰、崔仙诸胜,遂结庐湖南白云山下,与巢士大夫游,唱和

---

① 《许氏统宗世谱·处士孟洁公行状》,转引自张海鹏、王廷元主编《明清徽商资料选编》,第243页。
② 康熙《巢县志》卷7《风俗志·四民》。
③ 《汪氏统宗谱》卷116《汪添祥墓志铭》,转引自张海鹏、王廷元主编《明清徽商资料选编》,第243页。
④ (明)李维桢:《大泌山房集》112《黄伯子墓碑》,《四库全书存目丛书》本,集部第152册,齐鲁书社1997年版。
⑤ 王钰欣、周绍泉主编:《徽州千年契约文书》(清民国编)卷1,花山文艺出版社1991年版。

联吟。及游四方,更以巢为家焉。"①由"其族多有在巢者""以巢为家"可以看出,至迟于明万历年间,休宁查氏一族已有大量族人在巢县境内经商,并在当地定居。

巢县境内的柘皋镇是当时交通冲要之地,因货物辐辏,商贾云集,商业经营条件优越,而受到徽商的青睐。诸多徽商纷纷来此地经营。明正德万历间休宁西门汪氏商人汪岩福(1517—1602),在柘皋一带经商,获得了巨额商业利润:"公讳岩福,字世美,东海其别号也。……比长有识度,从父兄贾市肆。……中岁食指颇众,公务为节约,与家人同艰苦,大布之衣,大帛之冠,脱粟之饭,身自甘之。久之,虞弗继,乃敕家课督众子。分视部署,得巢邑橐皋(即柘皋)之邸,遂列质受廛,贾浸浸大起。"②明万历年间,歙县临河商人程杰,"以广陵俗汰,恐开子孙侈心,复移质剂柘皋"③;明万历年间,休宁商人朱世荣与其外甥在柘皋开设典铺④。于此可见,不少徽商选择柘皋镇从事典业经营。明万历年间,"捐桑梓,跋险峻"、贸易于柘皋镇的徽州商人雷成美、谢鳌、吴良采等,在马知县重商政策的感召下曾捐资修建弘济桥:"巢之柘皋镇东三里许,有古探花桥,岁久倾颓,一遇淫雨,山溜遄发,接路泥沙没胫,行者病焉。邑侯马公,税驾时临,心甚恫然,谋所以新之,捐俸以先众。时大歉之后,民力维艰,新安诸商人雷成美、谢鳌、吴良采等,仰体侯意,各输金助工僦石,鼎新之。竖以木楯,桥前土埂,萦以石甃近二百余丈。事竣,请易其名曰弘济,志侯德政也。……诸商人拱袂而前曰……美等远人,捐桑梓,跋险峻,贸易兹土,往苦劝贷,且多征税,以故人人徙业。侯下车,一切捐之,凡挟资来者,若稳乡室。则侯之余恩波及疆外者也,何可既哉!"⑤明代,休宁率口

---

① 康熙《巢县志》卷15《人物志·流寓》。
② 《休宁西门汪氏宗谱》卷6《明光禄寺署丞乡大宾岩福公暨配金孺人墓志铭》,转引自张海鹏、王廷元主编《明清徽商资料选编》,第91页。
③ (明)鲍应鳌:《瑞芝山房集》卷11《程次公传》,《四库禁毁书丛刊》本。
④ 《天启渭南朱世荣分家簿》,明天启刊本,上海图书馆藏。
⑤ (明)阎錄:《建弘济桥碑记》,康熙《巢县志》卷17《艺文志上》。

人程玺,鉴于柘皋镇具备优越的商业经营条件,亦前往当地经商:"(程玺)字廷信,自号宜斋。年弱冠,从父东贾吴越,北贾济淮,橡其间,得所欲。巢之柘皋,亦淮西之间一都会也。北通燕涿,南带楚越,货物之凑,乃废著治货积,绾縠于此贾。"①此外,明末,"祖贯新安,居橐皋已再世"即在柘皋镇定居大约60余年的徽商汪羽宗,曾捐资购买该镇官桥玉兰桥桥棚用于商业贸易,并通过征收商税以支付官驿等费用②。

在庐江县境内,大约明初,便有徽商来此经营。明嘉靖间庐江县三公乡人卢东,其先人卢贞卿从婺源县迁至庐江县南乡至少有十世。卢东为嘉靖间人,则来庐江经商的卢贞卿至少为明初人:"其先家婺源,迁庐江自贞卿始,数传为赠御史敏,敏生御史璟,璟生文学定,定生理问宗贵,配郭,生伯子楷。晚游楚,娶岳,生太公父菁矣,四岁而孤,岳抱哺其子,哭曰:'是先君子之遗体也'。"③明正统成化间歙县泽富王氏商人王友楷,"客庐江"④;明天顺嘉靖间歙县泽富王氏商人王友槛在庐江县经商,致富后在当地广置田地房产:"(王)友槛……商于庐。……家渐饶裕,爱庐之风俗淳朴,买田千余亩,构屋数十楹。"⑤明正德嘉靖间歙县商人许邻溪(1516—1564),在庐江县经商时,遇到知县下令禁止粮食贸易,为众商请命:"予侄邻溪,讳烻,字德明……时转采抵庐江,适县下令遏籴,诸商皆袖手无策,惟侄躬见邑侯,具陈民隐,由是除其令。"⑥又据康熙《庐江县志》记载:"黄子顺,字叙和,休宁人。慷慨好施予,乐善不倦。明末侨庐江,遂家焉。时流寇焚掠州

---

① (明)吴子玉:《大鄣山人集》卷41《宜斋程长公程母戴氏行状》,安徽巡抚采进本。
② (明)阎允苏:《橐皋镇捐买桥棚义举记》,康熙《巢县志》卷17《艺文志上》。
③ (明)李维桢:《大泌山房集》卷69《卢太公家传》。
④ 歙县《泽富王氏宗谱》卷4,转引自张海鹏、王廷元主编《明清徽商资料选编》,第243页。
⑤ 歙县《泽富王氏宗谱》卷4,转引自张海鹏、王廷元主编《明清徽商资料选编》,第293页。
⑥ 歙县《许氏世谱》第5册《邻溪行状》,转引自张海鹏、王廷元主编《明清徽商资料选编》,第216—217页。

县,寇退疫作,积尸遍野。子顺倾财市棺以掩骼,棺尽,继以席,席尽,掘坑瘗之。复赈粥以活饥口。晚年蓄药济人,赖以存活者甚众。"①由"慷慨好施予""乐善不倦""倾财市棺以掩骼""赈粥以活饥口""蓄药济人"及"侨庐江,遂家焉"等记载可见,休宁人黄子顺是一个在庐江县境内从事商业经营并定居下来的商人。

(二)南京商人

据《明史》记载,明洪武年间,"有黄善聪者,南京人。年十三失母,父贩香庐、凤间,令善聪为男子装从游数年。父死,善聪习其业,变姓名曰张胜。有李英者,亦贩香,与为伴侣者逾年,不知其为女也。后偕返南京省其姊。姊初不之识,诘知其故,怒詈曰:'男女乱群,辱我甚矣。'拒不纳。善聪以死自誓。乃呼邻妪察之,果处子也。相持痛哭,立为改装。明日,英来,知为女,怏怏如失,归告母求婚。善聪不从,曰:'若归英,如瓜李何?'邻里交劝,执益坚。有司闻之,助以聘,判为夫妇"②。由上述这则曲折的情感记事可知,南京人黄善聪的父亲在庐州、凤阳一带"贩香"多年,经营香料生意,其父死后,黄善聪女承父业,继续从事香料生意。此间结伴贩香的李英,也是南京人,其经商地也在庐州、凤阳一带。

另据记载,明成化年间,巢县重建丰稔桥,曾得到"金陵客商"的资助:"巢城东有丰稔桥,界道之中,东西陆行,南北舟行。春夏雨水泛涨,内通金狮港、东塘等圩,外接天河,源流甚远。或遇亢旱,咸于此取水灌溉禾苗,其利甚重。旧有木桥,形体虽具,而规模未壮。……成化年来,栏桥俱圮,往来告病。县尹历山李公来宰是邑,睹其坍塌,往来艰辛,毅然以为己任。乡老谷容等,先自施财及募缘,同邑上舍赵资,乡市之士民、金陵客商,轻重乐助,重新建造。起工于成化己亥(十五年,1479)冬,毕工于庚子(十六年,1480)夏。"③

---

① 康熙《庐江县志》卷12《人物》。
② (清)张廷玉等:《明史》卷301《列女一》。
③ (明)陈瑞:《重建丰稔桥记》,康熙《巢县志》卷17《艺文志上》。

(三)苏州商人

明成化年间,江西金溪人徐琼为巢县陆大海夫妇所作《双寿图诗序》云:"成化二十三年,南巢陆处士大海寿八十,厥配杨氏孺人寿八十有一。寿之旦,杨先,十月初五日,处士后,十二月十四。厥子钟以会试南雍,无几,如例归依亲。谓儒之家寿亲不可无文,乃绘双寿图,请诸缙绅诗歌,持归为寿。属予序诸端。陆之先姑苏人,祖华一,永乐间贾游南巢,久而积赢[赢],因卜胜家焉。处士号容庵,性尚澹素,隐约自适,无慕外之心。杨温恭仁惠,孝养舅姑,颙一无怠,以道相处士,丰其恒产,大其家声。子四人,皆教以儒书,铨、铭、镇优于农商,俾以农商为业。钟勤于士习,遣从邑博士受经,业既成,遂中应天乡选。"①由上可见,明永乐年间,陆大海的祖父、苏州人陆华一前往巢县一带经商,发家致富后在当地定居。至陆大海儿子这一代,四人中间,有三人选择继承祖业,"以农商为业"。

(四)江南、江右商人

明嘉靖年间,庐州知府张瀚所著《松窗梦语》一书中记载说:庐阳"尤多药物,江南、江右商贾咸集聚焉。庐人藉以充足,有以也。"②于此可见,明代庐州府发达的药材种植业吸引了大量来自江南、江右等地的商人前来谋利。

(五)本地商人

文献关于明代合肥地区本籍商人的明确记载较少,仅有数例,如明弘治初年所修巢县志"风尚"提及:"巢民性惮远涉,无行货者。即为行货,亦土产、稻米、鱼、薪而已。"③说明至明中叶,巢县本籍商人仍较少,即使偶有经商者,也是以当地土特产为主要经营对象。又据康

---

① (明)徐琼:《双寿图诗序》,康熙《巢县志》卷18《艺文志中》。
② (明)张瀚撰、盛冬铃点校:《松窗梦语》卷2《东游纪》,第37页。
③ 康熙《巢县志》卷7《风俗志·四民》。

熙《庐州府志》记载,明嘉靖年间,庐江人宛嘉祥,"少读书,稍长废业入城贸易,遭佣书恶役所侮"①,遂放弃经商而改为业儒。

(六)其他

明弘治年间,巢县境内重修马公桥,曾得到"商贾之往来者"即往来于当地经商的商人的资助:"(巢县)西北三十里有邮亭焉,地名下阁,当四达之衢,而溪水横绝中道,深险弗容厉揭,故有石梁以济不通,谓之下阁桥。不知何自始立,岁久颓毁,而架木以补其阙坏,势甚欹危,行者病焉。乃弘治辛酉,庐守马公汝砺行都过之,顾而叹曰:此吾守土者之责也。将改作之,而官帑弗不辄发,又不忍以其役厉民,乃捐俸为倡,而求助于商贾之往来者,随所施予。日积月累,以给其费。……其规制经画,皆出于公……因相与更其名曰马公桥焉。"②

明代,巢县境内有桥梁名曰"浮桥",为当地重要的交通通道,途经该桥的客商往来不断:"浮桥:在城南,跨天河南北。宋元时有浮桥,因兵废。明设浮航为桥,往来客商经此,皆纳课税。"③

明代,巢县西南百里许的金城寺,地处交通要冲,当地商贾往来不断:"金城厄无为、庐江、南巢道中,凡郡邑公私,驰骛四方,商贾往来,负载提携,计程投宿者无虚日。"④

明末,曾任芜湖新柳营守备的巢县人辛承祚,在《浮丘钓台记》中记载了家乡巢湖中商船往来穿梭的情景:"予家浮丘钓台畔,凭吊俯仰,殆终吾生以徜徉也。习见台踞中流,欹崎怪石,倒啮寒波。……台前贾帆渔舸往来不绝,台后村烟古木环绕可观。"⑤由"贾帆渔舸往来不绝"可以看出明代巢湖一带商人频繁活动的场景。

---

① 康熙《庐州府志·人物传·庐江县人物》。
② (明)章懋:《重修马公桥记》,康熙《巢县志》卷17《艺文志上》。
③ 康熙《巢县志》卷8《城池·桥梁》。
④ (明)邢宽:《重建金城寺记》,康熙《巢县志》卷17《艺文志上》。
⑤ (明)辛承祚:《浮丘钓台记》,康熙《巢县志》卷17《艺文志上》。

四、商税征收

明代,合肥地区各地设有税课大使,掌收商税课钞①。商税征收的有关情况,在一定程度上反映了明代合肥地方商业发展的水平。明代合肥地区的不少地方官出于恤商的目的,在任上致力于裁减商税。

就庐州府而言,明嘉靖年间,庐州知府张瀚在任期间"罢无名之征,禁门摊之税"②,为境内商业发展创造了良好的条件。万历二十八年(1600)二月,金吾左卫百户吴镇奏:"抽太平、安庆、庐州、淮、扬、常、镇等处商货船税。"奉旨:"南直沿江一带往来船只遗税,每年可得银八万两,有裨国用。着暨禄不妨原务带管,督率原奏官员吴镇、为首土民钱文朋前去会抚按征收解进,不许侵越钞关疆界,重叠征收,困累商民,载入庐州等府敕内。"③由上可见,抽取、征收庐州府境内的"商货船税"是封建官府的重要利源之一。

就巢县而言,嘉靖十五年(1536)九月,户部等衙门会议漕运等事宜时提及:"议将直隶巢县焦湖巡检司并税课局裁革,其防诰[诘]盗贼及商民投报货税,俱令本县兼理",得到世宗允准④。康熙《巢县志》记载:"旧有税课局。万历年裁革税课大使,县官带摄。泰昌初,并革税课,立碑于大内。"⑤由上可见,明代中后期,巢县一度裁革税课大使,征税的任务改由县官带摄。康熙《巢县志》记载了明代该县商税征收数额,为课钞 15128 贯 800 文;此外还有门摊课钞为 5148 文⑥。明代巢县商税有多种用途,其中之一是用于兴修水利工程,如周思

---

① 康熙《巢县志》卷9《田赋志·贡课》;顺治《庐江县志》卷4《官政志·秩官》。
② 雍正《合肥县志》卷12《名宦》。
③ 《明神宗实录》卷344 万历二十八年二月庚辰。
④ 《明世宗实录》卷191 嘉靖十五年九月壬午。
⑤ 康熙《巢县志》卷9《田赋志·贡课》。
⑥ 康熙《巢县志》卷9《田赋志·贡课》。

充,嘉靖四十二年(1563)任巢县知县,在任期间曾"存商税以修圩岸"①。

就庐江县而言,顺治《庐江县志》记载了明代该县商税征收数额,为课钞 5503 贯 100 文;又据顺治《庐江县志》引《(庐州)府志》的记载:"崇祯年间课原额商税门摊钞 7822 贯 414 文 5 分 4 厘。"②或许是针对商人征税过重等原因,明代,庐江县不少地方官在任期间致力于裁减商税,如江沛然,隆庆五年(1571)进士,"谪本府经历,署篆庐江。……去火耗,蠲商税,甫三月而政成"③。赵国琦,进士,万历二十五年(1597)任庐江知县,在任期间将"匀山圩粮赋一切火耗、商税悉申裁革"④。

---

① 康熙《巢县志》卷 10《职官志·守令》。
② 顺治《庐江县志》卷 3《食货志·课钞》。
③ 康熙《庐江县志》卷 11《名宦》。
④ 顺治《庐江县志》卷 4《官政志·名宦》。

第三章

明代合肥地区的文化、教育与科技

随着明王朝逐步走向稳定与繁荣,社会由乱而治,合肥地域文化取得了突出成就,展示了独特的地域风貌,不但诗文创作兴盛,涌现出一批诗文著作,也出现了诸多书法、绘画人才,哲学、史学也有所成就。明代合肥地区主要流行有佛教、道教两大宗教,其中以佛教势力最大,为明代合肥地区第一大教。民间信仰与人情风俗具有浓厚的地域特色。在教育方面,明代合肥地区的官学次第得到恢复,私学也得到一定程度的恢复和发展。在科技领域,明代合肥地区的医学、天文历法、地理学等有所发展。

第一节 文学与艺术

一、诗文创作

明代,合肥地区的诗文创作较为繁荣,有不少官僚、士大夫和下层文人参与到诗文创作的行列,留下了大量的诗文作品。其中,王清等人的诗文作品在明代诗坛和文坛占有一席之地。一些任职于合肥地区的地方官也有诗文传世。

(一)合肥籍人士的诗文创作

王清,字一宁,正统年间人。著有诗文集《建橐集》。史载,王清慷慨多勇略,尝提兵入卫。宣德年间,率所部出喜峰口,出击北方少数民族瓦剌部,累立奇功。曾有诗句云:"落日龙荒觇虏还,剑光直射斗牛寒。少年气节应无敌,肯负平生一寸旦。"正统二年(1437),升广东都指挥,以亲老不能迎养,陈情乞分俸于原卫,得到明英宗的允准。正统十四年(1449),协同总兵驻军高州,"广贼"黄萧养劫乡民叛众十余万,围攻广州,王清率舟师赴援。至沙角尾,水浅舟胶,失利被执。

贼素知清威望，不敢害。清投水不死，因寄衣还广州城中，大书诗云："半夜愁吟海珠寺，几回梦堕鬼门关。"后遇害①。

孔彪，字世奇。正德戊午②乡试中举。历任东阿、清平、阳谷知县，沁州知州。擅长诗文，致仕家居惟诗书自娱③。

高海，字廷弼。正德辛酉科④乡试中举。初任青城知县，升莱州府通判。政事、文学并著。家居清素，尤长于诗赋，著有《泰山览胜》等⑤。

董子策，号霞峰。嘉靖十三年（1534）乡试中举，嘉靖十七年（1538）登进士。曾仕户部主事，榷税浒墅关，不久致仕。时年方强仕，绝意宦途，以诗酒自娱，下帷读书如儒生。著述甚富，郡邑及邻邦之碑铭疏诔悉丐公，公或不时应□，敦请至再，里间称雅⑥。

秦宠，字巽斋。嘉靖三十四年（1555）举人。历任荆州同知、知府、广西按察司副使。其子孙代以文章著名⑦。

黄道月，字德卿，又字旨铉。万历十四年（1586）进士。仕至中书舍人。幼工举子业，制艺率归轻妙，论者谓如浮云过太虚然。长而习古文词，雅慕长卿，诗效李青莲。所著诗文多散佚⑧。雍正《合肥县志》"著述"部分说他著有《诗集》⑨。道日，字荆卿，道月弟，著有《诗集》⑩。

孙荆，字子楚，号半岩。弱冠游郡庠。年十九即遨游吴下。著有

---

① 陈田辑撰：《明诗纪事》第一册，乙签卷15，上海古籍出版社1993年版，第821页。（明）黄瑜：《双槐岁钞》卷7《王清罹难》，中华书局1999年版。
② 按，正德无戊午，误。
③ 康熙《庐州府志·人物传·合肥县人物》。
④ 按，正德无辛酉，误。
⑤ 康熙《庐州府志·人物传·合肥县人物》。
⑥ 康熙《庐州府志·人物传·合肥县人物》。
⑦ 康熙《庐州府志·人物传·合肥县人物》。
⑧ 康熙《庐州府志·人物传·合肥县人物》。
⑨ 雍正《合肥县志》卷20《杂志·著述附》。
⑩ 雍正《合肥县志》卷20《杂志·著述附》。

《拳要草学鸠篇》、诗文等稿①。

龚萃肃,字雒壎。万历四十四年(1616)进士,初授吉安司李,擢北道御史,累迁浙江道监察御史。长子井权,贡监,有诗文行世②。

许如兰,字湘畹,号芳谷。学问渊通,文章雄丽。家贫甚,读书自适,不谋生产。万历四十四年(1616)登进士,知光州,以治行授工部郎。出守绍兴,崇祯初调密云兵宪,守御有功,转山西蒲州道。后改广西巡抚,任未满,以前事诏赴京回奏,病逝于京邸。著有《奏议》十卷,《香雪庵诗文》十二卷③。

高麟游,字泰符。万历二十五年(1597)由选举入国子监学习,后授广西灵川知县,擢庆阳同知。耽诗画,善楷书。著有《和解学士诗》《落花雁字诗》④。

李懋修,字成章。崇祯元年(1628)岁荐。崇祯三年(1630)归,于崇川同诸生赋诗饮酒,啸吟狼山。崇祯十三年(1640),署上蔡县事。著有《浮峰集》一卷⑤。

许国忠,字抱赤,崇祯年间人。年十八补郡弟子员。晚年隐处南湖山庄,布衣蔬食,诗酒自娱。子都、孙用世,均以文学闻名于世⑥。

王寖大,字幼章,明末人。为诸生时,博览群书,与娄东张溥、张禾为友。天启七年(1627)贡入成均,崇祯三年(1630)领乡荐,十年(1637)成进士。曾两知县事,以廉能卓异闻名。致仕归里后,结庐河干,手一编,寒暑无间者二十五年。子克健、克敏、克淑、克聪,均有文名⑦。

陈系,字虞耳。崇祯元年(1628)以恩选贡于乡。十三年(1640),

---

① 康熙《庐州府志·人物传·合肥县人物》。
② 康熙《庐州府志·人物传·合肥县人物》。
③ 康熙《庐州府志·人物传·合肥县人物》。
④ 康熙《庐州府志·人物传·合肥县人物》。
⑤ 康熙《庐州府志·人物传·合肥县人物》。
⑥ 康熙《庐州府志·人物传·合肥县人物》。
⑦ 康熙《庐州府志·人物传·合肥县人物》。

授太原令，辞未赴任。后隐于合肥朝霞山。著有诗文二帙[1]。

方自勉，号圣修。郡文学。常驾小艇出没烟波渔钓间，经月乃返。年七十四终。子华，博学善文词[2]。

郭翼皇，字中甫，崇祯年间人。原籍黄冈，由恩贡任庐州府经历。因时乱难以归里，遂家于焦湖之板桥，诗酒自娱，与文士方圣修、胡中一相友善[3]。

李澹然，字公永，号道瞿。邑庠生。行文渊沉古健，为司李徐日昊所器重。与友人陈系读书朝霞山，踞湖山之胜恒数月，不冠发，鬖鬖披肩，眺咏不辍。喜读庄骚、楞严诸书。著有《旷园集》《隐几集》《黄叶庵诗》行世。遗稿有《苏门草》《霁心草》《何树轩文集》[4]。

何胤麟，字麐首。郡文学。食饩于县官，于书无所不读。为文典核奇放，数千言可立就。学使者蔡公国用阅其文，深加叹赏。崇祯八年（1635），流氛充斥，胤麟终日登陴，与诸将谈兵说剑，画战守计，慨然负终。子云，肆情诗酒，有青莲之风，诗得长吉之致。诗集多未梓。三子有父风，皆金斗名宿[5]。

鲁泗源，字滨麓，庐州卫百户。少读书有大志，因袭祖职。善文艺，称邑名流。出身武弁，而有文人之风[6]。

王时彦，字辅明。廪生。博学善文词[7]。

潘纯，字子素，明代庐州人。寓居江东。其所赋诗音节清丽，温李殆不能过[8]。

---

[1] 康熙《庐州府志·人物传·合肥县人物》。
[2] 康熙《庐州府志·人物传·合肥县人物》。
[3] 康熙《庐州府志·人物传·合肥县人物》。
[4] 康熙《庐州府志·人物传·合肥县人物》。
[5] 康熙《庐州府志·人物传·合肥县人物》。
[6] 康熙《庐州府志·人物传·合肥县人物》。
[7] 康熙《庐州府志·人物传·合肥县人物》。
[8] 康熙《庐州府志·摭佚》。

（二）巢县籍人士的诗文创作

唐君用，洪武初，辟举人才，授金华知府。才情练达，词翰风流。在任日，宴群僚于八咏楼，倡诗。其诗文稿原存于唐家疃，至清康熙年间已废弃不存①。

唐宽，字济岩。正统六年（1441）贡。著有《听松轩草》《古今辨疑集》②。

王维，景泰四年（1453）乡举，有诗名③。

陆钟，成化十九年（1483）乡举，有诗名④。

沈英，字季芳。弘治九年（1496）府贡，未仕。有文集⑤。

胡诚，字贵中。弘治十年（1497）贡，任景陵县训导。优于诗文，士子景慕。九年秩满归，惟诗文盈箧⑥。

赵资隆，字嘉会。正德五年（1510）贡。曾任浮山知县。性警敏，善诗文⑦。

朱光，字德充。正德十五年（1520）贡，任大同府判。以诗文自娱，著有《鸣穷稿》，藏于家⑧。

王琜，字廷臣。嘉靖三年（1524）贡，任四川合州通判。致仕归田，诗酒自娱⑨。

丁烈，字可竹，隆庆万历年间人。山人。豪于饮，僻于诗，终日吟咏不辍。遨游山水间，遇胜迹无不题咏。自集其所作，有十数卷。邑文献之家多有存者。知县马汝砺所修县志，多采择其诗入志⑩。

---

① 康熙《巢县志》卷13《选举志·人才》。
② 康熙《巢县志》卷13《选举志·贡士》。
③ 康熙《庐州府志·摭佚》。
④ 康熙《庐州府志·摭佚》。
⑤ 康熙《巢县志》卷13《选举志·贡士》。
⑥ 康熙《巢县志》卷13《选举志·贡士》。
⑦ 康熙《巢县志》卷13《选举志·贡士》。
⑧ 康熙《巢县志》卷13《选举志·贡士》。
⑨ 康熙《巢县志》卷13《选举志·贡士》。
⑩ 康熙《巢县志》卷15《人物志·文苑》。

查价,字伯藩,号后林,万历中期休宁人。寓居巢县。负诗名,好山水,因其族人多在巢县一带活动,于是畅游巢湖南北,无所不至,结庐湖南白云山下,与巢县士大夫交游,唱和联吟。所刻诗有《湖山漫稿》《樵话纪异闻》,著有《客游杂录》①。

许国泰,字亨之,万历年间人。研精诗学,到处题咏。晚游楚,不知所终②。

李籛,原名芳春,字华仲。天启元年(1621)乡魁。幼负才名,诗赋精卓,每创辟多奇,识者比为长吉之流。刻诗有《啸月集》《西湖草》,又有《嚼梅艺草》及《泰山游记》,未刻。崇祯末,庐州、凤阳一带发生严重灾荒,向朝廷上《请轸恤疏》③。

尹君翰,字翰如,号鹿野。勤苦积学,应崇祯十四年(1641)贡,授玉山知县,因农民起义未赴任。邑人士从学受业者甚众。著有《诗经五雅解》《绮园诗集》④。

葛遇朝,字鼎如,明末人。初任莒州,调澧州,升户部员外郎,后致仕归里,不预户外事。性尤嗜书,年七旬,犹手不释卷,每漏下三鼓方就寝。著有《卓观堂诗文稿》⑤。

唐秫,字叔茂。长于诗文对联,朝夕与士大夫吟咏。著有《宦游集》《训后遗囊清白图》⑥。

张承芳,字汝敬,号斗涧。历任完县、灵丘、上猷三县知县。生平优于诗文,有《西晋纪行》《泽畔行吟》行于世。家藏复有《随笔琐言》全帙。诗文雄伟不群,似其为人⑦。

胡传,字希说。曾任江西星子县主簿。老成持重,优于诗文,为

---

① 康熙《巢县志》卷15《人物志·流寓》。
② 康熙《巢县志》卷15《人物志·方伎》。
③ 康熙《巢县志》卷15《人物志·文苑》。
④ 康熙《巢县志》卷15《人物志·德范》。
⑤ 康熙《巢县志》卷15《人物志·宦业》。
⑥ 康熙《巢县志》卷13《选举志·人才》。
⑦ 康熙《巢县志》卷15《人物志·宦业》。

时景仰①。有佳句云:"青山笑我久縻禄,白发向人羞折腰"②。

杨舜渔,号见昌。幼业儒,及长,放弃儒业,以诗书自娱③。

曹庆祖,字思涓,号星海。邑庠生。为人与物无忤,与世无竞,唯以读书著作为己任。古文诗赋,名噪一时。县令夏公每重其文,不时造访。与徽州人程德懋为诗友,唱和联吟。其题咏盈筒溢箧,当世莫不重其品。著有《乐鹨斋集》《颐阿诗草》④。

叶善守,字守一,别号偶然居士。生员。著有《蚓鸣诗草》行世⑤。

张六翮,字若云。生员。少负俊才,诗文辞赋擅誉一时。入学后,即随父仁田公任于福建、湖广、山东,所过名山大川,无不题咏。所历名人韵士,无不交游。所撰诗文,脍炙人口。晚年独憩一草庐中,自集生平著作有数十卷⑥。

孙侃,字子刚,号竹墟。耽精于诗,甚为超逸,骎骎有晋唐风味,为词林所推服⑦。

向侃,甲午中应天乡试,喜吟咏⑧。

方槊,善于诗文,明代哲学家、无为州人吴廷翰有挽诗云:"于首独吟清且瘦,一官不索老犹贫。"⑨

(三)庐江籍人士的诗文创作

潘植,字公年。洪武年间,以秀才举任四川广安州判官。长于辞章,受到时人推崇。后因俫牧罪放归,于是纵情诗酒,玩弄风月,以终

---

① 康熙《巢县志》卷15《人物志·宦业》。
② 康熙《庐州府志·摭佚》。
③ 康熙《巢县志》卷15《人物志·德范》。
④ 康熙《巢县志》卷15《人物志·德范》。
⑤ 康熙《巢县志》卷15《人物志·文苑》。
⑥ 康熙《巢县志》卷15《人物志·文苑》。
⑦ 康熙《巢县志》卷15《人物志·方伎》。
⑧ 康熙《庐州府志·摭佚》。
⑨ 康熙《庐州府志·摭佚》。

余年。有《击壤》等稿存于家①。子谧,字士宁,诗有父风。有诗集数卷存世②。

胡让,字以让,号可轩。洪武年间,以明经举任本县训导。多学识,擅长诗词。任职京城时,恰逢蹇公当衡,见时值雪,诸公在坐赋诗,命接起字韵,让云:"九重天子好微行,宰相门敲夜惊起。"蹇曰,用野景。随应以"江上渔翁罢钓归,寒玉一蓑披不起"之句,众皆惊。又命题《三友图》,有云:"同持庙廊具,共抱坚贞节",称赏不已。元宵夜禁中放灯,让作排体数十句以献,人多传诵之。升江西建昌县学教谕。致仕归里后,与友人潘植徜徉诗酒③。

宛杲,字彦昭。诗与邑人潘植、胡让相倡和,高蹈山林,不屑仕进。永乐中,众以行谊推为教读,一时乡邦子弟多所成就④。

王恒,字克昌。天顺四年(1460),擢中书舍人,入值文华殿,不久升任太常寺丞。作诗最富,而不肯刊行,受到邑人士推重⑤。

宛嘉祥,字白湖。嘉靖二十二年(1543)乡试中举,判广信,守临清,迁户部郎。逾年,知贵州思南府。致仕归里后,杜门谢客,邑中遇有大事,长吏造庐请教。著有诗文若干卷⑥。

夏寅,字时正,万历年间人。曾任岳州通判。家居绝迹,不入公门。工于诗⑦。

王永年,字雪壶。崇祯恩贡,授中书舍人。博雅工诗文,著有《雪壶集》若干卷⑧。

张瞻,字冶父。天启四年(1624)武举人,任南京游兵营防江都

---

① 顺治《庐江县志》卷8《人物志·文学·诗放附》。
② 顺治《庐江县志》卷8《人物志·隐逸》。
③ 顺治《庐江县志》卷8《人物志·文学·诗放附》。
④ 顺治《庐江县志》卷8《人物志·隐逸》。
⑤ 康熙《庐江县志》卷12《人物》。
⑥ 康熙《庐江县志》卷12《人物》;康熙《庐州府志·人物传·庐江县人物》。
⑦ 康熙《庐江县志》卷12《人物》。
⑧ 康熙《庐江县志》卷12《人物》。

司,管理江防哨务。崇祯六年(1633),因亲老,且侄弘任①已登乡科,乃拂衣归田,以诗酒自娱。享年七十。临终之际,沐浴整衣,作诗一首,搁笔端坐,泊然而逝②。

(四)明代合肥地区地方官的诗文创作

马瑯,字元载,湖广蕲水人。进士。嘉靖七年(1528)由刑科都给事出任庐州知府。才识博敏,有文名。日与文士相砥砺,操行近古者尤受其器重。著有《颛侗集》,刻于庐③。

熊文举,字公远,江西新建人。崇祯四年(1631)进士,知合肥。政事之暇,即与诸生论文赋诗。著有《雪堂文集》若干卷行世④。

马尔骙,明巢县教谕。生平最嗜吕祖谦文,在巢县任职期间,著有《博议粹语》行世⑤。

陈中州,字洛夫,浙江青田人。嘉靖年间为庐江县学教谕。文学优赡,谒选时乡人有贵显者重之,命作《馥清殿赋》,许以要职,中州予以婉拒。生平端己率士,谈道自乐,感物赋诗,潇洒冲淡,受到士人拥戴⑥。

二、书法艺术

明代合肥地区涌现了诸多书法人才,其中有的人通过书法一技之长获得一官半职,有的则在书坛中占有一席之地,甚至"间有以钟王颜柳标长者"⑦。

---

① 按,为崇祯举人。
② 康熙《庐江县志》卷13《隐逸》。
③ 雍正《合肥县志》卷12《名宦》。
④ 康熙《庐州府志·名宦传》;雍正《合肥县志》卷12《名宦》。
⑤ 康熙《庐州府志·名宦传》。
⑥ 康熙《庐州府志·名宦传》。
⑦ 雍正《合肥县志》卷20《杂志·著述附》。

(一)合肥籍人士的书法技艺

明初,朝廷一度以书法技艺选官,庐州郡不乏人。永乐年间,合肥县以楷书入官者即多达十四人①。明初,合肥县以书法获得官职者主要有李源,工部郎中;王亨,刑部主事;洪寿,经历;刘杰,户部郎中;王道,知县;李佑,知州;万方,经历;龙源,给事中;毕成、鹿钦,吏目;秦智,知州;方正、马经,光禄寺丞;程式,知县②。

据方志记载,明代合肥籍人士以书法闻名者还有:万振孙,字性儒。嘉靖四十一年(1562)进士。初授刑部主事,历官员外郎,升襄阳知府,补汀州守,擢楚臬宪。天启元年(1621),以特恩赠太仆寺少卿。性嗜学,垂老犹手不释卷,书小楷及八分,并妙一时。书法古雅秀劲。曾经以所书置当店押银钱,用后加息取赎,当时矜贵如此。其后人讳体元、化参、胤佳、胤颙,皆以擅长书法闻名于世③。

沈自新,处士,擅长书法,"书法老秀"。

张培元,精通书法,以行草知名。

黄道日,字荆卿。精意独注于书,草法出入二王行书。笔法学黄山谷,得其神髓。四方问字求书者常常户外履满,门庭若市④。

王翰,曾任潮州总管,归,道经晋江,寓居沙堤。地有西山岩石,刻"海天一色"四字,为翰所书。

戴皇恩,武进士,以擅长书法闻名。

龚芝麓,以书法闻于世,四方索书者必俟风日晴和,兴到挥洒缣素,动辄连床充案,笔上鲁公绰,有屋漏钗脚之意。其父亲孚肃、仲弟鼎孳,皆以擅长书法闻名。

王纲,曾任职通政司,擅长行书,"有米家风范"。

---

① 雍正《合肥县志》卷20《杂志·著述附》。
② 康熙《庐州府志·摭佚》。
③ 雍正《合肥县志》卷20《杂志·著述附》;康熙《庐州府志·人物传》;康熙《庐州府志·摭佚》。
④ 雍正《合肥县志》卷20《杂志·著述附》;康熙《庐州府志·人物传·合肥县人物》;康熙《庐州府志·摭佚》。

李宪先，书法家黄道日外甥。擅长书法，但笔法不及舅氏之遒劲。

许裔蘅，擅长书法，"小楷小行极一时之秀"①。

高麟游，字泰符。万历二十五年（1597）由选举入国子监学习。历任灵川知县、庆阳同知。擅长楷书②。

除了上述诸人外，以书法著称者，还有殷士奇、张启宸、龚井榷、赵元喆、秦箱、许纳牖、朱衍一等人。其中，秦箱、许纳牖、朱衍一三人擅长楷书，史称"楷书得法者"③。

（二）巢县籍人士的书法技艺

明初，巢县以书法获得官职者主要有陈铎、叶藻、胡瑗等人④。此外，唐稭，擅长书法，其书法技艺追踪书法大家颜真卿、柳公权⑤。赵资兴，以书法闻于世，其书法则以遒劲著称⑥。

（三）庐江籍人士的书法技艺

明初，庐江县以书法获得官职者主要有张軏、郭绅等人⑦。此外，王恒，明英宗时期人，也以书法技艺闻名。王恒父王敬，任职南京国子监，恒以童子随其左右，能习詹孟举大字法帖。年十二，英宗召见，御前作"天下太平"四字献给英宗，"上览之，喜，赐宝钞羊酒，送翰林院读书"。理学家丘浚见其所作诗文，深为器重，赠诗曰："庐江童子名王恒，年方十二谒紫宸。双手捉笔如椽大，楷书三尺妙且精。天子见之龙颜喜，公卿左右皆称美。鼓吹迎导入翰林，养成头角膺青紫。"

---

① 雍正《合肥县志》卷20《杂志·著述附》；康熙《庐州府志·摭佚》。
② 康熙《庐州府志·人物传·合肥县人物》。
③ 雍正《合肥县志》卷20《杂志·著述附》；康熙《庐州府志·摭佚》。
④ 康熙《庐州府志·摭佚》。
⑤ 康熙《巢县志》卷13《选举志·人才》；康熙《庐州府志·摭佚》。
⑥ 康熙《庐州府志·摭佚》。
⑦ 康熙《庐州府志·摭佚》。

天顺四年(1460)，擢中书舍人，值文华殿，后升太常寺丞①。

三、绘画

明代巢县人叶广、赵修禄等在绘画领域有上佳表现。叶广，字元博，号海渔，万历年间人。擅名丹青，胸藏丘壑，笔洒烟云，所作《渔翁图》，远近珍惜。米体山水及大小画，劲骨远神，时流莫及②。赵修禄，字虚白，亦擅丹青。其尤著者，工画唐马，仿赵子昂笔意，精几入神，人以为子昂后身。后发愿画大士千幅，以忏其精专，遂绝笔。其画马，至清康熙年间仍不可多得③。

第二节　哲学与史学

一、哲学

在哲学领域，较为突出的是明代合肥人蔡悉，以理学闻名于世。蔡悉，字士备，号肖谦，谥文毅。明嘉靖万历间著名政治家、理学家。生于世宗嘉靖十五年(1536)，卒于神宗万历四十三年(1615)，享年80岁。嘉靖三十七年(1558)应乡试中举，三十八年(1559)中进士。历世宗、穆宗、神宗三朝，为宦五十载。后官至南京吏部主事、南京尚宝司卿、国子监祭酒。尤以"理学名臣""理学清臣""理学名流"闻名于世。

---

① 康熙《庐江县志》卷12《人物》；康熙《庐州府志·摭佚》。
② 康熙《巢县志》卷15《人物志·方伎》。
③ 康熙《巢县志》卷15《人物志·方伎》。

学术特别是理学成就,是蔡悉一生中的闪光点。根据赵春辉先生的研究①,蔡悉理学有两大渊源,一为家学,二为阳明心学,但其理学在本质上则是近承闽洛,远接洙泗,表现为向儒家原教旨回归的特征。就家学而言,蔡悉的祖父蔡裡"涉猎经史,以孝友闻于时""居恒手一编,诗酒自娱。子孙各视其才箦授以职业,咸得有成。"②蔡悉的父亲蔡廷用则令六子各抱一经,刻苦读书。"公修身齐家,肃雝示范,褆躬接物,俭让垂型,而教子必以义方。身不衣帛,足不逾户,孝亲敬长,各守一经,恂恂如也。"③蔡悉的长兄蔡愍,平生治学主一"谦"字,崇尚程朱理学,终日危坐,研求性理,对蔡悉影响也很大。"公逊志慎修,平生之学得力在一谦字,以先人字谦斋,遂自号绍谦。盖非徒奉为箴规,殆相承为家学矣。尤究心濂洛关闽之绪,终日正襟危坐,研求性理宗旨。与季弟肖谦公友爱最笃。"④

除了家学渊源之外,蔡悉理学的建构还受到阳明心学的洗礼。明嘉靖四十年(1561),蔡悉授湖广乡试同考官,分校楚闱。这一年,胡直出为湖广佥事,领湖北道,倡鹅湖、鹿洞讲学之风。蔡悉闻讯后,慨然以为己任,向胡直执弟子礼。"辛酉(嘉靖四十年,1561)分校楚闱……会金宪庐山胡公倡鹅湖、鹿洞之传,遂从游其门,毅然以斯道为己任。"⑤胡直,字正甫,号庐山,江西泰和人。嘉靖三十五年(1556)进士,累官至广东按察使。为王阳明再传弟子、王门学派代表人物。胡直治学"专明学的大意,以理在心,不在天地万物,疏通文成之旨"⑥,强调"心学"与"力行"不悖,认为"心学"不应受到指摘,然若重心学而不力行则应受到指摘。在知行问题上,胡直信守王阳明的"知行合一"论。蔡悉向胡直执弟子礼的第二年,又随胡直赴武昌讲学。

---

① 本节关于蔡悉理学成就的内容,主要参考赵春辉《蔡悉理学源流考》(《安徽史学》2014年第5期)一文。
② 嘉庆《庐州府志》卷34《笃行》,清嘉庆七年刻本。
③ 蔡麟毓等:《蔡氏宗谱裡公支谱》卷3《谦庵公建坊记》,民国九年刊本。
④ 万振孙:《绍谦公传》,载蔡麟毓等:《蔡氏宗谱裡公支谱》卷3。
⑤ 徐国显:《理学符卿蔡公谥文毅事实序》,载蔡麟毓等:《蔡氏宗谱裡公支谱》卷3。
⑥ (清)黄宗羲著、沈芝盈点校:《明儒学案》,中华书局2008年版,第511页。

蔡悉深受胡直的启发,在武昌大善寺讲学,与门人姚学闵等数十人日日讲究《大学》主旨。认为《大学》主旨在"诚意",而"诚意"即谓"毋自欺"三字。

隆庆初年,蔡悉听说泰州学派代表人物罗汝芳创办从姑山房,开始讲学,便往从之游。罗汝芳,字惟德,号近溪,江西南城人。《明儒学案》称其学"以赤子良心、不学不虑为的,以天地万物同体、彻形骸、忘物我为大"。罗汝芳认为"《大学》之道,必在先知,能先知之,则尽《大学》一书,无非是此物事"①,人的道德修养不必从制欲入手,反对朱熹、王阳明提出的以省、察、克、治为基本手段的道德修养方式。罗汝芳相信大道只在自身,主张以不学为学,以不虑为虑,不学不虑即可造就良知良能。

蔡悉虽曾游学于罗汝芳门下,但观其所阐《大学》之主旨,亦未被其牢笼。因为罗汝芳所主的观点"先知"毕竟未落到实处,而蔡悉所主"毋自欺""不逾矩"自是有把手。《蔡悉墓志铭》云:"公飘然归,有司为增茅舍二楹,前匾曰'大学堂',为同志论学之所;后匾曰'大学正宗',奉孔子、颜曾、思孟及二程像,朝夕瞻礼,示所愿学。……大抵公之学以'毋自欺'为宗旨'不逾矩'为究竟,眼开于致知,脚立于格物。孔曾而下,直与程朱诸君子相伯仲。"蔡悉任太常寺卿,尝上《协律箴》《赞礼箴》二疏;又见国子监大祭,瑟学失传,乃按谱演成,以示祭酒郭明龙,令司瑟者习学,八音始备;而其止矿税所言"自欺不可,何况欺君"亦足发省人心,均体现出其"毋自欺""不逾矩"的理学观念。同时,其心学观念并未沿着胡直的心学走向更远,而是回归到程朱理学,即"眼开于致知,脚立于格物"。因此,清人纪昀称蔡悉"为人有学行,恬于宦情",说他在姚江末派中"最能谨严不肆",于《大学》则"以慎独为要义,致知格物为先务"②。综上所述,蔡悉理学思想尽管受到王学的影响,但绝不固守,贵在能出入王学,接受其洗礼,而直接洙泗

---

① (清)黄宗羲著、沈芝盈点校:《明儒学案》,第386—400页。
② (清)纪昀等纂:《四库全书总目提要》,中华书局1997年版,第170页。

渊源、关闽濂洛之学。

蔡悉一生著述丰硕,多达七十余种,见于史籍记载者主要有《古本孝经注》1卷、《孝经孝则》、《周易玩占》、《洪范解》1卷、《烱名解》1卷、《雅诗删》、《礼庆直指》、《赞礼箴》、《协律箴》、《中庸解》1卷、《孟子传》1卷、《大学注》1卷、《大学语录》1卷、《太极图说》、《天赐图说》、《尊闻经》、《学矩》4卷、《庸言》1卷、《蔡子求迹集》3卷、《献芹集》3卷、《宏毅堂集》、《日新记》、《辅仁集》、《省传录》、《六字经》、《草堂好古集》、《迷古五训》、《圣谕演六章》、《奏议》2卷、《居身十训》、《居家十训》、《杂著文集》,以及《圣师年谱》3卷、《颜子见知经》1卷、《程子闻知经》1卷、《孝经正传》、《孝经行义》4卷、《圣易全经》、《大明儒学宪章记》4卷、《书畴彝训》1卷、《大学正宗堂经解》、《古本大学解》、《肃帝敬一箴解》、《大学经传注》、《程子大学定本》、《高皇帝大学实录》①。

除了蔡悉之外,明代合肥人潘子嘉著有《太极图解》,沈桂著有《太极图说》②,在理学领域也有所建树。

此外,一些来庐州府、庐江县任职的地方官也在哲学方面有所造诣。如聂曼,字子贞,江西金溪人。任庐州教授。博雅醇粹,传象山性学,尤邃于易③。刘逢恺,字策斋,江西泰和人。进士。嘉靖二十九年(1550)补任。在任期间,致力于倡行理学④。

二、史学

(一)经史

在经史方面,明代合肥人黄道日"湛深经术"⑤。明代庐江人潘

---

① 参见蔡继钊:《蔡悉述论》,《安徽史学》2008年第3期。
② 康熙《庐州府志》卷10《艺文志》。
③ 康熙《庐州府志·名宦传》。
④ 顺治《庐江县志》卷4《官政志·名宦》。
⑤ 康熙《庐州府志·人物传·合肥县人物》。

谧,少颖异,博洽经史①。明代庐江人王孙谋,字贻之,号燕麟。崇祯元年(1628)恩贡。博洽经史,究心皇极、西铭诸书②。此外,明代巢县人杨舜渔,读史鉴,见古人有前言往行,便欲效之。著有《小学序》、《我箴注》等行世③。明代巢县人胡仕,字希潜,贡士。科举失意,一心著述。著有《讲余私论》十数卷,言言精理;另著有《论草》、《无益生传》④。胡仕仲子汝恒,字德门。曾官阳信、宁陵教谕。肆力著述,著有《蛇六足》、《梅花百咏》、《宾主对论》各一部以及《代董仲舒对天人策》三篇⑤。

在《春秋》研究方面,明末合肥人王寏大有所造诣。他认为"史为古今第一要义,而《春秋》,史法之祖,《通鉴纲目》,群史之会,故二书为一生精力所萃。"著有《春秋说》数十万言、《史纲抄》十余万言⑥。另有《掷盃阁四书艺经》、《艺古文杓》行世⑦。明末巢县人葛遇朝,著有《春秋几鉴》⑧。明代庐州知府潘榛,著有《春秋列传》⑨。

在《礼记》研究方面,明代巢县人姜琳、单政等有所成就。姜琳,字贡之,嘉靖二十年(1541)贡,任浙江海盐县教谕,以《戴记》名家⑩。单政,字立卿。祖晓峰,父斗墟,皆为邑廪生。以《戴记》世其家⑪。

在《尚书》研究方面,明代合肥人王藿,曾任主事,著有《书经便蒙》⑫。

---

① 顺治《庐江县志》卷8《人物志·隐逸》。
② 顺治《庐江县志》卷8《人物志·文学》。
③ 康熙《巢县志》卷15《人物志·德范》。
④ 康熙《巢县志》卷15《人物志·文苑》。
⑤ 康熙《巢县志》卷15《人物志·文苑》。
⑥ 据雍正《合肥县志》卷20《杂志·著述附》记载,王寏大,郎中,著有《春秋钞》《史钞》。康熙《庐州府志》卷10《艺文志》则云,王寏大著有《史抄》。
⑦ 康熙《庐州府志·人物传·合肥县人物》。
⑧ 康熙《巢县志》卷15《人物志·宦业》。
⑨ 康熙《庐州府志》卷10《艺文志》。
⑩ 康熙《巢县志》卷13《选举志·贡士》。
⑪ 康熙《巢县志》卷15《人物志·德范》。
⑫ 雍正《合肥县志》卷20《杂志·著述附》。

在"四书"研究方面,明末巢县举人李篯,著有《四书点睛讲义》[①]。

在礼学研究方面,明代巢县人贾通明,历任余杭、零陵、阳曲县丞,著有《五服纂要》等书行世[②]。

(二)方志

明代,合肥地区的地方官和士大夫较为重视地方史志的编纂工作,主持编纂了府志、县志和相关地方专门性志书。

关于庐州府志的编纂,如严尔珪,湖州归安人,进士。崇祯四年(1631)由礼部郎中任庐州知府。在任期间,延聘名儒纂修府志,以垂不朽[③]。

关于巢县县志的编纂,林宗哲,广东琼州人,由举人,弘治元年(1488)任巢县知县。在任期间,"纂葺县志,俾后世得有所述"[④]。到了隆庆年间,柳应侯、萧廷仪、陈九春、滕远等人又着手编纂县志。柳应侯,号豫斋,山西洪洞县举人,隆庆四年(1570)任巢县知县。在任期间,"访形胜于山川,校臧否于人物,敦延学博,修葺县志,允称一邑之实录"[⑤]。萧廷仪,号蒙南,江陵县岁贡。隆庆四年(1570)任巢县教谕,协助知县柳应侯编修县志[⑥]。陈九春,号古松,公安县贡士。隆庆四年(1570)任巢县训导,协助知县柳应侯编修县志[⑦]。贡士滕远,字毅卿,"纂修隆庆年志,条理详悉,论断精卓"[⑧]。到了万历年间,成清、张邦礼继续纂修县志。万历十八年(1590)任巢县训导的成清,字初水,和州岁贡,与修县志[⑨]。生员张邦礼,字和宇,"县令马公称其为古

---

① 康熙《巢县志》卷15《人物志·文苑》。
② 康熙《巢县志》卷13《选举志·吏员出身》。
③ 康熙《庐州府志·名宦传》;雍正《合肥县志》卷12《名宦》。
④ 康熙《巢县志》卷10《职官志·守令》。
⑤ 康熙《巢县志》卷10《职官志·守令》。
⑥ 康熙《巢县志》卷10《职官志·教谕》。
⑦ 康熙《巢县志》卷10《职官志·训导》。
⑧ 康熙《巢县志》卷15《人物志·文苑》。
⑨ 康熙《巢县志》卷10《职官志·训导》。

文能手,独属以纂修县志"①。

在专门性志书方面,明代合肥人孙荆,字子楚,号半岩,处士。纂有《庐阳文献志》传世②。明代巢县人杨鸿功,字翀若,邑庠生。著有《厉阰录》,记述明末农民起义史事。据史载,崇祯八年(1635),巢县县城被起义军攻克,起义军离去后,杨鸿功"入城,细访忠孝节义,阐幽发微,哭之,录成一书,名曰《厉阰录》。盖罹锋镝者男妇共一万三千余人,而其间凡义婢义仆,表表骂贼不屈者,皆录之"③。

第三节 宗教

明代,合肥地区主要流行有佛教、道教两大宗教,其中以佛教势力最大,为合肥地区第一大教。明代合肥地区寺观林立,即便是位于巢湖中的山上也遍布寺观:"巢县有巢湖,湖中有山,山上寺观皆可延览,而半汤池亭为最。"④

一、佛教

在合肥县境内,一方面是明代兴建了一些佛寺,另一方面,明代以前兴建的大量佛寺到了明代得到修缮和维护,继续发挥着自身的作用。

据万历《合肥县志》记载,当时合肥县境内有佛寺64所,其中在县城中有天王寺;五星寺,宋咸淳年间建,明永乐八年(1410)重修;万

---

① 康熙《巢县志》卷15《人物志·文苑》。
② 康熙《庐州府志·人物传·合肥县人物》;雍正《合肥县志》卷20《杂志·著述附》。
③ 康熙《巢县志》卷15《人物志·节义》。
④ (明)张瀚撰、盛冬铃点校:《松窗梦语》卷2《东游纪》,第37页。

寿寺，位于时雍门内，唐贞观年间建；地藏寺，位于北门内，元代建；明教寺①。准提庵，位于南门内东隅，明崇祯五年（1632）建。三义庵，位于尚节楼西②，明崇祯十八年③建。

在西乡有开福寺，位于大蜀山；宝福寺，位于小蜀山；鸡鸣寺，元代建；马埠寺，元代建；石佛寺，元代建；三城寺，元代建；义城寺，元代建；秋栅寺，元代建；白鹭寺，宋代建；清规寺，元代建；丘陂寺，明永乐年间建；华城寺，晋代建；营元寺，宋代建；宝教寺，元代建；龙泉寺，元代建④。

在北乡有明觉寺，宋代建；石塘寺，宋代建；园疃寺，宋代建；西广福寺，宋代建；须陀寺，元代建；明城寺，唐代建；通惠寺，元代建；多宝寺，元代建；甘露寺，元代建；牛寨寺，元代建；麻城寺，元代建⑤。

在东乡有香积寺，宋代建；四顶寺，宋代建；龙华寺，宋代建；东广福寺，宋代建；邑堂寺，宋代建；浮槎寺，梁代建；净住寺，唐代建；龙城寺，宋代建；游塘寺，宋代建；宝福寺，宋代建；包城寺，位于店埠镇，明洪武初建，正统年间重修，著名思想家王阳明有诗述及该寺；长乐寺，元代建；龙会寺，元代建；定光寺，元代建；东龙泉寺，元代建⑥。

在南乡有小丰寺，宋代建，邑人郑梁有诗述及该寺；潮城寺，宋代建；寿龙寺，晋代建；施婆寺，宋代建；清平寺，宋代建；蔚蓝寺，元代建；西宁寺，元代建；万年寺，梁代建⑦。

在梁县乡有东香积寺，宋代建；三学寺，元代建；黄塘寺，元代建；

---

① 万历《合肥县志》上卷《秩祀志·附寺院》。天顺《大明一统志》卷14《庐州府·寺观》记载合肥县明教寺、地藏寺云："明教台寺，在府治东，唐大历间建，内有铁佛像。地藏寺，在府治东北，宋淳熙间建。"
② 雍正《合肥县志》卷5《祀典》。
③ 按，崇祯在位共十七年，此处当为南明弘光元年（1645）。
④ 万历《合肥县志》上卷《秩祀志·附寺院》。
⑤ 万历《合肥县志》上卷《秩祀志·附寺院》。
⑥ 万历《合肥县志》上卷《秩祀志·附寺院》。
⑦ 万历《合肥县志》上卷《秩祀志·附寺院》。

演法寺,元代建,有明代学士胡溁记;药师寺,元代建①。

此外,还有废寺二:福泉寺,位于县城内②;澄惠寺,宋代建。院二:大云院,宋代建;笁梵院,元代建,皆位于梁县乡境内③。

在巢县境内,明以前留存的大量佛寺到了明代得到修缮和维护,继续发挥着自身的作用;与此同时,明代还兴建了许多寺庵。这些寺庵主要有:

定林慈氏寺,位于县北崇善坊。梁武帝时建④,宋淳化年间重修,乾道年间建宝塔,元至正年间重修。明正统十一年(1446),僧人普宽鼎建。嘉靖四十二年(1563)改为儒学,万历四年(1576),重新恢复为寺。邑人尹志器、王时,僧人心富募众增修铁佛头,供于其内⑤。

西隐寺,位于县治西卧牛山下。创自梁武帝时,宋景定年间重修。明洪武初,因兵毁鼎建。宣德、嘉靖年间重修⑥。宣德年间,海云禅师重修西隐寺禅定处⑦。

圆通寺,位于县南二十里牛角山隈。元代建。明洪武初,因兵废重建。宣德、成化年间重修。明末,僧人廓然募众复修⑧。

大甘泉寺,位于散兵镇上首。宋淳熙年间创建。明宣德年间重建⑨。巢县人了然禅师,曾出家于大甘泉寺中。天启年间,归息于无为泥汉庵⑩。

小甘泉寺,位于巢湖南凤舒河上十里,离县城五十里。宋嘉定年

---

① 万历《合肥县志》上卷《秩祀志·附寺院》。
② 天顺《大明一统志》卷14《庐州府·寺观》云:"福泉寺,在府城内,唐罗珦微时尝投寺随饭,后归守乡郡,题诗僧房壁。"
③ 万历《合肥县志》上卷《秩祀志·附寺院》。
④ 关于定林寺,天顺《大明一统志》卷14《庐州府·寺观》云:"定林寺,在巢县治东北,宋乾道中建。……本朝洪武中重修。"
⑤ 康熙《巢县志》卷14《祀典志·宫观院寺庵》。
⑥ 康熙《巢县志》卷14《祀典志·宫观院寺庵》。
⑦ 康熙《巢县志》卷16《方外志·释》。
⑧ 康熙《巢县志》卷14《祀典志·宫观院寺庵》。
⑨ 康熙《巢县志》卷14《祀典志·宫观院寺庵》。
⑩ 康熙《巢县志》卷16《方外志·释》。

间创建,元至正年间重修。后毁于战乱。明正统年间,重建殿庑、山门、楼房、石桥等①。

相山寺,即林泉院,位于县南一百里南山中。宋开宝四年(971)创建。明洪武年间重建②。

金城寺,位于巢县西南界,离县城一百里。北魏时,僧人善询创建,历晋隋唐宋,兴废不一。明宣德元年(1426),僧人净观募众鼎新修建,请翰林院修撰邢宽作记③。邢宽《重建金城寺记》云:"南巢,古邑也。去县南百里许,有寺曰金城……入国朝以来,崇重佛典,僧之来往者,甲更乙代,卒未闻有能事振举者。遂至木鱼不鸣,炉烟焰熄,残篆古木,自相吊言于荒山草莽之间,过者惜之。永乐中,僧真器、宗信,始因旧址,创建法堂数楹,仅蔽风雨。宣德丙午(元年,1426),僧净观过而顾叹曰:'若是者,兹寺之难复乎。'净观,南昌人,精释典,谨戒行,以兴废起颓为己任。然自顾力单费匮,捕风系影。其徒永清、永宁、永福、永寿,咸殚诚协力劝募。衰缘善信姜礼、骆贵、孙泰、穆正、穆昭、王闰等,相率输财效力,乃市材于江,采石于山,瓦甓惟陶,辟其基而扩厂之。首建大雄殿三间,高明亢爽。继植天王殿、东西厢庑、山门、香积堂、方丈。洎夫房库、庖厨、湢浴之所,亦咸以次完具。乃召工范土泥金,塑刻如来、三宝、十八尊者等像,庄严彩绘,黝垩维新,戴白垂黄者至,莫不啧啧歆艳,曰:我昔游于斯,憩于斯,狐兔穴焉,荆棘丛焉,不图今日重新改观之至是也。"④对明代前期金城寺由衰而盛、香火日盛的情景作了生动描述。

清泰寺,位于县东南磨旗墩边,离县城二十里。宋景定二年(1261)创建,明洪武、天顺年间重修⑤。

濡须寺,位于龟山上。原有塔,山顶有井。明崇祯末年,寺圮废,

---

① 康熙《巢县志》卷14《祀典志·宫观院寺庵》。
② 康熙《巢县志》卷14《祀典志·宫观院寺庵》。
③ 康熙《巢县志》卷14《祀典志·宫观院寺庵》。
④ (明)邢宽:《重建金城寺记》,康熙《巢县志》卷17《艺文志上》。
⑤ 康熙《巢县志》卷14《祀典志·宫观院寺庵》。

塔仅存①。

大力寺，位于县北十里王乔洞东北。宋景定年间创建，明天顺年间重修②。

白马寺，位于县东北四十五里姚苌村。元延祐年间创建，明天顺年间重修③。

上生寺，位于县北五十里近黄山地方。元至正年间创建，明洪武、永乐年间重修④。

凤凰寺，位于县西八十余里黄山前。元至正五年（1345）创建，明成化年间重修⑤。

尖山寺，位于县西北八十里。元至正年间创建，明洪武、正统年间重修⑥。

法轮寺，位于县西六十里白露河。宋绍熙年间创建，遗有石柱、轮藏、铁钻、古塔。明永乐、正统年间重修⑦。

观心寺，俗称焖炀寺，位于镇南桥头。宋淳熙年间创建，明宣德、天顺年间重修⑧。

广严寺，位于县西四十里。宋淳祐年间创建，明正统、天顺年间重修⑨。

白业庵，位于慈氏寺左首。明万历年间，僧人廓然募建⑩。

五龙庵，位于县东十里亚父山下。明万历年间，民人陈怀孝鼎建⑪。

---

① 康熙《巢县志》卷14《祀典志·宫观院寺庵》。
② 康熙《巢县志》卷14《祀典志·宫观院寺庵》。
③ 康熙《巢县志》卷14《祀典志·宫观院寺庵》。
④ 康熙《巢县志》卷14《祀典志·宫观院寺庵》。
⑤ 康熙《巢县志》卷14《祀典志·宫观院寺庵》。
⑥ 康熙《巢县志》卷14《祀典志·宫观院寺庵》。
⑦ 康熙《巢县志》卷14《祀典志·宫观院寺庵》。
⑧ 康熙《巢县志》卷14《祀典志·宫观院寺庵》。
⑨ 康熙《巢县志》卷14《祀典志·宫观院寺庵》。
⑩ 康熙《巢县志》卷14《祀典志·宫观院寺庵》。
⑪ 康熙《巢县志》卷14《祀典志·宫观院寺庵》。

福应庵,位于鼓山上。明万历九年(1581),民人程钦鼎建。子永嵩、孙大荣、曾孙应鹍相继重修,栽培松竹①。

方山庵,位于方山顶。明崇祯初,僧人周某始创,作草房二进,后圮废②。

芙蓉庵,位于浮秾岭。芙蓉,其讹称也。其岭陡峻险隘,为濡须往来孔道。明万历初,无为州知州查志文、巢县知县陶九韶,在浮秾岭构守望轩三楹,庵中有逻卒与僧人居住。置民田二十亩,山二段,交付僧人,以为过客茶汤之施。后来僧人渐次增置,作芙蓉庵③。

朝阳庵,位于新安乡三图石壁山下。西隐寺僧人广昺建。明崇祯年间,僧人方汉英与其徒石悟重修④。

子房庵,一名白云庵。明万历年间重修⑤。

云峰庵,位于子房庵山下。元延祐年间创建。因战乱废毁,明洪武年间重修。崇祯末毁于战火⑥。

延寿庵,位于任家山衖内。明天启年间,贡士任学夔建⑦。

药师庵,位于仙人洞后药师荡内。明季,僧人月珂建⑧。

净度庵,位于土木衖内,近桃花岭地方。明末建⑨。

弥陀庵,位于县治西十里龟头山东脚下。西隐寺僧人大然建造庵房一所。明嘉靖十五年(1536),大然徒弟弘宣重修⑩。

西峰庵,位于小独山西侧,离县城三十里。明末颓坏⑪。

地藏庵,位于下阁镇。明崇祯二年(1629),僧人宏玮与其徒圆德

---

① 康熙《巢县志》卷14《祀典志·宫观院寺庵》。
② 康熙《巢县志》卷14《祀典志·宫观院寺庵》。
③ 康熙《巢县志》卷14《祀典志·宫观院寺庵》。
④ 康熙《巢县志》卷14《祀典志·宫观院寺庵》。
⑤ 康熙《巢县志》卷14《祀典志·宫观院寺庵》。
⑥ 康熙《巢县志》卷14《祀典志·宫观院寺庵》。
⑦ 康熙《巢县志》卷14《祀典志·宫观院寺庵》。
⑧ 康熙《巢县志》卷14《祀典志·宫观院寺庵》。
⑨ 康熙《巢县志》卷14《祀典志·宫观院寺庵》。
⑩ 康熙《巢县志》卷14《祀典志·宫观院寺庵》。
⑪ 康熙《巢县志》卷14《祀典志·宫观院寺庵》。

募众鼎建①。

白衣庵,位于柘皋镇西二里。明崇祯年间建②。

华严庵,位于中垾,离县城三十余里。明隆庆二年(1568),僧人宗哲重建③。

指南庵,位于西凰山东嵋马鞍山地方。明崇祯年间,禅僧行伊建④。

杨公庵,位于柘皋镇。供奉杨公禅师。镇中凡祈雨泽,皆于此处。其庵二进,明隆庆年间,本镇居民谢氏募建,以镇风水。万历末年重修⑤。

在庐江县境内,明以前留存的大量佛寺到了明代得到重新修缮,继续发挥作用;与此同时,明代还兴建了许多寺庵。这些寺庵主要有:

金刚寺,位于县城东南紫芝坊。唐代建。明洪武年间重修,洪武五年(1372),僧人溥结庵其上。永乐、宣德、正统年间,僧人当彻、靖安、宁真相继增建。嘉靖五年(1526),僧人从密募修其后小墩。嘉靖三十年(1551),僧人法正、宗祐、真言募化重修,规模益大。崇祯十五年(1642),毁于战火,止存天王殿⑥。

冶父寺,位于县治东北二十里南慕善乡。唐伏虎禅师所创。宋赐额曰"实际禅寺"。元泰定年间僧聪重建。明永乐、正统、成化、弘

---

① 康熙《巢县志》卷14《祀典志·宫观院寺庵》。
② 康熙《巢县志》卷14《祀典志·宫观院寺庵》。
③ 康熙《巢县志》卷14《祀典志·宫观院寺庵》。
④ 康熙《巢县志》卷14《祀典志·宫观院寺庵》。
⑤ 康熙《巢县志》卷14《祀典志·宫观院寺庵》。
⑥ 康熙《庐江县志》卷8《古迹·寺观附》。

治年间,僧人智兴、大宁、方珍、明善重修①。

金牛寺,位于县治西北四十五里庐江乡。宋代僧人安雅建。明永乐年间,僧人坚守重建。正统年间,僧人守暄建毗卢阁②。

妙光寺,位于县治西北六十里庐江乡双龙山。元代僧人无隐创建。明洪武僧妙莹,永乐、宣德僧了兴、守昱重修。成化、正德年间,僧人方璎、方理扩建。崇祯十五年(1642),毁于战乱③。

甘泉寺,位于县治西三十五里龙池山麓。创建年代不详。明洪武二十年(1387),僧人守静重建。正统、成化年间,戒僧定祥重修。嘉靖元年(1522),定华、宗钦重建④。

龙泉寺,位于县治南四十里。明嘉靖元年(1522),僧人真安重修⑤。

觉海寺,位于县治北五十里北慕善乡。明宣德九年(1434),僧人守晞重建⑥。

大隆寺,位于县治东南四十里。元代僧人无涯建。明永乐三年(1405),僧可静重修⑦。

---

① 康熙《庐江县志》卷8《古迹·寺观附》。民国《冶父山志》(民国二十五年刊本)卷2《建置》:"冶父山寺:寺建于唐昭宗时,初名冶父,乃伏虎禅师择山南地,创殿宇寮舍,苟完而已。……元末兵革,寺宇又废。明永乐间智兴禅师、正统间大灵禅师相继重修。佛前钟磬曾铸大灵之名云。弘治以来,方珍、明善二禅师续修,然其地犹在主峰之旁。万历间,邑绅朱来远睹之,慨然捐金三千,仍即旧址改造大殿,高五丈许。明末遭乱,寺僧星散,垣倾屋坏,瓦砾荒凉。……大雄宝殿:居寺之中。高五丈,上悬铎,下布砖。明万历癸卯,邑人朱来远捐三千金,卢熙、卢谦捐施梁木,同力所葺。上安三世尊佛、韦驮天王二像。而观音、文殊、普贤三大士,达摩、普庵、伏虎诸祖师,伽蓝十八阿罗汉,各各妙相庄严,坐列有次。见者莫不肃然起敬,油然生道心焉。……大观亭:在文昌阁前。明嘉靖时建。……云中茅斋:一名伏虎庵,在山顶东偏。唐昭宗光化元年,伏虎禅师所建。明正统间僧会司大安重建。"
② 康熙《庐江县志》卷8《古迹·寺观附》。
③ 康熙《庐江县志》卷8《古迹·寺观附》。
④ 康熙《庐江县志》卷8《古迹·寺观附》。
⑤ 康熙《庐江县志》卷8《古迹·寺观附》。
⑥ 康熙《庐江县志》卷8《古迹·寺观附》。
⑦ 康熙《庐江县志》卷13《仙释》:"可静禅师,居庐江大隆寺。洪武初,考选天下名僧第一,赐锦襕袈裟、紫金钵盂。永乐间,遣御史白玉修其墓。"

胜因寺，位于县治南五十里。明景泰五年（1454），僧人正秀修。嘉靖年间，僧人明缸增建法堂①。

皇觉寺，位于县治西四十里。明洪武三年（1370），僧人妙宁建。景泰、成化年间，僧人大宣、明弗增修。嘉靖四年（1525），僧人宗悦扩建②。

竹林寺，位于县治东六十里。宋庆元五年（1199），僧人祖南建。明天顺五年（1461），僧人法慧修。正德十二年（1517），僧人通宝重修③。

福昌寺，位于县治东北四十里。唐代建。明嘉靖年间，僧人真钦重修④。

光明寺，位于县治东南六十里。明景泰三年（1452），方玘重建⑤。

麻城寺，位于县治东南二十里。元代僧人建。明正统年间，僧人方德结庵居之。天顺三年（1459）重建。弘治、正德年间，方杰重修⑥。

伏虎庵，位于冶父山顶。唐光化元年（898），伏虎禅师建。明正统十四年（1449），僧人大安建庵于其北。成化十五年（1479），方玘扩建⑦。

云隐庵，位于县治东北三十里。明正统初，僧人衍慎建。弘治七年（1494），僧人道员重修⑧。

观音庵，位于县治西南四十里大凹山麓。明洪武十二年（1379），僧瑛建。正德十三年（1518），僧人德能、圆宝重修⑨。

汪圣殿，位于小西门外。明洪武初年建。天顺二年（1458），知县

---

① 康熙《庐江县志》卷8《古迹·寺观附》。
② 康熙《庐江县志》卷8《古迹·寺观附》。
③ 康熙《庐江县志》卷8《古迹·寺观附》。
④ 康熙《庐江县志》卷8《古迹·寺观附》。
⑤ 康熙《庐江县志》卷8《古迹·寺观附》。
⑥ 康熙《庐江县志》卷8《古迹·寺观附》。
⑦ 康熙《庐江县志》卷8《古迹·寺观附》。
⑧ 康熙《庐江县志》卷8《古迹·寺观附》。
⑨ 康熙《庐江县志》卷8《古迹·寺观附》。

王庆重修。嘉靖四十三年(1564),知县刘裁增建法堂①。

杨公庵,位于县治东北三里。宋有杨公得道禅师之墓,土人追思,建庵于其上。明隆庆年间,许三锡重修。至清康熙年间,庵与墓俱存②。

二、道教

明代,合肥地区兴建了一些道观,与此同时,明以前兴建的一些道观在明代得到修缮,继续发挥作用。

据记载,明代,合肥县境内有3座道观,其中梓潼观③,位于五君台东,宋代建;永真观,在县学西南;白鹤观,在教弩台西,元代建④。

明代,巢县境内宫观主要有:西圣宫,位于小西门外。明万历年间,里人鲍恩率众鼎建,香火旺盛⑤。紫薇观⑥,在金庭山下。晋咸康四年(338)开创,宋宝祐二年(1254)敕建。宋末迁入干城,明洪武二年(1369),再迁于县治西北卧牛山许由遗址。永乐、宣德年间,道士孙有年、陈复中⑦住持,门廊焕然一新。其徒辈相继竖钟鼓楼、集仙堂、山门、碑亭。嘉靖年间重修⑧。

在庐江县境内,据天顺《大明一统志》记载,"玉虚观,在庐江县治

---

① 康熙《庐江县志》卷8《古迹·寺观附》。
② 康熙《庐江县志》卷8《古迹·寺观附》。
③ 天顺《大明一统志》卷14《庐州府·寺观》云:"梓潼观,在府城内,洪武初因旧址建。"
④ 万历《合肥县志》上卷《秩祀志》。
⑤ 康熙《巢县志》卷14《祀典志·宫观院寺庵》。
⑥ 天顺《大明一统志》卷14《庐州府·寺观》:"紫薇观,在紫薇山。宋县令阮美成斥大之,湖山重复,岩谷幽阒,三峰峙于前,两洞拥于后。"
⑦ 康熙《巢县志》卷16《方外志·道术》:"陈复中,江西临江人,宣德间为和州悬妙观道士。已而,膺荐领道录司札,住持巢紫薇观。复中初习儒业,善书能诗文,后谢去从道,受洞悬[玄]灵宝法录及龙虎金碧文,最能领略,善祈雨,每有神应。其时缙绅名达,靡不重之。"
⑧ 康熙《巢县志》卷14《祀典志·宫观院寺庵》。

南。又号南台观,相传汉末左慈居此"①。另据康熙《庐江县志》记载,在庐江县治西门外有真武观。明永乐年间,知县黄惠命道士唐嗣尧建。景泰、成化年间,曾彦初、龚迎祥重修。正德十二年(1517),傅久昌增建,后毁于战火。道士倪清源重建②。

第四节 民间信仰与人情风俗

一、民间信仰

在合肥县境内,明代民间信仰涉及的对象繁多,如有对孔子等儒家先圣、颇有政绩的乡贤、任职地方的名宦等人物和神灵的崇拜和信仰。围绕上述信仰,修建有大量相关的祭祀设施。如合肥有"先师庙:岁春秋仲月上丁致祭,行释菜礼。启圣祠:祭期与先师同。名宦祠:上丁次日祭"③。对于乡贤,正统初,为包拯、马亮、王希吕、文翁、余阙建立五贤祠:"五贤祠:在府学。旧有三贤祠,在合肥县学,元建,祀宋包拯、马亮、王希吕。本朝正统初改建于此,增祀汉文翁、元余阙为五贤祠。"④正德初,庐州知府马金奏请在东门外为元代余阙建立余忠宣公祠;明代,为楚大夫伍员立伍相公祠,为邑人都御史张淳立世德祠,为郡人府丞周雨立旌忠祠⑤。对于名宦,明代在察院西为庐州知府平湖屠仲律建有屠公遗爱祠;在察院东,为知府马金、张瀚立马

---

① 天顺《大明一统志》卷14《庐州府·寺观》。
② 康熙《庐江县志》卷8《古迹·寺观附》。
③ 万历《合肥县志》上卷《秩祀志》。
④ 天顺《大明一统志》卷14《庐州府·祠庙》。
⑤ 万历《合肥县志》上卷《秩祀志》。

张二公生祠;为知府张瀚立张公遗爱生祠,知府张大忠、知县胡时化重修①。有对土地、伏羲、女娲、申将军、关王、徐将军、姚公、东岳、南岳、后土地祇、五显、司火昭明、风伯雨师、龙王、炳灵公、巢湖圣妃、八腊等神灵或人物的崇拜和信仰。围绕上述信仰,一方面,在明代以前当地即修建有各类相关祭祀设施,这些祭祀设施有的在明代继续得到修缮和使用;另一方面,明代也修建有不少祭祀设施。如在县治所在地建有县土神祠②。在城东小岘山建有伏羲庙;在城东北梁县乡有女娲庙③;在梁县乡有申将军庙④,为楚将申明立;在和平桥东有关王庙,元至元年间建,明弘治年间重修,隆庆六年(1572)知府张大忠、知县胡时化重修;在南乡南河口有徐将军庙;在南乡有姚公庙;在白鹤观西有东岳庙,元至正元年(1341)建,明嘉靖年间重修;在惠政桥西有南岳庙,宋淳熙八年(1181)建;在县治东北有后土地祇庙,宋代建;有五显庙;在城西门内有司火昭明庙,元末毁,至明万历年间只遗留有小庙;在城西三里有风伯雨师庙;在大蜀山、小蜀山、浮槎山等地有龙王庙五座;在城隍庙后有潜山庙;在南乡有炳灵公庙,元代建;在南乡有祠山庙;在姥山有巢湖圣妃庙;在巢湖北岸有中庙,元大德初建,明嘉靖年间重修;在西乡有山南馆庙,元延祐年间建;在七里河有大圣庙,明正统初建,隆庆六年(1572)重建;在西乡有华家庙,元代建;在余公桥东有八腊祠,明嘉靖初知府龙诰建⑤;在城南德胜门内有佑圣宫;在城南南熏门内有祖圣宫⑥。

---

① 万历《合肥县志》上卷《秩祀志》。
② 万历《合肥县志》上卷《秩祀志》。
③ 天顺《大明一统志》卷14《庐州府·祠庙》:"女娲庙,在府城东北梁县乡。宋邵拱诗:八卦初成代结绳,补天当日更功深。"
④ 天顺《大明一统志》卷14《庐州府·祠庙》:"申将军庙,在府城东北梁县乡。昔楚白公作乱,楚王以申明为将军伐之,白公惧,执明父,谕明退师。明以既受君命,当移孝为忠,追败之。白公怒杀其父。楚王欲赏明,明曰:我有定国之功,而有害父之耻。遂自刎,人为立庙。"
⑤ 万历《合肥县志》上卷《秩祀志》。
⑥ 万历《合肥县志》上卷《秩祀志》。

此外，据天顺《大明一统志》记载，合肥县境内还有乔张庙："乔张庙，在府治东。宋绍兴间郦琼叛，统制官乔仲福、张璟以不从乱被害，后人立庙祀之。"①

在巢县境内，明代民间信仰涉及的对象主要有社稷、城隍、关帝、东岳、宏通、八腊、萧公、泰山娘娘、五显等神灵或人物。围绕上述神灵或人物的崇拜和信仰，一方面，在明代以前当地即建有相关祭祀设施，这些祭祀设施有的在明代继续发挥作用；另一方面，明代也围绕上述神灵信仰，修建有不少祭祀设施。如社稷坛，又称北坛，位于县东北二里许。明嘉靖二十一年（1542），知县冀溥以县北邑厉坛改建②。

城隍庙，共有三座，一座位于县城内，一座位于柘皋镇，一座位于巢湖南岸的高林河。其中，县治仁寿坊城隍庙，明洪武年间，知县桂廷用创建，永乐年间王宁、洪熙初年张祯、景泰年间关徽，相继予以维修扩建。崇祯十五年（1642）三月，正殿及后宫俱被农民起义军焚毁。十六年（1643），居民集资重建内外二殿。柘皋镇城隍庙，由道官吴元修率徒胡中秀募化捐赀修建。高林河城隍庙，为宋淳熙年间所建③。

关帝庙，共有二座，一座位于县城北关外，一座位于柘皋镇西尽街头。其中，县城关帝庙原在县北半里许氏义冢之北。明嘉靖二十六年（1547），知县樊韶移建于近北城岐路口，"足壮伟观，且为北方保障，甚有关县治"。万历十八年（1590），知县马如麟重修。柘皋镇关帝庙，规模小于县庙，"然亦清雅精洁，称其神居"④。

巢县境内东岳庙分布较多，其中，下阁东岳庙，位于桥边。明隆庆五年（1571）重修，"系一方保障，香火远近奉祀"。中埠东岳庙，一名大庙，位于县西三十里。"远近至此，祈嗣有应。俗传鲁班所造，不染蛛网飞尘，遗迹尚存。又云洪武初建，庙制恢廓。"平顶山东岳庙，

---

① 天顺《大明一统志》卷14《庐州府·祠庙》。
② 康熙《巢县志》卷14《祀典志·坛壝》。
③ 康熙《巢县志》卷14《祀典志·神庙》。
④ 康熙《巢县志》卷14《祀典志·神庙》。

位于县西十里,洪武年间建①。

宏通庙,相传宏通大帝为唐代张巡,为主管瘟疫之神。其庙旧在长乐坊,仅屋一进,庙貌湫隘。明崇祯十五六年,主簿陈国梁捐赀买地,移建于县治之左街。"庙宇高巍宏敞,颇得崇祀之体。有祷辄应。"②

八腊庙,位于县城东门外姚庙冈前临街。当地百姓"每祈谷祈年于此。"明崇祯末年,庙宇颓圮③。

萧公庙,位于东圣宫前,合祀萧、刘、晏三公。旧传为居巢子刘知几书院故址。明弘治年间,知县林宗哲下令移建于山麓,"鼎新面河,前建折桂亭,起送科举,饯行于此"④。

中庙,位于县西北焦湖北岸,离县城九十里,离郡城亦九十里,故名中庙。为巢县与合肥县之分界,庙在巢县界内。元大德年间建,明正德末年鼎新重建,"补洞成桥,跨桥构殿,翚飞壁立,擅湖中胜概,远近乞灵于此。终岁香钱尽输府学应用,巢庠无分毫之惠"。崇祯十五年(1642),农民起义军焚毁无梁殿及梳妆楼,居民集资重建平房一路⑤。

娘娘庙,位于县西北四十里蒋家渡河涯。明嘉靖年间,里人刘良翰重修,崇祯末毁于战火⑥。

五显行祠,位于县城学宫后。明代,巢县民间对于五显神的信仰一度较为热烈,甚至对县学也产生了不利影响:"先是,学宫后有五显行祠,巫觋喧沸,有杂弦诵。成化戊戌年(十四年,1478),会郡行毁淫祠,教谕陈瑞、训导桂琏,与诸生戮力弃其塑像。"⑦为了改善县学的教

---

① 康熙《巢县志》卷14《祀典志·神庙》。
② 康熙《巢县志》卷14《祀典志·神庙》。
③ 康熙《巢县志》卷14《祀典志·神庙》。
④ 康熙《巢县志》卷14《祀典志·神庙》。康熙《巢县志》卷6《山川》:"景泰初,立东圣宫、萧公庙。"
⑤ 康熙《巢县志》卷14《祀典志·神庙》。
⑥ 康熙《巢县志》卷14《祀典志·神庙》。
⑦ 康熙《巢县志》卷12《胶庠志》。

育环境,地方官"改五显祠为尊经阁"①。

又据天顺《大明一统志》记载,巢县境内还有太姥庙、旌忠庙:"太姥庙,在巢湖中姑山上。"②"旌忠庙,在府之定林。宋绍兴末,金主亮南侵,统制姚兴与金人遇于尉子桥,麾兵力战,手杀数百人。既而父子俱死,事闻,即其砦立庙。及复淮西,又立庙战所,赐额'旌忠'。"③

此外,明代,巢县境内还有对名人刘知几的祭祀信仰,如天顺《大明一统志》记载:"居巢子祠,在巢县学。唐刘知几封居巢子,故邑人祠焉。"④

在庐江县境内,明代民间信仰涉及的对象主要有社稷、马神、城隍、南岳、张渤、关羽、东岳、泰山娘娘、毛义等神灵或人物。围绕上述神灵或人物的崇拜和信仰,一方面,在明以前当地即建有相关祭祀设施,这些祭祀设施有的在明代仍继续发挥作用;另一方面,明代也围绕上述神灵或人物信仰,修建有不少祭祀设施。如社稷坛,位于县城桐城门外绣溪坊。洪武甲辰⑤,知县伍塾建。永乐末,知县黄惠修⑥。正德十六年(1521),知县何律重修⑦。

马神庙,位于县治南马厂内。明洪武年间建。嘉靖初,增建拜亭奉祀⑧。

城隍庙,位于县治北。本为赵氏桑枣园。明洪武年间,赵继宗同族人将宗族桑枣园捐为庙基。乙巳年⑨,知县伍塾修建城隍庙。永乐十二年(1414),知县王宣重建。弘治年间知县胡旸、正德末年知县何

---

① 康熙《巢县志》卷12《胶庠志》。
② 天顺《大明一统志》卷14《庐州府·祠庙》。
③ 天顺《大明一统志》卷14《庐州府·祠庙》。
④ 天顺《大明一统志》卷14《庐州府·祠庙》。
⑤ 按,洪武年间无"甲辰"年,当为龙凤甲辰年(十年,1364)。
⑥ 顺治《庐江县志》卷4《官政志·宦迹》:"黄惠,永乐末由监生任(庐江知县)。首建庙学及县治、坛祠,百废兼举。"
⑦ 康熙《庐江县志》卷8《祀典》。
⑧ 康熙《庐江县志》卷8《祀典》。
⑨ 按,洪武年间无"乙巳"年,当为龙凤乙巳年(十一年,1365)。

律增修。关于城隍庙的神号称谓,在明代以前"或公或王,近于僭滥",到了明代,按照礼制改名为"庐江县城隍之神"。每月初一、十五日行香,在同一天,也举行"新官初誓,水旱祈祷"等活动。嘉靖三十五年(1556),当地民众合力重修①。

南岳庙,位于县治西北四十五里金牛山。明宣德初年建。明代,庐江县境内的南岳庙,"奉衡山之神,祀典在湖广",属于行祠性质。在庐江县境内的大凹、狮子山等地也分布有南岳庙②。

双扶庙,位于县南五十里。明景泰年间建。成化年间,道士杨道显修。嘉靖七年(1528),李玄正重修③。

祠山广惠庙,位于县治东南四十里。元至正年间建。明天顺四年(1460)重建,奉祀西汉吴兴人张渤④。

武安祠,位于县城儒学东。创建年代不详,元代毁于战乱。明洪武六年(1373),知县傅铉重建。正德四年(1509),知县刘瑄重修。九年(1514),知县刘梦熊修建县学,拆去祠堂,将武安侯关羽像置于县学门楼上。嘉靖十七年(1538),知县周良会开拱辰门,移关羽像于上。二十五年(1546),当地居民于拱辰门外重建武安祠,"改塑像于中,祀之"⑤。

东岳庙,位于县城东门桥外。明嘉靖三十八年(1559),居民重修⑥。

泰山行祠,位于东岳庙左。明嘉靖三十七年(1558),合邑居民创建⑦。

毛义祠:东汉年间,庐江人毛义以孝行举为安阳令,其母去世后辞官,朝廷屡征不至。建初年间,汉章帝下诏予以褒奖,赐谷千斛;并

---

① 康熙《庐江县志》卷8《祀典》。
② 康熙《庐江县志》卷8《祀典》。
③ 康熙《庐江县志》卷8《祀典》。
④ 康熙《庐江县志》卷8《祀典》。
⑤ 康熙《庐江县志》卷8《祀典》。
⑥ 康熙《庐江县志》卷8《祀典》。
⑦ 康熙《庐江县志》卷8《祀典》。

派遣官吏询问毛义的日常起居,加赐牛酒,予以慰劳。后来,毛义"寿终于家"。明万历三十八年(1610),知县章达申详府、道、院,建祠于县城东门外,春秋奉祀。天启元年(1621),知县刘五纬改建毛义祠于城内北门。崇祯十五年(1642),毛义祠毁于战火,止存门屋三间,但民间对他的信仰与祭祀依然如故①。

二、人情风俗

明代,合肥地区的人情风俗有诸多类似共通之处,与此同时,各地在某些方面也存在着一些差别。由于各自经历和视角的差异,各级官僚及文人士大夫对于合肥地区人情风俗的相关记载不尽相同。如明嘉靖年间出任庐州知府的张瀚,其笔下的庐州府民俗是:"庐阳之民朴茂少文,守礼义,重廉耻。"②

关于明代合肥县的人情风俗,万历《合肥县志》专列"风俗志"记载万历及以前合肥当地人情风俗的发展演变情形:"自昔其民质朴,不好争讼,而风俗淳美(明王学士忠美序)。其俗勤于稼穑,不务商旅,犹有往昔简古风(马侍郎廷用③记)。衣冠文物之懿,视昔有加,生民老子长孙,俎豆婚嫁,于桑梓间弦诵之声,接于四境(朱太守镛序)。……明兴,首被圣化……民性敦朴,勤稼穑,不好工技,士敦廉耻,尚气节……嫁娶耻论财。迩年风气日漓,子弟轻俊者厌儒业而恣逸游,相率为胥史。富室炫外骄矜,以侈靡相先,日趋于下,无复往昔之浑朴。"④在明万历以前的不同历史阶段,合肥县人情风俗有其时代特点,但由"质朴""淳美"转而浇漓。"侈靡"似乎成为一个不可遏止的趋势。

关于明代巢县的人情风俗,清康熙《巢县志》"风俗志"转述了明

---

① 康熙《庐江县志》卷 8《祀典》。
② (明)张瀚撰、盛冬铃点校:《松窗梦语》卷 2《东游纪》,第 37 页。
③ 马廷用(1446—1519),字良佐,号紫崖,四川西充县人。官至南京礼部右侍郎。
④ 万历《合肥县志》上卷《风俗志》。

弘治初年所纂方志关于当地"风尚"的记载："昔弘治初年所志风尚云：风俗淳厚，士勤职业，民力耕桑，崇俭约，重名教，衣冠文物，于斯为盛。又云：士尚气节，取与争讼，有横逆至，辄匿迹避之。农火耕水莳，视星入作。贫农佣佃耕种，租牛垦土。然山农值旱，圩农陟水，有终岁勤动，常怀饥馁者。若工作技艺，类非齐民所长。凡宫室悉取办外郡工匠营作。商所货竹木、布帛、钉铁、油麻，皆外商所贩。巢民性惮远涉，无行货者。即为行货，亦土产、稻米、鱼、薪而已。而盐策独徽商巨贾司焉，巢之市贾要皆取诸外商，以资贸易。"① 由上可见，风俗淳厚俭约，四民勤于职业、安守本分，是明初至弘治初年巢县人情风俗的总基调。这种奉行俭约的风气，在"宫室衣服"方面也是如此："在昔明初，宫室颇卑，亦多编茅。男妇衣制古朴。燕用合席，大盘五六。品酒用大杯，流饮数行。"② 到了正德、嘉靖年间，上述节俭的民风开始向"华侈"转变，在"宫室衣服"方面，"正德、嘉靖间，房舍服饰颇务华侈。会设开席，陈添换人各一杯，品列渐多。家多无盖藏矣"③。到了晚明时期，华侈之风气更甚："至万历末及天启、崇祯初，人争以宫室高大、衣服华丽、酒食丰美为荣。宴会海味错陈者数十种，器用务求精巧。至担夫妇女亦着彩帛，田农佃户亦设丰席，虽借贷亦为之，非是则以为耻。年荒无所觅食，饥人甚众。"④ 此外，明代巢县境内还流行有"作神会"的风俗："三月初一至初三，作神会，即傩礼也。每方各妆办大神一尊，鬼使四躯导之，皆面戴傀儡，规神鬼制各异。择长大者办大神，衣神衣衮冕。导者曰探子，彩服奇饰，指挥顾盼，左右盘辟，且行且止。大神则步履庄严，座随其后，行不数武，端坐俨然，顷复起行。各方之神会于一衢，多至十二尊，少或六七尊，聚而观者塞道。前此岁每行之，或岁歉则匮，不举者数年。崇祯己卯，间一举

---

① 康熙《巢县志》卷7《风俗志·四民》。
② 康熙《巢县志》卷7《风俗志·宫室衣服之制》。
③ 康熙《巢县志》卷7《风俗志·宫室衣服之制》。
④ 康熙《巢县志》卷7《风俗志·宫室衣服之制》。

行,时用平台,以乐妇象观音,鼓乐导之,更为增盛。"① 由"岁歉则匮,不举者数年"可见,这种民俗也颇为劳民伤财。到明末崇祯年间"更为增盛",表明此时的演出已经达到侈靡的程度。

针对明代中后期民俗日益"侈靡""华侈""浇薄"的趋势,合肥地区的地方官纷纷通过倡行乡约、正风俗、正礼俗、劝谕民众、毁淫祠等途径,以移风易俗。如吴岳,字汝乔,汶上人。嘉靖十一年(1532)进士。由户部郎中知庐州。针对"庐俗渐浇薄"的情况,吴岳"以身先约束,谕民毋不孝不弟,毋怙(势),毋侈,毋斗狠,毋恶声闻里中,毋崇尚浮屠,妇女不蔽面毋在途,不如约者置之法。设旌善瘅恶亭,列民之贤不肖者各注之,民俗将丕变焉。每里置仓置社,讲约歌诗,久之,民寖寖向风"②。通过乡约教化的方式,使民风向好的方向转变。明嘉靖年间出任庐州知府的陈懋观,"俗丧礼故用乐,下令禁之"③。通过正礼俗的途径改进落后民俗。在庐江县境内,明代中后期推行乡约以正风俗较为流行,乡约宣讲的内容主要为明太祖朱元璋的圣谕六条:"明《教民榜文》有曰:孝顺父母,尊敬长上,和睦乡里,教训子孙,各安生理,毋作非为。旧例本县设司铎四人,每朔望于街市宣读,谕众劝俗。"④ 明嘉靖四十二年(1563),刘裁莅任知县,"慨然以正风俗为首务,申明圣谕,严立乡约正副、保甲,各就会所,朔望相与警劝,民俗兴行,庶几有反古之风焉"⑤。关于刘裁推行乡约以正俗的细节,方志云:"嘉靖四十三年,巡抚王按行,兵备佥事王详注引证古今善恶实事。知县刘裁详注律例于各条项下,明白解释,使民易知,刊刻成书,坊厢乡镇各立约正一名、约副二名、司约一名、保甲十名,各领书一册,每月朔望于厢镇会聚众民,宣谕详悉,劝民为善,各知警省。转移

---

① 康熙《巢县志》卷7《风俗志·四时》。
② 康熙《庐州府志·名宦传》;康熙《庐江县志》卷11《名宦》;雍正《合肥县志》卷12《名宦》。
③ 康熙《庐州府志·名宦传》。
④ 顺治《庐江县志》卷4《官政志·惠政》。
⑤ 顺治《庐江县志》卷1《舆地志上·风俗》。

导化,敦伦厚俗,此一大机也。"①明嘉靖三十四年(1555),该县"乡官"朱绂在杨林书院中"伏腊聚会乡邻约正副②等宣读教民圣谕,申明乡约,敦尚行谊,以劝时俗。"③此外,正德九年(1514)出任知县的刘梦熊,在任上"毁淫祠"以正风俗,受到百姓的拥戴④。在巢县境内,明弘治十五年(1502)出任巢县知县的李鲲,在任上"刻辑古敦化诗,以劝谕民,风俗丕变。"⑤隆庆年间,"知县柳应侯遵上司乡约,于社中立社。每社日,各出银米,贮之约长,遇婚丧不能举者量助,仍各助夫役,民甚便。"⑥此处乡约,除了劝俗外,还发挥了社会救济的功能。

第五节 教育

明代,合肥地区的学校教育有官学和私学之分。官学有府学、县学、官办书院、社学等。宗族或个人捐资兴办的学校为私学。书院,既有官办书院,也有民办书院。元末战乱与社会动荡,使合肥地区的各类学校多毁于战火,遭到重创。明朝建立后,洪武二年(1369)诏天下建学,在此全国性兴学的大背景下,合肥地区的官学也次第恢复。随着社会秩序的日趋稳定,私学即民办教育也得到一定程度的恢复和发展。

一、官学教育

明代合肥地区教育的发展,与各处地方官的重视和积极推动密

---

① 顺治《庐江县志》卷4《官政志·惠政》。
② 康熙《庐江县志》卷7《学校》作"乡约正副"。
③ 顺治《庐江县志》卷6《学校志·书院》。
④ 顺治《庐江县志》卷4《官政志·宦迹》。
⑤ 康熙《巢县志》卷10《职官志·守令》。
⑥ 康熙《巢县志》卷7《风俗志·宫室衣服之制》。

切相关。可以说,发展教育是明代合肥地区各处地方官施政的重要内容之一。以庐州府知府、同知、儒学教授等府一级的地方官为例,他们高度重视发展地方官学教育特别是府学教育,并常常与当地士子们打成一片,成为推动明代合肥地区教育发展的主导力量。如吴岳,嘉靖十一年(1532)进士,由户部郎中知庐州,"朔望进诸弟子员讲解经义,日午偕僚佐以菜果食粥归。每燕会,不多设丰品。岁宾兴,惟取里生歌鹿鸣章以饯"①。张瀚,浙江仁和人,嘉靖十四年(1535)进士,嘉靖二十三年(1544)任庐州知府,在任期间"兴学育才,以故门下多知名士"②;"以礼施教,则学校整而士志聿兴"③。吕鸣珂,浙江丽水人,嘉靖三十八年(1559)进士,嘉靖四十三年(1564)以刑部郎知庐州,"兴学重儒,改甃泮池"④。张大忠,秀水人,嘉靖四十一年(1562)进士,隆庆年间以刑部郎知庐州,在任期间"雅重学校,品藻精明"⑤;"重学校,爱士民"⑥。王俸,秀水人,嘉靖四十一年(1562)进士,"历迁永州守,起复知庐州。下车搜剔蠹本,与民休息,日进青衿子而程课之"⑦。蔡克廉,晋江人,嘉靖八年(1529)进士,嘉靖十七年(1538)出任庐州郡丞,"质粹才清,佐郡优裕,政暇,进诸生商订披露众臆,士咸爱慕之"⑧。张元谕,浙江浦江人,嘉靖二十六年(1547)进士,"授工部主事,进郎中。不悦权贵,遂谪庐州判谕"。"居庐惟闭门读书,日课诸士,吏治不扰,公庭肃然。"⑨简文瑞,四川荣县人,进士,天启六年(1626)为庐州司理,"博学多材,崇重斯文"⑩。

儒学教授是专门负责教育管理的官员,明代合肥地区的儒学教

---

① 康熙《庐州府志·名宦传》。
② 康熙《庐州府志·名宦传》。
③ (明)张瀚撰、盛冬铃点校:《松窗梦语》卷7《自省纪》,第143页。
④ 康熙《庐州府志·名宦传》;雍正《合肥县志》卷12《名宦》。
⑤ 康熙《庐州府志·名宦传》。
⑥ 雍正《合肥县志》卷12《名宦》。
⑦ 康熙《庐州府志·名宦传》。
⑧ 康熙《庐州府志·名宦传》。
⑨ 康熙《庐州府志·名宦传》。
⑩ 康熙《庐州府志·名宦传》。

授多能身体力行,重视并积极致力于当地教育事业的发展。如彭璜,江西太和人,任庐州教授,"博学廉正,道义率人,恤寒士"①。聂曼,金溪人,任庐州教授,"性喜施予,捐资助僚友丧祭,诸生窘甚者,月给以米。"②潘洙,晋江人,万历十七年(1589)进士,"初任庐(州)教授。天性恬淡,自云精神死于举业者二十年,日聚士于启圣祠,教以诸大家艺,选古名文,令士诵习,文为一变。后补铨部,复纡道过庐,取曩士再课之,见文让故武者,殷殷切责不已也,士子咸思慕之。"③郭翼皇,崇祯年间人,由恩贡任庐州经历,"郡守谭公元芳季试月课,属郭较阅,所拔士皆奇纵不群"④。

(一)府学

庐州府学位于府治东。唐会昌年间肇建。至明代,在朝廷重视学校教育政策的影响下,庐州府地方官十分重视"培植学校"⑤,致力于府学教育的恢复与发展,如成化十九年(1483)出任庐州知府的李嵩,在任期间,"首兴学校,人材多所成就。"⑥

1.规模结构及相关设施建设

关于明代庐州府学的结构及相关设施的建设,方志有详细记载:明宣德年间,庐州府同知谢庸创修府学。自正统至正德年间,庐州府知府揭稽、史濡、孟玘、李嵩、马金、徐钰,"前后改置,撤朽恢弘,斋舍亭廨、庚库庖湢,始大备一新"⑦。

文庙当中为大成殿,明嘉靖十年(1531),更名曰先师庙,易号撤像,题以木主。

文庙的两翼为庑,东、西各十三楹。东庑右隅。祭器库三楹,内

---

① 康熙《庐州府志·名宦传》。
② 康熙《庐州府志·名宦传》。
③ 康熙《庐州府志·名宦传》。
④ 康熙《庐州府志·人物传·合肥县人物》。
⑤ 康熙《庐州府志·学校志·府学》。
⑥ 康熙《庐州府志·名宦传》。
⑦ 康熙《庐州府志·学校志·府学》。

有祭品乐器。

文庙前为戟门,门之前为泮池,为桥。原先池制狭隘,明嘉靖四十六年(1567)①,知府吕鸣珂增阔一丈二尺。

文庙后为明伦堂,堂东为进德斋、正谊斋,西为崇道斋、育英斋;堂后为尊经阁。明代庐州府知府孟玘、冯圣世、贾克忠相继修建。关于冯圣世、贾克忠修建明伦堂、尊经阁等设施的情况,方志有所记载:冯圣世,四川合江人,进士,万历年间知庐州,"莅任谒先师,见府儒学倾颓,即修葺圣庙并两庑、棂星门、明伦堂,规模一时俱焕。敬一亭在礼门外,乃复广其制,移建明伦堂后,师生时讲学于中"②。贾克忠,关西人,"以(万历)甲辰进士守庐郡。继冯(指冯圣世)而来,于府儒学后复建尊经阁,巍然伟观,冯之志于是克成焉"③。

尊经阁后为敬一亭,由庐州知府马金建。明嘉靖十年(1531),诏建敬一亭。知府周瑯改创,内竖敬一碑并四箴。

敬一亭之后为启圣祠,后有笔架山,傍为射圃地,圃中有观德亭一座,为知府马金建。

明伦堂西隅为聚星堂,明嘉靖年间撤讲堂改建。后为训导宅,西斋后号房二十楹。西南训导宅二所,宅前仓六楹。

明伦堂东隅为馔堂。东斋前为礼门,门北为训导宅一。宅之南号房亦二十楹。

明伦堂前为吏廨、土地祠、省牲所。前有井亭,匾额为"状元井"。又前为大门。门之东为名宦祠,西为乡贤祠。又南有云衢坊。左右二坊曰圣域,曰贤关。知府张大忠重修。东有一门,府学教授聂曼开创。明万历三年(1575),庐州府知府吴道明,"雅意作人,建兴文楼,高二丈四尺"。

此外,与庐州府学教育相关的建筑还有奎楼、文峰塔等。其中,奎楼由万历年间庐州知府范以淑重建。史载,范以淑"于府儒学巽地

---

① 按,嘉靖在位共计四十五年,此处记载有误。
② 康熙《庐州府志·名宦传》。
③ 康熙《庐州府志·名宦传》。

建立奎楼,以培文运。"①文峰塔由崇祯年间庐州知府严尔珪创建。史载,崇祯四年(1631),严尔珪由礼部郎中知庐州府,在任期间"崇重斯文,每逢朔望日较试士子……庐郡有姥山鼎峙巢湖之中,乃一郡文风所关,珪建宝塔于其上,独出己赀,不伤民财"②。

庐州府学到了明末命运多舛,崇祯十五年(1642),毁于战火,"稍有残椽,亦煨烬余耳"。

2.藏书

关于明代庐州府学的藏书,文献记载不多。明弘治年间,庐州知府马金曾购书藏于府学尊经阁。史载,马金,字汝砺,西充人,成化十一年(1475)进士。"初授主事,谪庐州通判,进本郡同知,再进知府。"在任期间,"爱养士民""修郡庠尊经阁,购书藏之。"③其中的27部名录为《易经大全》《诗经大全》《书经大全》《春秋大全》《礼记大全》《性理大全》《四书大全》《五伦大全》《孝顺事实》《为善阴骘》《诸司职掌》《瘅恶绩录》《逆臣录》《佛曲》《致堂管见》《前汉书》《后汉书》《仪礼》《三国志》《隋书》《五代史》《晋书》《陈书》《元史》《子由古史》《礼仪图》《资治通鉴》。这些图书主要包括儒家权威经典、理学类著作、史传类著作、规章制度类著作等几大类④。

3.办学经费

明代庐州府学办学经费主要由官府提供,此外,地方官、致仕官僚、寺庙等社会各阶层人士和机构亦积极提供办学费用。如明弘治十年(1497)任庐州府学教授的孙佐,"为教有方,寒暑不倦,诸生有贫乏者,捐俸赒给。"⑤通过捐出自己的俸禄来资助贫困学生。万历年间出任庐州知府的昌平人刘应召,在任期间"崇饰儒雅,遇诸缝掖士,严而有礼。郡学宫垠垣久圮,召周视恻然,遂捐金并措锾若干,不数月,

---

① 康熙《庐州府志·名宦传》。
② 康熙《庐州府志·名宦传》。
③ 康熙《庐州府志·名宦传》。
④ 康熙《庐州府志·学校志·府学》。
⑤ 康熙《庐州府志·名宦传》。

堧垣聿起。是科士得隽者倍焉"①。通过自己带头捐资并积极筹措经费的途径来修复"堧垣久圮"的儒学设施。崇祯四年(1631)出任庐州知府的浙江湖州人严尔珪,为振兴文风,"独出己赀"②,在巢湖之中姥山建文峰塔。

在学田设置方面,万历三十六年(1608),合肥人、致仕官僚窦子偶捐出窦家池田地一庄,为府学学田③。崇祯元年(1628),庐州知府任大治"发下丁尚默原买马官田半庄,弓口六石八斗七升五合,每年取租五十二石五斗,该学两斋均分"④。

此外,明代庐州府学经费来源之一为中庙的香火费,"中庙:在(巢)县西北焦湖北岸,离县九十里,离郡亦九十里,故名中庙。……元大德间建,正德末鼎新重建,补洞成桥,跨桥构殿,翚飞壁立,擅湖中胜概。远近乞灵于此,终岁香钱尽输府学应用。"⑤

(二)县学

1.合肥县学

合肥县学最初建于县城大东门外,宋淳熙年间,郭少保展拓其城,迁于三贤书院⑥。到了明代,合肥县学教育继续得到历任地方官的高度重视,发展教育成为明代合肥地方官施政的重点内容之一。如史濡,霍州人,正统十三年(1448)任庐州知府,"尤加意学校,合肥学湫隘,市地展拓,至今称壮丽焉"⑦。于凤,江西新淦举人,正德八年

---

① 康熙《庐州府志·名宦传》。
② 康熙《庐州府志·名宦传》。
③ 康熙《庐州府志·学校志·府学》。据康熙《庐州府志·人物传·合肥县人物》记载:窦子偶,字燕云,号淮南,合肥人。万历二十年进士。历任泉州知府、湖广督学、福建左布政使等职。"归以历宦所得俸资,为父封公建坊修祠,余赀以置祭田,捐地为两庠学田,赞守令修学建桥,大有益于梓里。"
④ 康熙《庐州府志·学校志·府学》。
⑤ 康熙《巢县志》卷14《祀典志·神庙》。
⑥ 天顺《大明一统志》卷14《庐州府·学校》:"合肥县学,在府城旧三贤书堂右。元至元间建。"
⑦ 康熙《庐州府志·名宦传》。

(1513)署合肥教谕事,"天性孝友,留心正学,(教重本源)。秉铎三年,一介不取。相接无疾言厉色,诸生有一不善唯恐知之"①。陈其乐,江西贵溪人,嘉靖二十年(1541)进士,嘉靖二十五年(1546)任合肥知县,"政暇进诸生解经课业,寒暑不倦"②。胡时化,余姚人,进士,隆庆五年(1571)任合肥知县,"雅意作人,刻有名世文宗,为多士举业津梁"③。熊文举,江西新建人,崇祯四年(1631)进士,任合肥知县,"好士爱民,以廉平著声。政事之暇,即与诸生论文赋诗,立筦社,课士子,一时文风大振,士之得售者多出其门焉"④。侯佐,山西蒲州人,崇祯七年(1634)进士,知合肥县事,"较试童子,惟秉公衡文,乡绅子弟不与前列"⑤。由上可见,明代合肥县境内地方官在学校硬件设施建设、振兴科举、提振学风文风、端正教学内容、解经授课等方面多有所建树,特别是在县学的硬件设施建设方面,有了较大改观:"合肥学自明兴次第创修饰观,庙貌亦足云壮矣。"⑥

(1)基础设施建设及规模结构

关于明代合肥县学的结构及相关设施的建设,文献有所记载:明洪武二年(1369)诏天下建学,合肥县知县张义重建县儒学⑦。永乐年间,知县李肃重修。正统三年(1438),知县方伟继修。景泰二年(1451)灾;三年(1452),庐州府知府史濡购买都督王珪宅第,"益大其规"。成化十三年(1477),知县陆渊创建东西号房各十楹。二十一年(1485),知县周机将县学大门改建于棂星门左。弘治十八年(1505),知府马金购买民居于明伦堂后增建尊经阁。嘉靖二十一年(1542),知县董执中始建泮池,规模较先前有很大改观。关于董执中大规模修复县学的具体情形,文献记载云:"合肥故有学,在县治之东北。成

---

① 雍正《合肥县志》卷12《名宦》。
② 康熙《庐州府志·名宦传》;雍正《合肥县志》卷12《名宦》。
③ 康熙《庐州府志·名宦传》。
④ 康熙《庐州府志·名宦传》;雍正《合肥县志》卷12《名宦》。
⑤ 康熙《庐州府志·名宦传》。
⑥ 万历《合肥县志》上卷《学校图说》。
⑦ 雍正《合肥县志》卷11《职官》:"明洪武知县张义,重建县□儒学。"

化间复兹改建，规制稍备而未大称，中更贤令数人，尝议修拓而病于时绌，或烦于听断未暇也。嘉靖辛丑（二十年，1541），高阳董君执中以乡进士来领县事。越明年壬寅（二十一年，1542），慨兹学敝亟，上其状于提学御史杨公宜既，报可。学之制有先师孔子庙，庙之傍为两庑，前有戟门，有棂星门，其次有明伦堂，堂之左右为两斋，弦诵之舍、膳饔之馆列置错布，视工缓急以渐修举，加于旧观伟甚。又于棂星门内作泮池一，架石为梁，周回凡若干丈。其下淳泓澄洌，若造化者始判清浊，士临其上，感思澡德焉。前此所未有也。其为费，取诸帑羡，佐以俸钱，逾岁而告讫。"①嘉靖以后，合肥地方官继续关注县学建设。天启年间，知府张正学、知县陈瑄各捐俸重修。明末崇祯年间，县学毁于战火，仅存正殿、明伦堂、尊经阁，而墙垣完全颓坏②。

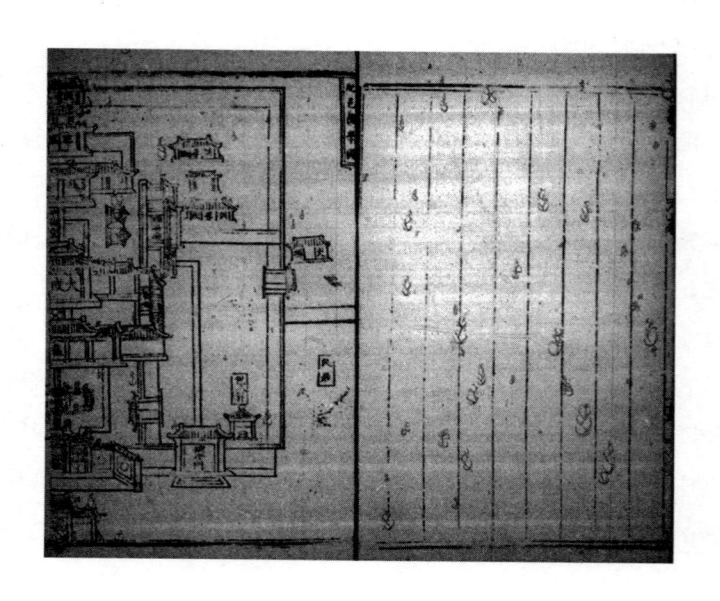

明代合肥县儒学图（一），来源于万历《合肥县志》

关于明代合肥县学相关设施的分布格局如下：文庙中为大成殿，两翼为东西庑，前为戟门，门之前为泮池，为桥，又前为棂星门。明嘉

---

① （明）张衮：《合肥县儒学重修记》，万历《合肥县志》下卷《艺文志》。
② 万历《合肥县志》上卷《学校志》；雍正《合肥县志》卷10《学校》。

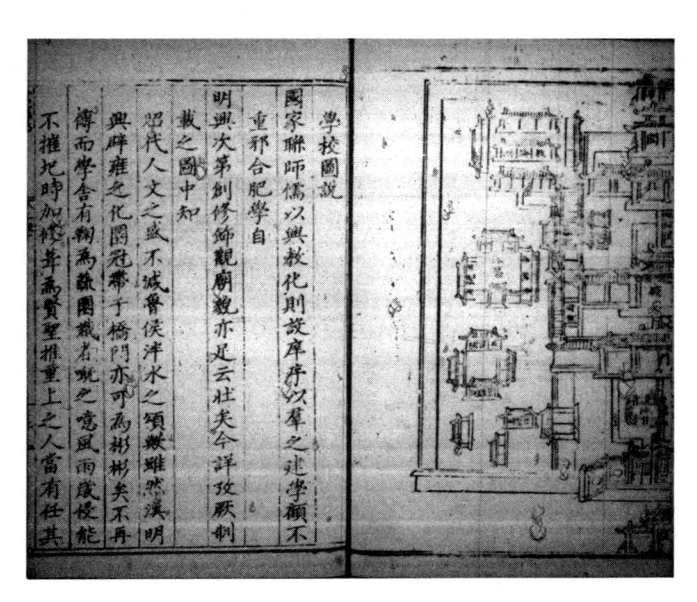

明代合肥县儒学图（二），来源于万历《合肥县志》

靖十年（1531），更名为先师殿，易封号撤像而题以木主。

学署庙后为明伦堂。堂东为进德斋，西为修业斋，东西斋后各号房十间，堂后为尊经阁，阁右为教谕宅、训导宅二，一在堂东，一在仪门内，前为仪门，又前为学门。门内有井亭一座，万历元年（1573），知县胡时化题曰"包公井"。

馔堂，位于明伦堂东；讲堂，位于明伦堂西；碑亭四座，分布于明伦堂左右，各二座；吏廨一所，位于仪门外左侧。

启圣公祠，位于景贤书院前。敬一亭，位于尊经阁后。景贤书院，位于文庙之右[①]。

（2）藏书

关于明代合肥县学的藏书情况，万历《合肥县志》记载了一份藏书书目："《周易传义大全》十二册，《诗经大全》十二册，《春秋传》十八册，《礼记》十八册，《大学》二册，《中庸》二册，《孟子》八册，《论语》八册，《晋书》五套，《隋书》□部，《陈书》一部，《古史》一部，《管见》一部，

---

① 万历《合肥县志》上卷《学校志》。

《元史》□套,《玉海》八套,《性理大全》一部二十九册,《飞录》二册,《为善阴骘》九册,《孝顺事实》一册,《五伦》六部。以上书凡二十类,载在尊经阁。"①上述图书主要涉及儒家权威经典、理学类著作、史传类著作等几种类型。

(3)办学经费

明代合肥县学办学经费主要由官府出资或筹措②,其中,地方官捐出自己俸禄、乡绅民人出资是重要渠道。据文献记载,明嘉靖年间,合肥知县潘恕捐出自己的官俸购买南乡施杲民田一庄,在南乡派河一带,计240余亩③,每岁征租200石。该学田收入的主要用途为"助贫士"④,"以赈贫乏,以助婚丧,一时诸生咸蒙实惠"⑤。对此,万历《合肥县志》"名宦传"记载曰:潘恕"兴学育才,置田数百亩,岁入租以养士,士之不能婚丧者永赖焉。"⑥嘉靖年间,督学耿定向、庐州知府喻南岳在合肥县学西创建的正学书院,属于官办书院。在创建书院时,创建者还"别置田三庄",作为学田⑦。

此后至明末仍有乡绅和官员捐置学田以"赡给贫士"⑧,如明天启七年(1627),邑绅、御史龚萃肃捐银100两,买田一庄,坐落草庙地方,每年取租60石⑨。崇祯元年(1628),庐州知府任大治买马官田半庄,弓口四石一斗□升五合,每年取租30石⑩。

此外,县学生员中的贫士还常常能够获得来自于地方官的捐赠,

---

① 万历《合肥县志》上卷《学校志》。
② 如明嘉靖二十一年(1542),知县董执中修建县学相关设施的费用的一个重要来源是官帑经费:"其为费,取诸帑羡,佐以俸钱,逾岁而告讫。"参见(明)张衮:《合肥县儒学重修记》,万历《合肥县志》下卷《艺文志》。
③ 关于学田的数量,方志记载有较大出入,清雍正《合肥县志》卷10《学校》云:"计一百四十亩有奇,在南乡派河之隅。"
④ 雍正《合肥县志》卷10《学校》。
⑤ 万历《合肥县志》上卷《学校志》。
⑥ 万历《合肥县志》下卷《名宦传》。
⑦ 雍正《合肥县志》卷10《学校》。
⑧ 雍正《合肥县志》卷10《学校》。
⑨ 雍正《合肥县志》卷10《学校》。
⑩ 雍正《合肥县志》卷10《学校》。

如曾师孔,福建侯官人,以乡举成化中来任,"诸生中有贫乏者,往往捐常禄助之"①。

2.巢县县学

巢县县学始建于宋绍熙年间,由知县江瑄开创,位于县治西,元末毁于兵火。明洪武三年(1370),按照原来的规制重建,"以本县儒士翟清秀司教事"②。洪武十三年(1380),朝廷降印立官司学,命教谕云霄司学事,始有专官③。此后,巢县县学教育逐渐走上正常有序的发展轨道。明代巢县县学获得发展最为重要的原因之一,是历任地方官对县学教育的高度重视。在任期间,"爱士""厚士""重士""劝士",致力于发展教育,成为明代巢县许多地方官施政的重点内容之一。如桂廷用,洪武年间任巢县知县,在任期间"修儒学"④。冯杰,滦州乐亭县人,成化年间任巢县知县,在任期间"爱士养民"⑤。甄伟,宛平县举人,成化十七年(1481)任巢县知县,在任期间"厚士爱民"⑥。陈经言,浙江平阳县选贡,隆庆五年(1571)任巢县知县,在任期间"兴学作人"⑦。王以霖,南宁府人,由举人任巢县知县,在任期间"专精课士"⑧。夏崇谦,湖广京山县举人,在任巢县知县期间,"崇文重士"⑨。阎徽,山东蓬莱人,在任巢县知县期间,"爱民劝士"⑩。万历年间,马如麟,"知巢三年""作兴士类"⑪。而作为县学直接负责人的教谕和训导,更是对发展教育倾注了大量心血,做了大量的工作。如陈瑞,莆

---

① 万历《合肥县志》下卷《文学传》。
② 天顺《大明一统志》卷14《庐州府·学校》:"巢县学,在县治西,宋绍熙间建,本朝洪武初重建。"
③ 康熙《巢县志》卷12《胶庠志》。
④ 康熙《巢县志》卷10《职官志·守令》。
⑤ 康熙《巢县志》卷10《职官志·守令》。
⑥ 康熙《巢县志》卷10《职官志·守令》。
⑦ 康熙《巢县志》卷10《职官志·守令》;康熙《庐州府志·名宦传》。
⑧ 康熙《巢县志》卷10《职官志·守令》。
⑨ 康熙《巢县志》卷10《职官志·守令》。
⑩ 康熙《庐州府志·名宦传》。
⑪ 康熙《庐州府志·名宦传》。

田县举人,成化年间任巢县县学教谕,在任期间"严师范,兴人才,文风丕振。毁淫祠,新学庙,患难不辞"①。许仁,仁和县举人,任巢县县学教谕期间,"严立学规,勤课儒业,师范得体"②。谢海,江陵县举人,任巢县县学教谕期间,"修学有功"③。徐宏泰,上虞县举人,任巢县县学教谕期间,"锄宜伸士,斯文振起"④。王彝章,宜兴县举人,崇祯二年(1629)任巢县县学教谕,在任期间"勤敏课士,鼎建魁阁,增修文峰,培植学宫"⑤。朱有光,在任巢县县学教谕期间,"留心劝课,恤贫却馈"⑥。马尔骏,在任巢县县学教谕期间,"爱名流,于士之贫而有行者更为加意"⑦。桂琏,慈溪人,在任巢县县学训导期间,"毁淫祠,改为尊经阁,至以死争之"⑧。许端惠,天台县举人,在任巢县县学训导期间,"翊巢庠,严师道,府多士感慕"⑨。

(1)基础设施建设及规模结构

关于明代巢县县学的结构及相关设施的建设,方志有所记载:元末,巢县县学毁于兵火。明洪武三年(1370),知县桂廷用按照原先的规制重建县学⑩。

尊经阁:成化十四年(1478),恰逢庐州府举行捣毁"淫祠"的运动,巢县县学教谕陈瑞、训导桂琏,与诸生合力将学宫后的五显行祠改建为尊经阁⑪。

云路街:嘉靖三十三年(1554),巢县县学教谕陶性、训导周廉、万

---

① 康熙《巢县志》卷10《职官志·教谕》。
② 康熙《巢县志》卷10《职官志·教谕》。
③ 康熙《巢县志》卷10《职官志·教谕》。
④ 康熙《巢县志》卷10《职官志·教谕》。
⑤ 康熙《巢县志》卷10《职官志·教谕》。
⑥ 康熙《庐州府志·名宦传》。
⑦ 康熙《庐州府志·名宦传》。
⑧ 康熙《庐州府志·名宦传》。
⑨ 康熙《巢县志》卷10《职官志·训导》。
⑩ 康熙《巢县志》卷12《胶庠志》。
⑪ 康熙《巢县志》卷12《胶庠志》。

新率诸生,各捐金购买邻近居民方山宅地,于县学前开辟云路街①。

迁址、复址:嘉靖四十二年(1563),奉御史罗元祯、朱刚檄文,将县学改迁至县治北崇善坊一带的定林慈氏寺。万历四年(1576),巡抚吴桂芳拜谒学宫,认为县学旧址胜于新学,"即命给公帑五百金,复迁学于旧址"②。

明伦堂:位于先师庙之后,凡五间两厢。左为造道斋,右为进德斋。万历六年(1578),巢县知县陈经言、教谕韩相、训导梅一株重修。万历二十五年(1597),署理知县、本府通判郝鷮、教谕朱有光、训导陈汝怿重修。万历三十年(1602),知县夏崇谦、学谕张一鹤重修。万历四十四年(1616),知县郎应麟、教谕徐良辅、训导廖冕重修③。

泮池:万历十二年(1584),知县陆九韶申文措处,购买县学前邻近居民张笃恭、方全地,"开池建桥竖坊"④。

文昌祠:万历十八年(1590),知县马如麟建⑤。

敬一亭:位于明伦堂后、启圣祠前,共三间。天启五年(1625),知县王嘉谟、教谕徐宏泰、训导赵标重修⑥。

魁星楼:位于棂星门左。创建于崇祯三年(1630),知县严觉、署教谕事举人王彝章董理其事。崇祯六年(1633),巢县科考取得显著成绩,"高魁联捷,嗣是鹊起",当地人将魁星楼的兴建视为成功的关键⑦。

启圣祠:位于明伦堂后,共三间。崇祯十三年(1640),知县宁承勋、教谕郑昌鼎修⑧。

(2)藏书

关于明代巢县县学的藏书情况,清康熙《巢县志》有一些片段记

---

① 康熙《巢县志》卷12《胶庠志》。
② 康熙《巢县志》卷12《胶庠志》。
③ 康熙《巢县志》卷12《胶庠志·殿宇》。
④ 康熙《巢县志》卷12《胶庠志》。
⑤ 康熙《巢县志》卷12《胶庠志》。
⑥ 康熙《巢县志》卷12《胶庠志·殿宇》。
⑦ 康熙《巢县志》卷12《胶庠志·殿宇》。
⑧ 康熙《巢县志》卷12《胶庠志·殿宇》。

载:"余巢故文人地,而所藏之书,未尝不备于学。乃兵燹之余,十不一存。即今断简残编,亦不可得而觏,则犹得取而志之,以俟后来之重置者。"①上述记载表明,明代巢县县学的藏书原本十分丰富,由于战乱兵火的缘故几乎丧失殆尽。康熙《巢县志》保存了一份截至万历十八年(1590)以前、仅存"什之一二"的藏书书目:"书籍:《四书大全》二十本,《易经大全》十二本,《书经大全》十本,《诗经大全》十本,《春秋大全》十八本,《礼记大全》十八本,《性理大全》三十本,《五伦书》六十本,《性理大全》小板二副二十四本,《孝顺书》一本,《阴骘书》一本,《易经白文》七部,《书经白文》七部,《诗经白文》七部,《春秋白文》七部,《礼记白文》七部,《周礼句解》二部。上书目不过什之一二,万历十八年并且废逸,止存《四书大全》一部,今亦散失。"②从仅存的目录看,上述图书主要涉及儒家权威经典、理学类著作、史传类著作等几种类型。

(3)办学经费

明代巢县县学办学经费主要由官府出资或筹措③,其中,地方官捐出自己俸禄、乡绅民人出资是重要渠道。如在学田置办方面,嘉靖四十五年(1566),知县周思充申准姚铸田入为学田,计种9石6斗,岁征租52石;其田坐落于柘皋下乡广严寺边。又用祗候马夫银20两,购买下乡一图民宋沂田,约种5石2斗,岁征租16石,俱入学公用;其田坐落于新安乡白路冲。万历十八年(1590),知县马如麟购置有鲍恩、李苍、萧天霞、沈伊、吴浙等田,合前80亩零,共得110余亩,详入为学田,以助贫生。此外,万历十年(1582),本县原任湖广湘陵奉祠张自蕴,监生张自微,承差张自阁、张自得,遵照先父张承芳遗言,将原用价56两5钱所买添保乡民周志义田种5石,随田秋粮4斗

---

① 康熙《巢县志》卷12《胶庠志·书籍论》。
② 万历《合肥县志》上卷《学校志》。
③ 据康熙《巢县志》卷10《职官志·守令》记载:嘉靖四十二年(1563),浙江余姚人周思充任巢县知县,在任期间"捐俸资以鬻(按,'鬻'当为'市'之误)学田"。

6升8合5勺2抄,捐入县学助贫①。

县学生员特别是其中贫士的膏火费用的一部分则来自于地方官的捐赠:"巢文化凋靡,侯(指巢县知县马如麟)聿新黉序,群诸生课艺其中,而贫者给以膏火,此侯之有济于庠校者也。"②

此外,县学一些基础设施建设的经费多来自于公帑官资或地方官员乃至外籍官员的捐助,如万历四年(1576),巢县县学遵照巡抚吴桂芳之命复迁旧址的经费,即来源于公帑:"巢为庐治邑,旧学在县治右,嘉靖中迁于慈氏寺所。万历间,会抚台吴公行部至县,谒学宫,讶科甲之寥落,凝睇者久之,谓故所废学址胜于迁所,即命输公帑五百金,令复其故。已请于各院,咸报可助以官镪若干。维时李令世隆始其事,后陈令经言踵成之。"③万历七八年间巢县县学重建尊经阁的经费,则来自于邑宰陈复、观察临川朱公、常德唐公、太守余姚叶公等人的俸金及公帑经费:"万历丙子(四年,1576),学宫徙旧地,获鹿孙公以庐郡倅奉命督理江防,驻治无为,行县而言于邑宰陈君:学宫新徙,尊经阁曷不从徙?学之有阁,是射之有的,趋之有标,不可或缓。于是出俸金属之陈君,陈君奉孙公意,上之柱史温陵陈公,陈公方奉令程士,亟当其请。观察临川朱公、常德唐公、太守余姚叶公,先后助之金。陈君乃捐公帑及俸金计百成之。于阁址之傍十步,为阁三间,讲舍左右各五间。经始于己卯(万历七年,1579)冬十月,明年庚辰(万历八年,1580)三月讫工。"④"先是,学宫肇建,独尊经阁尚缺,陈君复捐官资及申详公帑而成之。"⑤万历十八至十九年间(1590—1591),知县马如麟重修儒学的大笔经费也来源于公帑:"己丑(万历十七,1589)岁,槜李马侯以世籍名隽来莅兹土,睹黉舍规制未备,非以毓人文、崇圣化也。爰鸠工庀材,谋而新之,费取诸公帑,民不称厉;力取

---

① 康熙《巢县志》卷12《胶庠志·学田》。
② (明)阎铼:《建弘济桥碑记》,康熙《巢县志》卷17《艺文志上》。
③ (明)叶逢春:《重修儒学记》(万历五年),康熙《巢县志》卷17《艺文志上》。
④ (明)郭子章:《建尊经阁记》(万历四年),康熙《巢县志》卷17《艺文志上》。
⑤ (明)叶逢春:《重修儒学记》(万历五年),康熙《巢县志》卷17《艺文志上》。

诸暇日,役不称劳,综画周悉。维时圮者整,蠹者易,朽者补。云衢则坊牌耸峙,泮水则石槛环绕。高礼门,创文昌祠。宫外左右各树以坊,侯亲题焉。弘厂森严,视向者灿然。制备秋毫,皆侯力也。"①崇祯年间,巢县县学教谕王彝章修理儒学相关设施的费用,则来自于自身捐出的俸禄及诸生的捐资:"岁在己巳(崇祯二年,1629),荆溪王君来署谕事,睹学宫之敝,欲为葺治。属时方多事,申请推诿,两俱不可。既而叹曰:吾忝署兹任,义不欲尸厥职,以为先圣羞。于是进诸生而谋之,度木石、丹垩、工役、杂费共计若干,割囊捐俸为诸生倡,诸生竞相劝勉,共襄厥事。"②

3. 庐江县学

庐江县学,位于县治东,明洪武七年(1374)建③。明代,庐江县学教育在历任地方官的重视下继续得到发展,而且发展教育成为明代庐江县地方官施政关注的重点内容之一。如傅铉,洪武六年(1373)任庐江知县,在任期间"始迁庙学,有功斯文"④。黄惠,永乐末年任庐江知县,在任期间"首建庙学及县治、坛祠,百废兼举"⑤。刘绅,湖广衡阳人,成化九年(1473)任庐江知县,在任期间"尤加意学校"⑥。刘瑄,河南许州人,弘治十八年(1505)任庐江知县,在任期间"兴学作人"⑦。燕洧,河南兰阳人,弘治十八年(1505)任庐江县儒学训导,在任期间,"以学政废弛,人才阔落,慨然任兴起人文之责。严立轨范,因材成就、经疑讲解之文义削正之,抑之,引之,循循善诱,以约于中。尝编《易经联玉》一卷,以示诸生,使知时文句法。故一时学者知所趋也。初学束修、岁时常馈,无一受者,父兄固请不已,仅取十之一二,

---

① (明)胡汝默:《重修儒学记》(万历十九年),康熙《巢县志》卷17《艺文志上》。
② (明)卢谦:《修理魁楼记》(崇祯六年),康熙《巢县志》卷17《艺文志上》。
③ 天顺《大明一统志》卷14《庐州府·学校》。
④ 顺治《庐江县志》卷4《官政志·宦迹》。
⑤ 顺治《庐江县志》卷4《官政志·宦迹》。
⑥ 顺治《庐江县志》卷4《官政志·名宦》。
⑦ 顺治《庐江县志》卷4《官政志·名宦》。

以见意。诸生中贫而有志者,间分廪俸以惠之"①。刘梦熊,山东汶上人,正德九年(1514)任庐江知县,在任期间"新庙学"②。关于刘梦熊重修儒学的情况,侍读学士、濮阳李廷相所撰《庐江县重修儒学记》也有记载:"正德甲戌(九年,1514),汶阳刘公来知县事。下车之初,即谒庙学,徘徊顾瞻之余,恻然兴喟曰:'学校,首务也。而顾弗治若是,岂非后来者之责耶?'越三月,谋之僚佐,谋之诸士,又谋之于父老,议以允合,乃诹日告庙,度材鸠工,尽撤而新之。大成殿凡五间,高三丈六尺,深缩二尺,广加十六尺,增东西两庑各十五间。又崇大其列戟、棂星之门,门之外有门楔,殿之前有池台,规制弘丽,逾于旧规远甚。明伦堂凡五间,左右斋各三间。生徒之舍以间计者凡二十有八。门楔阶城,巍焕有加,一与庙埒。学之东,观德有亭,文昌、乡贤、名宦有祠。学之西,致斋有所,庖湢器用有次。学之前,故狭隘弗称,复市民居以广之。夷旷爽垲,人人意满。是役也,始于乙亥(十年,1515)之春,迄于丙子(十一年,1516)之冬。"③王家宾,河南固始县人,嘉靖二十三年(1544)任庐江知县,在任期间"兴学造士"④。周以鲁,江西安福人,嘉靖二十九年(1550)任庐江县学教谕,在任期间"群诸生于金刚寺,讲明正学,日孜孜,寒暑不辍,诸生多感发兴起。捐常俸以资贫乏,却常馈以励士风"⑤。王守道,沛县人,隆庆五年(1571)任庐江县学教谕,在任期间"恬淡寡营,每日被服坐堂,称说道理,表率慈湖文成之学,士类翕然向风。祭器缺,不以闻之有司,捐俸修饬如故。学租岁敛若干,不少私其出入,弟子中有不足者惠之。修贽之仪,悉辞不受"⑥。赵国琦,南昌人,万历二十五年(1597)任庐江知县,"甫下车,创文昌阁,集多生课阅,丙夜不休。喜士嗜古,文风用变其调"⑦。

---

① 顺治《庐江县志》卷4《官政志·名宦》。
② 顺治《庐江县志》卷4《官政志·宦迹》。
③ (明)李廷相:《庐江县重修儒学记》,康熙《庐江县志》卷15《艺文》。
④ 顺治《庐江县志》卷4《官政志·名宦》。
⑤ 顺治《庐江县志》卷4《官政志·宦迹》。
⑥ 康熙《庐江县志》卷11《名宦》。
⑦ 顺治《庐江县志》卷4《官政志·名宦》。

彭大科，分宜人，天启二年（1622）任庐江知县，在任期间"分社造士"①。杨墀，延安卫人，天启六年（1626）任庐江知县，在任期间"立心仁厚，笃爱士子。捐俸重修学宫，焕然一新"②。此外，江沛然，黄冈人，进士，谪庐州府经历，署庐江知县，在任期间"加意学校"③。王元佐，贵州人，任庐江县学训导，寻转本学教谕，在任期间"与士子相接如家人，日联社为文，模范训诲，一循古人，人士思之"④。

除了地方官重视之外，明代，庐江县学教育的发展还受到乡绅的关注和推动。如庐江人王孙谋，崇祯元年（1628）恩贡，"干敏练达，凡邑中利民兴作大事，辄赞令以有成，如议建尊经阁以培学基，果得间科发人"⑤。

（1）基础设施建设及规模结构

关于明代庐江县学的结构及相关设施的建设，方志有所记载：文庙儒学，旧在县城南门内。始建时间已不可考。明洪武七年（1374），知县傅铉迁建于三思桥北旧县基。洪熙元年（1425），知县黄惠重建。万历知县轩尚朱、崇祯教谕胡从政，次第修整。崇祯十五年（1642）毁于战火⑥。针对文庙祭祀用品"岁久残缺"的情况，一些地方官也常予以更新置办："文庙各祠爵登、笾豆、簠簋、铏尊、筐匣等岁久残缺，祭时取诸市肆充用，殊为陋亵。嘉靖四十一年（1562），知县刘裁措处物料，付训导康祥监督铸造如式，不惟数具且华饰矣。"⑦

先师庙，旧名大成殿，两庑。天顺四年（1460），知县王庆重建明伦堂东西二斋。成化年间，知县梅江、刘绅相继修理，"一易棂星门以石，一易泮池桥以石，而规制始备"。弘治八年（1495），知县胡旸重修，更置号房，不久圮废。正德九年（1514），知县刘梦熊"易辟民地，

---

① 顺治《庐江县志》卷4《官政志·名宦》。
② 康熙《庐江县志》卷11《名宦》。
③ 康熙《庐江县志》卷11《名宦》。
④ 康熙《庐江县志》卷11《名宦》。
⑤ 顺治《庐江县志》卷8《人物志·文学》。
⑥ 顺治《庐江县志》卷6《学校志·儒学》；康熙《庐江县志》卷7《学校》。
⑦ 顺治《庐江县志》卷6《学校志·祭器》。

尽拆其旧而大新之,规模宏远,制度整严,真足以陋前规而侈后观者"。嘉靖四年(1525),知县周良会"辟东便门,题曰'龙门拓蛟'、'龙云雨池',以增其胜。越四十余年,堂斋、殿庑、戟门、棂星,风雨侵寻,倾颓日甚,知县刘裁捐俸抡材,鸠工翻盖,不役民力,焕然一新之,以至木主、神龛诸凡器用亦皆更置"①。

棂星门,位于泮桥前。正德十年(1515),知县刘梦熊鼎建。嘉靖四十三年(1564),知县刘裁重修屏墙一座②。

启圣祠,位于县儒学门内东边,系旧文昌祠。嘉靖十年(1531),知县吴迪奉例改置。崇祯十五年(1642)毁于战火③。

(2)藏书

关于明代庐江县学的藏书情况,清顺治《庐江县志》有一些片段记载,保存了一份藏书书目:"颁降书籍:《大诰三编》《大明令》《大明律》《孝顺事实》《为善阴骘》《劝善书》《五伦书》《四书大全》《周易大全》《书经大全》《诗经大全》《春秋集传大全》《性理大全》《六礼纂要》《礼记集说大全》《资治通鉴纲目》《逆臣录》。以上书各二部并祭器等物,岁金库子守之,崇祯十五年(1642)贼焚尽。"④上述图书主要涉及法律法令类著作、儒家权威经典等类型。

(3)办学经费

据方志记载,明代庐江县学学田的一个主要来源是地方民人的捐赠。庐江县旧有学田数十石,坐地名八窨山嘴,岁入租银13两,为师生日常经费。后来学田收入尽归官府,"诸生不得沾惠,会课无资,贫匮无助,有司随时区处,无经常可久计,朝夕支吾"。到了嘉靖年间,知县刘裁巧妙地利用一个拖延日久、难分难解的诉讼纷争增置了学田。刘裁查得本府词讼未完,有民人朱遵孟、朱凤翼、宛浚、陈元八等讦告湖滩田亩。朱遵孟等曰:"是滩而田当科粮而未科者也。"宛浚

---

① 顺治《庐江县志》卷6《学校志·儒学》。
② 康熙《庐江县志》卷7《学校》。
③ 顺治《庐江县志》卷6《学校志》。
④ 顺治《庐江县志》卷6《学校志·书籍》。

等曰:"是尔祖父田,而吾父买也。湖水泛涨,十种九淹,若复科粮价,当尔酬也。"陈元八等曰:"均之一处滩田,胡尔田多而无粮,吾田少而粮多也?"彼此纷诉,各执一词。于是,刘裁从中调停以平息其事,劝谕宛浚等曰:"尔当升科而免尔科。"劝谕朱遵孟等曰:"尔当追价而免尔追。"劝谕陈元八等曰:"尔田粮重而均派之浚、孟等之田,而轻尔粮。"通计各人田种共 610 石,每田 1 石均粮 1 升 5 合 4 勺 1 抄,每 40 石内割田 5 斗 7 升有零入本县儒学,以赡诸生之用。诉讼各方积极响应知县的倡议,主动捐出自己的田产。具招申府,蒙批:照田均粮,割田入学,俱依拟行。后来,朱遵孟等经过商议,认为:各割田种,不成片段,每年入租不便,愿各照石斗备时值总买朱凤翼本圩成片常稔田 35 石入学,永供常费。其价,每种 1 石,纹银 6 两,其租 6 石,其粮 1 升 5 合 4 勺,共计价银 210 两,租 210 石,粮 5 斗 2 升。每年以租稻 10 石佃纳粮差,以佃户礼银修筑圩岸。朱凤翼岁入净稻 200 石,本学师生每次月考动支 14 石,"供给有余,以济贫生之有行义者,贫而无行者不与。随事随时,该学关县支给,庶后来者不得尽括之官,诸生有实惠然。"①

(三)社学

社学即地方小学。明洪武八年(1375),朱元璋下令在全国城乡推行元朝的社学之制。诏书言:"今京师及郡县皆有学,而乡社之民未睹教化,宜令有司更置社学,延师儒以教民间子弟,庶可导民善俗也。"②在朝廷倡导下,包括合肥地区在内的全国各地城乡多有社学的创办。就合肥地区而言,有明一代,各地社学的发展各有自身的特点。

1.合肥县

关于明初合肥地区社学创办的具体情形已不可考。据记载,弘治年间,庐州知府马金下令在合肥县城乡建社学 64 所,其中在城 8

---

① 顺治《庐江县志》卷 6《学校志·学田》。
② 《明太祖实录》卷 96 洪武八年(1375)春正月辛酉。

所,五乡 56 所。正德末,督学莆田人林有孚毁城内淫祠增设社学 4 所,共计在城社学 12 所①。关于马金倡议重设社学及合肥县社学重建的具体情形,时人大学士杨一清记云:"马侯汝砺……檄所属州县各新社学,如□□附郡治者曰合肥,其令孙紘勤慎而□□之以规而属以专督,县所辖六十四里,里各有社学,屋皆废而豪右因夺其地者有之,及循其址之犹存而新其馆舍,缭以周垣,固以重门者若干,清拓其所夺而创造之者若干。凡建于市者九,于乡者五十有五,为室凡若干楹,土木金石等费凡用钱若干缗。始工于弘治十四年(1501)十月十日,落成于次年三月。官不伤财,民不远时。于是择可模范者以司教事,选俊秀以充学徒,仍时视试较,劝惩惰勤,殆有比屋弦诵之风而田夫野老重兴教子之心矣。"②弘治年间合肥县重建的社学,大约维持了 70 余年,到了万历初年已基本荒废殆尽。据雍正《合肥县志》记载:"万历三年(1575)重修县志已云(社学)皆废。其在城遗迹可考者,一百子楼巷,一永真观巷,一潜山庙巷,一万寿寺西,一赵千户巷,一刘公祠旁,一放生池旁,余无考。其在乡遗迹可考者,惟梁县有蔡文毅先生碑记存,余亦无考。"③不过,从上述方志所列出的社学"遗迹可考者"可以约略看出明代合肥县境内城乡社学地理分布之一斑。

2.巢县

关于明代巢县境内社学创办的相关情况,清康熙《巢县志》有所记载:"弘治初,督学王公鉴始令余巢立社学,以备乡较选。当时所鼎建已废,即有存者,久为居民佃居,清查不得其实。至嘉靖四十五年(1566),知县周思充已经查建,寻亦废。万历十七年(1589),知县马如麟始分委里老,逐一查明,且更创立,乡城共十九所。后复倒塌,为民间佃居者甚多。"④可以说,从弘治至万历年间 100 余年中,虽然有部分督学和地方官员的倡导,但是巢县城乡社学总体情况仍是时建

---

① 万历《合肥县志》上卷《学校志》。
② 万历《合肥县志》上卷《学校志》。
③ 雍正《合肥县志》卷 10《学校》。
④ 康熙《巢县志》卷 12《胶庠志·社学》。

时废。到了清初雍正年间编纂县志时，明万历年间巢县境内城乡设立的19所社学的具体位置仍有迹可循："今（指清雍正年间）其处所具在，可按籍而考也。一在城仁寿坊，一在城助顺坊，一在城永庆坊，一在城惠泽坊，一在城尚贤坊，一在城聚贤坊，一在城德政坊，一在柘皋镇上乡，一在铜炀寺后，一在上生寺前，一在下阁镇北，一在广严寺右，一在中埠街内，一在凤凰寺后，一在白马寺前，一在姚王庙左，一在李婆店口，一在添保乡张师庵，一在添保乡陂塘。"①

3. 庐江县

关于明代庐江县境内社学创办的情况，据顺治《庐江县志》记载："明洪武八年（1375），诏有司立社学，延师儒以教民间子弟。天顺六年（1462），敕提学官令有司于每乡每里俱设社学，择立师范，明设教条，年一考较。其有俊秀向学者，许补儒学生员，仍免为师者差徭。本县社学二所，一在县前西，弘治元年（1488）重建，壬午（崇祯十五年，1642）贼毁；一在东门外，天顺初建，弘治间修，嘉靖五年（1526）知县周良会重修。废。"②由上可见，明代庐江县境内社学设置数量较少，且英宗天顺以前该县境内社学设置情况已不可考，至明末，社学因遭受战火厄运而废毁殆尽。另据顺治《庐江县志》记载："詹天瑞母杨氏，年二十训子，藐孤子未成名而笃于孝义，亦母之教也。贫不能养，舌耕奉亲，及母病，割股吁天，母得以愈。母终之日，庐墓三载，苦块不出百步，闾里共闻。邑侯章贤而征之，申详院道，请给衣巾，于东关外鼎建节孝坊瓦屋十间，令孝子居内，社学教读。"③明代该县孝子詹天瑞因孝行受到知县的表彰，并"社学教读"，被安排在社学中接受教育。

二、民办教育

明代，合肥地区一些宗族或个人等民间力量捐资兴办学校，以

---

① 康熙《巢县志》卷12《胶庠志·社学》。
② 顺治《庐江县志》卷6《学校志·社学》。
③ 顺治《庐江县志》卷8《人物志·孝》。

教育宗族和乡里子弟。如明代,合肥龚氏家族的龚承先,致仕后"卜筑城之西隈,屋构数椽,梅栽几树,竹影参差,鹤声长唳。承先与诸子诸孙日讲习其中,不知三生之外复有所谓尘世者"①。于此可见,致仕官僚龚承先,远离尘世,通过家塾教育子孙,"与诸子诸孙日讲习其中"。明代,合肥人方自勉,号圣修,郡文学,"工举子业不偶,遂隐处湖滨,教授生徒,昌明古学"②。举业失利的乡绅方自勉,发挥自身所长,致力于"教授生徒,昌明古学"。明代合肥人鲁泗源,庐州卫百户,"庭课子若孙,善文艺,称邑名流。武弁也,有文人风焉"③。虽身为一介武夫,鲁泗源却重视教育子孙,所谓"庭课子若孙",是典型的家庭教育。

明代巢县人杨舜渔,为里中塾师,"凡开导后学,课训子弟,敦行为先,文艺为次,谆谆恳恳,动仿古人,故里中有'杨古人'之称。屡请宾筵,不就,县令郎公高其义,赠扁额曰'耆硕清隐'。其教子若侄,不汲汲于功名,不役役于财利。澹泊相尚,义命自安,一门之中,自相师友,雍雍如也。其家塾联云:兹固蓬藋而行,但谢事杜门,显晦亨屯,一任循环往复;何妨饔餐而治,且断饘昼粥,兄弟叔侄,自为主仆师生"④。明代巢县人单政,"父子兄弟,自为师生,一门之中,弦诵声洋洋四达"⑤。于此可见,单政重视通过家塾教育子孙,家人之间互为师生,教育形式生动活泼。明末巢县人尹君翰,"勤苦积学,应崇祯十四年(1641)贡,授玉山县知县,因寇乱未之任。邑人士从学受业者甚众。……朝夕督课子孙"⑥。所谓"邑人士从学受业者甚众""朝夕督课子孙",表明身为乡绅的尹君翰,对于乡里和家族教育贡献较大。

明代庐江人卢谦,万历三十二年(1604)进士,历任永丰知县、河

---

① 康熙《庐州府志·人物传·合肥县人物》。
② 康熙《庐州府志·人物传·合肥县人物》。
③ 康熙《庐州府志·人物传·合肥县人物》。
④ 康熙《巢县志》卷15《人物志·德范》。
⑤ 康熙《巢县志》卷15《人物志·德范》。
⑥ 康熙《巢县志》卷15《人物志·德范》。

南道监察御史、北直学政,致仕后"课两孙,手不释卷"①。致仕官僚卢谦,家居后重视教育子孙。

三、书院教育

书院是指由官府或民间力量创建或主持的,用于聚徒讲学、研讨学问的特殊教育组织。可分为官办和民办两类。官办书院是地方官学的组成部分,民办书院是民办学校的组成部分。据文献记载,明代合肥、庐江二县境内有书院分布,巢县境内未见有书院分布。明代合肥、庐江二县境内的书院,主要由各级官员特别是知府、知县等地方官和乡绅创建,其功能主要为教育乡里子弟、聚徒讲学、研讨切磋学问、祭祀乡贤等,有的书院还置有学田。其具体分布、创建、教育及学术活动情况如下:

(一)合肥县

三贤书院:位于合肥县治东。祭祀宋代包拯、马亮、王希吕②。

景贤书院:明弘治年间,庐州知府马金创建。其主要功能之一是"崇祀往哲"③。

孝肃书院:位于合肥县城南濠内。明弘治年间,庐州知府宋鉴改祀孝肃公(即宋代清官包拯)。嘉靖年间,御史杨瞻重修,"建屋数楹于南岸,居其(指包拯)子孙"④。

正学书院:又名庐阳书院。位于合肥县学西。明嘉靖年间,督学耿定向、庐州知府喻南岳建。书院内有敬一、广居、大成三堂,志伊、学颜二轩。别置学田三庄⑤。

---

① 康熙《庐江县志》卷12《人物》。
② 天顺《大明一统志》卷14《庐州府》。
③ 康熙《庐州府志·名宦传》;康熙《庐江县志》卷11《名宦》。
④ 雍正《合肥县志》卷10《学校》。
⑤ 雍正《合肥县志》卷10《学校》。

(二)庐江县

毛公书院：位于庐江县治东北七十里。明嘉靖五年（1526），庐江知县周良会"因汉毛义读书故迹，令引礼舍人朱魁创院于洞前之麓，延师以教乡之俊秀"①。

水濂书院：位于庐江县城南门外递西河水湾。环地幽雅，多古木。明嘉靖三十年（1551），庐江知县何汝璋、县学教谕周以鲁委嘱地主监生刘川"因池构亭，缭垣筑室，聚生徒讲论，时往试之"。至三十九年（1560），刘川子生员朝东，"重增修饬，广积书史，添植桧柏花木，会友聚徒，肄业其间。邑博乡士夫多题咏焉"②。

杨林书院：位于庐江县治白湖之东七十里。书院所在地环境优美，"地境幽静，茂林修竹，俯瞰湖光"。明嘉靖三十四年（1555），"乡官朱绂筑室二十余间，凿池竖亭，缭以周垣，群族党子弟读书其间，伏腊聚会乡邻约正副③等宣读教民圣谕，申明乡约，敦尚行谊，以劝时俗"④。书院中"原降颁书籍并知县刘裁措置祭器等物，崇祯十五年俱被贼焚，无存"⑤。

大观书院：位于庐江县城南。原来为司疫庙，"煽惑有年"，明万历年间，庐江知县刘时俊命毁其像，改名为"大观书院"，"群诸生坐其中赏奇析疑，人人鹊起"⑥。

崇文书院：位于庐江县学东。毁于明末战乱⑦。

莲溪书室：位于庐江县城南。明永乐年间，邑人陈彦晖构筑书室以教育其子。因在书室南边"凿池种莲"，而题匾额曰"莲溪"⑧。明永

---

① 顺治《庐江县志》卷6《学校志·书院》。
② 顺治《庐江县志》卷6《学校志·书院》。
③ 康熙《庐江县志》卷7《学校》作"乡约正副"。
④ 顺治《庐江县志》卷6《学校志·书院》。
⑤ 康熙《庐江县志》卷7《学校》。
⑥ 顺治《庐江县志》卷4《官政·名宦》。
⑦ 康熙《庐江县志》卷7《学校》。
⑧ 顺治《庐江县志》卷6《学校志·书院》。

乐二十年（1422）邑人潘植《莲溪书室记》云："莲溪书室者，陈彦晖燕休之所也。彦晖，庐江故家，世皆读书好士，至彦晖尤表表者。暮年筑室潜南，教子孙习旧业。慕濂溪之清致，于书室之南开方池数亩，种莲满池，读书之暇，焚香钓帘，以娱心目。或邀朋共饮，或傍池垂钓，徜徉徙倚，兴尽乃归。春暮，则翠钱贴波，新荷卷绿。山雨忽来，萧萧有声。熏风初起，清香袭人。佳景异态，笔不能状。"[1]该书院的主要功能是"教子孙习旧业"，致力于宗族教育。

第六节 科技

明代，合肥地区的科技有一定的发展，其成就主要体现在医学、天文历法、地理学等方面。

一、医学

明代，合肥地区出现了李恒、林时、郭民安、杨名远、鲍宗益等一批医家，他们在妇科等方面医术精湛，影响较大。

李恒，字伯常，合肥人。洪武初以医术闻名，被选入太医院，擢任周王府良医。常奉令旨类集袖珍方诸书。后因年老致仕，周王亲自赋诗为其饯行[2]。

林时，字惟中，合肥人。明代医家。精太素脉，人多赖以得生。医术精湛。有方氏妇求治，林时为其把脉后并未开出药方，而是对其家人说："此则限于数矣。夏得秋脉定死。"死在庚申辛酉日，后果然得到应验[3]。

---

[1] （明）潘植：《莲溪书室记》，顺治《庐江县志》卷9《艺文志》。
[2] 雍正《合肥县志》卷19《人物九·方伎》。
[3] 雍正《合肥县志》卷19《人物九·方伎》。

郭民安，字华台，巢县人。明末医家。训导郭瀋之子。邑庠生，精于医学。大小方脉，倾动邻邑，就医者填门。轻财好施，遇病者如痌瘝在己。崇祯八年（1635），巢县县城被农民起义军攻陷，当时，郭民安同县令及诸生巡城协守，被执，次第杀之。快要轮到民安时，忽然，一农民军士兵奔救，说："八十老翁，降之何用，杀之何为？"民安得以幸免。后回忆此事，乃是上年过路病夫，施药愈之者也。民安弟民康，号平海，医术精湛，"声闻远迩"①。

杨名远，号万里，巢县人。晚明医家。精于妇科。杨氏为妇科世家，传至名远为第八代，"专精致神，益光祖烈，凡杨氏之习医者，以公为重望"②。

鲍宗益，字若虞，巢县人。明末医家。邑廪生。年幼多病，以病精医，由医而更进于坐功学道，大有造诣。史载，宗益"聪敏绝伦，举业之外，博通曲艺、星相、卜筮之类，无不臻妙，而尤精于医，虽专门名手，莫能过"③。

二、天文历法

明代，巢县人唐稌、庐江人谷滨等在天文历法方面有所成就。

唐稌，字叔茂，明中期人。才敏博学，明天文，精历法。正统初，考授钦天监副监。瓦剌部也先入寇，明英宗朱祁镇率师亲征。唐稌同钦天监监正彭德清上疏云："象纬示儆，圣驾不宜轻出。"力争，不听。正统北狩，方才后悔唐稌所谏尽为忠言。后请归养，未得允准，上奏以弟唐稑代其职，仍改河南固始县训术④。

谷滨，明中期人。少颖敏，读书通大义，邃于经学。充钦天监天

---

① 康熙《巢县志》卷15《人物志·方伎》。
② 康熙《巢县志》卷15《人物志·方伎》。
③ 康熙《巢县志》卷15《人物志·方伎》。
④ 康熙《巢县志》卷13《选举志·人才》。康熙《巢县志》卷15《人物志·方伎》云："唐稌，精于天文阴阳家术，官钦天监监副。"

文生，后任本监五官司历，升本监主簿、春官正监副、监正。象纬之陈，无一不验，受到明英宗朱祁镇的赏识。天顺四年(1460)九月封奉政大夫①。

三、地理学

明代，合肥人吴鹏，巢县人许国泰、沈翼燕、孙侃等在地理学方面有所成就。

吴鹏，明万历年间人。精青鸟术。万历二十七年(1599)，"矿使四出，奸人乘隙规利，遍发霍蓼、金斗诸山"，大宦官暨禄率党羽数十人进入庐州城寻财，搞得人心惶惶，吴鹏以直言劝阻了暨禄等人的妄动，使得整个庐州城得以免除"发掘之扰"。所著有《五宝经》②。

许国泰，字亨之，明万历年间人。精于地舆之学，兼饶谋略③。

沈翼燕，字灵台，明后期人。廪生。精通天官地舆之学。崇祯三年(1630)，建议修缮县学，特起魁楼，经方改水，增修文峰。一时科甲蝉联，翼燕出力居多④。

孙侃，字子刚，号竹墟，明代人。精于地舆之学，一时贤士大夫无不礼重⑤。

---

① 顺治《庐江县志》卷10《杂志·方伎》。
② 雍正《合肥县志》卷19《人物九·方伎》。
③ 康熙《巢县志》卷15《人物志·方伎》。
④ 康熙《巢县志》卷15《人物志·德范》。
⑤ 康熙《巢县志》卷15《人物志·方伎》。

第四章

明代中后期合肥地区社会矛盾的激化

第四章 明代中后期合肥地区社会矛盾的激化

明帝国的巨轮行至中晚期已呈千疮百孔之势,疲态尽显,宦官专权、吏治腐败,经济剥削沉重,徭役负担与三饷加派也日益加重。人祸未了,天灾亦接踵而至,连续发生的自然灾害,摧毁了原本就脆弱不堪的小农经济的再生能力,使得整个社会的政治局面越发不可控制。严苛的统治,频仍的灾荒,各种社会矛盾交织,明帝国如同坐在行将喷发的火山口上。为求得最基本的生存,各地纷纷祭起反抗的大旗,明王朝随着崇祯皇帝吊死在煤山而寿终正寝。明末农民起义的烽火也燃烧到合肥地区,张献忠率军横扫庐州,给明政权以沉重的打击,但也严重破坏了合肥地区的社会经济环境,打乱了合肥社会发展的进程。

第一节 天灾人祸与社会动荡

一、吏治的腐败与人民负担的加重

明代,封建最高统治者皇帝为巩固自身的权力,多重用宦官势力,宦官专权也因此成为明代政治中的一大毒瘤。明代,宦官窃取权柄后,挟制朝官,与不法官吏和恶势力相互勾结,通过任意加重赋税和巧立名目等各种手段,对百姓进行大肆搜刮和压榨。

文献记载表明,明代宦官对合肥地区的祸害集中于万历年间。当时,合肥地区的财富税银多由明神宗的亲信太监暨禄负责征收。如万历二十八年(1600)二月,羽林前卫副千户王承德上奏称:"太监暨禄先授敕谕止开应、太、淮、扬地方,未曾载庐、凤、徽、安等府州县,伏乞颁敕谕。"奉旨:"庐州四府税银每年可得四万两,着督税内官暨禄带管。督率原奏官王承德、为首土民谢溥前去会同抚按征收解进。

另写敕与地合行事宜,都着暨禄会议奏行。何用多人条议,以资扰费。"①由此可见,自万历二十八年二月开始,明神宗将庐州府等地每年税银征收的任务交给自己亲信"督税内官暨禄带管",以暨禄为首的宦官势力开始祸害庐州。同月,金吾左卫百户吴镇上奏称:"抽太平、安庆、庐州、淮、扬、常、镇等处商货船税。"奉旨:"南直沿江一带往来船只遗税,每年可得银八万两,有裨国用。着暨禄不妨原务带管,督率原奏官员吴镇、为首土民钱文朋前去会抚按征收解进,不许侵越钞关疆界,重叠征收,困累商民,载入庐州等府敕内。"②由此可见,自万历二十八年二月开始,庐州府等地商货船税的征收也由以暨禄为首的宦官势力把持。

以暨禄为首的宦官势力,对合肥地区的祸害很大。如据雍正《合肥县志》记载:"吴鹏,精青鸟术。万历二十七年(1599),矿使四出,奸人乘隙规利,□遍发霍蓼、金斗诸山,枭珰暨禄率党数十人入郡城,人心惶急,鹏以危论动之,全庐得免发掘之扰。"③于此可见,万历年间,宦官头领暨禄曾率爪牙到庐州府境内谋求开采矿产,搞得人心惶惶。宦官势力对庐州府等地方的搜刮和压榨的严酷情形,也可从凤阳巡抚李三才向皇帝的进言中见其一斑。万历二十八年(1600)六月,凤阳巡抚李三才在给明神宗的进言中称:"矿税烦兴,万民失业,朝野嚣然,莫知所计。如臣境内抽税者:徐州则陈增,仪真则暨禄;理盐者:扬州则鲁保;理芦政者:沿江则邢隆。千里之途,中使四布,棋置星罗,如捕叛亡。无赖亡命,翼于虎狼。……今采抽踏勘,俱会抚按,少有异同,动蒙切责;起解征收,任委有司,驾言阻挠,便被逮系。是上自皇上,下至抚按有司,无非为矿税设也。故谓臣等为巡扰可也,为巡害可也,为知矿、知税、知盐可也,岂天所以寄托皇上与皇上所以命官之意哉!乞亟下明诏,停罢矿税,尽撤内使。"④李三才的进言,列数

---

① 《明神宗实录》卷344万历二十八年二月己卯。
② 《明神宗实录》卷344万历二十八年二月庚辰。
③ 雍正《合肥县志》卷19《人物九·方伎》。
④ 《明神宗实录》卷348万历二十八年六月丁丑。

了矿税内使的种种危害,但并未得到明神宗的理睬。在宦官势力"割剥吞噬"之下,庐州府等地"商民疲困,课额难敷"。

二、自然灾害的频发与社会动荡的日益增多

明代中后期,伴随统治阶级政治腐朽、吏治腐败、赋役盘剥沉重,整个国家机器已逐渐显露锈钝的迹象。人祸不断,又遇天灾,以致"民生日蹙",社会矛盾逐渐激化,社会动荡不安。

明代中后期,合肥地区灾害频仍,饥馑荐臻,这是自然与人为双重因素综合作用的结果。据竺可桢研究,从元末明初开始,我国历史时期的气候变化进入了最为漫长的一个寒冷期,从元末明初至清末,历经500余年①。而明代气候在寒冷的大背景下,还有一个动态变化的过程,这种变化过程虽然不像大的气候冷暖变化那么剧烈,但也引起气候的异常波动而导致灾害的发生②。此外,合肥地区地形的复杂多样性,也是导致该地区自然灾害交叉频发的重要原因。合肥"受南北潮皮革枹木之濡。南临江湖,北达寿春。龙坻蟠其前,紫金跨其后。淮右襟喉之地,江北视为唇齿"③,岗阜相连,地势高低起伏。合肥地区的自然灾害往往具有持续时间较长的特点,或连年大旱,或数月淫雨不止,或旱涝交替。许多自然灾害,特别是等级高、强度大的自然灾害发生以后,常常诱发出一连串的其他灾害接连发生,这种现象就是所谓的"灾害链"。旱灾和蝗灾之间的关系最为密切,一般认为蝗灾的发生与夏、秋季节的高温特别是干旱的多发有关。一旦大的水旱等灾害发生时,便有大量的灾民产生,并趋向集中以等待政府和社会的救济。灾民大规模的出外谋生以及灾民聚集一地,再加上因灾而造成的污水横流、饿殍遍野、尸骨暴露野外、卫生状况下降,都为瘟疫的产生和流播提供了温床。明代中后期,旱蝗疫连接相随、肆

---

① 竺可桢:《中国近五千年来气候变迁的初步研究》,《考古学报》1972年第1期。
② 邱云飞、孙良玉:《中国灾害通史·明代卷》,郑州大学出版社2009年版,第172页。
③ 万历《合肥县志·山川》。

虐无忌的记载不胜枚举。如弘治十七年(1504),合肥"大旱且疫"①;嘉靖二年(1523),"合肥大旱,人相食。官为施粥以给之,然人久枵腹,得食辄死,继而大疫,死者相枕藉,士民去其半"②;嘉靖十三年(1534),庐江"旱。蝗自北来,飞蔽天日,食禾稼有方"③。

  天灾不可控,而出现"每灾必成荒"的现象,当以人为因素为主,是当时人们无节制的社会活动导致自然环境遭到严重破坏的结果。明初,为恢复和发展社会经济,各级官府通过采取减免赋税、采取屯田制度等措施,大力提倡人们开垦无主荒地。据文献记载,明初,仅屯田一项,庐州卫开垦田亩总额即高达2089顷16亩5分④。但是过度的垦殖加上不良的垦荒技术不可避免地留下了祸根,即严重地破坏了生态平衡。到了明代中后期,包括合肥地区在内的庐州府境内的土地的自然肥力下降:"江北地广人稀,农业惰而收获薄。一遇水旱,易于流徙;""年丰,粒米狼戾,斗米不及三分,人多浪费,家无储畜。旱则担负子女,就食他方,为缓急无所资也。"⑤伴随着逃荒,抛荒现象也随之大量产生。嘉靖年间,庐州知府龙诰在上疏中讲到:"合肥、六安、巢三州县抛荒田地,或十分,或九分八分,截长补短,已耕者不及二分。英山、霍山、舒城、无为、庐江五州县抛荒田地,或九分,或八分七分,截长补短,已耕者不足三分。"⑥大量土地在拓殖后,遭到弃耕,逐渐丧失了抵御自然灾害的能力。明代中后期,由于皇帝怠政、地方官员贪腐,使得政府对救灾已不像前期那样的积极,蠲免和赈济的力度也远不如前。如"嘉靖二年三月末无雨,至秋八月民大饥,知县李谟设粥赈济,然亦难遍,有饥死者"⑦。万历年间,即使在包括合肥地区在内的庐州府境内旱涝蝗灾频仍的背景下,明朝廷仍"以辽饷

---

① 万历《合肥县志》上卷《祥异》。
② 万历《合肥县志》上卷《祥异》。
③ 康熙《庐江县志》卷2《祥异》。
④ 乾隆《庐州卫志》卷3《屯田》。
⑤ (明)张瀚撰、盛冬铃点校:《松窗梦语》卷1《宦游纪》,第9页。
⑥ (明)龙诰:《请蠲赈疏》,雍正《合肥县志》卷21《艺文一》。
⑦ 康熙《庐江县志》卷2《祥异》。

缺乏,援征倭、征播例,请加派。"①战争亦对灾害有一定的影响,所谓"大兵之后必有大疫"。战争具有巨大的破坏性,成千上万人曝尸荒野,再加上社会失序,政府管理不力,尸体一旦不能及时掩埋和清理,很容易为病毒滋生、瘟疫横行提供条件。明代中后期战乱多次诱发瘟疫。如崇祯十五年(1642)六月,庐江"城中疫甚,守者寥寥。十三日夜半,城陷,诸新造房舍及防御之具悉付祖龙,仅余者,城隍庙一区而已"②。

在自然和社会政治因素等的共同作用下,明代中后期合肥地区呈现出了灾害种类繁多、各种灾害并发且持续时间长、发生频率高等诸多特征。

此处列举明景泰至崇祯末年,合肥地区发生的较大的灾害及其相关情况如表4-1-1:

表4-1-1 明景泰至崇祯年间合肥地区自然灾害一览表

序号	灾害发生时间	灾害状况	资料出处
1	景泰二年(1451)	大雪	万历《庐州府志》卷1《郡县纪》
2	天顺六年(1462)	蝗灾	万历《庐州府志》卷1《郡县纪》
3	成化二年(1466)	大饥	康熙《巢县志》卷4《祥异志》
4	成化三年(1467)	大饥	康熙《巢县志》卷4《祥异志》
5	成化四年(1468)	大旱,饥	万历《庐州府志》卷1《郡县纪》
6	弘治初年(1488)	山农值旱,圩农阽水,有终岁勤动,常怀饥馁者	康熙《巢县志》卷7《风俗志》

---

① 《明神宗实录》卷574万历四十六年(1618)九月辛亥。
② 康熙《庐江县志》卷14《杂志》。

（续表）

序号	灾害发生时间	灾害状况	资料出处
7	弘治六年（1493）	大雪，民冻死	万历《庐州府志》卷1《郡县纪》
		冬雨雪凡三月，越平地雪深丈余，积寒沍冻，树木摧折，禽兽死山中，死多冻馁而死	万历《合肥县志》上卷《祥异》
		冬大雪，至次年春三月始霁	康熙《巢县志》卷4《祥异志》
8	弘治十六年（1503）	旱	万历《庐州府志》卷1《郡县纪》
9	弘治十七年（1504）	大旱且疫	万历《合肥县志》上卷《祥异》
10	正德二年（1507）	大雨水	万历《庐州府志》卷1《郡县纪》
		五月，合肥雨水泛溢，市可通舟	万历《合肥县志》上卷《祥异》
11	正德三年（1508）	五月，淫雨，水溢，市河通船	康熙《庐江县志》卷2《祥异》
12	正德七年（1512）	二月，合肥大雪，色微红，有茶褐、黑二色，类槐子	万历《合肥县志》卷下《祥异》
13	嘉靖二年（1523）	大旱，饥	万历《庐州府志》卷1《郡县纪》
		三月末无雨，至秋八月民大饥，知县李谟设粥赈济，然亦难遍，有饥死者	康熙《巢县志》卷4《祥异志》
		合肥大旱，人相食。官为施粥以给之，然人久枵腹，得食辄死，继而大疫，死者相枕藉，士民去其半	万历《合肥县志》卷下《祥异》
14	嘉靖三年（1524）	大旱，饥甚	顺治《庐江县志》卷2《舆地志下·山川》
		大饥，人相食，官为作粥以食之。然人久枵腹，得食辄死，继而大疫，死者无算	康熙《庐江县志》卷2《祥异》
		大疫，死者枕藉	康熙《巢县志》卷4《祥异志》

（续表）

序号	灾害发生时间	灾害状况	资料出处
15	嘉靖四年（1525）	七月,合肥大风,折木、坏禾稼	万历《庐州府志》卷1《郡县纪》
		合肥民田麦自生	万历《合肥县志》上卷《祥异》
16	嘉靖五年（1526）	六月,大旱……九月二十三日立冬,雷电雨雹	康熙《庐江县志》卷2《祥异》
17	嘉靖七年（1528）	合肥、六安、巢县蝗	万历《庐州府志》卷1《郡县纪》
18	嘉靖八年（1529）	地震,有声如雷	康熙《庐江县志》卷2《祥异》
19	嘉靖十二年（1533）	秋,星夜陨如雨	万历《合肥县志》上卷《祥异》
20	嘉靖十三年（1534）	大旱,民饥,多食草木	万历《庐州府志》卷1《郡县纪》
		旱。蝗自北来,飞蔽天日,食禾稼有方	康熙《庐江县志》卷2《祥异》
21	嘉靖十四年（1535）	饥,庐江蝗	康熙《庐江县志》卷2《祥异》
		秋七月,大旱蝗灾。冬闰十二月,雷电大雪	康熙《巢县志》卷4《祥异志》
22	嘉靖十六年（1537）	三月,地震	康熙《巢县志》卷4《祥异志》
23	嘉靖十七年（1538）	夏四月,雪雹,秧麦坏	康熙《巢县志》卷4《祥异志》
24	嘉靖十八年（1539）	冬十二月,大雷,雪水冰	康熙《巢县志》卷4《祥异志》
		大旱,高田无收。江潮大涌,湖田尽没	康熙《庐江县志》卷2《祥异》
25	嘉靖十九年（1540）	夏六月,蝗灾	康熙《巢县志》卷4《祥异志》
		十二月,雨,木冰,林木大折	康熙《巢县志》卷4《祥异志》

（续表）

序号	灾害发生时间	灾害状况	资料出处
26	嘉靖二十三年（1544）	旱涝相仍	康熙《庐州府志·名宦传》
		大旱，地产荸荠，民赖济饥	康熙《巢县志》卷4《祥异志》
		大旱饥甚，民多流殍，触目痛心	顺治《庐江县志》卷4《官政志·名宦》
		大旱，河水尽涸，谷价腾贵倍常	康熙《庐江县志》卷2《祥异》
27	嘉靖二十四年（1545）	夏，庐阳旱	张瀚：《松窗梦语》卷1《宦游纪》
28	嘉靖二十五年（1546）	大雨，七月至九月河湖溢	万历《庐州府志》卷1《郡县纪》
29	嘉靖二十七年（1548）	冬十二月，大雷雨	康熙《巢县志》卷4《祥异志》
30	嘉靖二十八年（1549）	旱	康熙《庐江县志》卷2《祥异》
31	嘉靖二十九年（1550）	春二月癸卯，地震	康熙《巢县志》卷4《祥异志》
32	嘉靖三十三年（1554）	旱	万历《庐州府志》卷1《郡县纪》
33	嘉靖三十四年（1555）	十二月，冰介、大雪，雷电交作	万历《庐州府志》卷1《郡县纪》
		夏六月，柘皋乡出蛟，平地水深丈余，坏室庐桥梁，人民溺死者众。十二月，地震	康熙《巢县志》卷4《祥异志》
		冬，雨冰，稼者林木塘池皆成花鸟之像。继大雪雷电交作	万历《合肥县志》上卷《祥异》
34	嘉靖三十九年（1560）	大水，城四门俱行舟。次年大水如前	康熙《巢县志》卷4《祥异志》
		七月初，大水浸城，东西二郭外船渡两月余，九月始涸。城墙南倾百余丈	康熙《庐江县志》卷2《祥异》
35	嘉靖四十年（1561）	合肥大水，东郭街市可以行舟。自是年至隆庆二年，东南圩田连遭淹没，民多逃亡	万历《合肥县志》下卷《祥异》
		水，圩田尽没	康熙《庐江县志》卷2《祥异》
36	嘉靖四十三年（1564）	九月，地震有声	康熙《巢县志》卷4《祥异志》

（续表）

序号	灾害发生时间	灾害状况	资料出处
37	嘉靖四十五年（1566）	十二月，大风雪。巢河湖冰，坚冰行人，冻死者众，逾月冰未解	康熙《巢县志》卷4《祥异志》
		冬，大雪，积阴自十月至次年正月始霁。平地雪深数尺	万历《合肥县志》下卷《祥异》
38	隆庆元年（1567）	正月朔，大风异常沍冻，民有堕指者。冬复大雪如前年	万历《合肥县志》下卷《祥异》
39	隆庆三年（1569）	秋，大风，拔大地庐舍禾稼	万历《庐州府志》卷1《郡县纪》
		九月，大风迭作，树木皆拔，乡市茅舍多卷去，禾稼亦损	万历《合肥县志》下卷《祥异》
40	隆庆四年（1570）	饥	万历《庐州府志》卷1《郡县纪》
		大风又作。次年春，民饥，掘草根而食	万历《合肥县志》下卷《祥异》
41	隆庆五年（1571）	三月，雹；五月，雹。大水	万历《庐州府志》卷1《郡县纪》
		五月，雨雹；六月，又雹。自夏徂秋，积雨不止，城市平地水深数尺，东郭之内可以行舟	万历《合肥县志》下卷《祥异》
42	万历八年（1580）	大水	康熙《巢县志》卷4《祥异志》
43	万历十三年（1585）	二月初六日，地大震，墙屋有倾覆者	康熙《巢县志》卷4《祥异志》
44	万历十四年（1586）	大水，舟入市	康熙《巢县志》卷4《祥异志》
45	万历十七年（1589）	肥，大荒	雍正《合肥县志》卷12《名宦》
		大旱，米价一两五钱，疫大行	康熙《巢县志》卷4《祥异志》
46	万历十八年（1590）	肥，大荒	雍正《合肥县志》卷12《名宦》
		大旱，疫大行，米价一两二钱	康熙《巢县志》卷4《祥异志》
47	万历十九年（1591）	十一月二十九日，大雷	康熙《巢县志》卷4《祥异志》

（续表）

序号	灾害发生时间	灾害状况	资料出处
48	万历二十二年（1594）	庐州大水	嘉庆《庐州府志》卷49《祥异》
49	万历二十五年（1597）	夏霖雨不止，圩田不得载莳。次年同	康熙《巢县志》卷4《祥异志》
50	万历三十五年（1607）	无为、庐江地震	嘉庆《庐州府志》卷49《祥异》
51	万历三十六年（1608）	江水暴涨异常。五月下旬，无不破之圩。民居多漂没，乃群搭栅于冈阜。六月十六日又增水一尺，水入城，直至谯楼门内。老人云：比嘉靖间水增尺。山田夏旱半收，米价止九钱	康熙《巢县志》卷4《祥异志》
52	万历四十一年（1613）	无为、巢县大水。圩田无不没者	嘉庆《庐州府志》卷49《祥异》
53	万历四十四年（1616）	秋八月初旬，飞蝗北至，蔽天集地，厚数寸，食稻过半乃去	康熙《巢县志》卷4《祥异志》
54	万历四十五年（1617）	合肥、无为、庐江、舒城蝗	嘉庆《庐州府志》卷49《祥异》
55	万历四十八年（1620）	十一月，舒城、无为、巢县大雪，至次年二月始霁，雪上多黑点如烟煤，散落山阴处，积至丈余，人以为黑雪	嘉庆《庐州府志》卷49《祥异》
55	万历四十八年（1620）	春夏雨水盛，圩田多不耕种	康熙《巢县志》卷4《祥异志》
56	天启元年（1621）	正月，庐江雨黑雪如墨。穷民饿死者甚众	嘉庆《庐州府志》卷49《祥异》
57	天启四年（1624）	正月十三日，巢县东门屋二十余间陷入地，器用财物俱没土中。是年，无为、巢县大水	嘉庆《庐州府志》卷49《祥异》
57	天启四年（1624）	是年雨水盛，圩田淹没无收获	康熙《巢县志》卷4《祥异志》
58	天启六年（1626）	合肥、庐江大旱，巢县地震	嘉庆《庐州府志》卷49《祥异》
59	崇祯五年（1632）	巢湖水清两月，是年旱	嘉庆《庐州府志》卷49《祥异》
60	崇祯七年（1634）	四月，巢县西乡地裂长二十余丈，久之得雨而合	嘉庆《庐州府志》卷49《祥异》

（续表）

序号	灾害发生时间	灾害状况	资料出处
61	崇祯十二年（1639）	舒城、巢县旱蝗，无为遍地皆蝗蝻，人不得行	嘉庆《庐州府志》卷49《祥异》
62	崇祯十三年（1640）	舒城、合肥旱蝗，无为大水	嘉庆《庐州府志》卷49《祥异》
63	崇祯十四年（1641）	大瘟疫，郡属旱蝗，群鼠衔尾渡江北至无为，数日毙命	嘉庆《庐州府志》卷49《祥异》
63	崇祯十四年（1641）	春，米价涌贵，米一石价三两三钱，至市中无米可籴，民大饥，饿死者数千人，倒横街市者踵接。夏，大疫，死者万余人。是年复旱，湖水涸。六月，近河圩田始可运水莳苗，山田尽为赤土	康熙《巢县志》卷4《祥异志》
64	崇祯十六年（1643）	夏，大水	康熙《巢县志》卷4《祥异志》
65	崇祯十七年（1644）	夏秋，巢县大旱，无为旱	嘉庆《庐州府志》卷49《祥异》
65	崇祯十七年（1644）	夏秋大旱，圩田中亦无水，山居有去十里二十里外汲水者	康熙《巢县志》卷4《祥异志》

注：表中的灾害包括异常的气候状况等。

从表4-1-1中我们可以看到，明代中后期频繁出现的水旱灾害给合肥地区带来了诸多灾难性的影响，尤其是严重的水、旱、蝗灾害常常造成重大财产损失和人员伤亡，威胁到当地民众的生存，也影响到明王朝在该地区的统治。

首先，自然灾害尤其是水、旱、蝗等灾害毁损田禾，破坏了合肥地区的农业生产，造成粮食减产，甚至绝收。如嘉靖十三年（1534），庐江发生旱灾，"蝗自北来，飞蔽天日，食禾稼有方"[1]。天启四年（1624），巢县"雨水盛，圩田淹没无收获"[2]。这往往会直接导致该地区出现大面积的饥荒，从而形成严重的社会问题。灾区饥荒带来的直接后果是粮价上涨。明代中后期造成合肥地区粮价上涨有诸多原因，其中饥荒是重要原因之一。如万历十七年（1589），"大旱，米价一

---

[1] 康熙《庐江县志》卷2《祥异》。
[2] 康熙《巢县志》卷4《祥异志》。

两五钱"①；万历三十六年(1608)，"山田夏旱半收，米价止九钱"②。而粮价上涨使得饥荒的灾害性进一步加剧。如崇祯十四年(1641)"春，米价涌贵，米一石价三两三钱，至市中无米可籴，民大饥，饿死者数千人，倒横街市者踵接"③。

除了水、旱、蝗等灾害外，多与之相伴生的瘟疫的爆发也对本地区产生了重要影响。瘟疫最直接作用于人类社会的是，造成大量的人口死亡，这对灾区生产力和社会经济造成了极大的破坏。如嘉靖二年到三年(1523—1524)间，江淮地区曾爆发了一场影响波及27个府州县的大瘟疫。关于这次大疫的灾情，时任庐州知府龙诰在其上疏中有过详细地记载，说是合肥县"地方连岁凶荒，去年尤惨。已蒙抚按奏兑粮草及大发钱粮赈济，又给散牛具子种，劝民趁时布种。不料穷民命薄，瘟疫流行，乡市人家，不问官民老少，悉皆传染。虽蒙本府分役差官，挨门问疾，逐村施药，既给之姜茶，又赈以食米。奈何药不胜病，人莫胜天，愈治愈病，愈病愈死，一门之内多者十数口，少者三五口，甚有举家染病、无人炊爨、阖门就死、无人殡葬者。已蒙本府设立义冢，收瘗无主尸骸，免其暴露及被人割食。即今沿乡田地无人耕种，沿村房屋无人居住，间有一二未病可过之家，布种及时，奈此将熟而遭天风地火之变，彼方长而值冷露阴雾之灾"④。人民生计愈发艰难。这次疫灾严重的程度远远超过弘治十六年(1503)和正德三年(1508)："臣(指龙诰)访之父老，询之士夫，佥谓弘治十六年，庐民亦尝染病，而病死者数万，未尝如今岁之既染疫而复重之以灾也。正德三年，庐民亦尝罹灾，而饥死者数万，未尝如今岁之既罹灾而复继之以疫也。大祲大扎并遭于一时，荒市荒村益惨于旧岁。旧岁饥荒，在民者，有子女衣物可卖，今则更无可卖者也；在官者，尚有仓库钱粮可

---

① 康熙《巢县志》卷4《祥异志》。
② 康熙《巢县志》卷4《祥异志》。
③ 康熙《巢县志》卷4《祥异志》。
④ (明)龙诰：《请蠲赈疏》，雍正《合肥县志》卷21《艺文一》。

发,今则更无可发者也。公私既竭,乡市索然。"①

明代中后期,灾害频发,且多是灾难性的。而灾害所引发的灾荒如果得不到及时救助,往往就会出现灾民大批逃亡现象。嘉靖四十年(1561),合肥县"东南圩田连遭淹没,民多逃亡"②。自然灾害与社会动荡紧紧相连,在灾害危机状态下,灾民"生计愈危,艰窘愈甚"③。为了生存,人们便会突破正常的社会秩序和统治秩序,如抢粮、劫财,甚至发动暴动、举行起义,严重动摇统治阶级的统治基础。可以说,自然灾害扮演了社会矛盾催化剂的角色,它点燃了社会日益激化的各种矛盾,导致了社会的剧烈动荡。饥民化流民,流民成土寇,在这个过程中,政府的疏导管理作用不但没有得到很好的体现,反而甚至有军人也参与"争粮哄抢"的行列,社会矛盾进一步复杂化。如天启五年(1625)"春正月,商船至庐州籴米,道由巢河,圩民至蝗落河、运漕一带,圩乡多横海卫军籍田,淹没无所得食,饥。地界属含山者十之八,属巢、无者十之二,时县官邹得鲁又以丁艰卸事。于是军籍中强梁者约众截船,强夺借而分之。商惧,以船泊东门街河次。饥民手滑又暴桀数十人,诱引愚弱从之,夜乘小艇至,抢米船,街民拒之。时值粮船以钻钩钩小舟,使覆没,死者百余人。适当四年春,岸圻之所。明旦,军人会集千余,各持挺[梃]入市,捞死者尸四十有奇。毁怨家屋,米船乃尽移浮梁上,泊西关渠。又扬言再集大众攻浮桥,取米船去。于是城市哄然,挨门具枪刀器械以待。三月,果聚运漕杨柳圩大众数千,持短棍枪刀以至。时城门昼闭,河南居民集众御之,彼虽众,但思船米,不敢伤人,此因其不法,奋戈击之,杀伤数人,众奔溃。越数日,理刑徐日炅至巢,出示晓以法纪,原情宥罪,乱乃定"④。

明代中后期频发的自然灾害对合肥地区持续的打击,使得整个社会政治局面越发不可控制。这一时期的灾害引起严重的流民问题

---

① (明)龙诰:《请蠲赈疏》,雍正《合肥县志》卷21《艺文一》。
② 万历《合肥县志》上卷《祥异》。
③ 雍正《合肥县志》卷21《艺文一》。
④ 康熙《巢县志》卷4《祥异志·编年合纪》。

以及由此而来的流民起义,严重削弱了明政府的统治基础。鉴于此,统治阶级也认识到:"凡流寇之蔓延,以内有土寇也。楚豫之祸,曩政坐此。今淮之土寇,亦稍蠢动矣。此等不过饥民所化,及今轸恤饥民,即所以收拾土寇;而收拾土寇,即可以专扑灭流寇之谋,此可以惩往而善后也。"①虽然在灾害爆发后,明政府也采取了一定的救荒措施,但由于合肥地区官吏贪污腐化,致使"所赈贫民,贫民未必有粮"的情形普遍发生,广大百姓仍然生活在水深火热之中。

朝廷末世,弊政已极。加上各种社会矛盾交织层叠积累,一旦遇上偶发事件,一场激荡人心的反抗斗争便难以避免了。

第二节 明末农民起义军在合肥地区的活动

明代,合肥地区"距金陵一衣带水"②,战略地位十分重要。所谓"切惟中原大势,莫要于两淮,而凤庐二郡,尤为万世根本之地。一则王气首钟,陵寝奠焉;二则东连淮阳,为漕运咽喉,盐厂经络;三则屏蔽陪京,江南半壁,倚以帖安;四则内有巢湖方四百里,顺流通江,为皇祖龙飞初渡,直抵江东采石之津;五则北接山东,淮海奔注,与登莱一苇相通"③。正因为如此,包括合肥地区在内的庐州府这一"心腹要害之地",便成了兵家必争之地。明代中后期,农民军与明军即在该地区进行了一系列激烈的军事斗争。其中张献忠部的抗争活动,表现得尤为突出。

---

① 康熙《巢县志》卷 17《艺文志上·疏》。
② 康熙《巢县志》卷 17《艺文志上·疏》。
③ 康熙《巢县志》卷 17《艺文志上·疏》。

第四章 明代中后期合肥地区社会矛盾的激化

一、张献忠起义军第一次进攻合肥地区

崇祯八年（1635）正月，农民军面对明军分进合围的紧迫局面，张献忠（八大王）与高迎祥（闯王）、马守应、罗汝才等农民起义军十三家七十二营大会于河南荥阳，决定"分兵定所向"。荥阳大会后，高迎祥、张献忠、李自成等率军迎战东路明军，以迅猛之势连下固始、寿州、颍州，于崇祯八年（1635）正月十五日，一举攻占明朝中都凤阳。起义军随即撤离凤阳，高迎祥、李自成率军返回河南，而张献忠则独引一军南下，攻打庐州城。明末的庐州城，城高池深，易守难攻，素有"铁庐州"①之称。张献忠曾先后三次进攻庐州，直到崇祯十五年（1642）第三次进攻时，才用计巧破庐州城。

崇祯八年（1635）正月，张献忠自凤阳趋庐州，会同混天王等攻围庐州府城。时任庐州知府为中州固始人吴大朴。此人"练达有文武略，沉毅能断"，历任五载，"缮治甚备，防御不弛"②，颇精通战守防备之策。面对农民军的进攻，吴大朴率军民固守，昼夜拒战。当时，整个庐州府城，"城内街市，悉用砖石包檐环砌，俨如衖然。壁间多作隙牖，使强壮内伏，操戈侦伺。凡灰瓶、火炮、药枪、喷枪以及滚木等，无不悉备"③。当张献忠和混天王等起义军攻城之时，城上发射百子炮，击杀千百人，而围攻益急。吴大朴登城周望，四面皆敌，且士气旺盛，乃再急发火炮及滚木，"复击死无算"。"攻击七昼夜，城中随机应之"，庐州府城坚守如故，农民军最后被迫撤退。

因庐州城"坚而守固，虽攻围数次，不能遽拔"④，张献忠等遂放弃

---

① （清）计六奇撰，魏得良、任道斌点校：《明季北略》卷18《张献忠袭庐州》，上册，第328页。
② 康熙《庐州府志·名宦传》。
③ （清）计六奇撰，魏得良、任道斌点校：《明季北略》卷11《吴大朴守庐州》，上册，第179页。
④ （清）计六奇撰，魏得良、任道斌点校：《明季北略》卷18《张献忠陷舒城》，上册，第326页。

了对庐州府城的围困,转而东向,于正月二十一日攻下巢县重镇柘皋。柘皋距离巢县县城仅六十里,时有"难民奔告"。巢县县令严某一向暴虐,"得报犹不信,乃曰:'此响马贼耳,何流贼之有?'反笞之"①。次日,巢县即被攻陷。在巢县,农民军"释囚数百,愿从之去者即与衣食"。在充实兵力后,于正月二十四日,张献忠起义军开始向舒城进发,知县章可试关闭了三座城门,只开一门,诱敌以进,死伤千余人。攻城三日不克,遂引去。二十七日,起义军自舒城抵庐江,"夜袭城,城陷"②。二十八日,起义军至无为州,"使偏裨野掠与乡兵战败,乃驻营池河。张守备率兵出御,以众寡不敌而败,被杀兵尽歼焉。池河千户某亦殁于阵,州遂陷"③。

崇祯七年末至八年初,张献忠等农民起义军势如破竹般地攻占了合肥地区的巢县、庐江等地,"流寇蹂躏南省,如颍州、凤阳、巢县、舒城、庐江、无为州、和州等处,所至破灭……其仅存者,不过寿州与庐州耳"④。崇祯八年(1635)十二月,张献忠自鄂东的光山、固始东进,第二次进攻庐州。因守城官军早有防备,又侦知官军援兵分路将到,未作久攻,即分兵转战,攻克巢县、含山、和州等地。

崇祯九年(1636)春,起义军再围庐州,不克。崇祯十年(1637),张献忠、罗汝才等自襄阳东下,一支攻入六安州西南,刚刚擢升右佥都御史,巡抚安庆、庐州、太平、池州等处军务的史可法,命其部将汪云凤击之,攻入舒城、庐江的回民起义军遁入深山。加之总兵左良玉奋力击杀,六安之围遂解。

---

① (清)计六奇撰,魏得良、任道斌点校:《明季北略》卷11《贼陷巢县亲见者述》,上册,第180页。
② (清)计六奇撰,魏得良、任道斌点校:《明季北略》卷11《贼袭庐江》,上册,第181页。
③ (清)计六奇撰,魏得良、任道斌点校:《明季北略》卷11《贼陷无为州》,上册,第181页。
④ (清)计六奇撰,魏得良、任道斌点校:《明季北略》卷11《李维樾守江浦》,上册,第185—186页。

二、张献忠智取铁庐州

崇祯十一年(1638),张献忠率领的起义军受到明军的围剿,被迫在湖北谷城向熊文灿诈降受抚,以便积蓄力量,伺机东山再起。崇祯十二年(1639)五月,张献忠谷城再起。次年,攻围桐城。十四年(1641)六月,庐州府英山县再次被张献忠与罗汝才攻陷。

崇祯十五年(1642),是包括府城合肥在内的庐州府属地区州县悉数被攻陷之年,也是合肥地区历史上最为惨烈的一年。

是年正月十一日,张献忠攻陷潜山。二月,陷全椒。四月初三日,攻陷舒城县。三天后,六安州城陷落。当时,张献忠起义军以英山和霍山二县为据点,"二邑属庐州,庐为贼出入要道,窥伺久矣"[①]。五月初,张献忠、革里眼等率兵直指庐州府。适值学使徐之垣将到庐州主持生员考试。张献忠探知到这一消息后,先是遣将士装扮成商贾事先进入城内埋伏,以作内应。而后他又派人截取了徐之垣送往庐州的信牌,让军士伪装成迎接徐之垣的庐州书役,将其刺死于途中。然后,张献忠自乘官府车马,扮作学使,让数百精兵皆着"青衣儒冠",跟随其后,做出一派"诸生迎学使状"。"时庐州匝月贼无动静,防御稍疏。忽报学使入境,急启门出迎,肩舆已近城矣"[②];"及入,三炮甫毕,衷甲忽见,俱执短刀突起。时,事在仓猝,咸惶遽失措,各鸟兽散"[③],城内顿时大乱。当夜,农民军大部队疾驰入城,先期进入府城的埋伏者里应外合,纵火响应。农民军迅速占领庐州全城。除庐州兵备道蔡如衡、合肥知县汤登贵等乘乱翻城逃跑外,庐州知府郑履祥、通判赵兴基、经历郑元绶等皆被俘虏。明官军参将廖应登后来亦

---

① (清)计六奇撰,魏得良、任道斌点校:《明季北略》卷18《张献忠陷舒城》,上册,第326页。

② (清)计六奇撰,魏得良、任道斌点校:《明季北略》卷18《张献忠袭庐州》,上册,第327—328页。

③ (清)计六奇撰,魏得良、任道斌点校:《明季北略》卷18《张献忠袭庐州》,上册,第327—328页。

向巢湖方向逃去。至此,"向之号'铁庐州'者,不终朝失之矣"①。计六奇在评论庐州府城沦陷之时,一语中的地指出:"明之所以失天下者,止因用贪鄙无能之辈耳。当献忠四月陷六安,六安为庐之属州,势孔亟矣,学使犹若承平按临,致贼得以乘其隙,迂腐至此,不亡何待!"②

"铁庐州"坚不可摧神话的破灭,在明末这样一个腐朽昏暗的政局中,是不可避免的。

由于受到的压迫太深太久及缺乏纪律性等原因,农民军所表现出的反抗性与破坏性就显得愈加显著了。如崇祯八年(1635)二十一日,起义军在攻陷柘皋后,一时"贼骑盈街塞巷,城中鼎沸。贼挨门延索,初所获人,亦不甚杀,从者役之,不从者缧系之,拷掠财物,则备加苦楚。至晚,不胜搜求,则大肆屠戮,焚烧官房民舍,照耀天地,倾颓墙屋,声闻数十里"③。次日,农民军在攻陷巢县之后,除了明政府官员"陆孝廉、赵主事俱被杀"外,"凡杀百姓千余人"④。同年,农民军在攻陷庐江县后,"至四夜,沿街火起,烟焰烛天,邑中官民房舍十焚其五……民人妇女死于水火挺刃者不计其数,尸填塘井俱满,惨不胜书"⑤。崇祯十五年(1642),农民军攻陷庐江县后,进行了一番大肆焚掠,"千丁之族,遗者无几,四乡之亩,鞠为茂草,庐邑之惨,莫此为甚!"⑥不论战争的性质是正义的还是非正义的,它都会释放人性中恶的一面,造成人性的扭曲,以至出现了令人发指的虐杀行为。如崇祯八年(1635)农民军进入柘皋的行为:"有一绳牵十数人而一贼持刀挨

---

① (清)计六奇撰,魏得良、任道斌点校:《明季北略》卷18《张献忠袭庐州》,上册,第327—328页。
② (清)计六奇撰,魏得良、任道斌点校:《明季北略》卷18《张献忠袭庐州》,上册,第328页。
③ 康熙《巢县志》卷4《祥异志·编年合纪》。
④ (清)计六奇撰,魏得良、任道斌点校:《明季北略》卷11《贼陷巢县亲见者述》,上册,第180页。
⑤ 康熙《庐江县志》卷14《杂志》。
⑥ 康熙《庐江县志》卷14《杂志》。

次尽杀者,有闭众多于一室而纵火焚之立烬者。或纳人烈焰中,或脔割婴儿入锅内煎食,或剐人心肝入酒坛内,煮以共饮啖。又常以布裹童女二人,缚枪槊上,插地灌油,燃以祭神,炙人头取油为炬。种种惨毒,未易悉数。"①

农民军与明军在合肥地区所进行的一系列激战,给当地社会经济带来了严重的损失,对当地人民正常的生产生活秩序造成了灾难性的破坏。如崇祯九年(1636)举人李篯在其上呈的《请敕缓征蠲赈疏》中讲到:"数年以来,寇祸日益烈。前春正月侵庐凤,掠英霍六舒颍寿萧山等处搜杀,崖谷尸僵千里。三四月闻贼回楚,仅存之民忍食树皮,以犁荒草。甫至闰四月、五月,邸报皖桐官兵失事,知贼又返辔南掠矣。攻皖之贼南在英霍,则又已侵庐矣。又云浦六告急,则已在凤庐东界矣。风鹤惊奔,耕耔俱废,不知小民何以聊生,何以输贡也。"②崇祯十四年(1641),巢县知县葛遇朝在其上呈的《乞蠲缓疏》中讲到:"(巢县)两经寇祸,家鲜资生之策,人无安土之心。数载以来,贼骑出没肘腋间,疮痍未起,风鹤频惊。"③

长期的社会动荡以及战争对人民的荼毒,使得人民如惊弓之鸟,闻兵事色变。"(弘治)三年(1490)八月初间,四乡一时讹报兵起,男妇俱襁负奔走,济渡沉溺并相失者,不可数计,三五日始定。"④"(嘉靖)三十六年(1557),乡民讹言有兵变,男妇奔走相失者颇多。"⑤万历四十四年(1616),"是月(指八月)二十八日午后,西北上下乡一带居民讹传白莲教贼至,尽弃家率男女等登山而避,至半夜后绝无消息,鸡鸣乃各还家"⑥。

长期的战乱严重破坏了当地的社会经济,"为凤庐被寇益惨,遗

---

① 康熙《巢县志》卷4《祥异志·编年合纪》。
② 雍正《合肥县志》卷21《艺文一》。
③ 康熙《巢县志》卷17《艺文志上》。
④ 康熙《庐江县志》卷2《祥异》。
⑤ 万历《合肥县志》上卷《祥异》。
⑥ 康熙《巢县志》卷4《祥异志·编年合纪》。

黎农事多废"①,而面对这样的情况,统治阶级对百姓却不加以抚恤,还巧立名目,私行加派。李篯在上呈的《请敕缓征蠲赈疏》中提到:"大抵民命既不堪,而有司催科束于功令,又不敢实报灾伤,当年粮饷在去年已预征一半,尤难者今年秋限即严比预征耳。"②频仍的战乱造成了激烈的社会动荡,无穷无尽的横征暴敛,压迫着人民喘不过气来。自然灾害的加剧又进一步加深了人民的苦难。天灾人祸使人民的生活无以为继,艰难程度日甚一日,当时"弱者忍饥以待尽,强者抢掠以偷生。迨忍不可忍,掠无所掠,辄相率掘土而食之,号为观音粉,甘之如饴。不知胃满肠结,才及信宿,皆枕藉死矣。若乃疫疾流行,城中出尸,日有数百。四乡百姓有一村尽绝者,有一村止留一二家者,有一家留一二人遂为幸者。白骨载原,青磷遍野,嗟哉遗黎,遂至此极。"③明代中后期,弊政已极,各种社会矛盾交织层叠积累,各种社会斗争的进一步发展与激化,使得明王朝日趋走向崩溃的境地。

三、张献忠巢湖练水师

崇祯十五年(1642)七月六日,张献忠堕毁庐州城。八月初四,"献忠大治舟舰于巢湖,习水师"④。

农民军水师营在巢湖的建立,具有重要意义和作用。

第一,它适应了农民军由主要转战山区而发展到河湖纵横的水战的需要。它培养了大批能够进行水上作战的军士,为在以后的水战中能更好地打击官军创造了条件。从这以后所进行的岳州水战、入川作战等获得的一系列胜利可以看出,水师营所发挥的作用是很大的。

---

① 康熙《巢县志》卷17《艺文志上》。
② 雍正《合肥县志》卷21《艺文一》。
③ 康熙《巢县志》卷17《艺文志上》。
④ (清)计六奇撰,魏得良、任道斌点校:《明季北略》卷18《张献忠僭号改元》,上册,第328—329页。

第二，农民军水师营的建立，给官军以直接打击和严重威胁。明兵部侍郎冯元飚向崇祯帝朱由检报告说："巢湖环八百里，经两濡口达大江。孙吴所置坞屯兵争衡曹魏，今舍之以资寇盗，俾收馀艭窥天堑，南都危矣！"①明朝廷害怕农民起义军以水师之便，顺流直下南京，不得不把左良玉等部队集中于九江一带待命。

第三，在战术上收到了声东击西的效果。张献忠在巢湖练水师，也正如李自成在襄阳大治舟舰一样，使官军无法捉摸农民军的行动计划，从而麻痹了官军，牵制了官军的兵力。崇祯十四年（1641），巢县知县葛遇朝在其上呈的《乞蠲缓疏》中讲道："臣邑距金陵一衣带水耳，前此逆贼蹂躏，已岌岌乎有投鞭断流之虑。顾当时民稍殷庶，饱则飏去。今抚局决裂，冲突无常，且当奇荒百罹之日，一二沟瘠余生，肉不堪食，贼必长驱南下，恐长江或有疏虞。并乞严敕道府加意照管，毋谓此蕞尔不足重轻也。"②然而，完全出乎官军的预料，农民军偏偏于崇祯十六年（1643）底，沿长江溯流而上，向四川进军。这时，四川设防已来不及了。张献忠于崇祯十七年（1644）相继攻克重庆、成都，迅速占领四川全境。《明季北略》的作者计六奇说："张献忠欲入蜀，先于巢湖习水师。李自成谋取秦，并于荆、襄造舟舰，俱欲止南兵不上，且使秦蜀不戒也。二贼声东击西，诡计略同。"这段分析，看来不无道理。

张献忠早在崇祯八年（1635）正月攻克凤阳时，即称"古元真龙皇帝"。于崇祯十五年（1642）四月攻入舒城，改舒城为得胜州，并且在这里建立了最初的农民政权，设立丞相，分设各官，并设立了吏、刑两个部，由张献忠亲自掌管。八月十五日，张献忠攻克六安州，也建立了政权。我们从《平寇志》《明季北略》和《石匮书后集》等书的记载中可以看出，农民政权的口号是"一统齐天"。这个政权的国号为"天命"，另有建元年号，并刻有国宝，还在军队中建立了总兵、参将、游击

---

① （清）彭孙贻辑：《平寇志》卷5，上海古籍出版社1984年版。
② 康熙《巢县志》卷17《艺文志上·疏》。

等官职。

张献忠在安徽舒城、六安所建立的政权,虽不甚完善,但其意义是重大的。它标志着起义军已经将建立政权的任务提到日程上来。

同年九月七日,张献忠南下枞阳,设四大营:一曰老营,献忠居之,二曰中营,三曰前营,四曰后营。后三营环护老营为鼎足。农民军又夺得敌船百余艘,招收了熟习水性的水手,使水师营进一步扩大。之后,向西北进军包围桐城。九月下旬,队伍进一步扩大,步骑九十哨[1]。由于部队接连打胜仗,麻痹轻敌,以致遭到明总兵黄得功、刘良佐的偷袭。张献忠部在潜山天井湖一带与官军激战后,经太湖、黄梅等地西入鄂东地区,结束了在安徽地区的作战。

总之,张献忠农民军在安徽地区的战绩是出色的,在明末农民战争中作出了独特的贡献,为彻底摧垮腐朽的明王朝起了重要作用。

---

[1] (清)查继佐:《罪惟录》列传卷8下《启运诸臣列传下·蓝玉》,浙江古籍出版社1986年版,第1440页。

第五章

清朝统治在合肥地区的确立

第五章 清朝统治在合肥地区的确立

崇祯十七年(1644)三月十九日,李自成率领农民起义军攻入北京,明朝崇祯皇帝朱由检吊死于煤山。同年五月初二日,在明朝降将、镇守山海关的总兵吴三桂的引领下,清军顺利打败李自成部,进驻北京。十月初一日,福临在北京登基,建号大清,改元顺治,正式建立大清政权,中国的封建王朝历史也进入了最后一个循环。在夺取政权之后,清王朝一方面以军事手段全力清剿李自成部、明朝残余部队以及各种抗清义军,另一方面,又施以怀柔政策,极力安抚民心,很快稳定了统治秩序。在这段大历史的演绎过程中,合肥地区也扮演着属于自己的角色,在经历此起彼伏的军事斗争之后,社会环境渐趋安定,百姓归附,生产复苏,一切又重新开始走向正轨。

第一节 清初合肥地区的军事斗争

1644年,清军入关,定都北京,标志着又一个封建王朝的开始。在清政权建立之初,由于各种政治力量还在彼此较量,所以,清初国内的军事斗争仍然在持续。

合肥地区位于安徽省中部,自古以来,这里就是兵家必争之地,战略地位十分重要。明朝末年,大股清兵南下,明军在此与之对垒,此地成为双方兵锋剑戟交汇之地,大小战事持续不断。后来,随着明朝军队的节节败退,合肥地区逐渐为清军所占领和控制,被纳入其统治版图。尽管如此,由于一些抗清政治势力的影响,直至清初,这里的军事战斗仍没有停歇,相继发生过一系列激烈的抗清斗争。如顺治三年(1646),清军协领鄂屯自江宁驻防率兵镇压巢县抗清义军,"复其城"①。顺治四年(1647)十月,凤阳巡抚陈之龙派清军标将王永

---

① 光绪《续修庐州府志》卷22《兵事志二》,清光绪十一年刻本。

昌前往庐江，镇压抗清义军，"平之"①。再如顺治五年（1648），合肥地区又发生了一系列更为激烈的军事斗争。在该年正月，安庆冯洪图等人率众起兵，假借史可法之名，相继攻占无为、巢县等地。巡抚陈之龙因"不能御，降，调去"。不久，江南总督马国柱派出按察使土国宝、侍郎鄂屯前往镇压，冯洪图及其部下遭遇兵败，旋被俘杀②。除了这支抗清义军外，同年正月，另一支以厉豫、朱国材等人为首的义军则在巢县起兵。二十五日，巢县城破，署巢县事、庐州府通判张廷谟被执③。

此时，由于合肥地区的抗清斗争此起彼伏，自庐州府上呈的塘报也是应接不暇。如顺治五年（1648）二月初二日午时，巡按淮扬等处监察御史李胤岩就接到一份由庐州府上呈的塘报。这份塘报在详细汇报当地军情之后，曾不无自信地说："土贼窜袭巢城，踞中猖獗，不过釜底游魂，歼此无难。"④但是没过多久，在二月初十日，都察院右副都御史吴惟华也接到了一份来自庐州府的塘报。在这份塘报中，原先那种"自信满满"的言辞就全然不见了。里面写道：

本月初三日申时，据府照磨陈明锦塘报，内称：卑职蒙委同本府亲随家丁赴巢剿贼，初一日至柘皋，探得巢县贼已逃去，尚有余逆埋伏于万角山，遍地火光，呐喊放炮之声不绝，只得暂住，相机前进。又探得，初一日，无为州乡绅士庶俱投顺逆贼。有鸡鸣桥、九冲口、皇山、马家湖等处百姓，纷纷成群，或三五十名，或百十名不等，各称赴巢投贼等情。……又据道标营百总陈道龙塘报，内称……二十九日晚，贼同南乡史家巷土贼五枝俱趋无为，被郑千总领兵追杀，伤贼六

---

① 光绪《续修庐州府志》卷22《兵事志二》。
② 光绪《续修庐州府志》卷22《兵事志二》。
③ 康熙《巢县志》卷4《祥异志》。
④ 《桐城无为等处民众假称史阁部攻下巢县及清拨兵镇压情形》，中国人民大学历史系、中国第一历史档案馆编：《清代农民战争史资料选编》，第一册（下），中国人民大学出版社1984年版，第263页。

十余名,拿获七名。止听贼说,无为州乡宦吴行可子有副将札付一张,朱公子参将札付一张,巢县严春元侄副将札付一张,同生员周应侯,每人俱穿旧白布衣,白毡帽裹头为记。无为州百姓杀猪羊,开仓门,放贼入城后,郑千总被贼赶败,未知下落。初一日,身至巢县,百姓俱已上船,止存空城。有王一朋看见张通判被贼带至无为州,未知存亡,沿途土贼纷纷,有黄旗一面,招精兵等情。……据此,为照逆贼弃巢而趋无为,乡绅士庶相率迎贼入城,卑府目击时势,深切隐忧,故前塘报亟请大兵,以图震慑。讵知无为一州接踵叛乱,又逃回有难民屡称,土贼率众必破庐州,奈本府百姓人等,数被兵火,不胜惊慌。况本府无兵无器,战守两难。更兼城大四十余里,寥寥数民,势若垒卵,危在旦夕。卑府随将六安营官兵二百五十员名,暂调本府防守,以安民心,是亦救时之急着也。万乞俯念危疆,亟发大兵,星驰无、巢,尽歼根株……①

从这份塘报中可以得知,由于抗清义军在征战途中不断地招兵买马,队伍日渐壮大,加上当地百姓的积极拥护,军事斗争形势出现了新的变化,庐州府城已呈岌岌可危之势。此时,负责防守庐州府城的清廷官员们也不再像原先那般轻松了,他们迫切地希望朝廷能够急速拨派大兵,尽快前来镇压,在其所呈塘报的字里行间,明显透漏着一种忧虑和焦急之情。

为了扑灭这支抗清力量,巩固统治,二月初一日戌时,江南总督马国柱派出按察使土国宝,率兵对其进行镇压。清军先从浦子口至江浦县,再经和州含山县,于二月初四午时,抵达巢县。此时,抗清义军已退据无为城,巢县仅剩一座空城。为了稳定局势,按察使土国宝一面委任庐州府照磨陈明锦署理县事,招抚遗留百姓,一面命令部院标下将官王国泰等,统领一百零四名部院精练马兵和一百名提督标

---

① 《抗清民众在巢县无为活动情形》,中国人民大学历史系、中国第一历史档案馆编:《清代农民战争史资料选编》,第一册(下),第264—265页。

下步兵,以作防守。同日戌时,又檄调操标游击袁诚,会同督标游击高永义部下把总苗自文,统率步兵,先行奔赴无为州,进行围堵。二月初五日辰时,清兵先头部队抵达无为城,与城内的抗清义军发生交战。经此一战,义军损失二百余人、十五匹马,后退守城中。午时,大量后援清兵在无为城外集结,义军被困。在劝降无果后,清军于初六日寅时开始攻城。经过激战,义军最终因寡不敌众而失败,义军首领厉豫、厉乾、钟武等人被俘,随后惨遭杀害①。

同年二月十八日,无为千余名抗清义军假称"史阁部",向庐江发起进攻。义军兵分两路,一支约二百余人,攻打东、南两门,一支有六百余人,屯集于小西门滚坝。庐江知县陈所闻、主事王凤鼎守重关,同时召集寅僚绅士,分守各门,教谕熊时守南门,典史陈德润守东门,训导汪梦得守小西门,中书王永年守滚坝,诸生分守各门,原任山海关镇标行营都司徐应祥因告假在籍,也一起守城待援②。五更时分,战斗变得十分激烈,守军"用木器填塞当门,令与城平,梯登而上城中,以油灌草,掷焚之"。随后,女墙防守危急,乡兵孙六明、王祥甫等人奉命顽固抗守,后孙六明因中火枪而死,王祥甫眼睛受伤。由于久攻不下,加上清军援兵将至,抗清义军为了保存力量,便拔营而去③。

至顺治十年(1653),在庐江县甘泉寺附近,有一支以姚四为首的地方武装力量聚集于此,庐江知县孙弘喆命徐应祥率民兵进行镇压④。

清初,合肥地区还曾遭遇过来自海上的明朝军事力量的威胁。顺治十六年(1659),退守台湾的明朝军队郑成功部率兵进犯江宁,随后沿江而上,兵临庐州城下。庐州知府王业兴拼力防守,"亲率家丁

---

① 《清军攻下无为州及假史阁部等被捕审拟情形》,中国人民大学历史系、中国第一历史档案馆编:《清代农民战争史资料选编》,第一册(下),第265—266页。
② 嘉庆《庐江县志》卷15《艺文·补》,清嘉庆八年刻本。
③ 光绪《庐江县志》卷5《武备·兵事》,清光绪十一年刻本。
④ 光绪《庐江县志》卷5《武备·兵事》;康熙《庐江县志》卷8《古迹·寺观附》。有关时间的记载,两种县志有所不同,前者记载的时间为顺治九年(1652),后者记载的时间为顺治十年(1653)。

及营卒登陴捍御",最终"州得无事"①。在这次军事斗争中,庐州府城虽然在守城清军的死守下得以保全,但是境内的其他属县则相继被明军攻破,当地有不少守城官员因丢失城池而被朝廷问责。如顺治年间,庐江知县孙宏喆即因"海寇薄城,失守论法"②。巢县知县赵熿也"因十六年海寇攻城,失守,遂罹于法"③。

第二节 清初合肥地区的行政区划与管理机构

一、行政区划的演变

清初,合肥地区分属于不同的行政区管辖。其中,合肥县④、巢县、庐江县均归属庐州府统辖。顺治二年(1645),清政府置庐州府,隶属江南省,由江南布政使司管辖。庐州府下辖两州六县,两州分别是无为州和六安州,前者辖巢县,后者辖英山县与霍山县,其余各县即合肥县、舒城县、庐江县,则隶属于庐州府。其中,合肥县一直是庐州府府治所在地。至顺治三年(1646)丙戌,清政府设立安庐道,庐州府属之。顺治七年(1650)庚寅,庐州府又改属庐六道。顺治十八年(1661)辛丑,清政府设江南左、右布政使司,庐州府隶属江南左布政使司管辖⑤。康熙六年(1667)七月,清政府改江南左布政使为安徽布政使,安徽正式建省,庐州府属之⑥。雍正二年(1724)甲辰,清政府鉴

---

① 乾隆《江南通志》卷117《职官志·名宦》,清乾隆二年刻本。
② 嘉庆《庐江县志》卷5《名宦附》。
③ 康熙《巢县志》卷10《职官志》。
④ 含今天的肥东、肥西两县。在清代,肥东属合肥县东乡,肥西属合肥县西、南两乡。
⑤ 光绪《续修庐州府志》卷4《沿革志》。
⑥ 汤奇学、施立业主编:《安徽通史·清代卷》,上册,安徽人民出版社2011年版,第47页。

于"江南财赋甲于海内,款项繁多,催科不易,且路途隔远,往返盘查,致稽时日",同时考虑到六安州"阻山带泽,地控豫省,本属紧要地方",英山一县"错处楚壤,地尤险远",遂将六安州升为直隶州,以英山、霍山二县属之①。至此,庐州府不再统辖六安州,其所属州县也由原先的两州六县变为一州四县,它们分别是无为州、合肥县、舒城县、庐江县、巢县。此时,巢县亦"始不属无为"②。

今天属合肥市管辖的长丰县③,位于合肥市北部,组建于1965年。清初,该县大部分地区隶属于凤阳府寿州的长丰乡,还有一部分地区分别隶属于凤阳府的定远县和庐州府的合肥县。

二、管理机构的设置

清初,合肥地区的行政组织机构主要分为府、(州)县两级。庐州府设有知府一人,"掌一府之政,教养百姓,为州县表率"④。还设有掌理专门业务的同知、通判、推官,为知府之佐,另设有经历、照磨、检校库狱官,为知府之属官。其中,推官于康熙六年(1667)裁撤。检校库狱官于顺治以后裁撤。各县设知县,为基层地方官的代表,"掌一县之政,亲理民务"⑤。知县之下设县丞、主簿、典史,分管粮马、河防、巡捕、监狱等事,无定额。另有职司教职之官,"职掌学校黜陟,统于学政,士习文风攸关焉"⑥。府学曰"教授",州学曰"学正",县学曰"教

---

① 光绪《续修庐州府志》卷4《沿革志》。
② 光绪《续修庐州府志》卷95《志余下》。
③ "1964年9月12日,省人民委员会上报国务院,以淮南铁路水家湖车站为中心,建置长丰县。1964年10月31日,国务院148次会议决定,析寿县、定远、肥东、肥西四县边境地区设县,因县境大部分地区属清朝寿州长丰乡,故定名长丰县。1965年3月11日,省人民委员会转发国务院决定,由合肥市负责筹建,同年5月底筹建工作结束。6月1日长丰县人民委员会正式办公,治所水湖镇,隶属合肥市管辖。"见长丰县地方志编纂委员会编《长丰县志》,中国文史出版社1991年版,第33页。
④ (清)张廷玉等:《清朝文献通考》卷85《职官九》,浙江古籍出版社2000年影印本。
⑤ (清)张廷玉等:《清朝文献通考》卷85《职官九》。
⑥ (清)张廷玉等:《清朝文献通考》卷85《职官九》。

谕"。府学、县学还均设有训导之职。这一时期,合肥地区行政机构职官设置的具体情况见表5-2-1所示。

表5-2-1 清初合肥地区行政组织职官设置一览表

府　县	职　官	备　注
庐州府	知府、同知、通判、推官、经历、照磨、检校库狱官、教授、训导	推官一职于康熙六年裁撤;检校库狱官于顺治以后裁撤
合肥县	知县、县丞、典史、驿丞、教谕、训导	驿丞于乾隆二十一年奉裁
庐江县	知县、典史、教谕、训导	
巢　县	知县、典史、教谕、训导	

资料来源:嘉庆《庐州府志》卷9《职官表一》、卷10《职官表二》、卷11《职官表三》;光绪《续修庐州府志》卷23《职官表一》、卷24《职官表二》、卷25《职官表三》。

清初,随着行政机构的设立与撤并,合肥地区的公署建设也时有兴废。以合肥县为例,作为附郭之邑,城内除了建有县级公署以外,还集中了不少道、府级衙署,"府治在焉,各宪之行台在焉"①,像府署、府儒学、察院等公署都位于合肥县城内。同时,由于行政机构的调整,当地还出现了一些新的公署,如康熙年间,清政府设立庐凤道,领庐州、凤阳两府,其行署就设在合肥城内马神庙以东的地方②。另有一些公署,则因行政机构的撤并而消失。如在庐江县,原有主簿宅一所,后因官被裁革,署废③。在合肥县教弩台,原有僧纲司,康熙时,署废,"旧址犹存"④。位于该县的庐凤道署,设立于康熙年间,至雍正时期,署废⑤。

在合肥地区,许多公署衙舍在明末清初的战火中被付之一炬,进入清初,这些公署逐渐得到了重建。如位于合肥县城内的庐州府府署,在崇祯十五年(1642),"被贼焚毁",至顺治十三年(1656),知府王

① 康熙《合肥县志》卷5《公署》,清康熙三十六年刻本。
② 嘉庆《合肥县志》卷5《营建志·行署》,清嘉庆八年刻本。
③ 康熙《庐江县志》卷7《公署》。
④ 康熙《合肥县志》卷5《公署》。
⑤ 雍正《合肥县志》卷10《公署》。

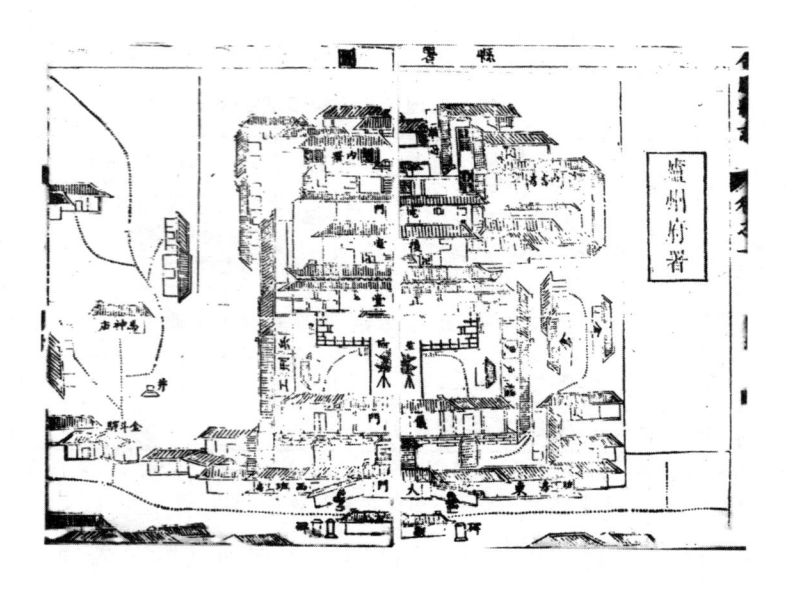

清代合肥县署图，来源于雍正《合肥县志》

业兴"重构衙舍楼阁，栋宇较昔为完密"。位于府治东侧的府儒学，也"遭寇残毁"。至顺治年间，庐州知府吴允升捐资重修了尊经阁、敬一亭。康熙三十六年(1697)，知府张纯修又重新加以修葺，丹艧一新①。巢县县署在崇祯八年(1635)，因寇乱而遭到焚毁，"堂寝之制，尽于一炬"②，"仅存左右吏舍六间，仪门三间。"③康熙四年(1665)，知县聂芳"用价一百七十两，买生员杨名升大厅鼎建，较前制更巍然一新"④。庐江县县署也因明末战乱而被毁坏殆尽。顺治八年(1651)，知县孙宏喆"重加鼎建"⑤。

在军事建制上，合肥地区有绿营兵驻守，曾分属于庐州营和六安营统辖。据乾隆《江南通志》记载，庐州营防守合肥县地方，有"汛地墩堡十五处"。六安营防守六安州、英山县、霍山县、舒城县、庐江县、

---

① 康熙《合肥县志》卷5《公署》。
② (清)聂芳：《重建治堂碑记》，康熙《巢县志》卷17《艺文志上》。
③ 康熙《巢县志》卷11《公署》。
④ 康熙《巢县志》卷11《公署》。
⑤ 嘉庆《庐州府志》卷7《城署下》。

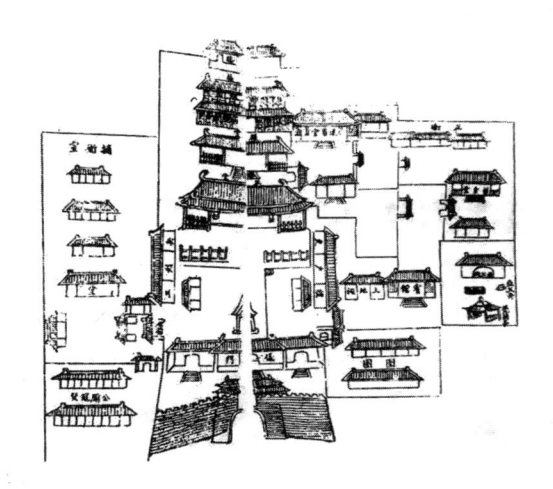

清代巢县县治图，来源于康熙《巢县志》

巢县、无为州地方。在这些州县中，除巢县以外，其他几地均设有汛地墩堡①。

庐、六两营均设立于顺治年间，据记载，顺治二年（1645），"因山贼啸聚，始设六安营，守备徐志高统兵五百名为援兵，向道驻六安。凤抚王一品因无为、巢县多变，江北各府俱有专防，于五年题设庐州营参将一员，随大兵往六安援剿山贼。后虽平定，以六之西山接连楚豫，恐六营兵少，不足弹压，遂将庐营驻六，六营驻庐"②。此时，驻守庐州府城的六安营主要负责"摆塘宿凤，盘诘七门出入，护送银杠、囚犯等差。"③至康熙三年（1664），总督以"庐营驻六，六营驻庐，名实不符，题将六安营改为庐州营，永驻庐州，庐州营改为六安营，永驻六安"④，属江苏狼山镇统辖。

随着军事建制的调整和防御策略的变化，庐州营和六安营的员弁和兵力配置也经常会有变化。如康熙三年（1664），随着六安营改为庐州营，其兵力数量也有所调整，"原设额兵五百名，内汰去三百

---

① 乾隆《江南通志》卷94《武备志·兵制》。
② 同治《六安州志》卷16《武备志一》，清同治十一年刻本。
③ 光绪《续修庐州府志》卷20《军制志》。
④ 同治《六安州志》卷16《武备志一》。

名,实存二百名。"①康熙十二年(1673),庐州营守备李化巳因汛地广阔,兵力单薄,"详请具题,增兵一百名,连前共三百名。"后来,"奉文裁去四十五名,实在营兵二百五十五名。"②"府城分防系庐州营拨派,梁县镇目兵三十名,吴山庙汛目兵十五名,宗家店目兵十五名,西山驿目兵十名,派河驿目兵十名,店埠驿目兵十名,护城驿目兵十名";各州县分防,则由六安营拨派,"舒城县把总一员,兵一百名;庐江县百总一名,兵三十名;无为州把总一员,兵五十名;巢县百总一名,兵五十五名。"③康熙十三年(1674)八月,"为要地之绸缪等事",六安营参将改为副将,"添右军守备一员、千总一员、把总一员","添马步战守兵四百名"④。康熙二十一年(1682),再次改六安营副将为参将,"裁去右军守备一员、千总一员、把总一员","裁去马步战守兵四百名"⑤。康熙二十五年(1686),该营"添设千总一员、把总一员、官坐马四匹,又马战兵一十三名、步战兵六名、守兵三十七名、马一十三匹"。康熙二十六年(1687),裁六安营马战兵三名、步战兵六名、守兵一十六名、马三匹。康熙三十五年(1696),裁六安营步战兵二十六名。雍正二年(1724),裁六安营步战兵一名、守兵八名。雍正三年(1725),拨六安营步战守兵九名,入太湖营。同年,庐州营裁步战兵二名。雍正五年(1727),六安营裁步战兵一名、守兵五名;庐州营裁守兵三名。雍正七年(1729),六安营添设外委、千把总六弁;庐州营增设外委、把总一员⑥。至雍正十年(1732),改庐州营守备为都司,设把总一员、外委一员、额外外委一员⑦。

至乾隆元年(1736),两江总督赵宏恩向朝廷上疏,请设镇员,称:

---

① 康熙《合肥县志》卷4《兵驿》。
② 光绪《续修庐州府志》卷20《军制志》。此处与康熙《合肥县志》的记载有所出入。康熙《合肥县志》卷4《兵驿》记载:"奉文裁去一十二名,实在营兵二百八十八名。"
③ 光绪《续修庐州府志》卷20《军制志》。
④ 同治《六安州志》卷16《武备志一》。
⑤ 同治《六安州志》卷16《武备志一》。
⑥ 光绪《重修安徽通志》卷97《武备志·兵制四·绿营》,清光绪七年刻本。
⑦ 光绪《续修庐州府志》卷20《军制志》。

"上江历来未设一镇,营制未符,筹画形势,见江北庐、凤、颍、亳、六、泗一带,地广差繁,兵微将寡,派拨调遣,常至不敷。寿、六等营,虽有下江之狼山总兵统辖,相隔窎远,寿春设有副将,颇难控制,宜将寿春一营改为总镇,增兵以壮声势。"①这个提议最终得到了兵部的认可,其答复是:"寿春营副将,准其改设总兵,标下分中、左、右三营,每营各设游击一员、守备一员、千总二员、把总四员,每营各设兵六百名。其原设中军都司改为中军游击,兼管中营,并兼理城守事务;添左、右二营游击各一员,均令驻扎寿州;添中营守备一员,专防城池关厢。原有左军守备改为左营守备,仍驻扎宿州;右军守备改为右营守备,仍驻扎凤郡。原有千总三员、把总六员,再添千总三员、把总六员,分防各汛,以千、把为专汛,游击为兼辖,寿春镇为统辖。所设兵丁,除现有兵一千四百十五名,再添兵三百八十五名,以足一千八百名之数。其六安、庐州两营拨归寿镇管辖,六安营原防无为、巢县二汛,准其改归庐州营管辖。"②乾隆三年③(1738),寿春营升为寿春镇,"寿春营副将改设总兵一员,统辖中、左、右、六安、庐州、亳州、泗州七营",隶属于江南提督④。至此,庐州营与六安营均被划归寿春镇统辖,原先属六安营统辖的无为州、巢县二汛则被划归庐州营。此时,庐州营添设"千总一员、外委一员、马兵五名、战兵十二名、守兵五十名"⑤,共存马步战守兵三百二十二名⑥;六安营"裁去千总一员,实存营参将一员、中军守备一员、千总一员、把总四员","裁马战兵六名、步战兵一十一名、守兵四十九名、马六匹,又裁公粮守兵二名"⑦。

---

① 光绪《重修安徽通志》卷97《武备志·兵制四·绿营》。
② 光绪《重修安徽通志》卷97《武备志·兵制四·绿营》。
③ 光绪《重修安徽通志》卷97《武备志·兵制四·绿营》记载的时间为乾隆二年(1737)。
④ 光绪《寿州志》卷10《武备志·兵制》,清光绪十六年刻本。
⑤ 光绪《续修庐州府志》卷20《军制志》。
⑥ 嘉庆《合肥县志》卷11《兵防志·兵丁》。
⑦ 同治《六安州志》卷16《武备志一》。

乾隆十八年①(1753)，六安营新添茅草畈、包家河二汛，需要添设官兵②。庐州营"奉文抽调守兵六名"，进行贴防，"实存马步兵丁三百一十六名，马兵三十三名，内随粮四名，战兵四十八名，内随粮十二名，守兵二百三十五名，内随粮五名，公粮九名。"③乾隆四十七年(1782)，庐州营"增添守兵十九名，又奉文裁扣各营随粮，添补实兵，裁汰随粮马兵四名、战兵十二名、守兵五名、公粮守兵九名，共三十名，遵例汰裁"④，共存兵丁三百零五名⑤。六安营"添守兵三十三名，武职改给养廉银两，裁各官养廉公粮马战兵一十一名、步战兵三十三名、守兵一十名、马一十一匹"⑥。乾隆四十八年(1783)，庐州营"裁公粮守兵九名，添步战兵八名，守兵四名"⑦。六安营"奉裁公粮守兵十五名"，"添补裁去养廉实兵步战兵四十二名、守兵一十二名，实存营马战兵五十名、步战兵一百四名、守兵四百八十五名，共马步战守兵六百三十九名"⑧。

如前所述，在合肥地区，庐江县、巢县两地也有清兵驻防。庐江县由六安营拨外委把总一员驻防，辖兵三十名，负责护送钱粮，协解人犯。"雍正朝，奉裁七名，辖兵二十三名。乾隆朝，奉裁三名，辖兵二十名"，其中，"弓箭守兵九名，鸟枪战兵一名，鸟枪守兵五名，本邑界牌塘兵一名，舒城军铺塘兵一名，安庆塘兵一名"。另由六安营拨额外外委一弁，协防罗昌河汛；拨哨官一弁，协防白石山汛。此外，该县还额设民壮五十名，"不时操练，以备城守"。雍正十年(1732)，奉命裁去二十名；乾隆五十二年(1787)，裁去十一名⑨。合肥地区的另

---

① 光绪《续修庐州府志》卷20《军制志》记载的时间为乾隆十九年(1754)。
② 同治《六安州志》卷16《武备志一》。
③ 光绪《续修庐州府志》卷20《军制志》。
④ 光绪《续修庐州府志》卷20《军制志》。
⑤ 嘉庆《合肥县志》卷11《兵防志·兵丁》。
⑥ 光绪《重修安徽通志》卷97《武备志·兵制四·绿营》。
⑦ 光绪《重修安徽通志》卷97《武备志·兵制四·绿营》。
⑧ 同治《六安州志》卷16《武备志一》。
⑨ 光绪《庐江县志》卷5《武备·兵制》。

一个县份巢县,原由六安营驻防,在康熙三年(1664)时,设有百总一员,"后设专防千总一员,驻无为州;协防外委一员,驻县城"①。乾隆三年(1738),巢县改属庐州营驻防。在兵力的配置上,巢县的兵丁数量也时有增减,该县"旧设兵六名,防守城池";雍正七年(1729),增兵二十二名②。乾隆四十八年(1783),又增兵六名。另外,巢县"旧设民兵一百五十六名,后裁一百六名,存五十名"。后来,又"两次裁去三十名,存二十名"。该县还"旧设弓兵二十名,后裁十六名,存四名,隶焦湖司巡检"。乾隆三十五年(1770),焦湖司改为柘皋司,又"添置弓兵四名"③。

此外,在这一时期,合肥地区还存留有庐州卫。庐州卫始设于明朝永乐年间,"官职有指挥使、同知、佥事、镇抚、经历、千户、百户之分,皆其子孙世世承袭,以理屯漕,间得升转,而子孙承袭如故。"到了清初,庐州卫仍然存在,不过,其官职设置有所调整。顺治四年(1647),"始改用部选指挥易用守备,千百户易用千总,随帮则催攒重运,而专司回空者,仍用舍丁,三年给以千总扎付,五年即赴部选用千总。雍正五年,始用武举部选。至乾隆时,舍丁外选,则仍互用"④。康熙十八年(1679),裁并六安卫为所伍,六安卫归并庐州卫⑤。

庐州卫署位于府署东侧,在和平桥,"南通大街,北至民人围墙,东北至小塘东埂,东南至周家园墙,西至殷家园墙,西南至小塘上坂"。有"大门三楹,仪门楼一座,正堂五楹,东西书办房十间,二堂五楹,堂后厢房东西各三间,住房五楹,厨房四间,东福神祠六间,东宾馆三间,馆后马房三间,余房二间,西书房三间,厢房三间,东园外余房三间,西园外余房七间,仪门外东首为羁禁铺三间"。庐州卫原无专署,清初,"以指挥轮掌印务,各就私第理事,及部选官至,皆僦居民

---

① 道光《巢县志》卷8《武备志一·兵制》,清道光八年刻本。
② 道光《巢县志》卷8《武备志一·兵制》。
③ 道光《巢县志》卷8《武备志一·兵制》。
④ 乾隆《庐州卫志》卷1《建置》。
⑤ 乾隆《庐州卫志》卷6《补载》。

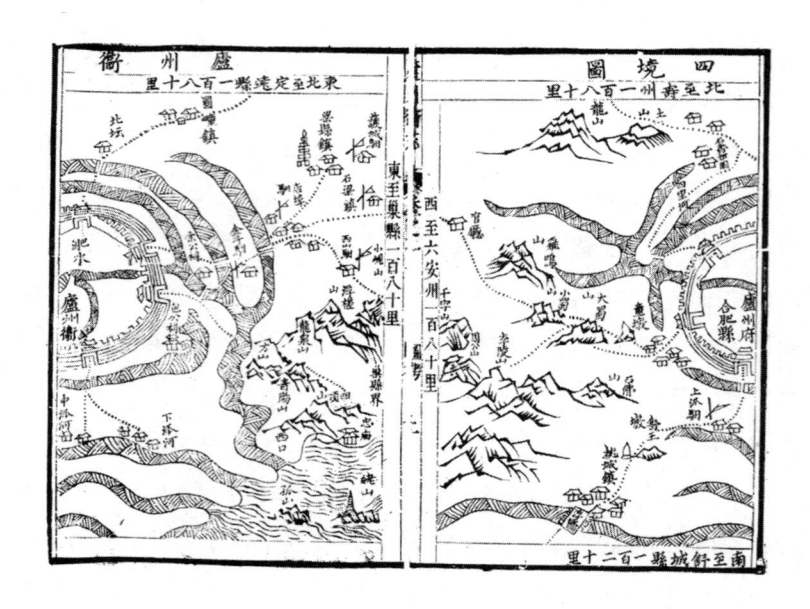

清代庐州卫四境图，来源于乾隆《庐州卫志》

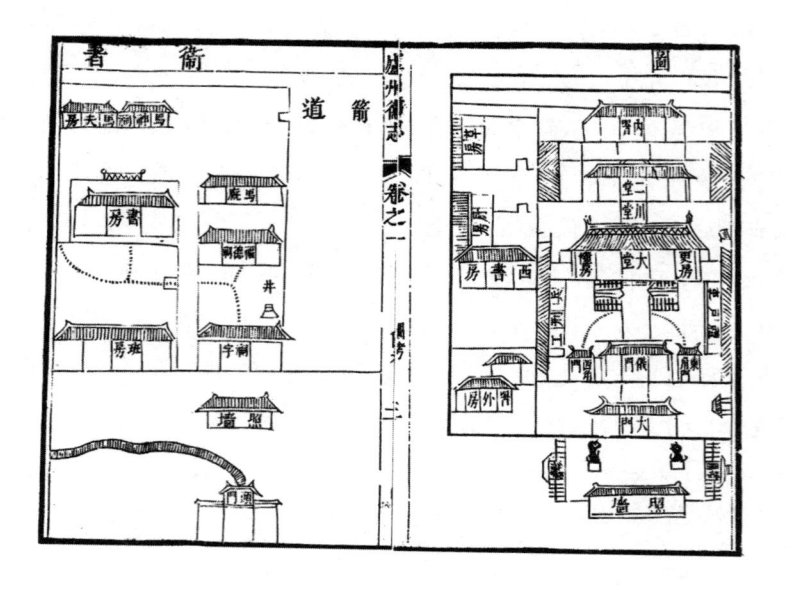

清代庐州卫卫署图，来源于乾隆《庐州卫志》

舍"。至康熙初年，守备刘旭"详请各宪，以旧署基址易庐营颓署，葺而新之，官斯土者有宁宇矣"①。除了办理屯粮事务外，庐州卫还负有启闭城门之责，"郡城有七门，大东门、小东门、南门、德胜门、西门、水西门、北门，城属郡县，而启闭锁匙，则卫司之"②。

为了维护基层社会的统治秩序，加强对基层社会的控制，巡检司也是清代地方政权机构中较为常见的一类权力组织。巡检司"管捕盗贼，诘奸伪，凡府州县有关津险隘则置之"③，因事增减，并无定额。清初，合肥地区也设有不少这样的管理机构，各县多根据地势及防卫的需要，于关津、水陆要冲之地，设置巡检司，盘查过往行人，缉捕要犯，打击走私，维护市场秩序，以保证过往行人及商旅人员的安全。如在合肥县，就有四处巡检司，一是石梁镇巡检司，位于城东一百二十里的石梁镇④，该巡检司早在康熙年间就已经存在。另三处分别为梁县巡检司，位于合肥县城东北七十里的梁县镇，于乾隆三十三年（1768）添设⑤；官亭巡检司，位于县城西九十里的官亭镇；青阳巡检司，位于县城南七十里的青阳镇，这两处巡检司都设立于乾隆三十六年（1771）⑥。在巢县，巡检司设在该县西北六十里的柘皋镇，原先为焦湖巡检司。乾隆三十五年（1770），"改焦湖司为柘皋司，乃建署于柘皋镇之西街"⑦。这些巡检司的设置有一个共同之处，即设置地点都在市镇。在清代，市镇经济发展迅速，市镇作为"万民辐辏""五方杂处"之地，通常会成为地方社会治安管理的一个薄弱环节。因此，在这些场所，官府一般会设立巡检司，以借此弹压变乱，维护统治，尤其在一些具有重要经济影响力、地处交通要冲的市镇，更是如此。巡检司成为中央政府派驻市镇的主要官方机构，而巡检则是抚治一方、

---

① 乾隆《庐州卫志》卷1《官署》。
② 乾隆《庐州卫志》卷1《建置》。
③ （清）张廷玉等：《清朝文献通考》卷85《职官九》。
④ 康熙《合肥县志》卷5《公署》。
⑤ 光绪《续修庐州府志》卷24《职官表二》。
⑥ 嘉庆《庐州府志》卷6《城署上》。
⑦ 道光《巢县志》卷4《舆地·城署》。

管理市场的关键人物。

在合肥地区,随着米谷等商品流通的兴盛,当地的市场发展日趋繁荣。在地方经济发展的同时,难免会出现一些扰乱市场发展、影响统治秩序的不安定因素。如乾隆年间,位于合肥县城东南四十里的撮城镇,就曾发生过一起巡检及弓兵被殴伤的事件。为了说明问题,现引录文字如下:

谕军机大臣等,据闵鹗元奏,合肥县民人夏瑶江等,因该县撮城镇地方,客贩驮米下船,邀众拦阻,巡检汪立诚前往弹压。夏瑶江殴伤弓兵,经县役拿获,旋被夏惟凡等夺去,复赶去汪巡检寓所,殴及巡检额颅手指,逼写字据。现已拿获夏惟凡等三犯,即星驰前往,查拿审办等语。地方偶遇偏灾,即切谕地方官照例抚恤,妥协查办,勿使失所。若刁民藉端生事,则必尽法处治。至各处商贩流通,例禁遏籴,乃夏瑶江等,辄敢拦阻米贩,及巡检前往弹压,并敢殴伤弓兵,实属目无法纪。至首犯夏瑶江被获,夏惟凡等复敢纠众抢夺,并赶至巡检寓所,肆行殴辱,逼写字样,不法已极,不可不多办数人,大示惩创。若仅照常题奏,部核拟转,致刁悍得稽显戮,无以示儆。著传谕闵鹗元,务将此案要犯,迅速严缉就获,勿使一人漏网,严讯本案为首起意,及夺犯殴官,同恶相济各要犯,拟以斩决,一面奏闻,一面于该处即行正法示众。其听纠助恶之人,并当拟以死罪,随行而不加功者,亦应问拟远遣。庶奸民触目惊心,稍知畏法,闵鹗元断不可稍存姑息,曲为开脱①。

从这则谕令中可以得知,事件的起因是由于夏瑶江等人阻拦客贩驮米下船,为了维护市场秩序,巡检汪立诚派出弓兵,前往弹压,因而双方发生冲突,并导致巡检司弓兵被夏瑶江等人殴伤。当夏瑶江被官府缉拿后,夏惟凡等人又将夏瑶江夺去,并赶至汪立诚寓所,对

---

① 《清高宗实录》卷 1068 乾隆四十三年十月壬戌,中华书局 2008 年影印本。

其进行殴打,逼写字据。此事在当时产生了很大影响,就连在位的乾隆皇帝也被惊动。为了维护统治威信,乾隆皇帝亲授谕旨,决意对案犯予以严惩,以儆效尤。这个案例也从一个侧面反映了巡检司在维护地方市场秩序中的重要作用。

除了这些市镇场所外,在合肥地区的一些重要关隘,官府也常常设有巡检司。如在庐江县冷水关,就设有"冷水关巡检一员,捕盗诘奸,兼缉私盐,岁俸银一十九两五钱二分,薪银十二两"[①]。巡检司的设置对于维护地方社会治安、强化地方社会秩序具有一定的积极作用。

---

① 康熙《庐江县志》卷9《秩官》。

第六章
清代前期合肥地区经济的恢复与发展

第六章 清代前期合肥地区经济的恢复与发展

明清易代之际,由于战火不断,人民大量死亡流徙,田土荒芜,室庐倾圮,城乡经济遭到严重破坏。为了尽早恢复社会秩序,巩固自身统治,清王朝在建立政权之后,随即实行了一系列恢复与发展社会经济的政策,各地方官也纷纷将恢复地方社会经济、安定地方社会秩序作为他们为政的首要任务。在这一背景下,合肥地区也掀起了一股恢复与发展社会经济的浪潮,其社会经济秩序逐渐回归到正常轨道。

第一节 恢复与发展社会经济的举措

一、招徕流民,奖励垦荒

招徕流民、奖励垦荒是清政府在取得全国政权之后,为了恢复社会经济、安定社会秩序所实施的一项重要举措。清初,面对经济衰败、人口亡失严重的局面,清朝统治者率先采取了招抚流民、奖励垦荒的政策,先后颁布了一系列相关谕令,将其上升至国家政策层面,并要求各地官员认真执行。如顺治六年(1649)四月二十四日,诏令安徽等地官吏:"凡各处逃亡民人,不论原籍别籍,必广加招徕,编入保甲,俾之安心乐业。察本地方无主荒田,州县官给以印信执照,开垦耕种,永准为业。俟耕至六年之后,有司官亲察成熟亩数,抚按勘实,奏请奉旨,方议征收钱粮。其六年以前,不许开征,不许分毫金派差徭。如纵容衙官、衙役、乡约、甲长借端科害,州县印官无所辞罪。务使逃民复业,田地垦辟渐多。各州县以招民设法劝耕之多寡为优劣,道府以善处责成催督之勤惰为殿最。每岁终,抚按分别具奏,载入考成。该部院速颁示遵行。"①这则谕令是清政府全面推行垦政的

---

① 《清世祖实录》卷43顺治六年四月壬子。

一个规定,它明确要求地方官要广招流民,鼓励垦荒,并以此作为考核地方官员政绩的标准,评定优劣,决定赏罚。在其背后,反映的是清政府的政治意图,即尽快实现社会稳定,以收拢民心,稳固自身统治。

就合肥地区而论,经过明末战争,其社会经济遭受很大程度的破坏,百姓流离失所,经济凋敝严重。如合肥县,"自明季兵燹之后,尽归焦土"①,直到康熙年间,"民气犹未复也"②。与之毗邻的巢县也在长期的战乱中饱受重创,人口数量急剧减少,据史料记载:"巢为江淮鱼米之乡,民生其间,易致蕃衍。"在明朝崇祯四年(1631)时,该县有3512户、24192丁,但"不数年而有乙亥之乱,继以壬午城陷,流贼屠戮,靡有孑遗"③。惨烈的战争同样给庐江县的社会经济带来了深重灾难,"值明季,流贼盘踞二载,乡城焚杀一空,丁户烟消,田庐抛弃"④。对此,顺治年间该县人士王凤鼎曾经颇有感触地说:"庐邑自崇祯乙亥春,献贼煽虐,室之焚毁者几半。逮七阅年,届及壬午,则盘踞三季,屠戮之惨,族无数丁,祖龙一炬,文献俱尽。……穷乡僻壤之区,颓壁荒原,鞠为茂草,繇贼一夕骤至,四野俱遍,士民挈家而逃。"⑤在战争影响下,地方百姓四处逃散,田园荒芜,野草丛生,一片荒凉景象。顺治年间,孙宏喆出任庐江知县,在他踏入庐江县境之时,映入眼帘的便是一幅千疮百孔的破败景象,这给他留下了深刻印象。事后,他回忆说:"余不敏,筮仕于兹,乍入境,行蒿莱荆棘中。车及郭以内,弥望皆墟,就前令僦舍为公廨,颓垣甕牖,把茅而居,近市而理,以言草昧,良不诬矣。"⑥街道上也是尸骨纵横,"道见髑髅于城之故衢,蔓草荣其顶,荒烟绕其灵,泫然生悲"⑦。

---

① (清)贾晖:《重修合肥县志序》,康熙《合肥县志·序》。
② (清)张纯修:《合肥县志序》,康熙《合肥县志·序》。
③ 道光《巢县志》卷6《食货·户口》。
④ 康熙《庐江县志》卷6《役法》。
⑤ 光绪《庐江县志》卷首《原序》。
⑥ 光绪《庐江县志》卷首《原序》。
⑦ (清)孙弘喆:《瘗漏泽园文》,嘉庆《庐江志》卷15《艺文·杂文》。

第六章 清代前期合肥地区经济的恢复与发展

在战争摧残下,清初,合肥地区处处颓垣败壁,百废待兴。对于新上任的地方官员来说,他们面临的一个头等任务就是广招流民,垦复荒田。清政府制定的招抚流民、劝民垦荒政策也在合肥地区得到了有效推行。早在顺治二年(1645),当清军占领江北诸郡县时,便"设官莅土,招徕残黎"①。顺治初年,前往庐州担任知府的赵允光,"到任即招来入城,多方抚字,重建府堂,修筑城垣"②。经过一段时间的努力,到康熙元年(1662)时,庐州府"审增并节年招徕共九千七百五十五丁"③。流民的大量归附为合肥地区经济的恢复与发展提供了必要的劳动力资源。

在广招流民的同时,地方官府还积极劝民垦荒。在历任官员的推动下,经过广大民众的不断开垦,合肥地区的大量荒田陆续得到垦复。如顺治十四年(1657),江宁巡抚刘宗韩上奏称:"庐、凤等府开垦荒田三千余顷。"④康熙二十六年(1687)七月己卯,安徽巡抚薛柱斗又上报称:康熙二十五年(1686),"安、宁、太、庐、凤、滁、和七府州属,共垦过荒田三百八十八顷十五亩,照例起科"⑤。

再来看一下这一时期合肥地区所属各县土地开垦的具体情况。在合肥县,该县原额田塘地为29453.16顷,顺治十年(1653),题将无主荒田塘地1935.37顷拨入兴屯,止成熟田塘地27517.79顷。自顺治十一年(1654)起,至康熙十六年(1677)止,合肥县共开垦并清出田地塘1867.96顷,仍有荒田塘地67.41顷。此后,又陆续进行了开垦。康熙十九年(1680),开垦了4.28顷;康熙二十一年(1682),开垦了26.45顷;康熙二十二年(1683),开垦了1.30顷;康熙三十年(1691),民人王海云又开田0.24顷,俱归入熟田内。康熙三十五年(1696),合肥县实在成熟田地塘为29418.03顷,基本接近原额水平⑥。至康熙

---

① 道光《巢县志》卷6《食货·户口》。
② 康熙《合肥县志》卷8《名宦》。
③ 光绪《续修庐州府志》卷14《田赋志》。
④ 《清世祖实录》卷113顺治十四年十一月丁巳。
⑤ 《清圣祖实录》卷130康熙二十六年七月己卯。
⑥ 光绪《续修庐州府志》卷14《田赋志》。

三十六年(1697),合肥县的田地亩数恢复到原额水平。雍正《合肥县志》卷六《田赋》记载:"自顺治十四年起,至康熙三十六年止,俱经全垦足额。"①此后,该县的土地开垦活动一直在继续,并开垦出不少的溢额田。如从康熙三十七年(1698)起,至雍正八年(1730)止,合肥县共开垦出溢额田□17顷84亩②。另据表6-1-1所示,自康熙中后期开始,直至乾隆中叶,合肥一县仍有不少新垦溢额田地。这些现象表明,在清代前期,经过广大民众的辛勤劳作,合肥县的荒芜田地逐渐得到垦复,其田亩数在达到原额水平之后,又有了进一步地增长。

在清代前期,庐江县境内的荒田也陆续得到开垦。据统计,自顺治元年(1644),内有原报抛荒田地111.14顷拨入兴屯,续于顺治十二(1655)、十三(1656)两年开垦,顺治十六年(1659),升科田地47.17顷;又于顺治十四年(1657)开垦,顺治十七年(1660),升科田地9.2顷;又于顺治十五(1658)、十六(1659)两年开垦,顺治十八年(1661),升科田地54.77顷。至此,该县陆续开垦升科田110.14顷③。之后,庐江县的土地开垦活动仍在进行。康熙十二年(1673),该县开垦新兴、青草二圩田12.35顷;康熙十六年(1677),又开垦新兴、盛家二圩田30.02顷。随着土地开垦活动的持续,当地新开垦出不少的溢额圩田,如在康熙十九年(1680),新垦永兴圩溢额田50.29顷;康熙二十一年(1682),新垦金家等圩溢额田38.98顷;康熙二十三年(1684),新垦小新沟圩溢额田0.77顷,等等。有关该县各年土地开垦额,详见表6-1-2。经过一个时期的土地开垦,庐江县的圩田数量有了明显增加,如顺治年间,该县除原有八十六圩外,又新增加了天井圩、新圩、荒圩、白汤圩、南都圩、北都圩等圩田;至雍正时期,该县"诸湖之滨陆续升垦,计七百七十七顷有奇"④。庐江县的田亩数也逐渐恢复到原额水平,据记载,该县原额冈圩田地山9990.36顷,共成熟折实田

---

① 雍正《合肥县志》卷6《田赋》。
② 雍正《合肥县志》卷6《田赋》。
③ 康熙《庐江县志》卷5《田赋》。
④ 嘉庆《庐江县志》卷7《田赋》。

9512.08顷。至康熙二十一年(1682),实在溢额折实并官田、新沟圩田共9563.82顷,已经超过了原额。至康熙三十五年(1696),该县实在折实田达9831.30顷,比原额溢出319.22顷①。

这一时期,巢县的土地开垦活动也是方兴未艾。在清朝建立之初,该县原额田地塘为7793.53顷,共折实田7491.40顷。随着土地的不断开垦,该县的田亩数也逐渐恢复到原额水平,至康熙三十五年(1696),实在成熟折实田为7492.28顷,与原额相比,田亩数略有增加。之后,巢县的土地开垦活动仍在继续,康熙四十八年(1709),该县开垦溢额滩田0.28顷;雍正三年(1725),又开垦溢额圩田25.52顷;雍正九年(1731),开垦溢额圩田10.64顷,前后共开垦出溢额田36.44顷②。

表6-1-1 清康熙至乾隆时期合肥县历年开垦溢额田统计表

时间	垦地名目及垦额
康熙三十七年	开垦溢额圩田4.19顷
康熙三十九年	开垦溢额圩田1.10顷
康熙四十八年	开垦溢额圩田5.11顷
康熙五十三年	开垦溢额田10.68顷
康熙五十五年	开垦溢额田1.35顷
康熙五十七年	开垦溢额田0.30顷
雍正二年	开垦溢额圩田24.86顷
雍正三年	开垦溢额圩田10.97顷
雍正六年	民人首垦溢额田0.24亩,又开垦溢额圩田20.60顷
雍正七年	开垦当年升科溢额圩田0.30亩,又开垦溢额圩田4.33顷
雍正九年	开垦溢额田0.72顷
雍正十年	开垦溢额田11.80顷
雍正十二年	开垦溢额当年升科田地0.34顷

---

① 光绪《续修庐州府志》卷14《田赋志》。
② 光绪《续修庐州府志》卷14《田赋志》。

(续表)

时间	垦地名目及垦额
雍正十三年	开垦溢额田 0.61 顷
乾隆九年	开垦溢额田 0.71 顷
乾隆十八年	开垦溢额田 26.86 顷
乾隆三十三年	民人吴坤等升科溢额水田 3.24 顷;又民人李山友等升科北临滩溢额圩田 3 顷,南临滩圩田 4 顷;又李山友等开垦溢额当年升科圩田 1.73 顷

资料来源:光绪《续修庐州府志》卷14《田赋志》。备注:亩以下四舍五入。

表6-1-2 清康熙至乾隆时期庐江县各年开垦额统计表(亩以下四舍五入)

时间	垦地名目	垦额	时间	垦地名目	垦额
康熙十二年	新兴、青草二圩	12.35 顷	康熙十六年	因筹饷清出田	9.36 顷
康熙十六年	新兴、盛家二圩	30.03 顷	康熙十九年	永兴圩溢额田	50.29 顷
康熙二十一年	金家等圩溢额田	38.98 顷	康熙二十三年	小新沟圩溢额田	0.76 顷
康熙二十五年	柳旺圩溢额田	24.13 顷	康熙二十七年	青阳泊等圩额田	72.48 顷
康熙二十八年	小套等圩溢额田	21.60 顷	康熙二十九年	李兴等圩额田	58.24 顷
康熙三十年	溢额圩田	9.98 顷	康熙三十一年	溢额圩田	11.10 顷
康熙三十二年	溢额圩田	24.56 顷	康熙三十三年	溢额圩田	17.92 顷
康熙三十六年	溢额圩田	11.77 顷	康熙三十七年	溢额圩田	20.95 顷
康熙三十八年	溢额圩田	0.18 顷	康熙三十九年	溢额圩田	0.03 顷
康熙四十一年	溢额圩田	11.32 顷	康熙四十四年	溢额圩田	11.28 顷
康熙四十五年	溢额圩田	1.94 顷	康熙四十六年	溢额圩田	8.09 顷
康熙四十七年	溢额圩田	3.90 顷	康熙四十八年	溢额圩田	0.09 顷
康熙四十八年	溢额圩田	2.24 顷	康熙五十一年	溢额圩田	2.48 顷
康熙五十三年	溢额圩田	0.19 顷	康熙五十五年	溢额圩田	10.52 顷
康熙六十年	溢额圩田	2.25 顷	康熙五十六年	溢额圩田	10.17 顷
康熙五十七年	溢额圩田	1.90 顷	康熙五十九年	溢额圩田	23.81 顷
康熙六十年	溢额圩田	3.48 顷	康熙六十一年	溢额圩田	45.60 顷
雍正三年	溢额圩田	27.20 顷	雍正七年	溢额圩田	0.09 顷

（续表）

时间	垦地名目	垦额	时间	垦地名目	垦额
雍正二年	溢额圩田	127.86 顷	雍正三年	溢额圩田	0.25 顷 44.96 顷
雍正八年	溢额圩田	21.40 顷	雍正九年	溢额圩田	3.76 顷
雍正九年	溢额旱地	7.37 顷			
乾隆七年	溢额荒地	0.12 顷	乾隆十七年	溢额冈田	4.31 顷
乾隆二十年	溢额冈田	0.52 顷			
乾隆七年	续垦湖滩溢额	0.88 顷	乾隆九年	溢额圩田	10.68 顷
乾隆十年	溢额荒地	0.38 顷	乾隆十六年	溢额圩田	2.20 顷
乾隆十七年	湖滩溢额圩田	2.02 顷	乾隆十九年	溢额水田	3.41 顷
乾隆二十年	溢额水田	4.25 顷	乾隆二十年	溢额水田	2.50 顷
乾隆二十一年	溢额圩田	1.76 顷	乾隆二十三年	溢额圩田	1.53 顷
乾隆二十四年	水田	0.43 顷	乾隆二十三年	冈田	0.73 顷
乾隆二十三年	溢额滩地	1.27 顷	乾隆二十七年	圩田	0.91 顷
乾隆三十年	冈田	0.46 顷	乾隆三十年	圩田	0.83 顷
	冈田	0.13 顷			
乾隆三十八年	圩田	0.60 顷	乾隆四十三年	自首圩田	2.52 顷
乾隆四十六年	圩田	0.66 顷			
	圩田	2.35 顷	乾隆四十七年	溢额冈田	0.16 顷

资料来源：彭雨新编《清代土地开垦史资料汇编》，武汉大学出版社 1992 年版，第 51 页，表 4-18《庐江县各年开垦额统计》。

另外，再从各类田地的垦殖情况进行分析。合肥地区的耕地类型有民田和官田之分。在清代前期，这两类田地都逐渐得到垦复。

就民田而论，由于合肥地区地形多样，当地除了在环巢湖流域有一些低洼圩田以外，还有不少地处丘陵台地区的旱地，当地百姓称之为"冈田"。其中，圩田是合肥地区农田利用的一种重要形式。所谓圩田，"盖地下而筑堤以障水者，谓之圩田也"①，意思是指在河滩、湖

---

① 康熙《巢县志》卷 9《田赋》。

滨浅水之处筑堤,圈围出土地,这种圈围起来的田就叫作"围田",有的地方叫作"圩田"。合肥地区的圩田主要分布于环巢湖流域。如作为附郭首邑之区的合肥县,其圩田主要分布于东南湖滨地区。由于这一地区土壤肥沃,水利资源丰富,以致低洼湖滩不断被围垦成农田。从历史上看,这一地区的圩田开发较早,有史料记载,早在三国时期,巢湖沿岸就已筑有圩田。此后,经过历代百姓的不断围垦,逐渐在巢湖西北沿岸、南淝河、派河、丰乐河、杭埠河下游地带形成了众多的圩田区。与其他田地相比,圩田的粮食产量一般较高,"凡圩田宜稻,所获视他田三倍,其值也倍于他田。故谚曰:'圩田收,食三秋',其地利然也"①。正是因为如此,随着当地圩田的不断开发,合肥地区在清代成了皖中一个重要的粮食主产区,从而为它与江南地区之间的粮食贸易提供了一个坚实的物质基础。

与圩田相比,冈田的利用率则一直较低,大多被抛弃闲置,任其荒废。如在庐江县,"县民旧习,止知平畴种稻,高阜皆为弃壤"②。对此,雍正年间出任庐江知县的陈庆门颇有议论,他在《请垦旱地详文》中说道:"窃惟抚字之术,首在养民,而养民之道,在兴地利。顾南方之地与北省有异,南方之宜兴旱田,犹北省之贵有水利也。北省地高,必水利兴修,然后可以防旱;南方虽称洼下,而上江田地,高卑不等。即如庐江一邑,有从水滨筑埂而树艺者,圩田也;山凹取水而兴作者,冲田也;更有平坂大坡,无水可取,亦勉强营田,惟藉天雨适时,而冀倖有秋者,冈田也。夫此等冈田,即系北省之旱地,止缘江南之民,惟树稻谷,不种杂粮,是以雨稍愆期,即处竭泽。此外,更有高阜平陵,并非不毛之地,要皆不耕不耘,废为旷土。问其山主,不过岁取柴草、牧养牛羊而已,殊不知既生茂草,断无不长禾苗之理。北省树麦、豆、粟、花、高粱等物,而兼树稻谷,岂南省仅可树稻谷,而不可树麦、豆、粟、花、高粱等物乎?若开垦此项山田,广树北方诸种,则地适

---

① (清)韩梦周:《圩田图记》,(清)贺长龄辑:《皇朝经世文编》卷116《工政二十二·各省水利三》,光绪己亥(1899)孟春上海中西书局校阅石印本。

② (民国)赵尔巽等:《清史稿》卷477《循吏传二·陈庆门传》,中华书局1977年版。

其宜，物适其性，水旱皆不得为灾，万年之利，无有过此者。"为了让当地百姓改变其固守的传统耕种观念，提高对旱地的垦殖利用率，这位陈知县在上任后不久，即"于四门外亲开高田四十余亩，躬自教稼，以为乡民则效"，并恳请宪台颁示晓谕，希望能以此来促使当地百姓改进耕种方式，加大对旱地的开垦和利用①。

为了让庐江一县的百姓更清楚地知晓"冈地"的耕作价值，陈知县还特意编写了一首《劝垦辞》，内容如下：

土无高与下，滋生性则一。播种随所宜，先农有遗则。
惜哉淮以南，有土不力穑。三农惟种稻，五谷名徒悉。
旱地稻不宜，弃置少滋殖。余本西北人，颇知树艺术。
语汝赡身资，劝汝尽地力。莫言终岁需，有米事已毕。
汝有身上衣，布缕何由出。豆粥汉帝尝，胡麻仙人吃。
高地之所产，种种皆资益。寸土一寸金，荒芜缺衣食。
垦汝山下坡，画区就平侧。犁汝平冈地，沟塍分历历。
沟为蓄泄资，塍以供种植。麻豆及时播，木棉分行列。
其要在深耕，土深根乃入。矧兹久荒地，其性多黏垍。
犁浅土未疏，嘉谷根本直。发苗难骤高，奥草易蒙密。
秋成不多收，都缘人事失。藉口土不宜，毋乃中心惑。
我今劝谆谆，胸中血尽沥。图始古来难，不惮躬行率。
锹钁及锄犁，治器都依式。春作戒农师，经始田功亟。
耕耨务精勤，非种锄宜疾。秋来百谷成，与与复翼翼。
高下同所收，崇墉比如栉。山川閟千年，开垦始今日。
殷勤告后人，勿替引乃绩。

这首《劝垦辞》以通俗易懂的语言，向庐江当地的百姓说明了旱地的耕作价值，劝导他们要积极开垦被弃置的旱地。同时，陈知县还

---

① （清）陈庆门：《请垦旱地详文》，嘉庆《庐江县志》卷15《艺文·详檄》。

结合自己家乡的生产经验，具体介绍了旱地的耕作方式及其注意事项，其用心不可谓不细致。

除了民田以外，合肥地区还有不少的军屯田，它属于官田之一种。在清代前期，这一类型的田地也陆续得到垦复。据乾隆《庐州卫志》卷三《屯田》记载，庐州卫原额屯田为2089.17顷，内有原报无主荒地988.57顷，后于顺治十一年（1654）起，至康熙七年（1668）止，节次开垦出荒田711.07顷。康熙十一年（1672），又开垦荒田140.11顷；康熙十六年（1677），先后清出田地共77.74顷；康熙十九年（1680），开垦荒田1.40顷；康熙二十年（1681），开垦荒田0.79顷。雍（正）乾（隆）时期，庐州卫的荒田开垦还在进行，雍正十二年（1734），开垦荒田0.21顷；乾隆元年（1736），开垦荒田2.15顷；乾隆二年（1737），开垦荒田2.15顷。至乾隆十二年（1747）时，庐州卫有实在成熟田2089.38顷[①]。

在清代前期，为了调动广大民众的垦荒积极性，加快垦荒速度，清政府在财政上也会给予一定的支持，一般会通过发放垦荒银这一方式，为垦荒劳动者提供必要的生产资料和生活资料。如在合肥地区，"据安庐道佥事陈襄册开：六、合、舒、庐四州县，顺治十一年春夏，屯民赵士忠等领本银575.5两，垦过荒地32顷16亩零；许维知等自备工本垦过荒地710顷94亩零，共获过屯息籽粒银1759两零；秋冬，屯民李正芳等领本银780两，垦过荒地33顷34亩零。顺治十二年春夏，屯民周朝相等自备工本垦过荒地100顷。又十一年，赵士忠等旧垦地65顷50亩零，许维知等旧垦地710顷94亩零，并周朝相等新垦，共获过屯息籽粒银1986.54两，缴还屯本银518.75两"[②]。垦荒银的发放，在一定程度上可以缓解垦荒劳动者的经济压力，有利于合肥地区垦荒活动的顺利开展。

---

① 乾隆《庐州卫志》卷3《屯田》。
② 《户部抄档：地丁题本—安徽（四）》，转引自彭雨新编《清代土地开垦史资料汇编》，武汉大学出版社1992年版，第51页。

二、蠲免赋税,劝课农桑

为了尽快恢复民力,促进农业生产发展,清政府在取得政权之后,还实行了一系列蠲免赋税政策。虽然这一轻徭薄赋政策在具体实施过程中有其局限性,但是它在客观上为地方经济的复苏创造了有利条件,具有一定的积极意义。

清初,合肥地区经济疲困,民力艰薄,蠲免赋税也是常有之举。下面逐一对合肥、庐江、巢县等地的蠲免情况进行介绍。

首先看合肥一县的蠲免情况。嘉庆《合肥县志》卷七《田赋志下·蠲赈附》记载:

顺治二年,蠲免本年税粮十之七,兵饷十之四,其明末无艺之征,尽永除之。九年,旱。十年,蠲免钱粮并漕米、耗米,改折俱免。十二年,蠲免六、七两年地丁本折拖欠钱粮。十三年,蠲免八、九两年地丁本折拖欠钱粮。十五年,蠲免十、十一两年地丁本折拖欠钱粮。十六年,蠲免十五年以前地丁拖欠钱粮。

康熙三年,蠲免顺治十五年以前拖欠各样银米并一切杂项钱粮。四年,蠲免顺治十六、(十)七、(十)八年拖欠地丁钱粮。八年,蠲免元、二、三年拖欠正项钱粮。十年,旱、蝗,钱粮停征五分。十八年,旱、蝗,照被灾分数蠲银有差,漕粮改折并耗赠米俱蠲免。二十年,蠲免十三、(十)四、(十)五、(十)六、(十)七年拖欠地丁钱粮。二十八年,全免本年地丁钱粮并历年民欠地丁屯粮、杂税。三十一年,全免本年漕米。四十二年,全免本年地丁钱粮。四十五年,蠲免康熙四十三年以前未完地丁银米,其已完在官而现年钱粮未完者,亦准扣抵。五十年,灾,蠲免地丁银米有差,仍赈。五十二年,全免本年地丁钱粮并历年旧欠。五十三年,旱、蝗,赈。五十四年春,赈。五十五年,旱灾,蠲免地丁米麦有差。五十八年,灾,蠲免钱粮有差。五十九年,以上年被灾,蠲免银米有差。

雍正元年,蠲免被灾地丁银米有差,仍赈济。七年,灾,赈。八年,以上年被灾,蠲免银米有差。十三年,蠲免漕项钱粮并十二年以前拖欠本色、改折银米。

乾隆三年,旱,赈。十二年,全免本年钱粮并缓征耗羡。三十一年,全免本年漕米改折银两。三十三年,旱灾,赈。三十四年,圩田水灾,赈。三十五年,全免本年钱粮。三十九年,旱灾,赈。四十年,旱灾,赈。四十五年,全免本年钱粮。四十六年,全免本年漕米。五十年,旱灾,赈。五十一年秋,水灾,赈。五十五年,全免本年钱粮。六十年,全免本年漕米并因灾带征未完银谷。十二月,恩诏全免嘉庆元年钱粮。

关于庐江县的蠲免情况,嘉庆《庐江县志》卷七《田赋·蠲免附》有详细记载:

顺治四年,免二年、三年民欠钱粮。顺治七年,免四年民欠钱粮。顺治八年,免五年民欠钱粮,又免本年地丁钱粮四分之一。顺治九年,折征漕米十分之七分二厘。顺治十一年,免京边钱粮三分之一。

康熙二十八年,全免地丁钱粮,止征漕项。康熙二十九年,旱灾,免地丁钱粮十分之一二不等。康熙三十二年,免漕米三分之一。康熙三十五年,免漕米三分之二。康熙四十一年,全免本年地丁钱粮。康熙四十八年,全免本年地丁钱粮。康熙五十二年,全免本年地丁钱粮。康熙五十三年,旱灾,免粮分数不等。

雍正八年,免本年钱粮六千一百五十三两零。

乾隆十年,免丁地起存钱粮,仍征漕凤并丁地耗羡。乾隆三十一年,免漕粮正米,仍征赠月。乾隆三十五年,免丁地起存钱粮,仍征漕凤等款。乾隆四十三年,免丁地起存钱粮,仍征漕凤等款。乾隆五十年,免丁地起存钱粮,仍征漕凤等款。乾隆五十年,免漕粮,仍征赠月。乾隆五十八年,免丁地起存钱粮,仍征漕凤等款。乾隆六十年,免漕粮，仍征赠月。乾隆六十年，免乾隆五十八年以前民欠灾缓丁地钱粮、漕米。

再看巢县的赋税蠲免情况。据道光《巢县志》卷六《食货·蠲赈》记载：

顺治二年，蠲免本年粮税十分之七，兵饷十分之四，其明末无艺之征，尽永除之。

康熙四年，免顺治十八年以前钱粮。二十年，免十七年以前钱粮。二十四年，免所运漕粮三分之一。二十六年，免自十三年以后加增杂税银两。二十八年，免应征各项钱粮。三十四年，免三十年以前积欠及带征银米。三十八年，免三十六年以前地丁杂税。四十一年，地丁钱粮全行豁免。四十八年，地丁钱粮全行豁免。五十七年，灾，豁免。

雍正元年，灾，豁免。雍正二年，免康熙五十年以前地丁银米。七年，免八年地丁钱粮。

乾隆三年，免未完地粮、芦课。十二年，免本年地丁钱粮。十五年，免十三年以前耗羡十分之二。十六年，免十三年以前民欠地丁钱粮。二十年，巢邑秋禾水灾，免地丁并积银两。二十一年，免地丁银两。二十二年，免二十一年以前民欠地丁钱粮。二十五年，普免本年钱粮。二十九年，秋旱，缓征地丁银两。三十五年，免本年漕粮。四十年，秋旱，免地丁银六千五百八十两。四十三年，普免本年地丁钱粮。四十九年，普免本年漕粮。五十年，秋禾被旱成灾，蠲免丁地银一万二千五百二十七两。五十二年，缓征新旧钱粮。五十三年，秋禾被水，勘不成灾，缓征丁地银两。五十九年，普免民欠钱粮。六十年，免本年钱粮。

从这些记载中可以看出，清代前期，合肥、庐江、巢县等地均曾受到官府的多次蠲免。蠲免的类型有因兵蠲免、因灾蠲免、逋欠蠲免等不同形式。这些蠲免政策的实施，对于安抚民心，促进农业生产的恢复与发展具有一定的积极作用。

此外,劝课农桑也是清政府着力恢复与发展农业生产的一项重要内容。在合肥地区,许多官员在其履政期间,都将劝课农桑作为他们施政尽职的一项重要内容。如顺治年间,庐州知府王业兴"历任十有三载,劝课耕桑"①。乾隆十七年(1752)上任的巢县地方官员谭之纪,在其任期内,"教民种桑麻,并刊示蚕桑成法"②。顺治年间,庐江知县祁文友在上任之后,也开展了"清丈里,均里甲,平赋役,劝农桑"等一系列有利于促进农业生产恢复与发展的活动③。

三、兴修水利,治理灾荒

水利是维系农业生产发展的一个重要条件,水利设施的兴废关系着农业经济的兴衰。在清代前期,合肥地区是安徽省内一个重要的粮食主产区,其农业经济的发展,一方面是由于大规模的土地开垦活动,促使当地的耕地面积日渐扩大,另一方面也与当地水利设施的不断兴修有着重要关系,水利设施兴修是当地农业生产发展的一个重要保障。如康熙《巢县志》记载:"巢汇焦湖,环三百六十港汊,实为淮西巨泽,众流经络,有陂、塘、堰、港以蓄水,有圩、岸、闸、坝以止水,其为民利莫大焉。"④巢湖为我国五大淡水湖之一,支流众多,水源充足,周围农田广布,各类水利设施的兴修为该地农业生产的发展奠定了坚实的基础。在庐江,水利兴修对于农业生产的重要性也屡被提及,如康熙《庐江县志》记载:"庐江田土瓯窭,所恃者雨阳时若,则陂、塘、堰、坝之制,以备旱涝,斯为要矣。其及时而修,稻人之职哉!"⑤雍正《庐江县志》亦言:"庐江山泽半之,则通沟洫,浚陂塘,筑堤堰,是在

---

① 康熙《合肥县志》卷8《名宦》。
② 道光《巢县志》卷10《官爵·名宦传》。
③ 康熙《庐江县志》卷11《名宦》。
④ 康熙《巢县志》卷9《田赋志·水利》。
⑤ 康熙《庐江县志》卷5《水利》。

留心民事者因其利而利之已矣。"①以塘这种水利设施为例,在庐江县境内有座西官塘,可"溉田百余顷",该县另外的六十二处塘,也"俱为灌溉之利"②。

清代焦湖图,来源于康熙《巢县志》

由于水利建设对当地的农业生产有着重要影响,所以,清代前期,合肥地区的许多官员都很重视农业水利设施的兴修。如巢县,其农业生产环境是"田亩三圩七山,每忧旱涝"③,水利设施的修建就显得十分重要和迫切。乾隆十年(1745),狄宽出任该县知县,在其施政期间,"兴水利,亲历田亩,挑塘四千三百余处"④。在康熙年间,庐江县县南有二湖,"环湖皆圩田,惟缺口一河通江泄水,豪民每截河作坝,障上流以资灌溉,涝则以邻为壑;又编竹横于河,以收渔利,民病之"⑤。在这种情况下,当地的农业生产受到很大影响,"圩皆淹没"。为了消除隐患,庐江知县李衍芳"亲诣毁之。自后,水不为患"⑥。乾

---

① 雍正《庐江县志》卷2《疆土·水利》,清雍正十年刻本。
② 乾隆《江南通志》卷62《河渠志·水利》。
③ 道光《巢县志》卷10《官爵·名宦传》。
④ 光绪《巢湖志》卷1《史事》,抄本。
⑤ 嘉庆《庐州府志》卷25《名宦下》。
⑥ 嘉庆《庐江县志》卷5《名宦附》。

隆二十二年(1757)出任庐州知府的王㞸也十分重视水利建设,在任职期间,"建肥津𣸣,以溉民田"①。这些水利设施的兴修,对于减轻合肥地区的旱涝灾害发挥了积极作用,同时也有力地改善了当地的农业用水环境,促进了农业生产的良性发展。

合肥地区位于安徽省中部,境内河道纵横,水资源比较丰富,但是由于地区内部地形、地势等自然条件的差异,当地的水利环境又不完全相同,导致各地的水利设施建设各有侧重。对此,明人杨循吉曾经有过描述,他说:"合肥前奠平陆,凡百里,左湖右山,而后亦广野,故有塘、有圩……庐江有山,东滨湖而平,田居其七八,故有塘、有堰、有坝、有荡,湖山并资,以为灌溉,由是岁鲜不登……巢西滨湖,东通大江,多圩田,其南多山,则亦有堰、有坝,而塘之大小,杂然相望,然当陇阪之间,为塘以灌,皆民私力自润,仅仅取足,旱则耕农先忧之,大率其田视诸邑为瘠。"②杨氏的这番描述分别将合肥、庐江、巢县等地的水利特点做了一个归纳。由此可以看出,在合肥地区内部不同区域,水利环境不尽相同,合肥、庐江、巢县各有其自身的水利优势和劣势,水利设施建设也是依势而为,呈现出明显的多样性特点。

具体而论,清代前期,合肥地区的水利设施有圩、塘、陂、坝、荡、堰、沟、港等多种类型,具体示例见表6-1-3。该表显示,在康熙年间,合肥县兴建的水利设施主要有圩、塘、陂、坝等四种类型,其中,圩25个,塘39个,陂24个,坝3个;庐江县的水利设施也有很多种类型,它们分别是:圩92个,塘49个,堰21个,坝26个,陂17个,荡4个,泊4个;巢县的水利设施有陂塘24个,圩堰100个,湾坝20个,沟港34个。这些水利设施的兴修,为清代前期合肥地区农业生产的恢复与发展提供了有力保障,在本地区经济发展过程中发挥着十分重要的作用。

---

① 光绪《合肥县志·职官志·名宦》,抄本,不分卷,安徽省图书馆馆藏缩微胶卷。
② 光绪《续修庐州府志》卷13《水利志》。

表 6-1-3　清代前期合肥地区水利设施一览表

各县水利设施名称及数量
合肥县 　　圩 24：金斗、关城、马圩、张生、叁汊、东大圩二、姚埠、尖圩、牛角、马河、黄周、许家、西大、东湾、施家、西湾、新圩、黄家、姚家、官圩、黄城、斗门、后湾、沙荡。 　　塘 39：石牛、苏陂、龙谷、石记、稻陂、童安、黑龙、庐陂、黄龙、万胜、丁安、清明、圆培、万湖、永安、大丰、附陂、周家、大塘、三墩、大官、龙胜、小官、葛成、钱陂、枯草、白龙、金斗、大陂、赤山、再典、陷湖、龙塘、城山、金银、白水、东赤、独树、莲子。 　　陂 24：泼椒、兴材、斜蒿、炼山、仙稻、黄鳝、三冲、乌鸠、周稍、董大、鹅儿、上高、陆家、应山、鱼龙、柳河、罗汉、候鹰、竹塘、青阳、赤山、独龙、折鱼、拱陂。 　　坝 3：浅坝、堰城、黑池。
庐江县 　　圩 92：吴家圩、夏黎河圩、彭家圩、吉阁圩，俱北慕善乡一图；天井圩、下小圩、火烧圩、张家圩、梅山圩、官圩、官庄圩、刘家圩、青草圩、北小圩、养马圩、潘家圩、谭家圩、施家湾圩、鲍家圩、黄家圩、夏圩、姚家墩圩、章家圩、寺圩、古城圩、新沟圩、周伏圩、蔡家圩，俱南慕乡一图；竹肖东圩、沈仁二圩、刘家圩、沈家圩、竹肖西圩、邓家沟圩、张添二圩、孔家圩、红石嘴圩、梅家圩、张家圩、寺圩，俱南慕二图；养马圩、天井圩、火烧圩，俱庐江二图；张家圩，庐江四图；官召圩、上大圩、七陂圩、实征圩、赵家圩、阮蓝圩、官才州圩、丘家泊圩、小李家圩、东湖圩、西后圩、南毛家圩、小官圩、乾板圩、北毛家圩、大圩、南小家圩、上新圩、大李家圩、范家小圩、顾家滩圩、潘家圩、上北官圩、小姑圩、卢官圩、下北官圩、郑家圩、宋家圩、施家圩、南官圩、新圩、潘家圩、钱中圩、袁家圩、谈成圩、朱真圩、胡家圩，俱庐江五图；王家圩、漂沙圩、柴埠渡圩，俱新兴一图；刘家圩，新兴二图；莲河圩，三公乡一图；天井圩、新圩、荒圩、白汤圩，俱三公乡二图；南都圩、北都圩，安丰图。 　　塘 48：梁陂塘、牛陂塘，俱北慕一图；下冈陂塘、白陂塘、莲荷塘、小白水塘、铁脚塘、官陂塘，俱南慕；路陂塘、琼陂塘、六安塘、化陂塘、竹陂塘、黄泥塘、南冲塘、新塘，俱庐江一图；卢家塘、孤陂塘，俱庐江二图；寡妇墩塘，庐江三图；金牛塘、西官塘、施家塘、琼林塘，俱庐江四图；柳家大塘、琼陂塘、怀陂塘、大陂塘、六家塘、枫香桥塘、郭家塘、孙家塘、杨家大塘、枫香塘，俱安丰二图；蒋家大塘、官塘、大塘、白水塘，俱新兴三图；枣树塘、大白水塘、高湖塘、蒋家岭塘、虎冲塘、野鸭塘，俱三公乡一图；周官塘、大路东塘、六陂塘、周家冲塘、崔家塘，俱三公乡二图。 　　堰 21：十里堰、枫香桥堰、陶家堰、张家堰、武家堰，俱庐江乡一图；班家堰、梅家湾堰、新堰、梁家堰、沈家港堰、相公堰，俱庐江乡二图；大成堰、古埂堰、汤婆堰、石堰，俱庐江乡四图；余家堰、许家堰、宋家堰、苏家堰、汪家堰，俱新兴乡一图；沙溪堰。 　　坝 26：谷胜河坝、小洋河坝，俱北慕善乡一图；后家河坝、东河坝、鸡鸣河坝、棠棣河坝、大城坝，俱南慕一图；李家坝、黄泥坝、桃家坝、苏成河坝，俱南慕二图；郭思河坝，庐江一图；界河坝，庐江三图；湛家坝、金牛河坝，俱庐江四图；东河坝，庐江五图；刘家坝、鹭鸶中坝、鹭鸶上坝、管家坝、关河坝，安丰二图；邓家革坝、胡家坝、鲁家坝，新丰三图；朱安和坝、堰寨坝，俱三公乡一图。 　　陂 17：青皮陂、上马陂、关草陂、黄鳝陂，北慕善乡一图；下流陂，庐江乡一图；顺冈陂、鲁二陂、金竹陂，俱庐江乡二图；官陂、白马陂、东湖陂，俱庐江乡三图；顺冈陂、红鹤陂，俱庐江乡四图；盘蛇冈陂、张慈陂、上流陂，俱安丰乡三图；竹滩陂，三公乡一图。 　　荡 4：斗皮荡、陈家荡、樊家荡、火烧荡，俱庐江乡五图。 　　泊 4：五神泊、梅家泊、狗儿泊、柳尖泊，俱三公乡一图。

（续表）

各县水利设施名称及数量
巢县 　　陂塘 24：三乡陂、上金陂、下金陂、黄篆陂、土陂塘、石陂塘、陈陂塘、高林塘、石次塘、小陂塘、柘陂塘、康陂塘、新陂塘、鲍塘、宿陂塘、秦陂塘、黄泥塘、谢陂塘、吴家塘、东西石次塘、严家塘、桐陂塘、泉塘、土门塘。 　　圩堰 100：朴树圩、鸡鱼河圩、芦溪圩、沙圩、鸭池圩、墨城圩、墨家圩、草青瞒塘圩、施家圩、董家圩、义城圩，以上俱上乡三图；鸭舌圩、石家小圩、十步圩、解家圩、蒋家圩、厚家圩、钱家圩、城子圩、周家圩、金家圩、李家圩、上金塘、马蹄圩、陶塘坝圩，以上俱上乡四图；荒圩、许家圩、孙家圩、万岁圩、曹家圩、郭家圩、李家圩、柳庄圩、杨家圩、曹破圩、宁家圩、帅家圩、百胜圩、沈家圩、朱家圩、姜家圩，以上俱下乡一图；三乡圩、吴家小圩、武城圩、都城圩、塔儿圩、黄兰陂圩、庙城圩、竺家圩、朱家圩，以上俱下乡二图；周端圩、河塘圩、金塘圩、天井圩、河西圩，以上俱下乡三图；官庄圩、王家圩、武家圩、贾塘圩（亦名李公圩）、曹城圩、三家圩、瓦子圩、高家小荒圩、小官圩，以上俱新安乡一图；虎口圩、义城圩、亚父圩、刘小圩、山口前圩、山口后圩、郭家圩、蔡家圩、沈家圩、落城圩、沙滩圩、策城圩、吴城圩，以上俱新安乡二图；三胜圩、官圩、吴城圩、郭家圩、张小圩、高小圩、魏家圩、黄洲圩、土桥圩、南州圩、朱家圩、鲍小圩、尹城圩，以上俱新安乡三图；东塘圩、安城圩、刘家圩、周小圩，以上俱新安乡四图；新筑圩，系添保乡二图。野堰、鲁家堰、西野堰、武家堰、周家堰。 　　湾坝 20：散兵湾、黑象湾、高林湾、牛车湾（柘皋西）、翟家湾、马尾河坝、高林坝、檀山坝、李家坝、高林下坝、众家坝、石次河坝、黑象坝、三家坝、严家坝、吴家坝、魏家坝、周家大坝、王车坝、东黄山一带官坝八段。 　　沟港 34：仙女沟、安成沟、禁子沟、花塘沟、芦溪沟、中沟、溪浓沟、张家沟、潘家沟、中心沟、都城沟、新沟、主段沟、蔡家沟、王家沟、刘家沟、花水沟、听书港、金狮港、莲子港、汤河港、麻子港、瓦子港、邓富港、蒋家港、鲜鱼港、王家港、董家港、猫儿港、禁子港、和尚港、清港、温家港、马家港。

资料来源：康熙《合肥县志》卷 4《水利》；康熙《庐江县志》卷 5《水利》；康熙《巢县志》卷 9《田赋志·水利》。

　　除了与农业生产有着密切关系外，水利也是影响合肥地区城镇经济发展的一个重要因素。以合肥县为例，该县境内原先有条金斗河，为淝水一支，宋代时，因为扩建城池，"河遂穿城而流，而别开一枝，以绕城为濠"。这条河流为合肥县城的经济发展带来了良好机遇，从此，城内商业日渐兴盛，"谷米之出入，竹木之栖泊，舟船径抵县桥，或至郡邑署后，百货骈集，千樯鳞次，两岸悉列货肆，商贾喧阗"。后来，到了明朝正德年间，由于当地发生流寇之乱，太守徐钰出于防守的需要，"遂障水城外以自固，由是而金斗河淤塞，舟楫不复入城，百货壅滞"。金斗河的淤塞不仅严重妨碍了合肥县城商业的发展，而且由于"城势西北高耸,东南低洼,下河废则闸废,启闭无权,蓄泄罔措。每春夏之交,蛟水暴发,淋潦不时,土墙茅舍,漂塞街衢,呼号之惨,闻于中夜,每岁而一见,烦贤守令之鸠集而哺恤者多也"。为了消除水患,存利祛害,雍正十年(1732),"郡守徐公牒请抚宪,重浚斯河",但是由于"督催之员某某者,利速就而论功,宜宽,窄浚之,宜深,浅浚之,河稍通如渠,遽报成功,未几,复塞如故"①,这条河道的修复最终以失败告终。在巢县,城市的发展也同样面临着如何祛水之害、兴水之利的问题。在该县治所前,有一条天河,"源出焦湖,由东口曲折出裕溪口,入大江"。在当时,这条河流是巢县境内一条非常重要的航道,商贾舟楫往来均取道于此,但是由于"太逼城脚,当水盛之年,城仅不浸者三版",不仅城池难守,而且城墙易坏,"每年崩圮,大费修筑"②。每当有战事发生,巢县城池便有难守之虞,因守城失利而丢官获罪的官员不在少数。如顺治十六年(1659)七月,郑成功部自海上攻至巢县,由于正值水涨,"舟尾高城堞丈余",城中情形尽收眼底,巢城旋被攻破。守城知县赵燨因为丢失城池而伏法③,典史李味馨也因此事获罪,谪戍广东④。鉴于此,该县人士沈翼燕、杨于芳等人均有改河之议。如杨于芳在《改河议上》一文中就详细阐释了改河的理由,他说:

> 新河之开,就五利焉,去五害焉。……何为五害?形家之言,河流逼城反去,民生不阜,人才不兴,害一。城临巨浸,辄易崩颓,屡筑屡圮,劳费无已,害二。又当大水浸没,颓时不便修筑,盗贼乘隙,防守维艰,害三。又浮梁渡河,直抵南门,兵马往来,必经城市,扰害民居,害四。往者海寇窃发,大舟浮河,船尾高城堞丈余,下瞯城中,无计可守,县令赵公遂膺显祸,害五。所谓五利者,反是。水不冲城脚,

---

① 光绪《续修庐州府志》卷7《山川志下》。
② 康熙《巢县志》卷6《山川》。
③ 康熙《巢县志》卷4《祥异志》。
④ 康熙《巢县志》卷10《职官志》。

无反去之弊,有朝顾之情,民生必阜,多士必兴,利一。前此城外不敢填土,惧河身迫狭,难以行水,若徙河别流,则城外可开展数丈,使河水远城,城不倾颓,毋烦屡筑,利二。或间有圮敝,旋圮旋修,盗贼无虑,官民永莫,利三。河既远徙,浮梁必改,设有兵马由堤而达于新河,兵不入城,民居无扰,利四。纵有贼寇大舟,城外有岸,相隔不得近城,城设铳炮,易为守御,利五①。

杨氏从利与害两个角度,分别就人才兴衰、城墙修治、城池防守、居民生活等几个方面,具体分析了改河的理由。由此可见,水利建设对于清代前期合肥地区城镇经济的发展,也有着十分重要的影响。

在兴修水利的同时,治理灾荒、救济灾民也是当时地方官府所面临的一项重要任务。清代前期,合肥地区的自然灾害发生比较频繁。从自然灾害的类型上看,主要有水灾、旱灾、蝗灾、地震、大风、疫灾,等等。其中,对当地农业生产影响最大、最为常见的两种自然灾害主要是旱灾和水灾,正如乾隆《江南通志》所言,庐州府"南阻大江,北带淮肥,内拥巢湖,夏秋暴涨,动成泽国,而平原旷野,又以旱干为病"②。另外,从水、旱灾害的发生次数上,也能看出这两类灾害对合肥地区的影响程度。表6-1-4是对顺治朝至乾隆朝(1644—1795)合肥地区所属各县主要灾害发生次数所做的一个统计,表中数据显示,在这几种主要灾害类型当中,以水、旱两类自然灾害的发生最为频繁,其次是地震与蝗灾,其他如大风、疾疫、冰雹等灾害也偶有发生。

表6-1-4　清顺治至乾隆时期合肥地区主要灾害发生次数统计表

县　份	主要灾害类型						
	水	旱	蝗	震	风	疫	雹
合肥县	6	9	5	4	2	2	1
庐江县	9	15	2	4		2	

---

① (清)杨于芳:《改河议上》,康熙《巢县志》卷18《艺文志中》。
② 乾隆《江南通志》卷2《舆地志·图说》。

（续表）

县　份	主要灾害类型						
	水	旱	蝗	震	风	疫	雹
巢县	13	7	4	8	2	1	2

资料来源：嘉庆《合肥县志》卷13《祥异志》；嘉庆《庐江县志》卷2《疆域·祥异附》；道光《巢县志》卷17《杂志一·祥异》。

合肥地区地处丘陵台地区，境内除了有一小部分地区地势低洼外，其余很多地方都是地势较高，灌溉不便，比较容易发生干旱，这是造成当地旱灾频发的自然原因。以合肥县为例，据康熙《合肥县志》记载："合肥前奠平陆，凡百里，左湖右山，而后亦广野。圩少岗多，虽塘陂大小杂然相望，稍旱即不足灌溉，大率其田视诸邑较瘠云。"[①]这说明，在当时，合肥县是一个容易发生旱灾的地区，由于该县地势较高，农田多为岗田，其农业生产所面临的一个主要问题就是灌溉比较困难。有关清代前期合肥地区的旱灾，也史不绝书。如顺治九年（1652），合肥地区普遍遭遇大旱，而且灾情严重。在巢县，"河流涸，圩田坼深数尺，禾苗尽稿［槁］"[②]。庐江县也因"百日不雨，禾苗尽稿"[③]。顺治十年（1653），合肥地区又发生大旱，由于受到旱灾影响，合肥县"大饥"[④]。同年正月，庐江县"地震有声，赤旱"[⑤]。连年的旱灾给当地百姓的生产和生活带来了很大影响，这引起了刑部侍郎龚鼎孳的密切关注，他在得知家乡灾情之后，心急如焚，随即上书，希望朝廷能尽快给予赈济，以便安抚。他在奏折中提到："以臣郡庐州论，连岁旱魃为虐，赤地千里，飞蝗蔽于中野，湖泽涸而生尘。自去年二月至今年六月，雨雪全无，禾苗尽稿［槁］，牛乏可饮之水，贱鬻以供庖厨，人当垂绝之时，吞声而啖糠秕，甚至贷呼无路，阖户自经，创见骇

---

① 康熙《合肥县志》卷4《水利》。
② 康熙《巢县志》卷4《祥异志》。
③ 康熙《庐江县志》卷2《祥异》。
④ 光绪《续修庐州府志》卷93《祥异志》。
⑤ 康熙《庐江县志》卷2《祥异》。

闻，伤心惨目。……臣不揣愚昧，叩恳圣慈敕下，该部从长商酌，仿九年改折漕粮之法，特布旷恩，将庐、凤、淮、扬、江、安等处被灾地方本年起运钱粮及应征漕米，颁定蠲免分数，析为三等，灾荒最重者，或准全蠲，或蠲几分，稍次者，准蠲几分，再次者，准蠲几分，立行江南督抚，就近察实分派，一面晓示州县，一面造册报闻，其无灾地方，不得借端混冒。如本年分钱粮，小民已畏比全完，即于十一年应征起运正项及漕米内扣除抵算，务令人沾实惠，事杜稽延，官胥毋许侵渔，里排毋许干没。"①龚鼎孳是合肥县人氏，他虽然长年在外为官，但是"于桑梓疾苦尤为留意，请蠲请赈，前后奏牍甚多"②。从他的这份奏折中，一方面可以感受到其浓浓的桑梓之情，另一方面，也可以想象出当时合肥地区旱灾的严重程度。像这种大面积的旱灾，在清代前期的合肥地区，其实并不少见，如乾隆五十年（1785），庐州"郡属俱大旱，道殣相望"③，显然，这又是一次比较严重的旱灾。

除了旱灾以外，水灾也是严重影响合肥地区农业生产发展的一种灾害类型。从气候上来讲，由于这一地区处在江淮丘陵地带，气候类型上属于亚热带湿润季风气候区，冷暖气流经常在此交汇，极易产生强降水。同时，由于当地土质黏性较强，降水多停留于地表，不易下渗，所以每当遇到持续的强降雨天气，就极易发生洪涝灾害。清代前期，这类自然灾害在合肥地区也是频繁发生。如顺治六年（1649）六月十六日，淮扬巡按张濩在描写所见江淮各地水灾情形时写道，庐州自五月十五日开始，"淫雨连绵，昼夜不止，至六月初一日方晴"，"道路之水，有深二三尺者、三四尺者。大路之上，水且如此，田野之间，遥望益甚。幸而庐属地势高下不等，田畴不无淹没，庐舍未尽倾颓"④。再如康熙四十一年（1702）五月，"合肥县大水，圩田尽淹"⑤。

---

① （清）龚鼎孳：《请行蠲恤以拯残黎疏》，康熙《合肥县志》卷17《艺文》。
② 康熙《合肥县志》卷8《名宦》。
③ 光绪《续修庐州府志》卷93《祥异志》。
④ 《顺治六年六月十六日淮扬巡按张濩为上陆目击水患情形事题本》，《历史档案》1988年第4期。
⑤ 嘉庆《合肥县志》卷13《祥异志》。

时隔不久,康熙四十三年(1704),合肥县再次发生大水,"平地水深三尺,圩田尽淹"①。康熙五十八年(1719)五月,"合肥洪水入城,一日夜始退,倾颓民房无数。无为州大水发蛟,圩田多没。庐江大水,坏民居,舟行城市。"②雍正五年(1727),"庐江、舒城水,无为大雨,圩田尽破,饥民食草根、树皮殆尽。巢县水,湖多产菱,民采以为食"③。

蝗灾是江淮地区比较常见的一种虫类灾害。清代前期,合肥地区的蝗灾也是此起彼伏,成为影响当地农业生产的一个不利因素。如康熙六年(1667),"合肥、无为、巢县蝗"④。在巢县,"山圩田中,稻食几尽。自七月至九月,从北向东南而去,连续不绝"⑤。这次蝗灾的泛滥和肆虐也使得合肥县"禾麦尽空"⑥。在合肥地区,蝗灾与旱灾并发的现象也比较常见。如康熙十年(1671),巢县"旱,蝗,至生子遍地。岁大饥"⑦。同年夏天,在庐江县境内,旱灾与蝗灾也是一并发生⑧。再如康熙五十年(1711),庐州"郡属旱,蝗"。雍正元年(1723),"无为、巢县大旱,蝗"⑨。类似的记载还有很多,这两类灾害的并发大大加重了当地民众的受灾程度。

此外,在合肥地区,地震、冰雹等其他自然灾害也时有发生。如顺治十一年(1654)正月初一日,庐江县发生地震,"初五日,复震"⑩。康熙七年(1668)六月十七日戌时,巢县境内发生地震,这次地震给当地造成了很大破坏,"城墙崩倾者百余丈,民居墙屋倾覆者甚多,河南岸下水倒倾而上,入人家"⑪。在清代前期,合肥地区还有一些冰雹灾

---

① 嘉庆《合肥县志》卷13《祥异志》。
② 光绪《续修庐州府志》卷93《祥异志》。
③ 光绪《续修庐州府志》卷93《祥异志》。
④ 光绪《续修庐州府志》卷93《祥异志》。
⑤ 康熙《巢县志》卷4《祥异志》。
⑥ 嘉庆《合肥县志》卷13《祥异志》。
⑦ 康熙《巢县志》卷4《祥异志》。
⑧ 嘉庆《庐江县志》卷2《疆域·祥异附》。
⑨ 光绪《续修庐州府志》卷93《祥异志》。
⑩ 康熙《庐江县志》卷2《星野·祥异附》。
⑪ 康熙《巢县志》卷4《祥异志》。

害,如康熙十六年(1677),"巢县雨雹"①。康熙二十六年(1687)四月二十日,巢县再次发生雨雹②。

以上这些自然灾害的发生,给当地人民的生产和生活带来了不利影响。为了降低灾害破坏程度,尽力安抚灾民,官府通常会组织力量,进行赈灾。如在康熙九年(1670)、十年(1671)两年,巢县境内相继发生了蝗灾和旱灾,为了救济灾民,地方官府"自二十日起,设处捐赈,至四月终止"。在此期间,该县知县于觉世也主动"捐俸买米",在捐赈过五百余石米粮之后,"仍劝属员绅衿,量力捐助,赈活饥民男妇五千八百余名口"③。和于知县一样,亲力亲为、参与赈灾的地方官员还有吴允升,在其担任庐州知府期间,当地遭遇连岁大旱,他"设法赈贷,全活甚众"④。

作为官府经常实施的一种救灾手段,在灾荒发生时,蠲赈也是常有之事。如康熙二十九年(1690),"无为、舒城、巢县大旱,冬奇寒,河冰数尺,竹木冻死;庐江大旱,蠲赈"⑤。康熙五十年(1711),"以六安、合肥、舒城、霍山、寿州、霍邱六州县,并庐州、凤阳右二卫秋灾,蠲免地丁银二万八千五百四十三两有奇,米麦九十二石有奇",并赈济饥民⑥。康熙五十三年(1714),庐江县"大旱,蠲赈"⑦。雍正元年(1723)四月,蠲免合肥、舒城等十八州县卫被灾地丁银四万八千四百六十余两,米麦豆四千三百余石。同时,还动用积谷赈济灾民⑧。乾隆四年(1739),无为、合肥等四州县"秋被旱灾",朝廷下令将这些地区"所有地亩并屯折、学田等项应征银、米麦,一例蠲免"⑨。这样的事例还有

---

① 道光《巢县志》卷17《杂志·祥异》。
② 道光《巢县志》卷17《杂志·祥异》。
③ 康熙《巢县志》卷10《职官志》。
④ 康熙《合肥县志》卷8《名宦》。
⑤ 光绪《续修庐州府志》卷93《祥异志》。
⑥ 光绪《续修庐州府志》卷15《恤政志》。
⑦ 光绪《庐江县志》卷16《杂类·祥异》。
⑧ 光绪《续修庐州府志》卷15《恤政志》。
⑨ 光绪《续修庐州府志》卷15《恤政志》。

很多,这说明,在清代前期的合肥地区,官府因灾蠲赈已经是一种比较普遍的现象。

在灾荒发生之后,为了保障蠲赈政策能够得到有效施行,报勘是一个必不可少的环节。对于报勘制度,康熙《庐江县志》有过记述,里面写道:"凡夏秋有水旱灾伤,县即白于府,委官踏勘后,白于巡抚,委官复勘,分计各乡灾伤之数,合计一县分数,具疏驰奏,下之户部,八分以下者,斟酌减免,以上者全免。"①也就是说,在朝廷下令蠲赈之前,一般先要委派官员,对受灾地区的灾情进行仔细核实,以确定其受灾程度,将受灾民户按极贫、次贫等不同等级进行划定,然后再分别进行蠲免和赈济。例如,乾隆三十四年(1769),合肥地区发生灾荒,官府在赈灾时,就依据当地的受灾程度,分别制定了不同的赈济标准,"将合肥等十州县,被灾十分之极次贫、九分之极贫,各加赈两月;其被灾九分之次贫、八分之极贫,各加赈一月。庐州等五卫,并照屯坐州县,一体查办"②。如果发现地方所报灾情不实,或者灾情描述比较模糊,朝廷也会责令地方官员重新报勘。如"谕军机大臣等:据纳敏奏称,安徽省合肥等二十二州县,俱报被水等语。摺内并未将如何被水、现在田禾有无淹浸、人民有无伤损、于收成大局有无妨碍之处,详悉具奏,甚属糊涂。著将原摺抄发卫哲治,令其逐一查明。如有实被水灾处所贫民,应行抚恤者,一面遴委干员妥协速办,一面具摺奏闻"③。这种报勘制度的实施,能在一定程度上防止冒赈情况的发生。

另外,钱粮缓期带征也是一种比较常见的救荒措施。一般来说,在灾荒发生之后,朝廷会派出官员进行实地勘察,以确认是否成灾。经过报勘,如不成灾,朝廷通常会根据实际情况,多以缓期带征的方式进行救济,而不会对应征钱粮予以蠲免。如乾隆五十三年(1788),

---

① 康熙《庐江县志》卷5《蠲赈》。
② 光绪《续修庐州府志》卷15《恤政志》。
③ 《清高宗实录》卷344 乾隆十四年七月己酉。

巢县"秋禾被水",后"勘不成灾,缓征丁地银两"①。乾隆五十四年(1789),清廷下令,"所有本年秋收成熟之怀宁、无为、庐江、巢县、定远、寿州、凤台七州县,积欠地丁、随漕及借给籽种、口粮等项应征银米,著加恩,自五十四年起,分限四年带征"②。康熙十年(1671),凤阳、庐州两府发生严重旱荒,朝廷曾以正赋银四万两分拨赈济。至康熙十一年(1672),这两府仍处于"极灾极困"的境地,由于担心难以完成当年额征赋税,贻误国课,同时考虑到灾民元气未复,生活艰难,于是,安徽巡抚靳辅奏请朝廷,希望能将"二属上年被灾各州县卫所内,除稍堪输纳之州县……其余如……庐属六、合、舒、庐四州县,并凤阳府左、右、中、前、后、怀、长、寿、泗、洪、庐、六十三卫所,本年赋税,今岁酌征五分,仅其支给本地兵饷以及河漕、驿站等项,傥支解不敷,仍于别府州属,拨足补苴。其余五分,酌于康熙十二、十三两年带征"③。在灾荒之年,实行钱粮缓期带征,对于减轻受灾百姓疾苦,尽快恢复民力,也具有一定的积极作用。

需要指出的是,在灾荒年份,除了依靠官方力量进行救济外,还有一些以士绅为主体的民间力量,他们也是参与赈灾救荒的一个重要群体。在合肥地区,就不乏这样乐于捐资助赈的好义之士,每当遇有灾荒发生,他们通常会出钱出力,积极参与救灾。如康熙四十九年(1710),庐江县发生饥荒,贡生金之兰赈谷五百石;康熙五十三年(1714)春,金之兰又赈谷五百石,"乡人义之"④。乾隆五十年(1785),庐江县发生大旱,饥荒严重,出现了"人相食"的悲惨场景。为了救济灾民,庐江县士绅纷纷捐资助赈,如贡生项仕才"捐银一百两,在城给散,钱二百七十千,分惠乡邻"。贡生程朝瑗亦"捐银助赈"。州同江国祥"捐银一百六十两,其子贡生鹏,复出私囊购米一百石,散给"。布政司理问丁茂纯"同兄茂织慨捐赈银四百两,散给饥民"。太学生

---

① 道光《巢县志》卷6《食货·蠲赈》。
② 光绪《续修庐州府志》卷15《恤政志》。
③ 光绪《续修庐州府志》卷15《恤政志》。
④ 光绪《庐江县志》卷8《人物·义行》。

许麟"捐谷助赈"。太学生凌厚积亦赈济邻里,"按口日给米三石,合家廪匮,又称贷益之,历半载,至麦熟止"。有此义举的士绅还有很多。最终,在此次赈灾活动中,庐江"城乡绅士倡捐银钱米谷,共折银三万一千三百余两,在城给散,其四乡之随地募赈者,不与焉"①。合肥县的士绅也多有好义之举,如康熙年间,合肥县发生旱灾,庠生傅国佐"出谷数百石助赈"②。乾隆年间,合肥县"岁歉",贡生赵炯"捐米数百石助赈"③。巢县亦有这样的乐善之士,如沈汝兰,"辛卯贡",曾任泰州训导,后"休致归里,值岁荒,恤邻赈米,为邑首倡"④。在合肥地区,参与捐灾、赈灾的好义之民还有很多,具体见表6-1-5所示。该表列举了清代前期合肥、庐江、巢县等地士绅参与助赈救灾的一些事例,它们也反映了合肥地区士绅乐善好义的品质特点。

值得一提的是,在清代前期,合肥地区还不乏一些因捐资助赈而致家庭中落的好义之士。如在乾隆五十年(1785)合肥地区的旱灾救济中,合肥人吴世发"倾资赈抚,里人多赖全活。有鬻妻者,与之金,令完聚。先是家计颇丰,因此致中落,不悔也。里人称为孝义之门"⑤。同样参与此次赈灾活动的,还有该县另一位士绅王邦珍,他也是极尽一己之力,全力助赈,先是"捐麦八百石,银二百两,按户口分给。来春,复供籽粮百石。家由此落,终无怨言"⑥。为了救济灾民,庐江人姚业发亦"出重赀,助官赈,复私贷数千金,赈济流亡,全活甚夥,因是家渐落,乡人义之"⑦。

由此可以看出,清代前期,捐资助赈,救济灾民是合肥地区很多士绅的一个普遍行为,他们的善举一方面有助于安抚灾民,维护社会秩序稳定,另一方面也体现了儒家文化敦仁崇义的价值理念。

---

① 嘉庆《庐江县志》卷7《田赋·蠲免附》。
② 光绪《合肥县志·人物志·义行》。
③ 光绪《合肥县志·人物志·义行》。
④ 康熙《巢县志》卷15《人物志·宦业》。
⑤ 嘉庆《合肥县志》卷24《人物传第四》。
⑥ 光绪《合肥县志·人物志·义行》。
⑦ 光绪《庐江县志》卷8《人物·义行》。

表 6-1-5　清代前期合肥地区士绅捐灾及赈灾情况一览表

地区	捐赈者	身份	捐赈情况	资料来源
合肥县	魏振趾	廪生	顺治九年,岁大饥,捐赀赈济,全活甚众	康熙《合肥县志》卷11《孝义》
	李珙	武举	康熙十四年,旱蝗,富人出谷,市利十倍,李独不取偿,有司榜其名,为众劝	光绪《续修庐州府志》卷53《义行传》
	赵观乙		岁饥,鬻田得米二百石助赈。阖邑疫,施药济之,多所全活	雍正《合肥县志》卷16《孝义》
	杨公进		乾隆戊午,岁大饥。公进计里中贫乏者,捐谷赈济,无失所者。知府高闻其事,亲诣其家,赠额曰:"保介堪资"	嘉庆《合肥县志》卷24《人物传第四》
	魏国标	贡生	乾隆十三年,岁旱,出粟四百石,助赈安抚,卫给额曰:"任恤可风"	
	蔡天泰		(乾隆)戊子,岁旱,赈饥撮城镇,人日给米半升。有田邻数十家,忍饥待毙,天泰量其家口,各给钱三五千,邻无饥死者	光绪《续修庐州府志》卷53《义行传》
	刘启富	国子生	乾隆乙未,岁饥,慨以家资之半赈贫者,亲族邻里赖以不饥。家有积券,悉焚焉	
	王履纬	县学生	康熙四十九、康熙五十三两年,大水、旱,出米赈其乡,全活甚众。雍正五年,水,复赈如前	
	王邦珍	国子生	乾隆乙巳、丙午,大荒,疫,珍亦卧病。族戚无告者,号泣盈门。邦珍扶病至三河,尽以己产典谷麦、银两分给之。又为谋子种百石,分令播种,一方赖不失所	嘉庆《合肥县志》卷24《人物传第四》
	李耿忠	城工	乾隆五十年,大旱,出谷千斛,赈乡里	
	李鼎	国子生	乾隆乙巳、丙午,大荒,疫。鼎捐谷赈饥,瘗埋积骸,亲董其役。亲族就食者数十人。乡里逋欠,悉焚其券	
	沙峻	贡生	(乾隆)五十年大饥,各出白金千两	
	白廷俊	贡生	(乾隆)乙巳、丙午,大饥,道殣相望,赈银二千两,全活甚众	
	汪韬	国子生	(乾隆)丙午,岁侵,命子海尽鬻产以赈	
	方大山	贡生	乾隆乙巳,岁旱,人以麦花树皮为食,昆季伤之,倾仓谷以赈,自十一月起至次年正月方止,全活者千余人,更假麦数百石以济春荒	光绪《续修庐州府志》卷53《义行传》

(续表)

地区	捐赈者	身份	捐赈情况	资料来源
庐江县	宋儒醇	廪生	顺治壬辰,岁祲,赈谷千余石	嘉庆《庐江县志》卷10上《人物志·笃行》
	方君佑	乡民	康熙己未,春,大饥,捐稻六百石以赈,抚军某褒之	
	高克谨	国学生	值岁旱,谨鬻产籴谷,赈恤穷乏,量食,一方赖以举火者百余家	
	李之干	州同	康熙甲戌,春荒,捐谷千六百斛,为邑人倡,饥民赖以不困	
	许祝年	廪贡生	邑遭水旱,首捐谷数百石,倡赈济	
	卢云英	太学生	癸酉、甲午,连岁祲,捐谷助赈,人德其惠焉	
	金之兰	贡生	康熙庚寅,岁饥,赈谷五百石;甲午春,又赈谷五百石,乡人义之	
	黄文焕	郡庠生	乾隆二十一年,春荒,捐谷倡赈,活邻里;复捐谷,普给族中贫乏。举家食麦,而以米赈人,闻者咸感喟	
	朱光照	太学生	乾隆二十一年,邑大饥,捐制钱二百余千给散乡里,邑令李公、郡守赵公咸扁表其门	
	项仕金	州同	乾隆戊戌,旱,尽捐佃人租,不足者,仍周给之	
	项仕才	贡生	乾隆戊戌,旱,荒,捐钱百五十余千,为里人倡。乙巳,大饥,复捐银一百两,在城给散,钱二百七十千,分惠乡邻。次年春,米价腾跃,以五百余金市米柴卖,收其半值,复罄其入,以赈贫民	
	江国祥	候选州同	乾隆戊戌年,荒,赈米八十石;乙巳年,大旱,又捐银一百六十两。子贡生鹏,复出私囊,购米一百石,散给	
	程朝瑗	贡生	乾隆乙巳,奇旱,捐银助赈	
	许麟	太学生	乾隆乙巳,旱,饥,捐谷助赈	光绪《庐江县志》卷8《人物·义行》
	高龙占	业农	次年(乾隆五十年),大旱,蝗食苗殆尽,龙占田独无恙,遂将所收谷分给邻里,以作谷种,人咸义之	

（续表）

地区	捐赈者	身份	捐赈情况	资料来源
巢县	刘征	国学生	（顺治）甲午,岁饥,输粟赈赡,多所全活	道光《巢县志》卷13《人物·笃行》
	刘昌远		康熙十八年,大旱,捐粟助赈,安抚上于朝,给额曰:"乐善好施"	
	唐廷禅		雍正己酉,岁大饥,取积谷数百石尽散之	
	刘永福		乾隆五十年,大饥,明年大疫,福施谷掩暴露,邑人颂之	
	李勋扬		乾隆丙午,岁饥,家无余赀,贷邻家谷三百斛,散贫乏,明年自偿之	

四、整顿赋役制度，清除里役积弊

自明代后期开始，由于法令废弛，吏治不严，地方行政积弊丛生。官府与衿蠹相互勾结，巧立名目，苛剥百姓，因无力承应各类徭役而破产、逃亡的人户日渐增多。进入清初，由于承袭明制，这些制度积弊依然残存，并成为影响当时社会经济恢复与发展的一个巨大障碍因素。为了稳定新政权，尽快实现社会安定，清政府开始对一些明朝遗留的制度积弊着手进行清理和整顿。

就合肥地区而言，对当地百姓的生产和生活影响最大的，莫过于赋役制度中的里役积弊。所谓里役，又称里甲役，属于明朝正役中的一种，它是以里甲为单位而承担的徭役。具体来说，是以110户为一里，在一里之中，推丁粮多者10人为里长，将其他100户分为10甲，每甲10人，有甲首1人。每年官府进行里役征派时，由一位里长带领一甲十户去应役，每年轮流由一位里长负责，按照排定次序，从第一甲到第十甲轮流应役一年。明朝的里甲正役，其应役内容比较庞杂，"包括了基层行政管理、执役听差、催办钱粮以及交纳支应岁贡等实物税或货币税诸项内容"①。万历年间,明政府为了应对日益严重的财政危机,进行了赋役制度方面的改革,在全国范围内推行一条鞭法,对积弊至深的杂泛差徭进行了清理。但是,里甲正役仍然是当时的主要差役,并没有被革除,里役方面的弊病仍然没有得到解决。

在清朝建立之初,由于基本承袭了明朝末年的赋役制度,所以这种制度积弊给社会带来的"阵痛"依然存在,其中里役之害就是一个重要表现。如在庐江县,"一切公费,官府不为会计,士民无从稽查,惟听里长向甲户索取,有粮一石,帮费至三十余两者。若殷实乡愚,甚至帮贴两次,异乡寄籍,且有费百金者,计一甲岁费不下千金,二十甲即岁费二万金矣。贫者逃,而富者贫,无怪田地日荒,正赋拖欠也"②。可见,在庐江县,一些奸猾里长借着催办钱粮之名,肆意向甲户摊征浮收,结果造成当地百姓负担过重,"贫者逃,富者贫",生产荒废,严重影响到了国课收入。

另一方面,由于清初赋役制度比较混乱,里役佥报也比较随意,因无力承役而破产、逃亡的民户有很多。如在庐江县,里役积弊十分严重,佥派里长大差成了压在百姓身上的一个沉重负担。对此,该县人士王凤鼎曾经有过激烈地痛诉,他在上庐州兵备道的呈文中写道:

庐江斗大山城,民贫地瘠,塞值明季流贼盘踞二载,城乡焚杀一空,丁户烟消,田庐抛弃。数年以来,开荒尚未什之二三,报熟已征什之八九,加以紊乱条鞭,横行佥报,百姓苦不胜言。幸今佥报严禁,条鞭复举,民庆再生,但有十年轮应大差,名曰里长,此项不在条鞭之内。近年承此役者,无不倾家荡产,鬻女卖儿,害重患深,不可缕指。若不讲求良法,更此陋规,民不堪命。今查得本府合肥县赋役成规中,有免佥大户、雇觅收头一款,每年用条鞭银若干,雇募书手,守柜收银,其里长革去不用。合肥县现今奉行无异,此真一时之良法、百

---

① 郑学檬主编:《中国赋役制度史》,上海人民出版社2000年版,第512页。
② 雍正《庐江县志》卷6《役法》。

代之成规也。行之大县而无弊,则行之小县而更宜;行之凋残未极之县而民可遂生,则行之凋残独甚之县而民可救死。至若雇募守柜,去旧从新,一照合肥旧例。庐江一县二十里,较合肥不及三分之一,合肥每年八名,庐江每年只须四名,其工食每名议给十六两。看柜宿堂,另雇夫役四名,每名每年给工食银七两二钱,于条鞭内征给。所雇之人,必身家堪托,不系衙役,而系百姓,自是便官便民,叩准敕照施行,省百姓无名之费,每岁不止数千,救百姓未丧之生,每岁不止数百,率由旧典,既无改井之怨,通变宜民,尤荷解悬之德,一邑倾忱,四郊引领,激切上呈①。

可以看出,在当时庐江县的里役金派中,以里长之差累民最深。一些民户因为承应此役,最终落得倾家荡产、卖儿鬻女。针对此种积弊,王凤鼎向上级提议,希望能遵照合肥县赋役成规,革去里长催征粮银之差,由官府动用若干条鞭银两,从百姓中雇觅收头,令其看柜收银,让甲内人户依限按数自行完柜上仓,以此来减轻百姓负担,救民于水火。在清初民气尚未恢复之时,这种做法有利于减轻百姓所承受的里役负担,保证了钱粮征收,减少了胥役蠹吏的额外苛剥,具有一定的积极意义。

在巢县,也有与庐江县相似的情况。据康熙《巢县志》记载:

照得里役之设,原属明季陋规。设立里长,编为十甲,而一甲之中,又立排年一人,轮年充当催办,是乎任轻役小,而奸豪恃顽抗纳,每累垫赔。于是,经承有费,差役有费,科派杂项有费,以及站柜、看仓、解饷、兑漕种种赔费,太半入官胥之橐,而小民倾家破产,甚且流离死徙矣。更有劣衿蠹棍,包揽代充,议贴银一二百两不等。此辈竟尔中饱,且包纳钱粮,多勒耗费。不肖官吏,倚为腹心,指一派十,通同分肥,故乡愚视里役为畏途,而衿蠹以里役为生涯也。夫充当里长

---

① 《附王凤鼎等公呈》,嘉庆《庐江县志》卷15《艺文·详檄》。

之累,不过一里一人,犹系一家哭,而衿蠹包当,鱼肉花户,则系一路哭矣。年深岁久,长此安穷①?

很显然,巢县的里役负担也很繁重。一方面,官府佥派的里役名目繁多,令承役者苦不堪言;另一方面,在催征粮银时,一旦遇到奸豪恃顽抗纳,负有催征之责的里长便会有赔费之累。更为糟糕的是,一些劣衿蠹棍为了渔利,包揽代充,趁机向花户多索私贴,并与奸猾官吏相互勾结,坐分其利,致使里役负担越来越重。

各里还有册书一名,又名里书,它的主要职责是负责掌管一里一图的粮册编造与粮银催征。清初,由于赋役制度的紊乱,一些里书贪利无度,私索滥征,民人深受其害。如在合肥县,有"打抽丰"一说,指的就是一些胥吏衙役借承充里书、包揽钱粮之机,向花户肆意勒索之事。如康熙年间,庐州知府张纯修在《严禁里书抽丰报户头事告示》里写道:

合肥里书向系衙役承充,结联经差,包揽钱粮,刁蹬勒索,为害不一而足。本府莅任之始,访闻得实,先自本府衙役清除以及各衙门人役渐俱黜退,不谓近来阳奉阴违,又复以衙役父兄子弟承充,以为民害,于是有"打抽丰"之说。逢节逢年,排家勒索,里书视为有名之求,居然明目张胆,愚民视为不得不应之物,何异剜肉医疮,嗟此穷黎朝夕未能自给,亦何异可抽,而堪以一年内数次剥削乎?更有害民之大者,自里长禁革,变用户头,户头点充,听里书呈报,由是一手握定,任意操纵,舍强欺弱,卖富差贫,展转吓诈,富民多被需索,愚懦枉受栽报,甚有未满所欲,或免于上半年而仍呈报于下半年者,种种积弊,法在必除,合行出示严禁。为此,示仰合肥县内纳粮户丁人等知悉,嗣后毋许里书呈报户头,如有大胆里书包揽钱粮,勒索抽丰,借报户头名色,恣意婪诈者,许被害之人径赴本府禀控,立拿蔑法里书,重责四

---

① 康熙《巢县志》卷17《艺文志上》。

十大板,枷号两个月,受脏重者,立毙杖下,断不轻纵,以贻民害。特示。

康熙三十七年正月二十日①

同年正月二十八日,知府张纯修又发布一则告示,即《严禁里书以除包揽索诈事》,里面这样写道:

近闻合肥县里书上册点名者七八百人,副役至数千人。察其承充里书者,非系各衙门衙役,即系衙役父兄子弟,由是串通经差,结联地总,包揽钱粮,盘踞作祟,或揎票而恣意勒索,或干没而役裁重完,或将自己弓口摊派洒代,或因他人过割,留难推除,吓诈乡民,把柄第一。在报户头,预先扬言,富者饱其贪壑,临时妄报,愚懦枉受栽充,花户不开,仅给催单一纸,籖差交捉,彼且从中暗收高下,由已而操威福自我而作。或稻熟麦熟,逢节逢年,乘骑带仆,下户抽丰,大酒肥肉,挜家而啖,草料脚钱,逐户派供。一名里书,多者科敛稻五六百石,少者二三百石不等,畏里书之声势,居然甚于官长,计小民之杂费容有多于正供,是设一里书,即多一里虎,而欲除索诈之弊源,必尽革里书之名色,除檄行该县革汰外,合行出示禁革。为此,示仰合肥县里书知悉,尔等如系衙役,速奉法归役,或系地棍,速安业归农,如敢憨不畏死,以里书虽革,仍行包揽钱粮,欺骗乡愚者,许被害之人具禀本府,以凭立拿审究,大板处死,法立如山,后悔莫及。特示。

康熙三十七年正月二十八日②

从这两则告示的内容可以看出,康熙年间,合肥县的里书之害已经到了十分严重的程度。对于衙役们而言,承充里书成了他们或者其亲属涉利的一个重要手段。他们与经差、地总相互串通,通过包揽

---

① (清)张纯修:《严禁里书抽丰报户头事告示》,康熙《合肥县志》卷17《艺文》。
② (清)张纯修:《严禁里书以除包揽索诈事》,康熙《合肥县志》卷17《艺文》。

钱粮,肆意勒索乡民,吞没钱粮,漏富差贫,摊派洒代,种种弊害,均出其手,里书害民,实猛于虎。为了清除里书之弊,庐州知府张纯修立下严令,不准本地衙役及地棍承充里书,并严禁里书包揽钱粮,勒索抽丰,否则,将处以重刑。

从以上几个方面可以看出,清代前期,合肥地区的里役积弊十分严重,并成为落在当地百姓身上的一个沉重负担。为了安抚民心,争取广大百姓的支持,当地官府也相继对里役积弊进行了整顿和清理,如革去里长之差,令民自封投柜;严禁里书包揽钱粮,肆意勒索乡民,等等。这一时期,许多官员在其为政期间,也都将清除里役积弊作为自己施行"惠政"的一项重要内容。如康熙年间,庐州知府张纯修"禁吏胥包揽,革里长派累"[1]。在庐江县,田税原先俱为里胥包纳,"苛索无已"。为了革去私索之弊,知县孙衍芳利用便民小单,"载明科则,令民自输,减耗羡,禁包揽"。此后,"正课之外,别无余费"[2]。里役积弊的清理,对于清代前期合肥地区社会经济的恢复与发展起到了一定的积极作用。如嘉庆《庐江县志》记载:"本朝正役悉仍明旧,惟里长大差,累民最深。自顺治六年,合邑绅士条陈革去里长,另设收头。本县申文上台,批允奉行,岁省合邑金钱不下二万余两,逃流者始得归藉,荒芜日垦矣。"[3]

第二节 农业生产的恢复与发展

清代前期,随着军事斗争的相继结束,国内环境日趋稳定。同时,由于清政府实行了一系列恢复和发展经济的政策,经过广大民众的辛勤劳作,合肥地区的农业生产逐渐得到恢复,并且有所发展,具

---

[1] 嘉庆《庐州府志》卷24《名宦中》。
[2] 光绪《庐江县志》卷6《职官·名宦附》。
[3] 嘉庆《庐江县志》卷7《田赋·徭役附》。

体表现在人口数量和耕地面积有所增长,粮食生产水平日益提高,经济作物得到广泛种植,水产养殖业兴盛发展等几个方面。

一、人口数量的增长

在中国传统农耕社会中,人口数量的增长是农业生产恢复与发展的一个重要指标。明末,由于战乱影响,合肥地区的人口数量急剧减少,人口水平呈现出直线下降的趋势。进入清代,随着一系列招徕流民政策的实施,合肥地区的人口水平日渐恢复,人口数量有了明显增长。以巢县为例,明末时,由于"流寇焚劫,惨杀盈城,宫室焦土,继以荒疫频臻,民人耗折过半"①。进入清代,随着社会环境日渐安定,该县的人口数量增长迅速,据顺治五年(1648)清查,该县有"户一千八百六十一,人口二万七千三百八十有一,盖休养生息,不三四年而已复其旧矣"。此后,"元气日厚,户口益增",顺治十四年(1657)、康熙十年(1671)、雍正四年(1726)、雍正九年(1731)、乾隆六年(1741),"叠奉清查,巢邑人丁增至十五万二千一百有三,视前明三百年之滋养,盖数倍焉"②。清代前期,巢县人口数量的增长,在官方统计的人丁数额的变化上也有具体反映。据记载,顺治五年(1648),巢县有"户一千八百六十一,口二万七千三百八十一。顺治十四年,户一千二百七十三,口二万八千一百九十二。康熙元年,户一千六百八十八,口二万八千四百三十二。……雍正十三年,原额二万八千四百三十二丁,增九千五百三十七丁。乾隆元年,原额三万七千九百六十九丁,增二千五十八丁。乾隆十五年,原额四万二十七丁,增七万八千九百五十六丁。乾隆三十年,原额十二万八千八百八十丁,增十万四千三百八十二丁。乾隆六十年,原额三十一万三千二百六十二丁,增八万九千九百十六丁"③。从这段史料的记载中我们可以看出,从顺

---

① 康熙《巢县志》卷7《风俗志》。
② 道光《巢县志》卷6《食货·户口》。
③ 道光《巢县志》卷6《食货·户口》。引文中的"口"实为人丁。

治五年(1648)至乾隆六十年(1795)，巢县人丁数的变化十分明显，由原先的 27381 丁，增加到 403178 丁，人丁数增加了 375797 丁，增长趋势明显。

清代前期，合肥县人口数量的增长也很明显。同巢县一样，明代末年，该县人口数量也一度因战乱而骤减，"自明末流寇充斥，荼毒几尽"①。入清以后，由于吏治清明，生产与生活环境渐趋稳定，合肥县的人口数额很快恢复到原额水平，此后，又有进一步地增长。从其人丁数的变化情况来看，清初，合肥县原额人丁为 137100 丁，至顺治五年(1648)编审时，审除杀绝、逃亡人丁 20086 丁，实在人丁为 117014 丁。之后，从顺治十四年(1657)至康熙十五年(1676)，官方五次编审，共增人丁 23980 丁，除抵补缺额外，尚溢出人丁 3894 丁；康熙二十一年(1682)至康熙六十一年(1722)，又九次编审，共增人丁 13029 丁，实在人丁共 153511 丁②。为了更直观地说明问题，我们将清代前期合肥县的人丁编审情况制成表 6-2-1。从该表可以看出，清代前期，合肥县的人丁数呈现出不断增长的趋势，如康熙二十一年(1682)，该县实有人丁 144754 丁，比清初人丁原额 137100 丁，增溢出 7654 丁。在这之后的历年编审中，合肥县的人丁数额基本上都是在增加，而且保持较快增长态势，至乾隆六年(1741)，该县实在人丁已增至 224570 丁。可见，清代前期，合肥县的人丁数额增长趋势明显，增长的速度也很快。

表 6-2-1　清代前期合肥县人丁编审情况一览表

时间	编审人丁数
顺治五年	清初原额人丁 137100 丁，审除 20086 丁。
康熙二十一年	实在人丁 144754 丁，内审增溢额 7654 丁。
康熙二十五年	实在人丁 148927 丁，内共审增溢额 11827 丁。
康熙三十年	实在人丁 153332 丁，内共审增溢额 16232 丁。

---

① 雍正《合肥县志》卷 6《户口》。
② 雍正《合肥县志》卷 6《户口》。

（续表）

时间	编审人丁数
雍正四年	增人丁 21 丁
雍正九年	增人丁 24 丁
乾隆元年	增人丁 3 丁
乾隆六年	实在人丁 224570 丁
乾隆十一年	增人丁 340213 丁
乾隆十六年	增人丁 19798 丁
乾隆二十一年	增人丁 21058 丁
乾隆二十六年	增人丁 50515 丁
乾隆三十一年	增人丁 202387 丁
乾隆三十六年	增人丁 200100 丁
乾隆四十一年	增人丁 271607 丁
乾隆四十六年	增人丁 73725 丁
乾隆五十一年	缺除 9113 丁
乾隆五十六年	增人丁 120120 丁

资料来源：康熙二十一年、康熙二十五年、康熙三十年的人丁数，出自康熙《合肥县志》卷3《户口》；其他历史时期的人丁数，出自嘉庆《庐州府志》卷20《户口》。

再来分析一下庐江县的人丁数变化情况。与合肥县、巢县相比，庐江县人丁数的增长则显得有些缓慢，据记载："前朝全书额载人丁二万五千一百八十三丁，自流寇扰乱，逃亡过半"，至顺治五年（1648）重新编审时，"止一万一千四百三十九丁"[①]，与前朝相比，人丁数减少了一半多，实缺人丁数额为 13744 丁。此后，庐江县的人丁数额又有变化，表 6-2-2 反映的是清代前期该县人丁额的编审情况。从表中可以看出，自顺治五年（1648）以后，庐江县的人丁数虽然在不断地增加，但是直到康熙五十年（1711），该县人丁数额仍然未能达到明朝末年编审的人丁总额 25183 丁。是年，该县编审的实在人丁数仅有 23338 丁，比原额少了 1845 丁。康熙五十二年（1713），清廷下令，将

① 康熙《庐江县志》卷4《户口》。

康熙五十年(1711)丁册之数定为常额,规定"嗣后续生人丁,永不加赋,每遇编审,祇以新增顶补开除,余俱造为盛世滋生户口册"①。这一政策的出台对之后的人丁编审产生了一定的影响,它在使人丁数额编审更为准确、真实的同时,还改变了人丁编审的方式。表6-2-2显示,自康熙五十年(1711)以后,庐江县的人丁编审增加了滋生人丁一项。另外,从该表中我们还可以得知,在康熙五十五年(1716),庐江县的人丁数已经超过原额,该年审增人丁为2807丁,内除顶补审缺丁524丁外,滋生人丁2283丁。此后,该县的人丁数还在继续增加,至乾隆六年(1741),该县实在人丁数已达146815丁。

表 6-2-2　清代前期庐江县人丁编审一览表

时间	编审人丁数
顺治十四年	编审人丁 11803 丁
康熙元年	编审人丁 12019 丁
康熙六年	编审人丁 12254 丁
康熙十一年	编审人丁 12651 丁
康熙十六年	编审人丁 13060 丁
康熙二十一年	编审人丁 14150 丁
康熙二十五年	编审人丁 15362 丁
康熙三十年	编审人丁 18815 丁
康熙三十五年	编审人丁 19124 丁
康熙四十年	编审人丁 19891 丁
康熙四十五年	编审人丁 22267 丁
康熙五十年	编审人丁 23338 丁
康熙五十五年	审增人丁 2807 丁,内除顶补审缺丁 524 丁外,滋生人丁 2283 丁
康熙六十年	审增人丁 2487 丁,内除顶补审缺丁 207 丁外,滋生人丁 2280 丁
雍正四年	审增人丁 1035 丁,内除顶补审缺丁 252 丁外,滋生人丁 783 丁
雍正九年	审增人丁 1112 丁,内除顶补审缺丁 156 丁外,滋生人丁 956 丁

---

① 嘉庆《庐江县志》卷 6《户口》。

（续表）

时间	编审人丁数
乾隆元年	增人丁 1084 丁
乾隆六年	实在人丁 146815 丁
乾隆十一年	增人丁 14331 丁
乾隆十六年	增人丁 12827 丁
乾隆二十一年	增人丁 5263 丁
乾隆二十六年	增人丁 2162 丁
乾隆三十一年	增人丁 2116 丁
乾隆三十六年	增人丁 2234 丁
乾隆四十一年	增人丁 15518 丁
乾隆四十六年	增人丁 12339 丁
乾隆五十一年	增人丁 19759 丁
乾隆五十六年	增人丁 24217 丁

资料来源：嘉庆《庐江县志》卷 6《户口》。

以上是对清代前期合肥地区所属各县人丁数的变化情况所做的一个简单分析。需要指出的是，在中国古代，人丁数并不是真实的人口数，它只是官方进行赋税征收的一个依据。虽然我们无法通过人丁数来获得精确的人口数据，但是它的变化情况是能够在一定程度上反映出一个地区的人口整体发展水平的。因此，我们可以得出以下结论：清代前期，合肥地区人丁数的大幅度增长，表明这一时期当地的人口数量也是趋于增长的。

另外，通过比较合肥、庐江、巢县的人丁编审指数，我们还可以发现，清代前期，合肥地区的人口分布也是不均衡的。为了更直观地说明问题，我们选取崇祯年（1628－1644）、顺治五年（1648）、康熙二十一年（1682）、乾隆六年（1741）四个历史时期合肥地区所属各县的人丁额，制成图 6－2－1。

由此图可知，清代前期，合肥地区人丁数的分布是不平衡的。其中，合肥县的人丁数要明显高于庐江县和巢县的人丁数，而巢县的人

第六章 清代前期合肥地区经济的恢复与发展

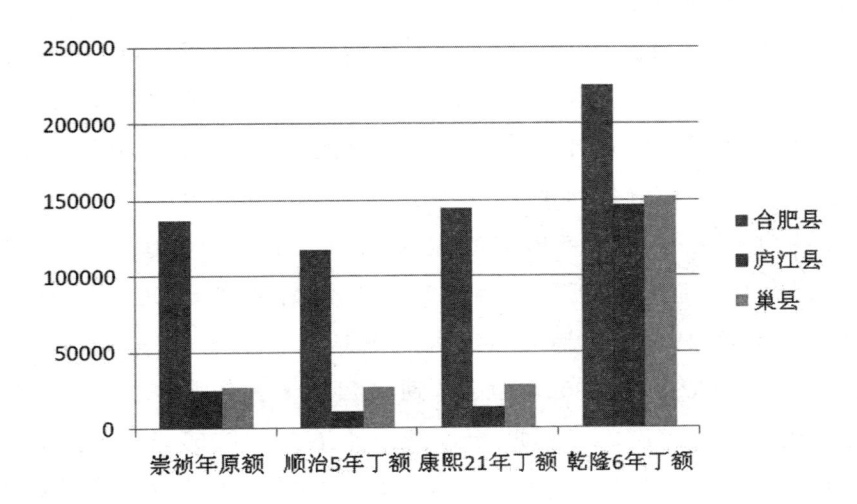

图 6-2-1 清代前期合肥地区人丁数额比较图

丁数又比庐江县的人丁数多。据此,我们可以推断,清代前期,合肥地区的人口分布处于一种不均衡的状态,其中,人口数最多的应当是合肥县,其次是巢县,再次是庐江县。

二、耕地面积的增加

人口与耕地是传统农业经济部门的两大主要生产要素。清代前期,合肥地区农业生产的恢复与发展,除了表现为人口数量的大幅度增长外,耕地面积的增加也是一个重要方面。在这一时期,随着百姓的归复和人口数量的增长,当地的土地开垦活动方兴未艾,耕地面积不仅较快地恢复到原额水平,而且还有进一步地增长,具体见表6-2-3所示。该表是对清代前期合肥地区折实田亩数所做的一个统计,尽管表中的数据显得有些零散、不完整,但是我们从中还是可以看出,在清代前期,合肥地区的耕地面积在总体上是呈增长趋势的。以合肥县来说,该县耕地原额为29453.16顷,经过一个时期的土地开垦,至雍正八年(1730),该县折实田亩面积达到29511.02顷,已经超过了原额。此后,该县耕地面积还在继续增加,在乾隆五年(1740)

时,折实田亩面积为 29521.21 顷,到嘉庆六年(1801),则增加至 29560.75 顷。庐江县、巢县耕地面积的增长也比较明显,如在康熙二十一年(1682),这两个县的折实田亩数额分别为 9563.81 顷和 7492.28 顷,均已超过原额水平。此后,两县的折实田亩数额仍在增长,至嘉庆六年(1801),分别增长到 10355.54 顷和 7502.48 顷。与上述三县不同的是,这一时期庐州卫的屯田数额变化较小,基本上比较稳定。另外,从合肥地区折实田亩总数的变化情况来看,也能对清代前期当地耕地面积的变动趋势做出大致的判断。表 6-2-3 显示,合肥地区折实田亩原额为 48545.81 顷,到康熙二十一年(1682),折实田亩数额已经恢复到 48524.55 顷,至康熙三十五年(1696),这一地区的折实田亩数额已经达到 48824.31 顷,明显地超出了原额水平。以上情况表明,清代前期,合肥地区的土地得到了不断开垦,耕地面积不仅很快恢复到原额水平,而且还有进一步地增长。

表 6-2-3　清代前期合肥地区折实田亩数量统计表　(单位:顷)

时间	县名与卫名				合计
	合肥县	庐江县	巢县	庐州卫	
明末原额	29453.16	9512.08	7491.40	2089.17	48545.81
康熙二十一年	29385.75	9563.81	7492.28	2082.71	48524.55
康熙三十五年	29418.03	9831.29	7492.28	2082.71	48824.31
康熙三十六年	29437.63*[1]	—	—	—	—
雍正八年	29511.02*[2]	—	7492.56*[3]	—	—
乾隆五年	29521.21	—	—	—	—
乾隆十二年	—	—	—	2089.38*[4]	—
嘉庆六年	29560.75	10355.54	7502.48	—	—
嘉庆八年	—	—	—	2087.71	—

资料来源:带*号的数据来源是:*[1]康熙《合肥县志》卷3《田赋》;*[2]雍正《合肥县志》卷6《田赋》;*[3]雍正《巢县志》卷9《田赋·田亩》;*[4]乾隆《庐州卫志》卷3《屯田》。不带*号的数据均出自于嘉庆《庐州府志》卷20《田赋》。

注:亩以下四舍五入。

三、粮食生产水平的提高

清代前期,合肥地区的农业生产仍然以粮食种植业为主,粮食生产水平也有所提高,其表现之一是粮食作物种类丰富。在合肥地区,粮食作物有稻、麦、豆、杂谷等几大类。其中,稻是当地主要的粮食作物,其品种有数十种之多,具体见表6-2-4所示。例如,在巢县,稻的品种主要分为红稻、白稻、糯稻、白晚稻,而这四类稻种又分别有不同的品种。其中,红稻可以分为百日籼、直头籼、麻姑籼、竹芽籼、四红籼、胡籼稻、王瓜籼、拖犁黄等八个品种;白稻分为观音籼、银条籼、六十籼、青秸籼、冷水籼、大粒籼、乱芒籼、麻谷籼、千家爱等九个品种;糯稻有羊须糯、虎皮糯、硃砂糯、柳条糯、齐籼糯、牛筋糯、青科糯、红芒糯、马鬃糯、累糯、深水糯、燕口红、白晚稻等十三个品种。庐江县的稻作物则有红籼稻、白籼稻、早糯稻、晚糯稻、黑晚稻、白晚稻、香稻等不同品种。合肥县亦有数十种稻类作物。除稻类作物以外,合肥地区还有菽、黍、稷、荞、粟、麦、胡麻以及红豆、绿豆、黄豆、黑豆、黑豌豆、白豌豆、青豆、蚕豆等其他粮食作物品种。

表6-2-4 清代前期合肥地区粮食作物一览表

县名	粮食作物种类
合肥县	稻,有数十种。菽、稷、荞麦、粟、麦、䅟、胡麻
庐江县	红籼稻、白籼稻、早糯稻、晚糯稻、黑晚稻、白晚稻、香稻、荞麦、大麦、小麦、赤豆、黄豆、豌豆、红豆、扁豆、芝麻、粟、黍、稷、穄
巢县	红稻:百日籼、直头籼、麻姑籼、竹芽籼、四红籼、胡籼稻、王瓜籼、拖犁黄 白稻:观音籼、银条籼、六十籼、青秸籼、冷水籼、大粒籼、乱芒籼、麻谷籼、千家爱 糯稻:羊须糯、虎皮糯、硃砂糯、柳条糯、齐籼糯、牛筋糯、青科糯、红芒糯、马鬃糯、累糯、深水糯、燕口红 白晚稻 麦:大麦、小麦、米麦、荞麦 豆:红豆、绿豆、黄豆、黑豆、黑豌豆、白豌豆、青豆、蚕豆 杂谷:芝麻、菽、粟

资料来源:康熙《合肥县志》卷4《土产》;康熙《巢县志》卷9《田赋志·土产》;康熙《庐江县志》卷4《土产》。

清代前期，合肥地区粮食生产水平提高的另一个表现是粮食复种指数提高，稻作物种植逐渐由单季稻发展为双季稻。合肥地区位于淮河以南，这一地带不仅热量充足，而且水资源丰富，是皖省水稻的一个集中产区。双季稻在当地的推广与种植大约是在康熙之后。康熙末年，安徽地区开始试种双季稻，康熙五十六年（1717）三月十一日，李煦将康熙皇帝自丰泽园选育的"御稻"种子分发安徽等省，安徽粮道王希臣领稻子20石，分发省内一些地区种植①。据说，这种稻子可"一岁两种，亦能成两熟"②。康熙以后，安徽地区的"双季稻种植已成为正常现象，主要分布在沿江平原地区，以桐城、怀宁、庐江等县较多"③。乾隆年间，安徽巡抚裴宗锡在向朝廷汇报地方情形时也称，安庆、池州、庐州等府属，有"专种早晚二稻、向不种麦之田"④。可见，自康熙末年以后，双季稻已逐渐在包括合肥地区在内的安徽一省的许多地方得到了广泛种植。

在长期的农业生产活动中，合肥地区的农民还总结出不少与粮食作物种植有关的生产经验，例如："清明，取稻种，水渍七日而蘖，始播种，或春寒，稍迟数日。至谷雨，无不渍之种。谚曰：清明浸种，谷雨撒秧。"再如："三月三日、七日，宜晴。又，三日，听田间蛙声，早，主水，宜高田；晚，主旱，宜低田。""四月八日，不宜小雨，主旱。谚曰：四月八，雨洒洒，圩田只好种芝麻。"⑤等等。这些农谚是合肥地区的广大农业劳动者在长期的农业生产活动中，对其所积累的农业生产经验生动而具体的总结，这表明他们对于农业生产规律已经有了一定程度的认识。尽管有些认识还停留在感性的层面，但是这对本地区农民科学合理地安排粮食作物种植，提高地区粮食生产能力，无疑是具有积极作用的，同时它还体现了合肥地区广大劳动群众的聪明才智。

---

① 故宫博物院明清档案部编：《李煦奏折》，中华书局1976年版，第217页。
② 引自王达：《双季稻的历史发展》，《中国农史》1982年第1期。
③ 王宇尘：《清代安徽粮食作物的地理分布》，《中国历史地理论丛》1992年第2辑。
④ （清）裴宗锡：《抚皖奏稿》，第2册，全国图书馆文献缩微复制中心2005年影印本，第729页。
⑤ 康熙《巢县志》卷7《风俗志·杂占》。

四、经济作物的广泛种植

清代前期,合肥地区的农业生产虽然以稻米等粮食作物的种植为主,但是由于商品经济的发展,在市场机制的作用下,一些经济作物如棉、麻、桑、葛、靛等,也日渐得到推广与种植。例如,在巢县,当地种植的经济作物就有苎麻、黄麻、棉花等①;在庐江县,主要经济作物有木棉、苎麻、葛等②;合肥县亦"有鱼、米、桑、麻之利"③,另外,该县还种植有棉花、靛、红花、槐花等其他经济作物④。

在这些种类众多的经济作物中,又以棉花的种植最为普遍。据相关研究称,早在明代中后期,"庐州地区的棉花生产已能达到自给"⑤。到了清代前期,棉花仍然是当地最为常见的一类重要经济作物,在合肥、庐江、巢县等地均有广泛种植。不仅如此,随着棉花种植的兴盛,当地还出现了一些与之相关的农谚,如在巢县,就有"刈二麦,种木棉"⑥之说。

另外,药材也是这一时期合肥地区出产的一类重要经济作物。合肥地区属于皖中丘陵地带,由于当地山林广布,药材资源十分丰富,其中,不乏一些名贵药材。如石斛,产于合肥深山中⑦。在唐代,一度被列为贡品⑧。何首乌,有红、白二种,"出合肥深山中者佳"⑨。从药材的种类来看,当时合肥地区出产的药材名目也甚为繁多,具体见表6-2-5所示。从表6-2-5可以看出,在康熙年间,合肥地区

---

① 康熙《巢县志》卷9《田赋志·土物》。
② 康熙《庐江县志》卷4《土产》。
③ 康熙《合肥县志》卷4《兵驿》。
④ 康熙《合肥县志》卷4《土产》。
⑤ 陈恩虎:《明清时期巢湖流域农业发展研究》,南京农业大学2009年博士学位论文,第213—214页。
⑥ 康熙《巢县志》卷7《风俗志·杂占》。
⑦ 康熙《江南通志》卷24《物产》,清康熙二十三年刻本。
⑧ 乾隆《江南通志》卷86《食货志·物产》。
⑨ 乾隆《江南通志》卷86《食货志·物产》。

所属各县均有药材出产,而且每县出产的药材种类也很丰富。如合肥一县,其药材名目就有27种,庐江县则更多,达70种,巢县的药材种类亦有35种。值得注意的是,由于药材生产历史比较悠久,在合肥地区,还出现了一些与药材生产有关的地名文化。如在庐江县境内有座山峰,人们称其为"百药山"。此山位于该县西南十里,由于"山多药品,故名"①。与此相似的是,在该县境内还有一座山峰,名曰"菖蒲山",其得名原因也与药材的出产有关,因为此地出产菖莆这种药材。据光绪《庐江县志》记载,此山位于庐江县治南二十里,"山出九节菖蒲,故名"②。

表 6-2-5　清康熙年间合肥地区所产药材一览表

县名	药材名称
合肥县	稀莶、山楂、瓜蒌、莺粟、匾豆、金银花、薏苡、百合、旱莲、茴香、黄精、凤眼草、茱萸、香薷、艾、紫苏、薄荷、地骨皮、茵陈、菖蒲、木瓜、枸杞、慈菰、何首乌、蚪子、五加皮、石斛
庐江县	商陆、赤芍药、柴胡、香附子、枳壳、枳实、细辛、桔梗、旱莲、茴香、干葛、山楂子、瓜蒌子、牛蒡子、芫花、薏苡、木密、百合、苍术、紫苏、苦参、薄荷、山药、茵陈、夏枯草、石菖蒲、黄精、茱萸、香薷、南星、川芎、白芨、艾、莺粟壳、白扁豆、蛇床子、黄蜀葵、天花粉、金樱子、黄檗、五加皮、木瓜、天门冬、何首乌、半夏、厚朴、车前子、苍耳子、益母草、枸杞子、桑白皮、地骨皮、黑牵牛、蝌蚪子、金银花、紫花地丁、小蓟、大蓟、荆芥、泽泻、石钟乳、木莲、蓖麻子、马鞭草、槐角子、石燕、葳灵仙、楮实、僵蚕、夜明砂
巢县	桔梗、干葛、苍术、苦参、茵陈、枳壳、茱萸、土贝母、薄荷、紫苏、知母、柴胡、唐毬、苍耳、瓜蒌、菖蒲、山楂、黄精、益母草、薏苡、夏枯草、天门冬、麦门冬、何首乌、蛇床子、车前子、青藤蒿、羊蹄根、地肤子、五加皮、地骨皮、天花粉、时罗、王不留行、忍冬花、山漆

资料来源:康熙《合肥县志》卷4《土产》;康熙《庐江县志》卷4《土产》;康熙《巢县志》卷9《田赋志·土产》。

清代前期,合肥地区出产的药材不仅品种丰富,而且一些药材还被列为朝廷贡品,每年官府都会征收一定数量的贡课。如康熙《巢县志》记载:"礼部课肥猪、绵羯羊……外,药材虻虫一两八钱三分六厘

---

① 康熙《庐江县志》卷3《疆域·山川》。
② 光绪《庐江县志》卷2《舆地·山川》。

六毫,糖球五斤十两一钱七分二厘,五加皮九两二钱八分七厘,芫花一斤一两八钱八分七厘二毫。四项共改解折色银三两三钱四分七厘,包裹纸银一分,水脚银六分七厘。"①

值得注意的是,在这一时期,合肥地区出现了一些新的经济作物品种,如"产于福建的落花生,于清初也在合肥东乡、全椒等地落户"②。

五、水产养殖业的兴盛

在合肥地区,由于河流湖泊众多,水产资源也比较丰富。从种类上讲,当地的水产资源主要分为鱼类和介类,而且每一类又可以分出很多品种。如表6-2-6所示,合肥地区的鱼类资源有鲤、鲢、鲶、鳜、鲟、鳗、银鱼、黄鳝、泥鳅、针头等,介类资源有龟、鼋、鳖、蚌、螺蛳、蛤蜊、蚬、虾、螃蟹等。

表6-2-6 清代前期合肥地区水产资源一览表

县名	水产资源
合肥县	鲤、河豚、鲖、虾、鲚、鳝、鲢、鲫、鲂、鲟、鳙、鳜、鲇、鳡、龟、鳖、鼋、螺、蚌
庐江县	鱼类:鲤、鲢、鲫、鲂、鲚、鲇、鳜、鳊、鲩、鲦、鳢、鳕、鳗、虾、鳝、鳅、河豚 介类:龟、鳖、鼋、蟹、蛤、蚬、蚌、螺
巢县	鱼类:鲤、鲢、鲇、鲫、鳜(即鳟)、鲂(即鳊)、鳢、鲚、鲟、鱼军、鲹、鱼焦、鳗(即白鳝)、白鲦、鲅头、针头、银鱼、黄骨、鳠条、面鱼、河豚、邵阳、黄鳝、泥鳅 介类:龟、鼋、鳖、螺蛳、蛤蜊、蚬、虾、螃蟹

资料来源:康熙《合肥县志》卷4《土产》;康熙《庐江县志》卷4《土产》;康熙《巢县志》卷9《田赋志·土产》。

水产养殖业是清代前期合肥地区的一个重要经济部门,当地有不少居民以此为生。如在巢县境内,就存在着一些专门从事渔业生产的网户。康熙《巢县志》记载,该县有一条后河,原本是宋家小圩,后"因三十二家网户俱住家圩埂,屋舍秋隘,共买此圩废之,填筑其

---

① 康熙《巢县志》卷9《田赋志·贡课》。
② 张南等著:《简明安徽通史》,安徽人民出版社1994年版,第270页。

半,以广庐舍,仍空其半,以藏渔舟。"①由此可知,这个地方有不少居民是专门从事渔业生产的渔民。随着水产养殖业的发展,合肥地区还出现了一些水产品交易市场,如在庐江县,就有专门的鱼市,其地点在县城钟楼下②。

清代庐江青帘渔火景图,来源于康熙《庐江县志》

同农业生产一样,合肥地区也出现了一些与渔业生产有关的时令谚语。如康熙《巢县志》记载:"重阳晴,好了取鱼人;重阳雾,好了打猎户。盖鱼喜晴,猎喜雪也。"③此类生产谚语是当地渔民对渔业生产经验的生动总结,也是当地渔业经济发展的一个产物。

在合肥地区,由于渔业生产历史悠久,当地的渔业文化也很浓厚,除了有渔业生产谚语这种形式以外,还出现了很多与渔业有关的诗词作品。这些作品有的是描写渔业生产场景,有的是反映渔家日常生活,渔业风光成为文人笔下歌咏兴叹的一个重要题材。此类诗词作品为数不少,现略举几例,稍做解析。

一是李孚青所作的《湖口守风杂题三道》,其中有一组诗写道:

---

① 康熙《巢县志》卷6《山川》。
② 康熙《庐江县志》卷3《城池》。
③ 康熙《巢县志》卷7《风俗志·杂占》。

举网扳罾踏水车,湖村随处事农渔。夕阳自饱鱼羹饭,不请端明为讲书①。

作者李孚青是清初著名诗人,合肥人,十六岁考中进士,曾担任翰林院编修官,后因其父李天馥病故,辞官居家。期间,他创作了不少充满乡土气息的诗词作品,这首诗就是其中的一首,它所反映的是居住在巢湖之滨的农民亦渔亦农、农渔间作的生产方式。

另有一位合肥人田实发,写有《渔家竹枝词》四首:

梳头齐发覆肩上,生小谁知针线箱;时坐茅檐结网罟,渔船归处望耶娘。

竹篙木橹两相催,身坐罾船尾上来;秋后老翁先晒日,柴门黄叶知成堆。

来去盈盈绿水隈,流光忘却暗中催;阿翁秋社看娇婿,嫁与前村不用媒。

花簪通草满头红,相送夫家数里中;时得归来看父母,手携鸡黍过桥东②。

作者田实发,字玉禾,号梅屿,雍正己酉(1729)、庚戌(1730)联捷进士,"赋异才,倜傥不羁,工书,善诗古文词",曾任徐州府教授,著有《玉禾山人诗集》③。他创作的这组竹枝词描绘了一个渔家女子的日常生活,它以写实的方式,展现了这位渔家女劳作、相亲以及婚后回家看望父母的一些情景。类似这样的诗词作品还有很多,从中我们可以深深地感受到合肥地区渔业文化的浓厚,也能够想象出当地渔业生产的兴盛。

由于渔业生产发展的兴盛,渔课成为合肥地区财政收入的一个

---

① 雍正《合肥县志》卷24《艺文》。
② 欧阳发、洪钢编著:《安徽竹枝词》,黄山书社1993年版,第98—99页。
③ 嘉庆《合肥县志》卷24《人物传第四》。

重要来源。如在巢县,就设有不少的河泊所,"自姥山而西南为南所,自姥山而东南为北所,长河通流者为东口所,其渔课皆在巢纳"①。作为渔税征收机构,各个河泊所征收的渔课数额也有具体规定,其中,"东口所鱼课,旧额折色银一百三十五两八分八厘,遇闰加派银八两八钱有零;北所原额折色银五十六两七钱零,遇闰加派银三两六钱零;南所原额折色银三十一两八钱零,遇闰加派银二两八分零"。征收鱼课后,再解往布政司。顺治十一年(1654),改解本色三分,折色七分,径解北部,后又赴布政司汇解②。合肥县的渔课征收,据康熙《合肥县志》记载,主要有折色黄麻、熟铁、鱼线胶、正垫脚等项,共征银一百一十三两六钱九分三厘三丝七忽七微,闰年加征银六两二钱八分三厘二毫一丝六微九纤五渺,无闰免征。这些课税均由焦湖(即巢湖)渔网户办纳,顺治二年(1645),清政府一度下令予以免征,至顺治十五年(1658),续奉部文,照旧征解布政司拨饷③。再来看庐江县的渔课征收情况。康熙年间,该县岁收渔课主要分为折色铜铁银、白麻银、新改折白麻银、本色白麻价银及各项铺垫银等几项,具体见表6-2-7所示。从该表中可以发现,庐江县的渔课征收也有闰年与非闰年之分,在闰年时,需加征银0.20两,征收的渔课总数为7.13两,非闰年时,不需加征,征收的渔课银为6.93两。这几项渔课银也均由渔网户办纳,解送布政司转解④。

---

① 雍正《巢县志》卷6《山川》,清雍正八年刻本。
② 康熙《巢县志》卷9《田赋志·贡课》。
③ 康熙《合肥县志》卷3《田赋》。
④ 康熙《庐江县志》卷5《田赋》。

表 6-2-7　清康熙年间庐江县岁收渔课表　（单位：两）

类项	无闰正银	无闰铺垫银	闰加正银	闰加铺垫银	合计
折色生铜银	23.46	7.58	0.44	0.14	31.62
白麻银	17.30	1.80	0.88	0.05	20.03
新改折白麻银	6.54	0.39	0.19	0.01	7.13
本色白麻	6.54	0.39	0.19	0.01	7.13
合计	53.84	10.16	1.7	0.21	65.91

资料来源：康熙《庐江县志》卷5《田赋》。

以渔业生产为主要内容的水产养殖业的兴盛，在为官府带来渔课收入的同时，也为合肥地区一些慈善机构的兴建提供了经费来源。如在康熙三十六年（1697），庐州府决定兴建一所育婴堂，在庐州知府张纯修、合肥知县贾晖的倡导下，当地士民积极捐资助修。在筹划过程中，考虑到育婴堂建设所需费用较多，同时也为了保证它在建成以后能够正常运转，于是，当地官府决定将合肥一县的河租收入划归育婴堂所有，以此作为育婴堂的经费来源。此项河利原"为邑人分据，每年按纳河租"。后来，生员程本叔等人向官府提议，希望能将此河收归育婴堂所有。这一提议最终得到了官府的支持，同时下令"捐免每年河租银两"。此举效果也很明显，"不劳力，不费财，而岁蓄之鱼、丛生之蒲，计一岁之所获，可以赡养数十婴儿"[①]。

第三节　手工业的恢复与发展

清代前期，随着一系列有利于经济发展政策的实施，在合肥地区农业生产日渐得到恢复与发展的同时，当地手工业经济的发展环境也有所改善，一些手工业生产日益兴盛。这些手工业行业主要有纺

---

① 康熙《合肥县志》卷5《公署》。

织业、酿酒业、采矿业、竹木编织业,等等。

一、纺织业

清代前期,随着棉花的广泛种植和蚕桑业的发展,纺织业成为合肥地区一个重要的手工业生产部门。清代前期,合肥地区的纺织手工业主要有棉织手工业和丝织手工业。棉织手工业以棉花为生产原料,先将棉花纺成纱线,然后再织成土布,到市场上进行售卖。土布是当时合肥地区市场交易的一类重要手工业商品,合肥、庐江、巢县均有出产。除棉织手工业以外,在这一时期,合肥地区的丝织手工业也有一定程度的发展,如合肥县就出产土绸、绢、丝等商品,其中,尤以所产的万寿绸而闻名,据乾隆《江南通志》记载:"万寿绸,出合肥机房,在万寿寺左右,故名。"[1]由此可以想见,在当时合肥城内的万寿寺附近,应当分布着不少丝织手工业机房。对于合肥县的丝织业生产情况,该县著名人士龚鼎孳曾经有过生动描写,他在谈及自己家乡民风时,由衷地赞美道:"淮甸无千金之家,亦无半菽不饱之民,以不轻去其乡,惟知服田力穑。家有弦诵之声,人多朴茂之习。仓庚鸣而阳和畅,懿筐之女,散在陌头;蟋蟀吟而秋风凄,机丝之音,达于户外。"[2]这里,龚鼎孳不仅描写了清初合肥县淳朴的民风,还勾绘出当地妇女采桑纺织的生产场景:在一个暖和的深秋时节,伴着黄鹂鸟的歌唱,妇女们纷纷挎着竹筐,来到田间,采摘桑叶;到了晚上,夜风轻拂,略带几丝凉意,这时,妇女们又在忙着纺织,织机声和着蟋蟀的鸣唱,不时地在空中交织回荡。从龚鼎孳的此番描写中,我们可以看出,清代前期,丝织业已经成为当地农村家庭生产中的一项重要副业,妇女养蚕纺织已经是一个比较普遍的现象。以上事实也足以说明,在清代前期,除了棉纺织业以外,合肥县境内的丝织手工业也有一定程度的

---

[1] 乾隆《江南通志》卷86《食货志·物产》。
[2] 光绪《续修庐州府志》卷8《风土志》。

发展,它已然成为合肥县纺织手工业的一个重要组成部分。同样,丝、绢等纺织手工业商品也是庐江、巢县等地的重要物产①。此外,庐江县还产有丝布②。

二、酿酒业

酿酒业是中国较为古老的一项手工行业,到清代,手工酿酒业至少已有一二千年的历史。历史上,合肥地区也是著名的产酒之乡,如康熙《江南通志》在介绍庐州府物产时写道:"酒,郡属皆美,惟蜡酥为最,唐时贡物。"③可见,早在唐代,包括合肥地区在内的庐州府就以盛产美酒而闻名。到了清代,酿酒业依然是当地的一个重要手工业生产部门。当时,由于合肥地区是安徽省内的一个粮食作物主产区,米、麦等粮食作物的种植一向较为发达,这为酿酒手工业的发展提供了充足的生产原料来源,手工酿酒业也因此能够盛而不衰。例如,在清代前期,庐州府附郭合肥县就出产有火酒、麴等不同酒品④。

在传统酿酒工艺中,米、麦是主要的生产原料,因此,酿酒手工业的兴盛必然会造成粮食的巨大耗费,而这又会对国家和地方的粮食安全造成一定程度的威胁,所以,酿酒手工业的发展经常会受到清政府的严格限制。有人认为,"至少从康熙朝起,政府就采取了禁酒政策。终清之世,禁酒禁曲政策始终未变"⑤。在合肥地区,由于酿酒手工业发展的兴盛,粮食消耗量较大,这也引起了地方官员的担忧。如乾隆二十六年(1761)五月二十四日,安徽按察使王检曾经向朝廷上奏说:"上江习俗,安、池、太、庐等府多以二麦烧酒,凤、颍一带则踩曲兴贩。今岁丰收之后,诚恐小民牟利,仍蹈前辙,大为耗麦之源。臣

---

① 康熙《合肥县志》卷 4《土产》;康熙《巢县志》卷 9《田赋志·土产》;康熙《庐江县志》卷 4《土产》。
② 乾隆《江南通志》卷 86《食货志·物产》。
③ 康熙《江南通志》卷 24《物产》。
④ 康熙《合肥县志》卷 4《土产》。
⑤ 徐建青:《清代前期的酿酒业》,《清史研究》1994 年第 3 期。

随严饬各府州县实力查禁,以期盖藏充裕,勿致消耗民食。"[1]可见,出于对粮食安全的担心,地方官府对于民间酿酒手工业的发展并不支持和鼓励,而是有所限制的,这也从一个侧面反映了当时包括合肥地区在内的皖省诸多州县酿酒手工业的兴盛。

三、采矿业

清代前期,合肥地区的矿产资源当以庐江县出产的矾矿最为著名。该县境内有座矾山,据康熙《庐江县志》记载:"矾山,治东南四十五里,出矾。"[2]庐江县矾矿资源的开发与利用有着较长的历史,早在唐代,当地就曾设有矾场,直至清康熙年间,当地仍有矾窑十八篷之多。不过,与以往不同的是,清初,官府逐渐废除了矾的专卖政策,"每年领帖输税,听窑户煎烧货卖"[3]。

尽管如此,庐江县矾矿资源的开采在清代前期仍然未有大程度的发展,因为对于矾山矿产的开发,地方官府一直是持谨慎态度的。在他们看来,庐江大小矾山周围仅有三里之地,"山陂系各姓坟茔,山下系居民田产",因靠近民田,"诚恐渣水流溢,入田则伤禾麦,入河则难车舟",所以官府对矾矿的开采规模一直有所限制,在煎烧时间上也做了具体规定,即"春夏秋三季禁止烧煎,止于十月初一日起煎,十二月三十日歇火"。在康熙四十年(1701)、康熙四十一年(1702)时,朱曜邦、汪永成等人请行矾引,政府遂以"不便民业"为由,未准允行。康熙四十六年(1707),杨桂等人再次赴部呈请行矾纳课,得到的答复仍是如此,这次官府给出的理由是:"杨桂等具呈行矾,情愿输课六千两,若仍循旧例煎烧,不特货少利微,难以资生,抑且引多课重,岂能赔贴?将来借兹领引名色,势必大开山场,四季烧煎,浸损田禾,伤残

---

[1] 中国科学院地理科学与资源研究所、中国第一历史档案馆编:《清代奏折汇编——农业·环境》,商务印书馆2005年版,第202页。

[2] 康熙《庐江县志》卷3《山川》。

[3] (清)马从云:《前事》,嘉庆《庐江县志》卷15《艺文·详檄》。

坟墓，甚或窝引匪类，大有不便于民，且恐此辈仗伐官商，独买独卖，把持行市，垄断地方，虽无开矿之弊，其害更有甚于开矿者也。杨桂等之举，实与从前朱曜邦等事同一辙，不便准从，以贻民害。"[①]至雍正时期，吴永兴等人又以为国增赋为名，请行矾九万石，纳课九千两。对此，时任庐江知县的陈庆门和前几任官员的态度一样，依然是持反对意见的，同时，他还详细说明了之所以反对的具体理由。在他看来，吴永兴等人的要求"其实有不便者六，不能者二"，具体来讲，这六点不便一是担心大开矾矿会造成农田污染，因为按照以往定例，规定"十八篷窑户每年于十月初一日起煎，至十二月三十日止，春夏秋三季禁止烧煎……缘渣水入田，有伤禾稼，所以严禁，久奉遵行。今行引至九万石，倘冬季所烧不足济引，矾商必藉称输课，挟制地方官，以误课之名，行将四季烧煎，岁无虚日，渣水流溢，禾麦尽伤，沿山数十里居民咸受其害，是矾课之益于国者有限，矾水之害于民者无穷"。二是燃料折价征收不易，"据呈，照盐场草荡折价之例，每年再纳山场柴草折价银一千两。查煎盐必资草灰之水，其荡原系官地，所以有折价之例。至矾山石垱，俱系民间之业，所烧柴草，原无定数，价从何折？此项银两，若出之民，无可征取，若出之商，势将假折价名色，挟占山场，争夺起而狱讼兴"；三是官府管理不便，"据单开于缺口地方设厂，称掣配引，截角以杜私贩夹带之弊，切称掣配引，非一朝一夕之事，若令地方官管理，缺口距县治四十余里，县里岂能久驻兼顾？若欲委员监查，引数无多，而特立一关口，再欲另设巡拦等役，殊为烦扰，且缺口居民鲜少，地势卑隘，为黄陂湖、排子湖等处隘口，一遇水发，则一片汪洋，山陬水澨、旷野荒僻之所，亦难设厂"。四是担心铳窑的出现会造成私煎泛滥，难以禁止，给地方社会带来不安定的因素，因为"篷窑领帖纳税，篷无增减，人皆殷实，其窑每烧一次，须得二十日，私煎易于查察，所以春夏秋不能违禁多烧。至铳窑不领帖，不纳税，两日可烧一次，私煎难于查察，四季俱可烧煎，且人类不一，尤

---

① （清）马从云：《前事》，嘉庆《庐江县志》卷15《艺文·详檄》。

易生非,故锍窑历奉严禁。今欲行矾九万,篷窑必不能供,势将取足于锍窑,而难以禁止,外方匪类,将群聚而争锍窑之利,奸良莫能猝辨。夫以历久严禁之条,一旦废弛,更使奸宄杂沓,遗害地方,是未受行引之利,先受行引之害"。五是担心矾课缴纳问题,因为"矾既照盐行引,则矾课与盐课无二,大部一有定额,纳额缴引,岁有奏销,难容迟缓。查吴永兴等二十二人均非土著,并非寄籍,其人之是否善良,家之果否殷实,无从查究,安能保其实心为国增赋,不至于无力中止?如有逋欠、逃亡等事,赋将安出?此时再欲请减,殊费周章"。六是不利于民生,因为"若一行引,他人不能贩卖,矾商且将矾引居奇,盘踞把持,任意昂其价值,而民将大受其困"。除这六点不便外,陈庆门还指出两点不可行的理由:一是矾引与盐引不同,不能比照盐引一例行销截角,"查盐引行销,各有地方,且定数直,至销引之地,而截角之事始毕。矾则无一定应行之地,并无某地应行若干之数,何从照盐截角?而与盐引一例行销,此其势有不能行者,一也";二是矾少本多,不合常理,"查两山所出之矾,约计三万有余,价银每石二钱七八分不等,计值亦止八九千金。今纳课已九千两,再加以火耗、平色、盘费、饭食等项,其去本实多。在伊等行引,不过假公渔利,乃出矾少而费本多,又安能以三万余石之矾,而纳九千两之课?此其势有不能行者,二也。"最后,给出的结论是:"今吴永兴等之举,实与朱曜邦、杨桂等事同一辙,未便准行,以贻民害"[1]。因此,在这一时期,庐江县的矾矿开采一直比较滞后,其经济效益也不可观,虽然当地有矾窑十八篷,但是"每篷只烧五窑,约计产矾三万余石,出货有限,获利甚微"[2]。

除矾矿外,合肥地区还分布着其他一些矿产资源。清代前期,这些矿产资源也得到了一定程度的开发,如在庐江县东北七十里有座铅山,该山因产铅而得名,在山麓溪涧中,"人多淘沙煎银"[3]。在该县,同样以矿产资源命名的山脉,还有铁角山,位于庐江城北五十里,

---

[1] (清)陈庆门:《议覆输课行矾等事详文》,嘉庆《庐江县志》卷15《艺文·详檄》。
[2] (清)孙承祚:《议覆循例输课等事详文》,光绪《庐江县志》卷14《艺文·详檄》。
[3] 康熙《庐江县志》卷3《山川》。

"山麓出铁"①。巢县的汉峰山在散兵镇,与楚歌岭相近,"今为石匠取石,且烧石灰,山麓断绝,几成孔道,而高山亦无复面孔矣"②。煤炭是合肥地区另一种重要的矿产资源,但是所产不多,开采活动也是时兴时废。如乾隆五年(1740)十二月初八日,两江总督杨超曾奏:"宁国府之宁国县,有煤井十四处,庐州府之巢县,有山场二处,凤阳府之怀远县,有上窑、外窑二处,俱系民间纳粮之地,产煤无多,时开时止。"③康熙年间,在该县城南银屏山一带,就曾设窑采煤,但是由于当地官绅迷信风水,煤井旋遭强制封闭,且立有碑石,严禁再次开采④。

由此可以看出,与农业及其他手工行业的迅速恢复与发展相比,清代前期,合肥地区采矿业的发展则显得较为缓慢。究其原因,大致有以下几点:一是开采技术落后,清代前期,当地的矿业开采仍旧沿袭陈法,开采技术一直未有新的发展;二是官府对民间矿业生产限制过多,致使一些矿产资源的开采规模十分有限;三是当地官绅迷信风水之说,对矿山开采一再阻挠。这些都是阻碍当地矿业生产发展的重要因素,从而导致其难以形成气候,最终使得利弃于地,殊为可惜!

除了上述三种主要手工业以外,在合肥地区,还有其他一些手工行业,如康熙《江南通志》记载:"竹簟,产合肥深山中。"⑤可见,清代前期,竹簟、竹席等竹木编织业也是合肥县境内一个发展比较兴盛的手工行业。

① 嘉庆《庐江县志》卷3《山川》。
② 康熙《巢县志》卷6《山川》。
③ 中国人民大学清史研究所、档案系中国政治制度史教研室合编:《清代的矿业》,上册,中华书局1983年版,第11页。
④ 翁飞等著:《安徽近代史》,安徽人民出版社1990年版,第20页。
⑤ 康熙《江南通志》卷24《物产》。

第四节 商业的恢复与发展

一、商品交易量的扩大

自古以来,合肥地区就是江淮之间一个极为重要的"商品走廊",在此集散、中转的商品不仅数量可观,而且种类丰富。以合肥县来说,在历史上,它不仅是一个军事重镇,同时也是一个商业重镇,其商业发展历史比较悠久,且负有盛名。早在2000多年前,合肥就是一个重要的商品集散市场,"巢湖沿岸、大别山区盛产的粮油、棉花、蚕桑、竹木、桐油、茶、皮、牛、羊、猪、家畜等农副产品,通过这里运往各地"[①]。

清代前期,随着社会经济的恢复与发展,合肥地区的商品经济日趋兴盛,商品交易活动愈渐频繁。在这一时期合肥地区的商品市场结构中,粮食是市场交易的大宗产品,因为在清代,"皖中丘陵平原区仍然是安徽最重要的农业区,也是全国重要的稻米输出地之一"[②]。可以说,粮食贸易是清代合肥地区商业发展的一个显著特色。合肥地区的粮食主要流向长江下游地区,是江南许多城镇人口粮食消费的主要供给地之一。合肥地区与江南之间的米谷贸易其实早在明代就已经比较兴盛,明代人吴应箕曾经提到:"江南地阻人稠,半仰给于江、楚、庐、安之粟。"[③]进入清代,这种贸易格局仍在维系,如位于长江下游的南京城,"其城中人口八方猬集……皆不耕获蓄畜,徒手仰食,四乡所产米不能裹数月之腹。于是,贩鲁港、和州、庐州、三河、运漕

[①] 方明主编:《合肥纵横》,安徽人民出版社1990年版,第64页。
[②] 王社教:《清代安徽农业生产的地区差异》,《中国农史》1999年第4期。
[③] (明)吴应箕:《楼山堂集》卷10《兵事策·策十·防江》。

诸米以粜于铺户"①。浙江的杭、嘉、湖地区也因经济作物的普遍种植，遇到了粮食短缺问题。为了充实仓储米谷，满足当地民众的粮食消费需求，这些地区也会经常到合肥、巢县、庐江等皖省中部余粮地区采办米谷，据《清高宗实录》记载："惟查浙西杭州、嘉兴、湖州三府属常平仓内，现有存米自数千石至万余石不等。……此三府均系外江三河、运漕、枞阳、和州、含山等处采买。"②

不仅如此，合肥地区同样也是安徽省内一些缺粮州县进行粮食调剂的一个重要依靠。如地处皖南山区的许多州县，由于受到自然环境的限制，人多地少是一个普遍状况，这些地区经常面临着粮食生产无法满足本地民众消费需求的矛盾，尤其在一些灾荒年份，这种矛盾会变得更为突出。为了解决生存危机，当地官府及民众经常会组织人力、运力前往皖中等余粮区采买粮食，以补其缺。如在康熙四十八（1709）、康熙六十（1721）两年，位于皖南山区的旌德县发生了饥荒，为了赈济灾民，"在城各大姓捐赀赴三河、芜湖买米，运旌设局，减价平粜，民赖以生"③。贵池县也因"山稠土瘠，垦田不多，一岁所获不足供半岁之粮，往往易诸江北及贾舶之米以为食"④。

除粮食以外，竹木也是这一时期合肥地区市场上集散的一类重要商品，在当地的一些市镇，就曾设有专门从事竹木交易的竹木行。如在今天肥东县店埠镇境内发现的一块碑刻的碑文中，就详细记载了王、童二姓在竹木生意上的纠纷及其处理方式。为了方便说明问题，现将碑刻全文抄录如下：

  王、童二姓，世居排镇，聚族而处，各有资生者，恃兹竹木生理而已。家厚者，负本贩木；力薄者，请帖开行；本少者，买卖小竹，自昔徂今，匪朝伊夕。近有身既为商，私卖木植，包行用以肥囊；有专任行

---

① 同治《上江两县志》卷7《食货》，清同治十三年刻本。
② 《清高宗实录》卷795 乾隆三十二年九月庚申。
③ 嘉庆《旌德县志》卷1《疆域·风俗》，清嘉庆十三年刻本。
④ 乾隆《池州府志》卷25《食货》，清乾隆四十三年刻本。

事,兼贩木竹,羁商货之不行,苦贫家之无靠,遂尔年年口角,贫富不均,亲族不和,计亦左矣。今两姓公议,约为久远之计,贩小竹系借本生涯,许不商不牙者为之,至于设棚卖木,不得侵揽行利、竹利,其卖货之时,商牙毋得串通,各取便宜,查出倍罚;开行之家,亦不得妄贩竹木,其买货之时,任买主看货,又毋得念夙谊而转移买主,酌立成规,示此不移。如有背约,罚戏三台,备酒任过,再抗违者,鸣公攻击。但牙行原系王、童二姓基业,买卖主客,任彼投牙,厥有体统,今有拦路要接买主,甚者登门拜请,如此苟且,致今主顾移易,不可为训。后倘二姓犯此,俱罚出局外。兹因王宅排楼重修,勒石为例,凡我二姓,凛凛焉,勿蹈前辙也。

康熙叁拾伍年孟冬月吉旦
王童二姓公立[①]

从上揭碑文中可以看出,王、童二姓都是世代居住在排镇的大族,且两姓族人多以竹木生意为业。在此行业中,既有资本雄厚的木商,也有财力略薄的牙行,还有一些从事小竹买卖的小本商贩,他们彼此之间原本界限分明,各有专属,后因"有身既为商,私卖木植,包行用以肥囊;有专任行事,兼贩木竹,羁商货之不行,苦贫家之无靠",因而导致纷争不断,亲族不和,严重影响到整个行业的秩序。为了平衡各方利益,维护行业规则,王、童二姓共同约定,财力雄厚的木商及牙行不得涉足小竹生意,以此来照顾小本商贩的利益,木商、牙商之间也不得故意越界,侵占对方行业利益,同时还要保证不得相互串通,"各取便宜"。对于违反约定的行为,也规定了相应惩罚措施,如罚戏、鸣公、出局等。这则碑文生动地说明了康熙年间排镇竹木行业的"游戏规则",也真实地展现了该镇竹木市场的发展景象。

此外,在清代前期合肥地区的商业市场上,还有一些其他种类的

---

① 碑文由肥东县文物局文物所李建安先生整理。见合肥市档案局编:《庐州碑文百篇》(内刊),2011年6月,第32页。

商品,如纺织品类有绢、土绸、棉布等,原料品类有棉花、苎麻、丝、葛、靛、槐花、红花等,还有豆粉、火酒、麴等粮食加工商品以及明矾等矿产品,具体见表6-4-1所示。

表6-4-1 清代前期合肥地区主要商品种类示例表

县名	时期	主要商品种类
合肥县	康熙	土绸、绢、丝、布、棉花、靛、槐花、红花、豆粉、火酒、麴
巢县	康熙	丝、棉布、苎麻、黄麻、棉花、绢
庐江县	康熙	木棉、苎麻、丝、绢、布、葛

资料来源:康熙《合肥县志》卷4《土产》;康熙《巢县志》卷9《田赋志·土产》;康熙《庐江县志》卷4《土产》。

在合肥地区市场上,食盐也是常见的一类重要商品。这一地区例食淮盐,据乾隆《江南通志》记载:"合、庐、舒、无、巢行淮北纲盐。合肥县岁行二万一百四十二引;庐江县岁行七千四百引;舒城县岁行八千七百引;无为州岁行七千二百引;巢县岁行五千二百引。"[1]清代前期,淮北食盐主要沿淮河一线,几经水运、陆运,然后才被运到合肥地区进行销售。"向来盐船自厂出场,从运盐河由佃湖过坝,出五港口,经安东分司盘查,由黄河抵淮安分司,放关入草湾小河,车驳至掣盐所,堆储候掣,仍驳出草湾,入洪泽湖,经盱、泗,抵正阳关,由寿州河至石头铺,车运至瓦埠,至府北门上船,过巢湖,进小河,由无为州过黄陂湖,至庐江。"[2]至乾隆、嘉庆年间以后,这条运输路线发生改变,改由江运。

二、外籍商人经营活动的活跃

由于受到重农抑商思想的影响,清代前期,合肥地区的居民仍多坚守"本业","勤于稼穑,不喜商旅",依旧从事着传统的农业生产,较

---

[1] 乾隆《江南通志》卷81《食货志·盐法》。
[2] 光绪《续修庐州府志》卷16《食货志》。

少涉足商业经营活动。如雍正《巢县志》在描写当地民风时写道:"独贱商贵农,今不异于古所云"①。庐江县的居民也多"勤稼穑"②。在这一时期,活跃在合肥地区商业舞台上的商人多是来自省内外其他地区的客商,他们是推动当地市场发展与繁荣的一支主要力量。在这些众多的外籍客商中,不乏徽商的身影。徽商是明清时期活跃在全国商业舞台上的一支重要商帮,足迹曾经遍布大江南北,主要经营盐、典、茶、木四大行业。清代前期,徽商在合肥地区比较活跃,当地的一些城镇经常会有徽商活动的身影,这些城镇成为他们开展商业经营活动、追求商业利润的重要据点。如位于巢县西北六十里的柘皋镇,是该县境内一个较为重要的商业市镇,不少徽商曾经聚集于此,开店做生意。在遗存的徽州商业文书中,就有关于徽商在该镇开展商业活动情况的记载,现将文书内容引录如下:

　　立包揽人、承管议墨人吴隆九,今自情愿凭中包揽到汪嘉会、全五二位相公名下新创汪高茂字号在于柘皋镇市开张杂货布店一业,计本纹银五百两整,当日凭证,是身收讫。三面议定,每年一分六厘行息,其利每年交清,不得欠少分文。其店中各项买卖货物等物,俱在隆九一力承管,其生意立誓不赊押,其房租、客俸、店用、门差悉在本店措办无异。凡店中事务,以及赊押并年岁丰歉、盈亏等情,尽在隆九承认,与汪无涉,但每年获利盈余,尽是隆九独得,银主照议清息,不得分受。自立包揽之后,必当尽心协力经营店务,毋得因循懈怠,有干名誉,责有所归。所有事宜,另立条规。诚恐日久弊生,开载于后。今恐无凭,立此包揽承管议墨存照。(中略)
　　康熙五十七年六月　日立包揽承管议墨人　吴隆九(押)
　　　　　　　　　　　　　　　　　凭中证人　汪起龙
　　　　　　　　　　　　　　　　诸位朝奉同见　程子有

---

① 雍正《巢县志》卷7《风俗》。
② 康熙《庐江县志》卷3《山川·风俗》。

第六章 清代前期合肥地区经济的恢复与发展

吴　　仲

佘子衡

汪永清

依口代书人　吴学贞[①]

这是一份包揽、承管合约文书,内容是有关吴隆九承揽汪嘉会、汪全五二人名下汪高茂字号杂货布店的规定。从中可以得知,吴隆九所承管的杂货布店开设在巢县柘皋镇,所计本银为五百两整。作为承管条件,吴隆九每年需要向银主交纳一分六厘的行息,不得欠少,同时要保证在生意上不得赊押,店中的具体事务如房租、客俸、店用、门差等项也俱由吴隆九独力承管,生意盈亏与汪嘉会、汪全五无关,店面每年所获盈余除用于清偿行息外,其余部分尽归吴隆九所有。这份商业文书详细规定了合约双方的权利与义务,也反映了康熙年间徽州商人在柘皋镇从事商业活动的事实。

在清代前期,合肥地区有不少来自外地的侨居人口,这其中就有一些因经商而在此定居的徽州人,如婺源人夏嘉宾,在顺治十六年(1659)时,跟随自己的父亲"至巢贸易"[②],后"遂家焉"[③],"世历五代,仍同居爨"[④]。

除了徽商这支商业劲旅外,在清代前期合肥地区的商业市场上,还有不少来自外省及省内其他地区的商人,他们也纷纷聚集于此,在各自的领域内从事着商业经营活动。明清时期,客籍商人在经营地开展商业活动的同时,通常会建有自身的地域性或行业性组织,并崇祀着各自的保护神。这些保护神或为行业神,或为乡土神,而这些神灵的信仰,尤其是乡土神灵的信仰,又会因各地风俗习惯及文化传统

[①]　《休宁汪姓誊契簿》,转引自张海鹏、王廷元主编:《徽商研究》,安徽人民出版社1995年版,第553页。
[②]　雍正《巢县志》卷14《人物·侨寓》。
[③]　光绪《续修庐州府志》卷13《人物·侨寓》。
[④]　雍正《巢县志》卷14《人物·侨寓》。

的差异,呈现出浓郁的地域性色彩。清代前期,随着合肥地区商品经济的恢复与发展,当地也出现了不少由各地客籍商人建立的寺观庙宇,如在乾隆年间,山西、陕西、福建、旌德等地商人都在合肥县建有寺观宫宇,并敬奉着他们各自所信仰的神灵。从表6-4-2中可以看出,福建商人在合肥县桥横街建有天后宫,尊奉天妃;陕西商人陈印等人在合肥县卫署西建有关帝庙,崇奉关帝;山西商人董希汤在合肥白鹤观西建成崇宁宫,也祀奉关帝;旌德商人刘天一等人则在合肥卫署南建有梅溪观,这些地方成为他们开展神灵祭拜、共叙乡谊、解决争端等活动的一个重要场所。这些外来商人在合肥地区的经营活动,不仅促进了当地商业的发展与繁荣,也为地方文化的发展注入了新的内容,他们成为参与和推动合肥地区社会历史发展的一支重要力量,为当地历史的发展增添了一道亮丽风景。

表6-4-2　清乾隆年间合肥县客籍商人所建寺观宫宇一览表

崇宁宫	在白鹤观西	乾隆二十七年,山西商人董希汤等建。
天后宫	在县桥横街	乾隆二十一年,福建商人林辉岩等建。
梅溪观	在卫署南	乾隆二十年,旌德县商人刘天一等建。
关帝庙	在卫署西	乾隆元年,陕西商人陈印等建。

资料来源:嘉庆《合肥县志》卷14《古迹志·寺观》。

三、商业市镇的发展与繁荣

市镇经济的成长是明清时期中国经济发展的一个重要特征。作为一种市场形态,市镇是乡村与城市之间实现商品、资金、人员等经济要素流通的一个重要渠道,是"明清时期的中国,介于县城与村落之间的具有相对独立性的商业实体"[①],是中国传统市场的重要组成部分。一般来讲,市镇经济的成长是中国传统社会商业发展的一个重要指标,市镇经济实体的繁荣不仅依赖于商品经济的发展,而且也

---

① 任放:《我国传统市镇浅谈》,《光明日报》2001年9月11日B03版。

是商业发展的一个重要表征,两者之间存在着一种联动关系。

清代前期,随着以米粮贸易为主要内容的商品经济的发展,合肥地区的市镇经济也日趋活跃,如在巢县县南十里有个吕婆店市,该市地处要隘,"有秀山铺,过无为州驿路","人烟辏集"①,商业发展比较兴盛。在这一时期,庐江县的市镇经济也有较大程度的发展,据雍正《庐江县志》记载:"庐虽偏僻,而列肆之处,舟车商贾辐辏焉。"②另外,我们从市镇的数量上也能看出该县市镇经济的发展情况,如表6-4-3所示,自康熙至雍正年间,庐江县的市镇数量呈现出一定的增长趋势,在康熙年间,庐江县的市镇数量为15个,至雍正年间,市镇数量则增加到18个,增长了20%。

表6-4-3 清代前期合肥地区市镇数量一览表

县名	时间	
	康熙	雍正
合肥县	12	12
庐江县	15	18
巢县	10	10

资料来源:康熙《合肥县志》卷3《城池·镇》,雍正《合肥县志》卷4《城池》;康熙《庐江县志》卷3《城池·市镇》,雍正《庐江县志》卷3《营建·市镇》;康熙《巢县志》卷8《城池·镇市》,雍正《巢县志》卷8《城池·镇市》。

在市镇数量增长的同时,合肥地区市镇的专业化发展趋势也很明显,出现了一些以粮食交易为主要特色的专业性市镇。如三河镇,就是当时安徽省内一个极为重要的粮食集散市场,众多省内外粮食商贩都来此采运粮食,"安省地方,如运漕、棕阳、三河等大镇,为米粮聚集之所,各属前赴各镇采买者居多"③。三河镇成了安徽省内一个著名的米粮码头。这种专业性市镇的出现,是清代前期合肥地区米谷贸易发展的结果,也代表了当地商业发展的主要特色。

---

① 康熙《巢县志》卷8《城池·镇市》。
② 雍正《庐江县志》卷3《营建·市镇》。
③ (清)裴宗锡:《抚皖奏稿》,第1册,第133页。

第七章
清代中期合肥地区的社会状况

在经历"康乾盛世"之后,清王朝很快便进入了衰退期。政治上,吏治不清,百司废弛,官员贪污腐化严重;经济上,赋税苛重,民不聊生,生产长期停滞不前;加之社会上奢靡趋利之风蔓延,阶级矛盾日益尖锐,致使国内政局越发动荡不安,清王朝的统治遭遇到了空前危机。在当时,合肥地区同全国其他很多地方一样,也出现了一系列预示清王朝走向衰落的征兆,整个社会呈现出了一种封建末世的景象。

第一节 吏治的窳败

一、官场贪污腐化之风的盛行

自乾隆末年开始,清廷的吏治渐趋腐败,以权谋私,贪财嗜利成为官场的一种普遍风气。在安徽,官吏贪污腐化的现象也很突出。如道光年间,有人曾向朝廷上呈奏折,弹劾安徽布政司经历刘寅升和署合肥县知县张清元,里面这样写道:"安徽布政司经历刘寅升,貌似朴诚,心实狡黠。前任藩司佟景文,倚为腹心,以致该员诡计钻营,恣其贪黩,历次谋署各缺,并办灾报销,克扣不下十余万两,及盗案久悬,监犯自戕,积赀放债各款。又署合肥县知县张清元,积压多案,开检迟延,挟私杖毙长随。"①这两位地方官员之所以被弹劾,各有其因:布政使司经历刘寅升在任期间只知一味玩弄权术,百般钻营,不仅贪污赈灾银两,而且滥用权力,制造冤案,并私放债款;署合肥县知县张清元作为一位地方"父母官",本应勤政为民,但却"废弛民事",玩忽职守,甚至挟私滥用刑罚,是一位无所作为、不折不扣的庸官。

在这一时期,由于地方官府的不作为,冤假错案的发生也是常有

---

① 《清宣宗实录》卷291道光十六年十一月甲辰。

之事。下面所引的一段史料,反映的就是这个方面的问题。据道光十九年(1839)五月戊戌上谕记载:

谕军机大臣等,都察院奏,安徽民人王言品,以埋冤三载、畏恶不办等词,赴该衙门具控,已明降谕旨,交该抚亲提审讯矣。恶棍扰累良民,最为地方之害。据该民人控称,合肥县恶棍吴玉富、吴兆安、吴万春等,因借钱不遂,纠众持械,将伊胞侄王从朝枪毙,并铳伤伊嫂吴氏、伊女扣姐。该县验明差拘,该差畏其凶横,不敢往拿。叠控该省各衙门,迄今三载,犯无一获等语。如果属实,是地方官玩视民命,不为缉凶,殊干法纪。著色卜星额严饬该县,即将恶棍吴玉富、吴兆安、吴万春,查拿到案,亲提审讯,按律惩办,据实具奏,将此谕令知之。寻巡抚程楙采奏,拿获吴玉富到案,讯明施放鸟枪属实,以故杀论,依律拟斩监候。逸犯吴兆安等,饬属严缉,务获究办。下部议,从之①。

这是一桩发生在合肥县的"京控"②案,具体案情是被告吴玉富、吴兆安等人,因为"借钱不遂",于是纠集众伙,用枪将原告王言品的胞侄王从朝打死,王氏的嫂子吴氏、女儿扣姐也被打伤。案发后,地方官府办案敷衍,迟迟不能缉拿凶犯。王言品在申冤无门的情况下,不得不赴京向都察院控诉。最后,经过上层权力者的干预,凶犯很快被缉拿归案,案件才最终得以了结。很显然,在这桩案件的处理上,地方官府是失职的,正是由于他们的不作为,才造成了这场冤案。

更有甚者,一些贪官污吏还与地方匪棍等黑恶势力沆瀣一气,互相勾结。如道光十三年(1833)十二月甲子上谕中提到:"匪棍刘崇仁,居住合肥县、寿州两境接壤之吴山庙地方,凡犯案匪徒,向彼投匿,兵役即不敢拿。该匪与合肥县蠹役沈姓戚好,消息相通,犯案累累,地方官隐忍不办。"③可见,匪棍刘崇仁之所以能够如此横行,独霸

---

① 《清宣宗实录》卷322道光十九年五月戊戌。
② 京控,清代又称"叩阍",俗称"告御状"。
③ 《清宣宗实录》卷247道光十三年十二月甲子。

一方,这与地方官员的庇护和纵容是分不开的。同时,这也说明,当时合肥地区的官场政治是十分黑暗的,官吏们为了谋取一己私利,徇私枉法,姑息养奸,致使一些地方不法势力日益猖獗,严重地破坏了地方社会的安定。

二、官府对民众欺压的加重

随着吏治的腐败,在清代中期的合肥地区,官府欺压百姓的现象也是屡见不鲜,粮税浮收就是其中一种较为常见的剥削手段。在征收钱粮的过程中,官吏们徇私舞弊,肆意克扣浮收、中饱私囊的情况时有发生。如嘉庆道光年间巢县人李熙在描写官家征收漕粮的情景时,这样写道:"轰天炮响开漕仓,千人万人完漕粮。县官点视即回署,官亲胥吏时登场。官亲凭借县官势,胥吏奸贪恶相济。一石粮常五位加,那恤正供有成例。煌煌示谕张通衢,具文毋乃太腐迂。'自执挡量'真妄耳,'毋侵颗粒'皆子虚。一斗一升一合勺,唱筹声中巧肆虐。私囊不到十分肥,官斛总成无底囊。岂无人或鸣不平,官亲厉色发高声:'伊谁敢干闹漕罪,国法所在无人情!'此时穷乡僻壤户,胆小畏官逾畏虎。饥寒宁不念身家,只合吞声泪如雨。"①李氏的这番描写,把在漕粮开征过程中官亲胥吏仗势欺民、凶狠跋扈的丑恶嘴脸,表现得淋漓尽致。他们借着漕粮征收的机会,相互勾结,上下其手,肆意贪侵,完全视朝廷的法令为一纸空文;可怜的百姓慑于官威,也只能忍气吞声,不敢支吾。

此外,即使在灾荒年份,一些贪墨成性的官吏也会百般钻营,想方设法从中捞取好处。在灾荒发生以后,他们通常会以保证民食之需为由,违例遏籴,进而借机盘剥商贩,从中渔利。如道光二十年(1840)三月,御史孙日萱在《请禁地方官违例遏籴》奏折中就谈道:"近来地方官动以保留本处民食为名,刁衿劣监,纠人禀官,出示禁止

---

① 转引自张南等著:《简明安徽通史》,第288页。

贩运,因而胥吏把持,棍徒包揽。遇有往来商贩,抑勒刁难,务遂其盘踞自肥之计,由此粮价日增,有妨民食。上年庐州府属即有此事……"①这些贪官污吏为了谋取一己之私,使用的手段真可谓花样百出,在他们的心里,个人利益是至上的,百姓的利益只不过是他们为了谋取私利而打出来的一个幌子罢了。

在当时的基层社会中,蠹役捏词索诈、肆意盘剥百姓的情况时有发生,有的甚至还引发了命案。如嘉庆十六年(1811),合肥县境内发生了一桩命案,其起因就是与该县捕役的无理索诈有关。据称,受害者苏建泷,因其家中有一头病死耕牛,于是将牛开剥,让弟弟苏建贵挑着牛肉,前往鲁家集摆卖。期间,捕役张维刚、胡发、王四等人,先是低价强买,苏建贵不肯,随后,他们便以私宰耕牛为由,要将苏建贵带走,禀官查办。此时,苏建泷赶到,双方在争执中发生冲突。最后,苏建泷被张维刚、胡发等人殴伤致死②。这起命案是地方胥吏欺压百姓的一个真实写照,也反映了清代中期合肥地方吏治的黑暗。

第二节 人地矛盾的日益突出

经过清代前期的休养生息,全国的人口数量有了迅猛增长,至鸦片战争前后,安徽的人口数量也增长到一个新的峰值。据统计,顺治十四年(1657),安徽人口数约为575万,全国人口数约为9305万,安徽人口数仅占全国人口的6％左右,居全国各省第十位③。道光时期(1821—1850),安徽省的人口数已增至3700多万,占当时全国人口

---

① 《清宣宗实录》卷332道光二十年三月庚戌。
② 杜家骥编:《清嘉庆朝刑科题本社会史料辑刊》,第3册,天津古籍出版社2008年版,第1840—1841页。
③ 王鹤鸣、施立业:《安徽近代经济轨迹》,安徽人民出版社1991年版,第15页。

总数的 9% 左右,仅次于江苏、四川两省,跃居至第三位①。在这一时期,全国的人口密度约为 76 人每平方公里,而安徽一省的人口密度约为 230 人每平方公里,远远高出全国平均水平②。人口激增给安徽带来的一个严重的社会经济问题,便是人均耕地面积大幅度下降,人地关系日趋紧张。据统计,顺治十八年(1661),安徽人均耕地面积约 5.5 亩,全国人均耕地面积约为 5.6 亩,相差不大。但是,到了清代中后期,安徽地区的人均耕地面积则有所下降。嘉庆十七年(1812),安徽人口数为 34168059 人,田地面积为 41436875 亩,人均占有田地亩数为 1.21 亩③;至道光四年(1824),安徽的耕地面积是 3407.8633 万亩,人口为 3706.5693 万,人均耕地仅为 0.92 亩,远远低于全国人均耕地面积 2.25 亩④。

至清代中期,合肥地区人均占有耕地状况又是如何呢？下面我们以一组数据来说明。据相关资料统计,嘉庆初期,合肥县耕地面积为 2956075 亩,人口数为 1598085 人,人均耕地面积为 1.9 亩;庐江县耕地面积为 1035554 亩,人口数为 328483 人,人均耕地面积为 3.2 亩;巢县耕地面积为 750248 亩,人口数为 465808 人,人均耕地面积为 1.6 亩。庐州一府的耕地面积总数是 6656336 亩,人口总数为 3516304 人,人均耕地面积为 1.9 亩⑤。可以看出,在这一时期,巢县的人均耕地面积最低;合肥县人均耕地亩数高于巢县,与庐州府人均耕地亩数持平;庐江县的人均耕地面积最高。如果再平均计算,三县总耕地面积为 4741877 亩,人口总数为 2392376 人,其人均耕地面积约为 2.0 亩,略高于嘉庆十七年(1812)安徽省人均耕地面积。如果说这样的人均耕地状况还不能更直接地说明当时合肥地区人地关系的

---

① 梁方仲编著:《中国历代户口、田地、田赋统计》,中华书局 2008 年版,第 357—358 页。
② 梁方仲编著:《中国历代户口、田地、田赋统计》,第 374 页。
③ 梁方仲编著:《中国历代户口、田地、田赋统计》,第 554 页。
④ 这里的人口与田地数据依据光绪《重修安徽通志》卷 69《食货志·田赋》、卷 74《食货志·户口》相关记载资料统计而来。
⑤ 嘉庆《庐州府志》卷 20《田赋志》。

紧张,那么,我们再结合合肥人李文安的一段话来进行分析。他说,在自己的家乡,"上农夫耕种百亩,一岁所出,足供八口年半之粮"①。按此说法,人均岁需就要8亩多,即使按一半计算,也需要4亩。这样看来,合肥地区的人均耕地面积要远远低于这个水平,其人地关系的紧张程度就很明显了。

这一时期,合肥地区人地关系的紧张还表现在地权的集中程度上。当时,由于官僚、地主大肆兼并土地,大量的小土地所有者沦为佃农,土地越来越多地向少数人手里集中,合肥地区的地权关系进一步恶化,自耕农经济遭到严重破坏。以庐江县为例,该县是一个地少人多的县,至鸦片战争前,"庐邑田产,招佃者十过其五"②。该县租佃关系之所以发达,是因为在当地,大量的土地集中在占人口少数的官绅手里,如道光年间,该县有位章姓地主,就曾经一次性为他的宗族

肥西三河李鸿章粮仓旧址,图片由周崇云提供

---

① (清)李文安:《李光禄公遗集》卷8《杂著·淮南乡约》,李国杰编:《合肥李氏三世遗集》,据光绪三十年(1904)合肥李氏刊本影印,沈云龙主编:《近代中国史料丛刊》第7辑,第62册,台北文海出版社1967年版,第502页。

② (清)吴廷香:《上李抚军论团练书》,光绪《庐江县志》卷14《艺文·详檄》。

捐出田产 3000 亩,以作赡族之用,"其规划,并义门、义仓、义学兼之"①。捐田既已如此,其实际占有的田地数量便可想而知了。

第三节　社会风气的日渐败坏

一、奢靡趋利之风的盛行

自清代中期开始,由于统治阶级的生活极度腐化,受其影响,整个社会的价值取向也开始发生变化,奢靡趋利之风日渐盛行,且自上而下漫延、扩散,进而导致民风丕变,世道浇漓。

合肥地区位于江淮之间,由于长期受到农耕文化的影响,当地的民风一向较为淳朴。但是到了清代中期,随着社会大环境的变化,奢靡趋利的风气自上而下逐渐向民间渗透,世俗风尚出现了与往昔不同的变化,在昔日文人的笔墨里,"世风日下""人心不古"等关于社会风气变化的描写也渐渐多了起来。如在道光初年,李鸿章的父亲李文安曾经说,自己的家乡一向富庶,民风也很淳朴,"无游惰之民,勤业者不少,饮食衣服,皆本地所出",但是不知节俭,生活上的奢靡现象比较普遍。他不无感叹地说:"闻先辈供客,不逾四簋,盛馔不过十碗,皆取诸畜牧,杂园蔬野蕨以成之,无取山珍海错也。大布足昭俭素,棉袄本自奇温。数十年前,富家右族,轻罗细縠,鲜有服者,故其时家给人足。乃近今之奢靡何如也?席竞鱼翅,官场享燕,富豪效之,贫士亦间效之矣。服竞轻裘绮縠,家仅中人,年非老大,无不如

---

① (清)魏源:《庐江章氏义庄记》,(清)魏源:《魏源集》,下册,中华书局 1976 年版,第 503 页。

是,至间色异饰,本涉奇邪,赌博雅片,实干例禁,可胜痛哉!"①可见,与往昔相比,道光时期合肥地区的社会风气已经发生了较大变化,民间奢靡之风日渐盛行,由俭趋奢之势已很明显。

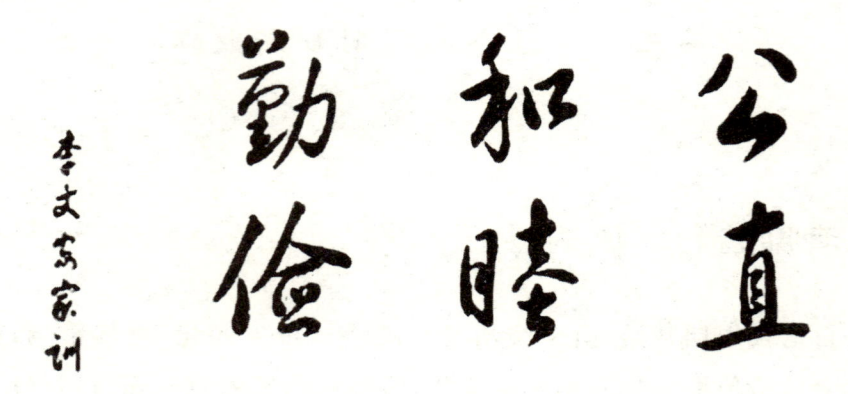

勤俭 和睦 公直

李文安家训

李文安家训,网络资料

对于当地奢靡趋利之风的弥漫,合肥人朱景昭也曾有过描述,他说:"道光之末,民俗寝敝,捐输屡告,官习弥颓。余谓兄弟曰:'乱将作矣。'……十年来,吾郡忽重中元节,于七月望夕,张灯演剧,为百剧僧道,水陆之醮,动以旬月。余尝曰:'弃人重鬼,不祥莫甚焉。'又俗渐奢靡,一筵之费,往往数千,贫家至不能宴客,识者忧之。"②世风的改变,让这位士大夫隐约地预感到,在不久的将来,天下可能会出现大乱,而此后爆发的一系列农民起义和社会动荡,也恰恰证实了他的判断。

面对世风的改变,合肥地区的一些士绅和家族也深感忧虑,他们纷纷采取一些措施,或者以乡约,或者以家规,来倡行俭约之风,力图去改变这种不良的社会风气。如上文所提到的李文安,为了阻止其家乡奢靡风气的弥漫,他曾联合当地的士绅,共同制定了一个乡约,即《淮南乡约》,其中里面有一则约文,就是对勤俭之风的提倡。这条

---

① (清)李文安:《李光禄公遗集》卷8《杂著·淮南乡约》,沈云龙主编:《近代中国史料丛刊》第7辑,第62册,第503页。

② (清)朱景昭:《无梦轩遗书》卷9《劫余小纪》,民国二十二年(1933)刻本,出版地不详。

约文写道:"今与乡人约,虽富家,仍从先进,寻常宴客,无逾四簋,大宾盛馔,限以十碗,鸡豚鱼鸭之外,无取珍羞;至贫,虽遇大宾,断以四簋。"①对于贫、富家庭的宴客活动,这条约文从食物的数量、种类等方面都做了具体限制,其要求不可谓不细致。同样强调俭约之风的还有家族,他们对于此种风气的倡导,多是以家规的形式来体现。如在道光《肥东葛氏宗谱》卷一《家规》中就列有"敦俭约"一条,里面说道:"俭乃家之本,勤乃身之常,务宜夙兴夜寐,精勤以图兴家之计。凡衣食、宫室、饮食等事,俱宜崇俭黜奢,称力行之,不可穷奢极欲,徒饰观美为也。"为了抵制奢靡行为,树立良好家风,葛氏《家规》要求其家族成员在日常的生活中力行俭约,即使是做好事,也要"称力而行""不可妄设斋醮,不可强扳高亲,不可滥交朋友,不可无事嬉戏"②。关于"勤俭""戒奢"的家风,在《合肥义门王氏续修宗谱稿》中也有记载。道光二十八年(1848),王氏宗族订立了《处世十劝》和《处世十戒》,各有十条,以简洁、生动的语言,概括了王氏家族的家规与家风。其中,在《处世十劝·勤俭》里写道:"生平何事最相须,勤俭终身不负吾。诗看豳风书无逸,教人岂别有良图。"③其主要意思是劝告族人要勤俭持家。与之对应的家规则有《处世十戒·骄奢》,里面写道:"富贵原来不久长,骄奢气息更荒唐。景公驷马今何在?千古高风话首阳。"④它的大致意思是劝诫族人,要以平常心来看待人生中的富贵,因为所谓的富贵,只能存在于一时,并不能长久,所以在自己身处富贵时,一定不要骄奢挥霍,肆意妄为。此外,在上文中所提到的李文安,其家族在重新订立家规时,也特别列有"食用宜俭"一条,里面讲道:"职业勤矣,但勤而不俭,十人之力,不足供一夫之用;积岁所藏,不足供一时之费。拿用无度,而物力匮矣;囊内不给,又称贷以遂其欲,子母相

---

① (清)李文安:《李光禄公遗集》卷8《杂著·淮南乡约》,沈云龙主编:《近代中国史料丛刊》第7辑,第62册,第504页。
② 道光《肥东葛氏宗谱》卷1《家规》,清道光十九年(1839)刻本,安徽省图书馆藏。
③ (清)王锡元等:《合肥义门王氏续修宗谱稿·处世十劝》,清代刊本,辽宁图书馆藏。
④ (清)王锡元等:《合肥义门王氏续修宗谱稿·处世十戒》。

权,债深累重,不免饥寒,甚至非分妄为,取非其有,不廉之故,由于不俭。古人谓俭以养廉,旨哉斯言!况俭为美德,夫人知之。今愿量入为出,应用之件,固不容吝啬,但衣以蔽体,不必鲜丽,食以充饥,无取甘美,丧祭冠婚,各安本分,房屋器具,务取朴素,即岁时伏腊,斗酒娱宾,从俗从宜,务归省约。常念先辈辛勤,并为后人惜福,庶不致奢荡破家,为里党笑也。勉之!戒之!"①类似的家规在合肥地区其他姓氏的家谱中还有大量记载。由此可见,清代中期,倡导俭约家风已经成为合肥地区众多家族的一个共同要求,这也是他们对当时社会奢靡之风的一种抵制。

二、社会问题的日益突出

清代中期,随着社会风气的转变,以及阶级矛盾的日益尖锐,合肥地区出现了不少社会问题,诸如溺女、逼醮、斗殴、好讼、匪患频发等。这些社会问题已经成为影响当地社会安定与经济发展的突出因素,具有很大的社会危害性。下面逐一论之。

(一)社会陋习

所谓社会陋习,是指一种有悖社会公德、贻害社会的不良习惯,它是社会问题的一个重要表现。清代中期,合肥地区的社会陋习主要表现为溺女和逼醮等行为。

1.溺女

在清代,溺女是一个比较严重的社会问题,且有一定的普遍性,在全国很多地方都有发生,合肥地区也不例外。早在康熙三十六年(1697),庐州知府张纯修就因"庐阳素有溺女之风",联合当地的士绅,倡建了一所育婴堂②。同样,在乾隆年间,巢县知县狄宽也对当地

---

① (清)李文安:《李光禄公遗集》卷8《重订家规》,沈云龙主编:《近代中国史料丛刊》第7辑,第62册,第498—499页。
② (清)王崟:《育婴堂府牒》,嘉庆《合肥县志》卷35《集文》。

存在的溺女现象感到十分震惊和不解,他说:"宽以乾隆十一年来令巢,阅案牍,讼婚姻者十之七,旁郡邑以奸拐移提者相属也。延问父老,皆言男多女少,民间娶一妇,动需百金,绌于力,不得不购诸邻县,故往往致衅。宽心疑焉,《周礼》:'扬州之民,二男五女。'巢,扬州域也,何古今民数之异耶?及巡闾阎,记其风俗,始知溺女之家,十常四五。呜乎!何其不仁,甚欤!虎狼虽暴,不食其子,人心岂甚相远哉!抑其民顿连困乏,不能自赡其子,不得已而遂至于是耶?"出于怜悯之心,同时也为了杜绝溺女之事的再次发生,这位狄知县决定尽快在当地修建一所育婴堂,以此作为接收、抚养女婴之所。在与该县士绅商定育婴堂的选址之后,狄知县"捐俸倡始,鸠工庀材",在他的带领下,当地士绅、百姓纷纷响应,出钱出力,积极参与育婴堂的兴建。经过共同努力,这所育婴堂很快得以建成,"始事于丁卯年八月,三阅月而工竣"。在育婴堂建成之后,狄知县欣慰地说:"自是,县中无告之穷民,其婴孩有所长养。行之既久,生齿渐繁,男女以正,婚姻以时,夫妇人伦之始,父子天性之亲,不大有所裨益哉!"为了清除当地溺女恶俗,他还不无严厉地告诫说:"若冥顽不灵,怙终不改,朝廷三尺法具在,知县当仰体圣天子好生之德,按行之不贷,其无悔!"①由此可以想见,在清代中叶以前,巢县的溺女现象还是很严重的。

尽管地方官绅为此做了很多努力,但是合肥地区的溺女行为并没有真正得到遏制。到了清代中期,合肥地区的溺女之风依然很盛,溺女仍是当地比较突出的一个社会问题。为此,合肥知县左辅就曾专门颁布一则关于禁止溺女的告示,力图制止这种残忍行为的再次发生。为了方便说明问题,现将告示的内容抄录如下:

---

① (清)狄宽:《建育婴堂记》,道光《巢县志》卷15《艺文》。

禁溺女示

为严禁溺女，以重人命，以笃天伦，以杜稍贩事。照得本县莅合以来，民间每买外来贩妇为妻，因此拐逃拆卖之案，控讦关拘，纷纷不息。妇年有已至四旬，而财礼尚多至七八十金及百金不等者，细询其故，皆以此地女少男多，非重价不能买妇，是以奸徒牟利，稍贩常多。查庐郡为禹贡扬州之域，其民二男五女，女多于男，何遽相反？因访得民间向有溺女之习，是以渐见女少而稍贩因之，恶习相仍，流弊至此。窃思人命关天，杀人者死，父母溺女，操心惨毒，尤背伦常，故杀子孙，律严其罪。本县闻之痛心，欲亟除其弊，特先破其迷因，代尔民揣溺女之故，而一一晓谕之。尔民溺女，一为家贫，无以养活也。不知天生一人，即注定一人之衣食，不必父母代忧。况婴孩但须乳哺，不费尔食；一幅破衣，一块破絮，缝补可著，不费尔衣；迨至稍长，即与人作养媳，尚可得其礼金，于贫何损？尔民溺女，一又为儿女既多，厌于哺乳，且操家勤苦，又妨工作也。不知婴孩但得饱乳，便无所求，忙时置卧盆桶，得闲略略怀抱；幼时稍费辛苦，长大助尔勤劳，女命既得保全，家计未尝无益。尔民溺女，又为早求生男也。不知得子迟早，自有定数，杀机一动，生机即消，故杀女者当杀绝嗣报，是命中本可有子，反以溺女而绝嗣也。试看虎不食儿，牛皆舐犊，鸡抱卵，鸟哺雏，一切禽兽尤具天性。乃俨然为人，而忍于溺女，是真禽兽之不如，绝天性，无人心，鬼神共怒，灾祸立至。独不思有女有婿，疾病亦赖扶持，倘或子死夫亡，老年且可依靠，生女何害，而必溺杀之乎？况不溺女而女常多，丁男授室，无取外求，则稍贩无利，而讼狱可省，家道有成，亦尔民异日之利也。为此，剀切申禁，自示之后，倘仍不悛，一经访闻，或被投首，定照律抵罪，邻佑、牌头、甲长、地保隐匿不报，罪亦如之，毋贻后悔。特示[①]。

从上揭引文中我们可以看出，清代中期，合肥县的溺女之风比较

---

① （清）左辅：《禁溺女示》，嘉庆《合肥县志》卷35《集文》。

盛行,由此带来的社会问题也比较多。比如,溺女会造成男女人口的比例失衡,在男多女少的情况下,婚配的礼金也会随之提高,"妇年有已至四旬,而财礼尚多至七八十金及百金不等者",婚姻的成本大大增加了。同时,在利益的引诱下,民间买卖婚姻的现象明显增多,妇女贩卖问题突出,因买卖婚姻所造成的社会纠纷、法律诉讼也是"纷纷不息"。可见,溺女现象已经成为清代中期合肥地区一个十分严重的社会问题。对于溺女现象的产生,合肥知县左辅分析了其中原因:一是因为家庭贫困,无力扶养;二是因为子女多,无暇照顾;三是受到"重男轻女"观念的影响。对此,左辅逐个进行了批驳,他认为,溺女是一种有悖伦常、禽兽不如的陋俗恶习,其行为不仅残忍狠毒,而且造成了严重的社会后果,败坏了社会风气,破坏了社会安定,应当予以严厉惩戒。

2. 逼醮

另一个与女性婚姻有关的社会陋习是"逼醮",俗称"逼嫁",这也是清代中期存在于合肥地区的一个突出社会问题。如在嘉庆年间,合肥知县左辅就曾经发布一则告示,针对的就是当地屡屡出现的逼醮抢嫁现象。现将告示内容抄录如下:

严禁逼醮示

为严禁逼醮抢嫁,以全孀节事。照得孀妇既失所天,保节抚孤,全赖夫家母族。若至贫苦无依,不得已而自愿再醮,既失柏舟之节,已伤死者之心。为亲族者不能维持保全,方当引以为愧。不谓有等藐法顽民,见利忘义,昧尽天良,未干新死鬼之坟,已居未亡人之货,非垂涎其遗产,即瓜分其礼金,疏亲远族,攘臂争媒,母党夫家,分头觅婿。该妇诈闻涕泣,至截发而誓之,诸凶相聚凭陵,竟逾墙而搂去。惊魂未定,已嗟覆水难收;拒暴不胜,可怜生米已熟。纵腼颜而不死,已抱恨于终身。况此遗孤去母,难免流离死亡,即或由聘归来,已失井闾邱墓,存殁均遭荼毒;溪壑尚未满盈,分肥不均,又相告讦。不思逼节抢嫁,律有明条;冒法图财,罪无末减。为此,剀切示谕阖邑诸色人等知悉,自示之后,凡有孀妇,去留应听自愿,如能矢守,当曲保全。倘再有逼醮抢嫁情事,一经访闻,或被告发,定将主婚及媒妁、娶主人等,按律从重治罪,断不宽贷。凛之,慎之。特示①。

这是一则由地方官府颁布的严禁逼醮抢嫁告示,从中可以看出,在清代中期,由于利益的驱使,合肥县境内存在着不少逼醮抢嫁的违法行为。在官府看来,孀妇再婚与否,应该由其自身的意愿决定;夫家或母家为了图占财产,逼迫孀妇改嫁再婚,则是对社会公序良俗的一种破坏。因为在中国传统社会中,由于受到封建礼教思想的影响,"从一而终""坚贞守节"等观念成为主导女性婚姻生活的一个重要价值取向,并一直为官府所倡导。当丈夫去世之后,"守节"通常会成为多数已婚女性的选择。逼醮抢嫁行为不仅违背了孀妇的自我意愿,使其不能守"柏舟之节",而且破坏了传统的社会礼教秩序。因此,合肥知县左辅发布告示,严禁当地再次发生逼醮抢嫁行为,以图扭转这种不良的社会风气。

(二)社会治安环境的恶化

清代中期,合肥地区另一个十分突出的社会问题是当地社会治安环境日趋恶化,具体而言,主要表现在以下几个方面:

1. 欺行霸市

清代中期,随着社会风气的日渐败坏,合肥地区欺行霸市、把持勒索之风较为盛行,这不仅极大地影响到了地方商业的发展,破坏了地方市场秩序,而且妨碍了民众的日常生活,具有很大的社会危害性。如在庐江县境内,道光年间就曾经发生过笋夫私分地界、把持勒索之事。为此,该县知县徐闳专门颁布了一则严禁告示,告示内容如下:

---

① (清)左辅:《严禁逼醮示》,嘉庆《合肥县志》卷35《集文》。

严禁箩夫把持勒索示

为再行出示严禁事。前奉本府正堂栗牌开，据合肥县职员范公辅等词称：生等均住三河，上接舒、六，下达巢湖，船只往来，商贾贸易之地。近有假藉箩头名色，私分地界，虎噬一方，稍不遂欲，纠众凶殴。三河乃舒、合、庐三县接壤，受害不止一处，抄呈各禁，著抱奔辕，叩请赏禁，等情。据此，查箩夫私分地界，把持需索，殊为地方之害，合行抄词檄饬，迅速一体查明严禁，等因到县，于上年九月间，列款示禁在案。兹据生员鲍云鹏、孙贵恒等禀前事词称：生等均住县城内外，近有无籍棍徒，藉箩头、夫头、大小码头名色，各有私分地界，凡有搬运商货、挑卖稻米以及婚嫁殡葬等事，伊等仍行把持勒索。惟开受害各条，叩赏明示，勒碑永禁，等情。据此，除批示外，合再据情列款，出示严禁。为此，示仰县属绅商、铺户诸色人等知悉，自示之后，凡有搬运商货、挑卖稻米以及婚嫁殡葬等事，均听民间自雇，该夫头不得私分地界，把持强搬，高增勒索。倘敢仍蹈前辙，或经访闻，或被告发，定即锁拿，带县从严惩办，决不姑宽，各宜懔遵，毋违。特示。

道光二十八年十一月二十三日

计开条款于后：

一、县城内外，烟火数万家，每月出殡，有人箩夫等，于富者，索钱百余千，虽极贫者，亦索钱数千，均有停棺数十年不能出者，一遇水火，祖宗骸骨成为煨烬泥沙，伊等反指为悭吝之报。现值大水，停棺未出者甚多，皆伊等不容自行出殡，此枯骨受害之情形也。

一、向有商船抵岸，自雇人夫搬运。今箩头把持，不容自行雇人，伊挑每石要钱四五十文之多，每石稻米，要钱三四十文，稍不遂欲，小则纠众辱詈，大则纠众凶殴。又店铺搬运货物，随伊估值，不敢与较；畚坊开设，每坊每年索取七八千之多，零星米铺，每设一曰，每年三四千之多，名曰"季规"，此商贾受害之情形也。

一、小民秋收之后，自挑稻米，投行变卖，既除行用，又费工食，与箩头毫无干涉。而勒索苛求，分文不让，此穷农受害之情形也。

一、他如离乡背井，出外营生，此为蝇头，抛妻撇子，不幸客死店中。虽棺木无贵,而额规断不可缺,见者侧目,闻者酸心,此异民受害之情形也。

一、嫁娶喜轿,无论城乡贫富,该夫头均要包抬,重索钱财,铺派酒食,稍不遂欲,即肆扬言夫价,甚至需索十余千之多。正价之外,更有升轿礼,取给无厌,必索增至再、至三而后已。间有贫家自行备轿,雇人肩抬,伊等闻风,亦必中途截阻,讹索更甚,此婚嫁受害之情形也①。

位于舒城、合肥、庐江三县接壤之地的三河镇,是合肥地区一个重要的商业市镇,往来商贾频繁,经济繁盛。但是在道光年间,该镇有一些笋夫为了获取不当利益,在此私分地界,把持强搬,肆意勒索,从而使商业活动无法正常开展,婚丧嫁娶等日常生活也受到严重影响,来往商贾和当地民众都深受其害,着实让生者痛苦,死者不安。为了制止这种恶劣行为,当地士绅向官府上书控诉,对受害情形一一做了陈述。最终,当地官府发出告示,对笋夫肆意把持勒索的行为予以严禁。

2.争讼

在清代,争讼也是一个普遍存在的社会问题。就合肥地区而言,清代中期,好讼之风也很兴盛,这从嘉庆年间庐州知府张祥云颁布的一则息讼告示中就能略窥一二。这则息讼告示的具体内容如下:

息讼示

夫鼠牙雀角,本闾里之微嫌;田土户婚,亦乡邻之细故。一朝之忿,果能排难解纷,数口之家,即可安居乐业。乃有一等好讼之徒,遇事生风,架词耸听,以曲作直,藉包揽而肆其贪心,将有作无,逞刀笔以行其毒计,一味播弄,两造受愚,即有族证、亲邻从中调处,又复把持唆使,节外生枝,遂致一人涉讼,数家不宁,一日投词,四时失序,产

---

① (清)徐竑:《严禁笋夫把持勒索示》,光绪《庐江县志》卷15《艺文·杂文》。

业因以渐耗，拖累及于无辜，讦讼者愚昧堪怜，唆讼者奸习可恨。本府自莅任以来，案无留牍，民不含冤，适重适轻，三尺之法具在，为鬼为蜮，五声之听何穷，但思折狱惟良，格顽化暴，必使无讼为贵，息事宁人。除密访讼棍，严行究办外，合行出示劝谕。为此，示仰阖郡军民人等知悉，尔等嗣后务须各安本分，勿启争端。事非命盗重情，讼因争斗小节，急宜解释，毋听挑唆。若逞刁诈之心，奸无不败；倘信愚弄之口，讼则终凶。宜早回头，以副慈念。凛之，切切①。

从张知府颁布的这则息讼告示中，我们可以想见，在当时的合肥地区，"好讼"应该是一个比较严重的社会问题。在张知府看来，邻里、亲族之间的一些纠纷，本属小事，但是一些讼师为了能够从中渔利，故意架词耸听，节外生枝，以挑起矛盾，这是导致当地好讼之风盛行的一个重要原因。为了改变这种不良社会风气，他一方面表示要严惩讼棍，另一方面，还劝谕百姓，不要因一时之愤，轻信讼师之言，免得因轻涉讼事而遭家破人亡之祸。

对于"好讼"，除了官方颁文予以告诫外，在一些家族的族规家法中，也是明文禁止的。如在道光《肥东葛氏宗谱》卷一《家规》中，就列有"戒争讼"一条。该条家规写道："孝弟之人，满腔和顺，只求自己要合道理，何暇责人之是非？惟不仁不义之徒，不知反求责己之非，专言他人之不是，故虽小事，构成大讼，百计求胜，以矜其能，欲人畏己，以趋其势。嗟乎！事或如意，不荡产则愧身矣。古今来，谁人争得到底，那个争气不用钱，及至冤深祸结，仇恨莫解，则心术坏而德行亏，且莫知其祸之所终矣，可不戒哉？"②类似的家规在《合肥义门王氏续修宗谱稿》中也有记载。道光二十八年（1848），王氏宗族订立了《处世十劝》和《处世十戒》，从"应做"与"不应做"两个方面，对家族成员的行为进行了规范，其中有些要求就是关于"息纷争""戒争讼"的内

---

① （清）张祥云：《息讼示》，嘉庆《庐州府志》卷52《杂文下》。
② 道光《肥东葛氏宗谱》卷1《家规》。

容。例如《处世十劝·排解》写道:"事处危疑祸易生,必须排解息纷争。任他多少梗顽性,雪点洪炉尽化清。"①排解纷争,目的是为了化解矛盾,消除导致争讼的根由。对于争讼所带来的危害,在《处世十戒·争讼》里也说得很清楚:"争讼多因气不平,是非屈直几时明?有钱无理翻是福,有理无钱那时赢。"②可见,决定争讼结果的往往并不是事情本身的是非曲直,而是取决于争讼双方金钱的多寡,一味的争讼只会造成金钱的大量耗费,这对于一个家庭和家族来说,并不是一件好事。因此,家族对于争讼也是尽力避而远之的。

3.私枭与匪患

在这一时期,合肥地区社会治安环境恶化的另一个重要表现是当地私枭、匪患严重,这也是一个比较突出的社会问题。合肥地区濒临巢湖,由于湖面宽广,港汊众多,当地极易发生匪患,食盐走私活动也很频繁。康熙《合肥县志》称:"肥东接居巢,湖波浩渺,北抵寿春,盐徒间发。丰年则游民呼卢聚党,凶年则贫民啼饥号寒,当事者若先事豫防。"③乾隆年间,安徽巡抚陈大受在上呈朝廷的奏折中依然强调:"庐州府七省通衢,地处冲要,环山枕江;巢湖巨浸,最易藏奸。"④其实,巢湖的匪患由来已久,早在明代,这一地区就是匪患的"重灾区"。据历史文献记载,该县有个地方名曰芦溪嘴,"在县西巧溪河",是巢湖北岸一块伸入湖中的滩地,"入湖十余里"⑤。由于滩地上长有茂密的芦苇,所以古时该地"最为盗船藏奸之薮",成为巢湖盗匪集聚的一个"大本营"。在明朝嘉靖隆庆年间,当地匪患更趋严重,为了便于清剿,彻底扑灭湖匪势力,官府下令将滩地上生长出的芦苇全部砍伐,"俾苇无遗根再育",同时还禁止过往船只装载芦苇过湖,以免芦苇种子飞入湖中,滩地上再次长出芦苇⑥。

---

① (清)王锡元等:《合肥义门王氏续修宗谱稿·处世十劝》。
② (清)王锡元等:《合肥义门王氏续修宗谱稿·处世十戒》。
③ 康熙《合肥县志》卷4《兵驿》。
④ 《清高宗实录》卷138乾隆六年三月己卯。
⑤ 康熙《巢县志》卷6《山川·嘴》。
⑥ 康熙《巢县志》卷20《摭遗·古迹》。

正如前面提及的,在"康乾盛世"时期,巢湖的匪患尚且如此严重,那么到了清代中期,随着土地兼并的加剧、封建剥削的加重以及自然灾害的频发,大量的农民、手工业者因为失去土地或劳动机会而成为游民,迫于生存的压力,他们中间有不少人或沦为盗匪,或贩卖私盐,成为盐枭集团的一分子,巢湖地区的匪患与贩私问题又变得更加严重。据道光十七年(1837)五月乙巳上谕记载:"安徽庐州府属地方,有巢湖,亦名焦湖,沿湖一带多高山,素为匪徒出没之所。近有盐枭回匪,聚集数百人,居民俱被骚扰。"①可见,在当时,巢湖一带已经成为匪徒和盐枭聚集的一个重要据点。为了阻止当地匪患势力形成气候,打击私盐走私活动,清政府曾经秘密派出精干兵力,对他们进行缉拿,经过几个月的搜捕,"报获匪犯熊万沅等十一名……报获盐犯李春扬等三十二名,起获私盐一万五千余斤,及双刀、苗刀等项器械。"②但是没过多久,到了道光二十二年(1842),又有官员向朝廷上奏称:"盐枭结伙贩私,持兵拒捕。上、下江各分头目,下江头目黄安民,即前经正法黄玉林之子,其党羽最繁,分布巢湖、洪泽湖、焦山等处;而上江之庐、凤、颍、寿头目,亦与合一。"③这说明,巢湖一带的私贩并没有因为官府的打击而销声匿迹,相反,他们还有日渐壮大之势。当地的盐枭集团与分布于省内其他地区的盐枭势力相互沟通,彼此联络,已经形成很大一股势力,巢湖成了他们进行食盐走私的一个重要据点。活跃在巢湖一带的盐枭集团也被称之为"巢湖帮",他们"在长江下游的私盐活动中起到了主导作用"④,后来发展成为近代中国秘密社会团体——"青帮"的重要一支。也正是由于匪患、私贩的严重,在清代中期,巢湖地区还被清政府列为军事巡防的重点区域,道光二十三年(1843)二月乙未,清廷责令地方督抚称:"安徽省江

---

① 《清宣宗实录》卷 297 道光十七年五月乙巳。
② 《清宣宗实录》卷 297 道光十七年五月乙巳。
③ 《清宣宗实录》卷 378 道光二十二年七月庚午。
④ [日]渡边惇著,钱保元译:《清末时期长江下游的青帮、私盐集团活动——以与私盐流通的关系为中心》,《盐业史研究》1990 年第 2 期。

面为上游江广藩篱,巢湖地方又为捻匪、监枭逋逃渊薮,缉捕巡防,均关紧要。现在挑练兵丁,制造船只,周历巡查。"①

　　清代中期,由于盐法败坏,私贩盛行,合肥地区已经成为私盐泛滥的一个"重灾区",除了在巢湖一带有比较频繁的走私活动外,在其他一些地区,私盐贩运也是盛而不衰。如在乾隆五十六年(1791)正月乙未的上谕中就曾经提到:"淮北私盐兴贩之地……多在滁州、定远、凤阳、寿州、合肥一带。"②撮城镇是合肥县境内的一个著名商业市镇,位于县城东南四十里。清代中期,这里成了私盐的一个集散地,盐枭活动十分频繁。道光十三年(1833)七月,任庐凤道职的周天爵在向两江总督陶澍上书时,就提出建议说:"湖运要害之地,无过明光,而江运要害之地,无过撮城镇。撮城去店埠十数里,为诸私之总汇,分行合肥之三河、排河、城北关、三十里头、白龙场等处,此地一控扼,则诸枭皆绝矣。"③可以想见当地私贩的兴盛。

　　在合肥地区的私盐贩运活动中,由于利益的驱使,一些匪患势力也会参与其中,如道光十三年(1833)十二月的上谕里写道:"谕军机大臣等,有人陈奏,安徽庐、凤、颍一带,有匪棍郝启倡,从前本系枭匪,绰号巡河大王,占据马头,非其夥党,不容贩买,又号拦河大王。近年官行票引,该匪即借票商为名,带领拽力匪徒,夹带贩私,往来庐、凤、颍等处,公行无忌,敛派盐贩钱文,动辄数百千,旋即分散,要结人心,党羽益众。"后来,郝启倡被官府拿获,经过审讯得知,他真名叫郝运开,曾经作为官府的眼线,随同官役协获枭匪李容孜。此后,他便以此为掩护,"假冒盐巡名目,讹诈官盐船只,贿放私贩人犯,并节次兴贩私盐"。最终,郝启倡被官府判以重刑,"发极边烟瘴充军"④。从郝启倡的身上我们可以发现,盐枭与匪患之间存在着一种

---

　　① 《清宣宗实录》卷389道光二十三年二月乙未。
　　② 《清高宗实录》卷1371乾隆五十六年正月乙未。
　　③ (清)周天爵:《周文忠公尺牍》卷下《禀督宪陶》,同治七年(1868)苏松太道署刊本,沈云龙主编:《近代中国史料丛刊》第20辑,第194—195册,台北文海出版社,出版时间不详,第133—134页。
　　④ 《清宣宗实录》卷247道光十三年十二月甲子。

天然的联系,两者往往不分彼此。在清代中期,合肥地区匪患的严重应当与私盐的兴贩有着很大关系。

另外,需要指明的是,在这一时期,合肥地区的私盐贩运之所以屡禁不止,还有其更深层次的原因,即在道光咸丰时期,清政府实行了漕运制度改革,即改东南河运为海运,在这种情况下,原先的大部分漕运水手失去了生活依靠,为了生存,他们中有不少人加入盐枭集团,开始从事获利丰厚的私盐贩卖活动,这也是造成合肥地区私盐泛滥的一个重要因素。

4. 械斗

清代中期,合肥地区治安环境恶化的另一个表现是当地械斗之风盛行,尤其在合肥县,这一社会问题更加突出。为此,嘉庆时期,合肥知县左辅专门颁布了一则禁止纠众斗殴的告示。他在《告示》中劝谕百姓说:"斗殴为伤命之由,器械乃杀人之具,刀枪交手,锋刃无情,或艺薄而自伤,早为破脑穿肠之鬼,即力强而人毙,旋作脚镣手铐之囚。况寡人之妻者即寡其妻,孤人之子者孤其子,不过一时不忍,遂至祸及全家。更有事不与己相干,彼亦与此无忤,徒逞一时高兴,各帮两造争能,遂致人鬼模糊,死生顷刻。同行不能替其苦,原谋不得贷其生。尸亲恸哭,抚尸共说,死得弗值;犯属吞声,怨犯何苦,活不耐烦。此时返己自思,虽悔无及,皆因家有现成之凶械,听纠即随手携来,遂忘势无两立之危机,乘兴即当场戳去,猝成命案,受兹苦恼也。鉴此前辙,警彼后车,倘能排难解纷,有事便化为无事,何至招灾惹祸,旁人翻变作罪人。……查律载私藏应禁凶器者,计件加罪,分别军流。尔等百姓,享太平之福,安耕凿之常,岂不快乐?何苦冒罪藏械,怀害己伤人之物,贻人亡家破之根乎?"他要求民众能引以为戒,"将凶器销为农器","把惧心易此忿心",以免招致罪祸。最后,他还告诫说:"凡有火器、刀枪之属,缴案验销。倘再怙恶不悛,私藏不缴,逞愤纠殴,立即拘案严办,重则绞斩军流,轻亦徒枷笞杖,罪由自取,律不能宽,各宜凛遵毋违。"[①]这则告示表

---

① (清)左辅:《谕禁纠殴示》,嘉庆《合肥县志》卷35《集文》。

明，在清代中期，械斗已经发展成为让当地官员十分头疼的一个社会顽疾，而且具有很大的社会危害性。其实，当地械斗之风的盛行与其民风的强悍也不无关系。道光年间，御史章炜就曾说过："安徽凤阳府属之寿州、颍州府属之亳州、蒙城、庐州府属之合肥一带地方，民风强悍，遇事忿争，往往号召多人，持械格斗。"①合肥地处江淮，民风素称强悍，早在元代，淮南行省左丞余阙就称赞合肥民人"质直而无二心"，民风"强悍而无孱弱可乘之气"②。但凡事皆有两面性，民风亦是如此，当强悍的民风演变成争强斗狠的社会心理时，它又会成为影响社会安定的一个负面因素。

以上是清代中期合肥地区社会治安环境恶化的几个具体表现。其实，在一些地区，这些影响社会稳定的治安问题又经常是集中存在的。下面我们抄录一段碑文，以作分析。

告　示

安徽即补州正堂调署庐州府合肥县事、巢县正堂加□□□□带加□级□□为公叩赏示事。据王兴隆集生耆等禀称，本集素本淳良，□□□□，各安各业，共庆升平。不意世风浇漓，人情颓败，近有无籍棍徒，习染成风，时来□□，摆卖禁烟，窝匪局赌，并在集强赊硬索，散放食物，百般讹诈，稍拂其欲，动辄刀枪火铳，肆凶滋闹，□有藉搜烟土为□，短劫客商，抑有藉以□毙□□，冒认讹诈，以及强伐强□，赶牛勒索情事，种种不法，民业难安。为此，公议规条，叩请给示严禁，等情到县。据此，除批示外，合行出示严禁。为此，示仰该处居民人等知悉，示之后，如有前项不法棍徒，集滋扰诈，即鸣总扭带禀县，以凭究惩，决不姑宽，各宜凛遵，毋违。特示。右谕通知。

一、禁局赌抽头，窝囤南北棍徒，滋扰乡民。

一、禁摆卖禁烟，聚集匪类。

---

① 《清宣宗实录》卷250道光十四年三月壬申。
② 康熙《合肥县志》卷4《风俗》。

一、禁强买强卖，强赊硬索，□□良民。

一、禁散放时香、猪牛肉等物讹索。

一、禁藉毙尸勒索，冒认讹诈。

一、禁拦途，藉搜烟土□□。

一、禁逢集不准带刀枪伤人。

一、禁黑夜强伐树木，窃割麦稻。

一、禁藉事生端，强赶耕牛，拉人勒□。

一、禁纠众行强，动辄刀枪火铳，打降斗殴情事。

以上十条，违者，鸣总扭获，秉公禀究。

　　　　　　　　监生王靖乡　黄□□　李嘉印　王其相　黄　道
文生王卸湖　戚应龙　徐恒玉　崔有德　王金元　王成业　徐永基
　　　　　　　　监生李锦纯　戚应凤　陈梁寿　王凤起　徐永从
　　　　　　　　文生李□□　黄文诰　□□周王　澍黄　鼎
　　　　　　　　道光贰拾玖年拾二月二十日具禀生耆等①

此则告示表明，在道光年间，王兴隆集的社会治安环境已经十分糟糕，一些地痞无赖等社会闲散人员横行其间，他们不仅违禁贩烟，聚众赌博，而且欺行霸市，强买强卖，肆意进行讹诈勒索，同时还偷伐树木，窃割麦稻，纠众斗殴，真可谓无恶不作。这些人的恶劣行迹已经严重影响到了当地百姓的日常生产与生活。为此，合肥县、巢县两地的士绅共同议定出十项严禁条规，并呈请地方官府，由其发布告示，予以严禁。这也表明，在当时的王兴隆集，出现的社会治安问题不仅多，而且复杂，具有较大的社会危害性。

---

① 这块告示碑是肥东县文物部门在进行文物普查时，在肥东县包公镇王集社区偶然发现的，碑文内容有些残缺。此碑现藏于肥东县文物管理所。碑文资料由肥东县文物管理所所长彭余江先生提供，长丰县文物所孙朝峰先生也提供了很多帮助，在此一并致谢。

第八章

清代合肥地区的文化与教育

与明代相比,清代合肥地区的文化成就更为突出,主要体现在文学、史学、戏曲等领域。文学方面,诗文创作氛围更加浓厚,佳篇巨制不断涌现。史学方面,合肥籍人士探经研史,注疏成说,从事正史、方志等各类史志的编纂活动。庐剧开始出现并获得长足发展,得到社会各阶层的广泛认同,徽剧在合肥地区的影响力也日益显著,满足了人们的文化需求。清代,合肥地区的民俗活动亦丰富多彩,呈现出南北杂陈、风气渐奢的特点。岁时节日、民间信仰、宗教活动都打上了鲜明的合肥地域烙印。清代,合肥地区的官学教育体系不断完善,管理体制日渐成熟,书院教育在相当程度上被纳入应试科举的范畴,牢笼了士人的思想。

第一节 文化

一、文学

文学起源于人类的思维活动,以语言文字为工具形象化地反映客观现实,表现作家的心灵世界,主要包括诗歌、散文、小说、剧本、寓言、童话等几种类别,是社会文化的重要表现形式。清代,合肥地区教育发达,文风昌盛,涌现出一批又一批的文人学士,他们构园筑亭,诗酒唱和,形成了浓郁的文化氛围,创造出卷帙浩繁的诗歌作品,彰显了合肥鲜明的地域文化特色。收录在嘉庆《合肥县志·艺文志》中的诗文集有近50部,涉及作者33位,分别为龚鼎孳著《定山堂诗集》《稻香楼诗集》,王纲著《睨鹤亭全集》,龚士正著《露园集》《秋水轩词》,龚志夔著《自怡集》,范炳著《佩远集》,萧嗣奇著《秋水吟》,王丝著《年初集》,李澹然著《黄叶庵诗集》《隐几集》《旷园集》,李葛著《辰怀轩集》《柏鬓亭诗集十种》,许裔馨著《岳摇堂集》,许裔蘅著《二楼诗集》，徐国显著《庆云楼文集》，王系著《朝霞集》，秦咸著《酣绿亭诗集》《前后游燕草》《潭影堂集》，秦篆著《抹云亭词》，何五芝著《朝霞吟》，何五云著《对未斋集》，王舟著《巴吟泌园集》，李天馥著《容斋千首诗》，李孚青著《盘隐集》《五郢楼古腋》《野香亭诗》，许孙荃著《华岳集》《慎墨斋诗集》，许孙籥著《立耕堂诗集》，王裹著《冰翠堂集》，萧玉成著《履石斋诗集》，许梦麟著《双豁诗集》《楚香亭集》，田实发著《玉禾山人集》，许齐卓著《听雨楼诗文集》《箨龙集》《万松庵小草》，夏振祖著《散木山人诗》，徐节征著《石渠山人诗》，蔡邦烜著《咏花人诗草》，萧际韶著《兰石轩诗钞》，何应鹿著《秋吟》，杨绮南著《卧云居士集》《万松楼集》。收录在光绪《庐江县志·艺文志》中的诗文集有 58 部，涉及作者 46 位，分别为夏起敏著《霜林集》《笃休草》，宋元征著《冶云堂文集》《蕴真草堂诗集》，夏景耀著《听溲居集》《半月堂诗文集》，夏起烂著《鉴亭集》，李元正著《㳅溪娄东诗文集》，黄位中著《斗南阁文集》《素庵集》，黄培著《香岩续集》，李光玖著《潄芳集》，李光瑜著《诗赋新硎集》，李锦林著《听月楼诗文集》，王凤翔著《松园诗话》，王凤喈著《诗赋绣囊集》，马连著《绣亭制艺》，丁宠著《怀瑾集》，许维新著《约园诗集》，黄金濠著《篠岑诗古文集》，胡钧著《蘋香文集》，宋宏涂著《点易阁文集》《政余草》，孙宗灏著《本用斋文集》，夏翊著《霞斋阁时艺》，许宽著《爱日堂诗草》《容庵诗钞》，陈日高著《守陂集》，陈经业著《接叶亭诗草》，陈廷阑著《乐贞堂文集》，李之干著《冉香堂诗文集》，陈大化著《对池制艺》《蓉镜轩诗文集》，许祝年著《淡宁集》，黄文焕著《观我堂文集》，徐维宣著《偶存集》，黄道著《心田文集》，金智著《白石诗钞》，江开著《浩然堂诗集》，李光理著《诗赋丽则潄芳》，章炜著《六家诗选》《涵翠山房杂咏》《陶诗补注》，孙取匪著《迩言录》《琴草二集》，吴廷香著《吴征君遗集》，吴守仁著《蒙颖文集》，俞文慧著《竹石山房诗草》，许大同著《鸿雪草》，许澄露著《醉茶吟》，祝尧熙著《隐茅轩诗集》，章玕著《和雅堂诗钞》，霍凤喆著《谦爱堂诗文集》，霍珊兰著《梅轩诗草》，卢盛典著《蜃山诗钞》，章轩玕之妻陶安生著《清绮轩诗》《怡情草》。《安徽省馆藏皖人书目》是对安徽省内各家图书馆收藏的历代皖人著述所作的目录汇编,据此可知,现存可以查到的清代合肥县作者 79 人,巢县作者 5 人,庐江县作者 18 人,诗文集 130 余部,为我们考察合肥地区的文学成就提供了难得的一手资料。

(一)清代合肥地区文学的整体概况

有清一代合肥地区的文人群体构成复杂,约略可分为以下两种类型:

1.官员文人群体。该文人群体一生为官,公务之余不废诵读,吟咏谈唱,酬应往返,结而成集。这类文人为数众多,他们普遍受过良好的教育,取得科考功名,进入仕途后辗转多处,历任不同官职,无形中扩大了交际范围,开阔了视野,进而影响到诗文创作。如巢县人汤懋总,"官郎中,能诗,性高淡,如其吟咏。袁随园尝称之,诗话多采其佳句,如:'溪清山影入风动,竹阴移及游山心。在山合眼飞岚绕,真得静中三昧子。'扩祖能诗,有父风,其过随园访主人不值,投赠之诗尤近作者,诗云:'花含宿雨柳含烟,高士园林别有天。高卧白云人不见,一家鸡犬翠微岭'"①。汤懋总在道光《巢县志》中被记载为汤懋纲,"字维之,别号奕园居士,琼州守爱鼎长子也。少慧,日记万言,长入赀为户部员外郎。……归,构园亭,延诸诗人宴饮其中,有《奕园集》十二卷,袁太史枚粹其诗入《同人集》,又《婆娑馆词》一卷、《亦畅楼文集》四卷、《一百二十三砚铭》,子孙俱守之"②。巢县人周兆权,号鉴溪,"慷慨有干才,任邑中公事,有成效。性耽吟咏,有《鉴溪诗草》行世。又选乡前辈诗集付诸剞劂,曰《居巢诗略》"③。巢县人张伟烈,字效骞,"以岁贡入成均,雍正十三年诏举博学鸿词司成,以伟烈应诏不果,年满授安庆府训导。所著有《红杏轩诗稿》"④。庐江人夏景耀,字穉光,"以明经任仪陇知县。当蜀中兵燹后招徕劝垦,流移安集,升

---

① 光绪《续修庐州府志》卷 45《文苑》。
② 道光《巢县志》卷 13《人物志·文苑》。
③ 光绪《续修庐州府志》卷 45《文苑》。
④ 道光《巢县志》卷 13《人物志·文苑》。

岳州府同知。时新堤民喜斗讼,盗贼蜂起,景耀临御有法,市赖以安。公瑕恒下帷,览书史及勘灾害,躬亲劳瘁,吏莫能欺。卒于官,士民思之。著有《听湲居集》《半月堂诗文集》"①。庐江人夏偁,字力涵,号廓原,"以岁贡任六合训导。性颖悟,读书过目不忘,通经学古,为文不入时趋,及门受业者多,腾声庠序。著有《霞骞阁时艺》"②。庐江人章炜,字元城,号琯香,"道光辛巳举人,刑部陕西司郎中,乙丑成进士,总办秋审,清厘积案,擢河南道监察御史,历吏科给事中,陈奏有体要,丁忧回籍,遂决意仕进,足不履城市。著有《六家诗选》《陶诗补注》《涵翠山房杂咏》"③。合肥人李世藻,字绣虎,"顺治三年丙戌恩贡生,为陕西肤施县知县。爱民好士,啧有政声。著有《篝龙集》《万松庵小草》。年七十卒于官"④。合肥人卢先骆,字半溪,"少失怙,家贫力学。道光壬辰成进士,授广东龙川令,有廉名,旋丁艰罢官,遂卒。生平喜为诗,不加雕琢,所得俸金仅供刊诗之费,归橐萧然,士庶送者皆泣下。著有《循兰馆诗存》"⑤。合肥人田实发,字梅屿,"天资爽逸,仙才飚发,嗜古力学。家贫不可支,日则酬应逋负办结薪米,晚入侍慈闱曲承色笑,夜分始张灯书室,问日间人所嘱笔墨事,或算或联贺唁文及碑铭等作一一了结封识,付童子,始任意读书"⑥。田实发,"雍正庚戌进士,壬子、乙卯山东、湖北同考官,任徐州府教授。天资颖悟,尤工诗文,名震一时,著有《玉禾诗集》《绿杨亭诗余》行世"⑦。田实发所著《玉禾山人集》共十卷,具体为:卷一《赵树邨庄录》,诗四十八首;卷二《龙舒集》,诗二十四首;卷三《秦淮集》,诗七十三首;卷四《黄蘖斋稿》,诗三十二首;卷五《鸿影草》,诗十七首;卷六《霞鹜吟》,诗五十四首;卷七《金台游草》,诗十五首;卷八《梅屿诗钞》,诗八十六

---

① 光绪《续修庐州府志》卷45《文苑》。
② 光绪《庐江县志》卷8《人物志·文学》。
③ 光绪《庐江县志》卷8《人物志·文学》。
④ 嘉庆《合肥县志》卷24《人物传第四》。
⑤ 光绪《续修庐州府志》卷45《文苑》。
⑥ (清)田实发:《玉禾山人集·序》,清末民国影印本。
⑦ 光绪《续修庐州府志》卷45《文苑》。

首;卷九《绿杨亭词》五十八首、《绿杨亭词续集》三十二首;卷十《赋》三首。合肥人王裹,字石仓,"庚午乡魁,捷南宫,出为商河令。邑故多盗,裹持法廉恕,四境肃然。以终养归,事母至孝。性嗜古,居尝诵读不辍,诗文清超绝俗。著有《冰翠堂集》行世"①。合肥人王㙔,号二石,"道光辛巳副榜,就职州判,分发河南,署睢宁厅通判。㙔生而颖异,壮负才名,诗笔纵横,不拘绳墨,与全椒王小鹤明经称莫逆,一时有'二王'之称。著有《笑园诗偶存》"②。

中国人具有浓厚的桑梓情怀,讲究叶落归根,从合肥地区走出的官员在退出官场或致仕之后多选择回归乡里,有的终日徜徉于山水间,与三五知己谈诗说词,切磋技艺,引得后学为之倾仰。如合肥人龚孚肃,字尹达,"庚辛岁饥,首倡捐赈,全活甚众。……归后筑墅城南,建稻香、水明二楼以居。所著有《稻香楼诗集》"③。庐江人刘骥,字秩音,号超亭,"性严正,操行谨,饬人无敢干以私。为学刻苦,所读经史及诸儒传注皆能默诵,为文清丽芊绵。中乾隆丙戌科进士,选安庆府教授。素安淡泊,不乐为州县吏部文,截取赴选辞不就,遂以告病归,优游林下,十年不入城,前后邑令慕其清高,欲一识面不能得也。著有《众超亭诗文集》"④。有的开馆授徒,将毕生所学所得尽传于后人,致力于培养生徒,他们感时伤怀,与得意门生磋兮摩兮,营造出一爿文学的空间。如合肥人虞本,号体丰,"乾隆甲寅科举人,官滁州学正。幼励品学,至老不倦,晚年擢升知县不就,闭户课徒,足迹不入城市者二十余年。著有《体丰文稿》"⑤。庐江人黄培,字载钟,号香严,"少颖慧,下笔数千言,汪洋恣肆,读者至不能句读。既冠后,益覃思经典,为文雄深雅健,学者奉为楷模。不乐仕宦,乾隆乙丑成进士,后即归里,教授生徒,宏奖后辈,来就者多一时名流。性和易,无主

---

① 光绪《续修庐州府志》卷45《文苑》。
② 光绪《续修庐州府志》卷45《文苑》。
③ 嘉庆《合肥县志》卷24《人物传第四》。
④ 光绪《续修庐州府志》卷45《文苑》。
⑤ 光绪《续修庐州府志》卷45《文苑》。

角,而义利之辨甚严。终身疏食缊袍,处之甚泰,不以贫故介怀也。所著有《斗南阁古今文集》《香岩续集》,卒年五十八"[①]。

2.生员文人群体。这也是清代合肥地区文人的主体部分,有府县学生员、国子监生[②],乃至进士。他们中的大多数人性情疏淡,不愿为冗繁的官场琐事所累,退而纵情于乡间田园,他们或结社吟诗,论古议今,或开馆授徒,培养生童,诗歌创作盛于一时。

合肥县生员文人诗文创作的情况如下:罗玉,字公琢,"康熙丁丑岁贡生。敦品力学,都人士仰之。著有《天中》《螺江》《闽海》诸游草,尤长古文词"[③]。李菖,字中沚,县学生。读书四顶山,博学嗜古,兼通内典,性恬退不乐仕进,为士林所矜式。所著诗有《柏鬘亭客郎草》《远庐吟》《归自石头吟》《凫漾集》《鹧鸪声》《雍门弹》《南窗呓余》《雪皋吟》《倦还草》十余种。著有《辰怀轩全集》[④]。萧际韶,字鸣球,"幼丧父,力学能文章,读父所著家训,则捧而泣。乾隆乙酉顺天举人,乙丑成进士,入词馆,充四库国史馆纂修官,庚子会试同考官,寻擢山东河南道监察御史,巡视北城,继授坐粮厅。……所著有《周易指讹》《三礼补注》《昭明文选补笺》《山海经集解》《馆课赋存》《兰石轩诗抄》《崇德堂诗文集》"[⑤]。王会茏,字珠庭,"恂谨力学,兄弟四人同时入泮。乾隆乙酉复偕弟燕举于乡,下帷,著有《艺圃偶存》"[⑥]。夏云,字奇峰,"县学生。少承家学,尤工古体,追踪射洪,嗣响步兵,名噪一

---

① 光绪《庐江县志》卷8《人物志·文学》。
② 根据明清学校制度可知,地方上的府州县学建立了贡监制度,负责向国子监选拔和推荐学生,即国子监的招生对象以地方生员为主,分为贡生和监生两种,贡生有岁贡生、恩贡生、拔贡生、优贡生、副贡生、例贡生六类,监生有恩监生、荫监生、优监生、例监生四类。这里有会试落第的举人、以各种名目选拔上来的地方生员、因家人有功而被恩准入学的子弟、靠捐纳而获取资格的俊秀。参见陈学恂主编:《中国教育史研究·明清卷》,华东师范大学出版社1995年版,第21—23页。
③ 嘉庆《合肥县志》卷24《人物传第四》。
④ 嘉庆《合肥县志》卷24《人物传第四》。
⑤ 嘉庆《合肥县志》卷24《人物传第四》。
⑥ 光绪《续修庐州府志》卷45《文苑》。

时。刊有《曾园诗集》二卷,阳湖陆祁孙选入《兰言集》"①。史台懋,字半楼,"监生。为人狷介,不妄取貌,清癯有诗癖,琢句至忘寝食,五言似邢孟贞,其妙句逼似贾浪仙,七言亦有佳者,刊有《浮槎山房诗钞》。陆祁孙为合肥教官,亟称之,赠以诗云:'平梁一诗人,寒瘦若古木,萧斋著此客,觉我亦非俗'"②。张延邴,字渔邨,"恩贡生。世居邑东乡之磨摊。幼颖悟,家贫力学,好储书,有声庠序,益肆力于诗词,精四体书,兼工铁笔。著有《延清堂集》"③。胡邦梓,字楚材,"岁贡生。通经古,累世冠其曹,柳城张鳞督皖学,尤奇之。性和厚而介,笃交游,重名义,与同邑张延邴、王汝贵、蔡邦甸为真率诗社,月再举门下士如张靖达及胡殿甲、黄瑞兰、王恩光、赵连璧其最著者。家所储书甚多,所编《春秋人物备考》,前守唐景泉为刊行之"④。徐汉苍,字荔庵,"县学生。道光辛巳年举孝廉方正。喜吟咏,书法颜平原,阳湖陆祁孙司铎平梁,极重汉苍及史半楼,有长徐瘦史之称。癸丑冬遇贼于派河,胁去不屈,斫其面,绝而复苏。所学益进。年七十余卒。著有《碧琅玕馆诗钞》,桐城方东树为之序"⑤。周大魁,字海樵,"岁贡生。品端学纯,望重一时,道光辛巳制科举孝廉方正。山阳汪文瑞廷珍督学院省,深器之,以与婺源齐彦槐齐名,尝目之曰齐某春华周某秋实,江南北有'二槐'之称。晚犹肆力于古文,取法欧曾,颇得其妙。著有《海樵文集》"⑥。沈家僩,字步武,"郡庠生。性爽直孝友,交游多知名士,晚年与同志结社联吟。著有《西江游草》"⑦。王元龄,字九余,"少孤,性聪慧,年十三补博士弟子员,文誉日起。偕两弟事孀母吴氏尽孝。尤工诗,标新领异,有味外味。著有《守泽居遗墨》"⑧。吴克俊,字菊

---

① 光绪《续修庐州府志》卷45《文苑》。
② 光绪《续修庐州府志》卷45《文苑》。
③ 光绪《续修庐州府志》卷45《文苑》。
④ 光绪《续修庐州府志》卷45《文苑》。
⑤ 光绪《续修庐州府志》卷45《文苑》。
⑥ 光绪《续修庐州府志》卷45《文苑》。
⑦ 光绪《续修庐州府志》卷45《文苑》。
⑧ 光绪《续修庐州府志》卷45《文苑》。

坡,"监生。性好出游,潇洒乐易,人争就之。工书画,诗词尤腴润。著有《罗雀山房诗草》。同时有蔡家瑜,字石瓢,县学生,亦能诗善画,兼精篆刻,其游迹与吴相侔"①。沈若淮,字惜斋,"邑庠生。少眈吟咏,为诗一根性情,不事雕饰,晚居浮槎山麓,课徒训子。著有《寄感编》"②。戴鸿恩,字叠峰,"少颖悟,甫十龄自作文,为业师所许。……所著有《栖云楼文集》行世,《漱芳园诗集》待梓"③。戴家麟,字子瑞,"少孤贫,事母以孝闻,抚诸弟成立,友爱备至。由廪贡生选宿州学政,兵燹后人多废学,麟尽心诱掖,多所成就,后改国子监学正。告归,持躬勤俭,族戚有困乏辄周济之。性好学为文,一遵先正轨范,诗尤清修脱俗,著有《听鹤馆文集》《劫余轩诗存》"④。虞连枢,号叔垣,"好学工诗,道光甲辰科举人,拣选知县。……著有《红薇山馆诗稿》"⑤。郭怀仁,字乐山,"幼禀母教,聪颖日常,弱冠书经史,下笔千言,讲求用世学。咸丰戊午,巢县办城防,县令邵毓人延请襄助,事定为请奖,力却之。乙未中乡榜,避乱至扬州,适提督冯子材驻军镇江,礼聘入幕,机宜皆预裁决,镇江一隅保全者,怀仁之力居多,三次保荐皆不就。同治癸亥成进士,改庶吉士,授编修。乙巳充贵州正考官,得人称盛。癸酉督学广西,所选拔皆知名士。任满以目疾告归,侨寓金陵,与诸名士诗酒往还,未几卒。著有《乐山诗文专集》"⑥。

巢县生员文人诗文创作的情况如下:韦尚宾,字秋子,"明末诸生也。学问沉博,志气豪迈,诗文名一时。鼎革后,道服游天下,寄合肥贡生汪廷贵家,历三十年。尝极饮大醉,醉后迅笔疾书,纸尽乃止,醒则焚去。著《秋子诗文集》,并古人论断数十卷,将卒,索其籍与版尽焚之,长啸而逝,葬合肥王家圩。邑令杨敬题曰'韦处士之墓'"⑦。赵

---

① 光绪《续修庐州府志》卷45《文苑》。
② 光绪《续修庐州府志》卷45《文苑》。
③ 光绪《续修庐州府志》卷45《文苑》。
④ 光绪《续修庐州府志》卷45《文苑》。
⑤ 光绪《续修庐州府志》卷45《文苑》。
⑥ 光绪《续修庐州府志》卷45《文苑》。
⑦ 道光《巢县志》卷13《人物志·文苑》。

庚,字酉山,"诸生。绩学苦吟,所作《酉山诗钞》二卷,同人为梓之。诗澹雅,善状物态,在唐人中,雅近司空表圣,庚既以此自负,二三知己外,落落无所合,以孤贫终"①。唐洁,字梦白,号雪江,"博学工诗,著有《雪江诗钞》《客游草》《太古山房小草》行世,江宁陈古渔毅梓其诗,入《所知集》。工画山水,烟云满幅。至于翎毛花卉,栩栩欲活,得其片纸,咸宝贵焉"②。张祖庆,号葵亭,"诸生。天才豪宕,诗学李长吉,尝涉汉水、过洞庭,入黔入蜀,既乃上燕台出古北口,足迹半天下。所著书多所散失,诗数十首,邑人钱雉车(钱懋道)刻之,全椒吴太史鼐为之序"③。钱懋道,字雉车,"诸生。学问赡博,诗古文词俱有法律,年八十手不释卷,一邦文献于是乎在。著有《贮秋堂诗草》"④。刘兆熊,"乾隆乙卯举人,博学强记,酷好盲左,所作古文词甚富,韵语师杜工部,有咏史诗数十首,至今传诵。屡试春官不得第,嘉庆二十二年大挑二等,归,未几卒"⑤。陈步衢,"乾隆甲午举人。性谦谨,不妄言笑,乡里推长者。教授生徒多所成就。文章根底六经,复浸淫汉魏唐宋各家,故能不落时艳。六试礼部,屡膺房荐,不得售。所著有《边窝诗钞》"⑥。陆梓,字遇周,"乾隆癸卯举人,乙卯成进士,任松江府教授,新学校,培士林,请分建景贤书院,至今称颂。学问淹博,所著诗文多不存,刊有《云间课艺》行世,又校订《会心堂纲鉴钞略》十六卷存于家"⑦。李学超,字中粹,号慕莲,"沂州学政筬后裔也。渊源家学,韵语中具有经义,五言古体肖陶靖节,七古则规韩昌黎,不苟为炳炳烺烺者。著有《慕莲诗草》一卷,舒城任鸿言梓,其诗入《江淮百家集》"⑧。杨廷机,字师陆,号慎庵,"以画名,平远山水,尺幅千里,大江

---

① 道光《巢县志》卷13《人物志·文苑》。
② 道光《巢县志》卷13《人物志·文苑》。
③ 道光《巢县志》卷13《人物志·文苑》。
④ 道光《巢县志》卷13《人物志·文苑》。
⑤ 道光《巢县志》卷13《人物志·文苑》。
⑥ 道光《巢县志》卷13《人物志·文苑》。
⑦ 道光《巢县志》卷13《人物志·文苑》。
⑧ 道光《巢县志》卷13《人物志·文苑》。

南北多珍之。工诗，造字奇警，节短音长，拟古诸作，酷似古乐府。江宁陈古渔毅选其诗入《所知集》，龙舒任鸿言复选入《江淮百家诗钞》，其叙曰：'射者不能中坚，虽多方布置，无益也。善练兵者，一以当百，观慎庵之诗益信。'"①。周鉴，号损庵，"年三十始读书，工书善画，诗以整炼胜，在近人中极似宋荔裳。著有《江东艺语》《坐雨录》《南游草》《续南游草》，共十卷"②。邹鲁传，字任夫，"少见器于王梦楼、袁简斋两太史。年十五步博士弟子，试辄冠其曹。性孤介，与人鲜合，既弃举业，日闭门坐斗室中，专治诗古文词，或悯其贫，馈以资斧，绝不受。年未四十卒，邑令周鹤立选其所著谋付梓，而先为之序"③。陈毓贤，号春溪，"郡庠生。品端学粹，无只字入公门，课徒之外，惟耽吟咏。著有《伴寂草》《随意吟》。周兆权，号鉴溪，巢县人，慷慨有干才，任邑中公事，有成效，性耽吟咏，有《鉴溪诗草》行世。又选乡前辈诗集付诸剞劂，曰《居巢诗略》"④。陈新沐，号浣香，"贡生。品极端方，学有根柢，每试辄冠军，六与乡荐未遇。工制艺，善吟诗，巢之名胜亦多题咏，名《滨湖小草全稿》，兵燹失之"⑤。单嘉谟，号雨村，"增贡生。工诗，品学兼优，所为诗选入《居巢诗略》"⑥。缪化鹏，号翼云，"贡生。品端学粹，授徒于四顶山朝霞寺，生徒集古近体诗刻朝霞右轩以传之"⑦。汤长吉，号竹楼，"监生。生平好为诗，性甘淡泊，不希仕进，橐笔幕游以自扩其诗境，所著有《竹楼诗存》"⑧。钱璋，号达卿，"诸生。课徒自给，工书，善吟诗，所著有《桂香书屋诗集》。惜早逝，未尽其才"⑨。李璋，号春园布衣，"工诗，所著有《煮雪草堂诗集》"⑩。

---

① 道光《巢县志》卷13《人物志·文苑》。
② 道光《巢县志》卷13《人物志·文苑》。
③ 道光《巢县志》卷13《人物志·文苑》。
④ 光绪《续修庐州府志》卷45《文苑》。
⑤ 光绪《续修庐州府志》卷45《文苑》。
⑥ 光绪《续修庐州府志》卷45《文苑》。
⑦ 光绪《续修庐州府志》卷45《文苑》。
⑧ 光绪《续修庐州府志》卷45《文苑》。
⑨ 光绪《续修庐州府志》卷45《文苑》。
⑩ 光绪《续修庐州府志》卷45《文苑》。

庐江县生员文人诗文创作情况如下：马连，字云寄，号绣亭，"幼失怙，事母以孝称，事伯仲兄弟惟谨。励志下帷，穷究经史，为诸生试，辄冠军。著有《四书附参》《绣亭制艺》"①。陈延炯，字耀文，号鉴亭，"岁贡生。少力学能文，颇负时誉，为文耐深思，能发难达之理，纡回骀宕，令人寻探不厌。顾艰于遇，屡荐不售，士林为之惋惜，选太湖训导。著有《乐真堂文集》《鉴亭文集》"②。莫素崖，字鹤邱，"岁贡生。少负隽才，学问渊博，尤长于古文，下笔千言立就，直逼汉唐。居恒沉默寡言，间有叩其经术史学者，则探喉而出，如数家珍。因屡蹶场屋，托闱词以寄慨，有《集古七律》百首，一气浑成，语如己出"③。王凤喈，字鸣阳，号丹崖，"邑诸生。性耽吟咏，尤工七律，酷似剑南，其神韵独出处别有兴会，如'窗纱夜月分虚白，屐齿春泥印软红，雁泪声寒霜有信，梅花影瘦月无痕。'尤脍炙人口。著有《诗赋绣囊集》"④。王凤翔，字吉人，号梧冈，"由恩贡选教谕。著有《学宫备考》《松园塾课》《松园诗话》《春晖堂律诗钞》《五爱轩诗赋钞》《听涛山房诗文》等集"⑤。陈茂杰，号子雅，"幼聪颖，读书目数行下。中嘉庆乙卯科举人，客京师数年，益肆力于诗古文词。……后官绩溪教谕，诱掖奖劝，文风因之大振"⑥。庞文曜，字漱霞，"廪膳生。幼聪颖，读书过目成诵，长益力学，研究经史，为诸生试，屡冠军。历任学使，采其文，刻试牍，家传户诵，奉为津梁。著有《鹿门集》"⑦。

从整体上看，清代合肥地区的文学成就呈现出鲜明的家族性、群体性特征。有相当一部分文人是父子相承，兄弟相继，甚至祖孙三代都取得了非凡的文学成就。如清初合肥县的李天馥、李孚青父子的诗学成就可圈可点。李天馥，字湘北，号容斋，顺治丁酉举人，戊戌进

---

① 光绪《庐江县志》卷8《人物志·文学》。
② 光绪《庐江县志》卷8《人物志·文学》。
③ 光绪《庐江县志》卷8《人物志·文学》。
④ 光绪《庐江县志》卷8《人物志·文学》。
⑤ 光绪《庐江县志》卷8《人物志·文学》。
⑥ 光绪《庐江县志》卷8《人物志·文学》。
⑦ 光绪《庐江县志》卷8《人物志·文学》。

士，选授翰林。在朝四十余年，备历枢要，掌兵、刑、工三部，晋太冢宰，拜武英殿大学士。李天馥生平无疾言遽色，容容以诲人之不及。四十余年无罚降小事，与人处不激不随，人皆感而化之。事亲诚孝，母瞿太夫人年八十余始卒，时公已入阁办事，丁艰归，庐墓三年满，再入相。又六年，卒于官。有《容斋千首诗》行世①。由其子李孚青、李孚仓校，受业门生毛奇龄等人选编，分为四言诗、五言古诗、七言古诗、五言律诗、七言律诗、五言排律、五言绝句、七言绝句。其诗精严神韵，典雅渊秀，"李公位尊燮理，沐浴至治之光华，发为诗歌，鼓吹两间之和气，譬之于乐，叩钟击玉……则夫际文武极盛之时，而兼李杜二公之手笔者，非公其谁与归？公诗经为经，史子为纬，而组织之以性情。四言典雅渊秀，深造吉甫之清风，彭泽之逸韵也；五七言古以少陵排宕之才，运昌黎诘曲之笔；五七近体格律精严神韵，洒落在王杜伯仲间，断句缘情绮靡似竹枝，一唱三叹似乐府，此固各臻其极者。若取材之浩博，则如观沧海，入珠宫，珍贝陆离，光怪眯目。其笔力之沉着，如巨灵擘山，狮子博象。其摹写景物，则山水烟云花鸟变能尽入铁锤，如大冶赋形，浑然天成而无刻画之迹。若此者溯流寻源，直追骚雅，牢笼汉魏，陶铸宋唐，实集百家之大成，允为一代之宗匠，此非余一人之私言也"②。李天馥长子李孚青，字丹壑，大学士，十五岁举康熙戊午顺天乡试，十六岁成康熙乙未进士，授编修，充政治、典训、玉牒类函、明史馆纂修，后丁父忧不复出。家居孝友，读书务抉精奥，为文往复迂回，诗格似韦苏州。著有《野香亭集》十三卷、《盘隐山樵集》八卷、《道旁散人集》五卷、附录一卷③。其中，《盘隐山樵集》包括卷一《篷栊集》七十四首，卷二《江东集》六十首，卷三《舒州集》二十一首，卷四《淮豫集》七十五首，卷五《恕病集》六十六首，卷六《黄杨馆集》八十一首，卷七《梦影草堂集》六十首，卷八《消寒集》十四首；《道旁散人集》包括卷一《南往集》四十六首，卷二《赤玉山房集》三十

---

① 乾隆《庐州卫志》卷5《人物》。
② （清）李天馥：《容斋千首诗·序》。
③ 嘉庆《续修庐州府志》卷32《人物志·文苑》。

二首,卷三《卧禅榻集》三十八首,卷四《西笑回车集》三十一首,卷五《负瓢集》四十一首。

许裔蘅,字杜邻,"少孤,事母至孝。善属文。甲午拔贡生,以养亲不仕,肆力于诗古文词。所著有《二楼诗集》"①。其子许孙荃,字友荪,"庚戌进士,改庶吉士,散馆,改刑部主事。幼笃学,尤肆力诗古文词,选庶常,一时馆课,称著作手。……著有《华岳慎墨堂》诸诗集"②。而许孙荃之子梦麒,贡士,亦有文名③。

合肥县的秦咸有多部诗集刊刻,三个儿子文声卓著,其孙秦宗景也以能诗闻名。秦咸,字虞恒,"以明经入雍,会考中书第一。负性豪迈,学问淹博,好客挥金,不乐仕进。辟潭影园,筑酣绿亭于池上,栽花种竹,日与名流唱和。著有《潭影堂诗》《前后燕游草》等集行世。其长子篆,邑诸生。气度潇洒,家学渊源,四方乞诗文者无虚日。著有《抹云亭诗余》行世。次子龙文,诗文清妙,尤工书法,康熙间与高士奇同官,年未三十卒。少子凤文,国学生。孙宗景,郡庠生,俱以能文名"④。

合肥人黄先瑜,字韫之,"咸丰壬子进士,由庶吉士加赞善衔,改官礼部主事。以治乡兵御贼有功,加五品衔并戴花翎。邑有浪波塘,岁久湮塞,环塘数百顷田恒苦旱,独力修浚,乡里至今赖之。晚年主讲庐阳书院,博洽群书,于后学多所成就。著有《带草堂诗文集》行世。其子天麟,字石卿,优廪生。性豪爽有奇气,幼随父治乡兵御贼,临事必前驱敌,余人乐为效命。事定后力举行保甲,所居石塘桥数十里内奸匪屏息。修复南冈集义渡,行人称便。见事勇为,倾款不惜,解乡里忿争,片言立息,讼日希,里人罕有至公庭者。为文克承家学,著有《匣剑集稿》"⑤。

---

① 嘉庆《合肥县志》卷24《人物传第四》。
② 光绪《续修庐州府志》卷45《文苑》。
③ 嘉庆《合肥县志》卷24《人物传第四》。
④ 光绪《续修庐州府志》卷45《文苑》。
⑤ 光绪《续修庐州府志》卷45《文苑》。

合肥人赵席珍,字响泉,"嘉庆庚午经魁,官旌德教谕,训士有法,风气一变。诗文磊落不群,与包慎伯研究书法,深得其奥。著有《廖天一室诗钞》。子彦伦,字云持,十四入邑庠,少负才名,辛亥举孝廉方正。诗词清隽,亦工书。著有《云无心轩诗集》"①。

巢县人汤鹤龄,字禹甸,"诸生。尝选江左诸家诗,未成而卒,著《啄芝堂集》。弟鹿龄绩学能文,著有《碧山诗草》,卒年九十三"②。

庐江人李光琼,字瑜华,监贡。其弟李光玖,字敦谊,廪生,两人均博涉经史,诗赋楷法。光琼著有《试赋新铡物名汇》《雅湖上园诗钞》,光玖著有《漱芳集》。乾隆皇帝于乙酉、丁酉两次南巡,李光琼、李光玖先后献赋,皆蒙乾隆召试,名倾一时。③

庐江县的吴廷香、吴长庆、吴保初祖孙三代皆为一时之选。吴廷香,字莑璋,号兰轩,优贡生。天性孝友,经术湛深,为诗古文词,奇而有法。尝与都人士讲学于会辅堂,阐明圣学,语精而确,居恒至诚,接物能解衣推食,以急人之所急。太平天国战争爆发后,烽火波及庐州府,吴廷香倡行团练以求保卫地方。太平军攻下庐州后直趋庐江,吴廷香率众誓死防御县城,与太平军激战数日,城破后身中数十处刀伤,力竭而亡。吴廷香著述甚富,遭兵火散佚,其子吴长庆掇拾蒐罗,得古今体诗数百首、古文数篇,梓行于世。有《上巡抚李嘉端论团练书》,切中时事,刊入《庐江县志》的艺文志④。现存《吴征士遗集》,二卷,刻本。吴保初(1869—1913),字彦复,号君遂,晚号瘿公。故居在庐江县城南之沙湖山,家有北山楼,因以名集,又被人称为北山先生。其父吴长庆,为淮军将领,曾率部平靖朝鲜内乱。颇通文学,尤爱才好士,范当世、朱铭盘、张謇等皆被罗致帐下,因以成名。其官至广东水师提督。吴保初幼在北山楼读书,后随父在军营问学,与范当世、朱铭盘、张謇等人朝夕相处,亦师亦友。吴保初广泛接触文人学者,

---

① 光绪《续修庐州府志》卷45《文苑》。
② 道光《巢县志》卷13《人物志·文苑》。
③ 光绪《庐江县志》卷8《人物志·文学》。
④ 光绪《庐江县志》卷8《人物志·忠节》。

见闻广,立志高,诗文根底精深。其同邑门人陈诗撰有《吴北山先生家传》,称"先生著有《北山楼诗文词集》,人称之曰'北山先生'。文章似两汉,诗学韦柳荆公,有劲气,言皖诗者,莫能废焉。行楷书学褚河南,得真神韵,草书学赵雪松,有秀逸之致"①。据今人孙文光研究,吴保初之文既不受桐城之局限,亦不为魏晋之附庸,合骈散于一冶,以适用为指归。于侃侃直陈之中,兼排比铺陈之美,言必有物,意无不达。吴保初卓立诗坛,"俯仰身世,托之于诗","其幽愤深广,寄意渊微,未尝不受龚(自珍)之影响,而峭折坚劲,则又有取于'江西'",而最重要的还在于其写出时代心声,有着他自己的个人特色。② 现存《未焚草》一卷、《北山楼集》、《北山楼诗续集》一卷、《文补》一卷。

中国传统文人结社源远流长。清代合肥地区的文人也崇尚结成诗社,他们纠合同道,诗酒风流,放纵山水,吟风弄月,切磋诗艺,形成了一种浓郁的谈诗吟咏的氛围。田实发年方弱冠,即以校诗赋见赏于许时庵,其后遂为同社友,俱少年罕所累晤,时非有裨益于学问,则绝不齿及,该社共有夏栩庄、许柳亭、徐越江、许双溪、王两溟、萧立亭、程卯浦等九人,佳晨夕必聚,佳山水必探,分题阄韵,率以为常。③ 合肥县岁贡生胡邦梓与同邑张延邴、王汝贵、蔡邦甸等人成立为真率诗社,每月都集会吟咏唱和。④

道光年间,合肥的徐子苓、朱景昭、王尚辰三人,因性情相投、刻意尚古,被称之为"三怪",以其文与行不谐,俗为怪也。其中,徐子苓,字叔伟,号毅甫,"倜傥重气,孤行深识,年十八受知太守刘耀椿,拔冠军,中道光乙未科举人,数不售于礼部。交海内名公卿,潜心老庄史汉诸书,喜歌诗古文。遭乱,耕牧自娱……性嗜山水。同治五年援例授和州学正,分修《安徽通志》,甫一年即告归,隐龙泉山下,筑屋数椽,储书数千卷,歌啸自得,号龙泉老牧,曾国藩颜其庐曰'龙泉精

---

① (清)吴保初:《北山楼集》附录二《传志》,黄山书社1990年版。
② 孙文光:《前言》,(清)吴保初:《北山楼集》,第4—5页。
③ (清)田实发:《玉禾山人集·序》。
④ 光绪《续修庐州府志》卷45《文苑》。

舍'。晚号默道人。……著有《敦艮吉斋诗存》二卷行世,《闲闲园古文》二卷未梓"①。徐子苓为人才气杰出,名满江南北,读其文则可喜可愕。朱景昭,字默存,"咸丰壬子科优贡生,候选直隶州州同。性聪颖,目数行下。幼时父衣锦口授四子书,讲字义,即能领会,长益嗜读,至忘寝食。工制艺,通经史,达时务,于古人之学术经济莫不究其原委,思措诸事业。事父母及处兄弟朋友皆见至情,奖励后进,尽言无隐。中岁遭寇乱,寄身戎幕,遇事感言,多中机宜,以军功议叙州同。巡抚英果毅翰重其学行,属皖南道李荣延主芜湖中江书院有年,成就后学甚众。其为文章根据经传,有心得,多创论。诗一空依傍,才力过人。又尝主江阴防营提督唐定奎幕中,围棋射覆,雍容文酒,旋卒于扬州,年五十六"②。朱景昭为人沉思孤往,有以自得,不急名誉,平生服膺方苞之为人。生平著述有《左传杜注摘谬》一卷、《劫余小纪》一卷、《无梦轩文集》二卷、《无梦轩家书》一卷、《无梦轩诗》一卷、《无梦轩遗书》(九种)九卷、《论文刍说》一卷、《读春秋札记》一卷、《读庄札记》一卷、《读诗札记》一卷。王尚辰,字伯垣,一字北垣,号谦斋,别号五峰、木鸡老人、遗园老人。同治年间贡生,官至翰林院典籍。为清末合肥诗坛之耆硕。生平所著有《虱隐庵杂作》一卷;《遗园诗余》一卷;《谦斋初集》二卷、《二集》二卷、《三集》三卷、《续集》一卷;《谦斋诗集》六卷,附《易论异同辨》一卷;《青箱余论》一卷;《谦斋诗集》七卷,《诗余》一卷,附三种;《谦斋续集》二卷。王尚辰曾在自叙中交代了自己为诗为文的旨趣:"余在癸丑遭乱,纵横戎马者十余年,乙丑归来,经营堂构者又十余年。今薄田足以供衣食,敝庐足以庇风雨,课子携孙,闭门守拙,摩挲花石,检点图书,每春秋佳日邀故旧酌杯酒,烽火余生,洵乐事也。谨与诸君约:凡来顾者,一不议时政,二不谈讼事,三不道人之短。则古称先,劝善规过,吾师也,吾敬之;评诗衡文,吟风弄月,吾友也,吾亲之;下及问舍求田,收菱算橘,吾亦引

---

① 光绪《续修庐州府志》卷45《文苑》。
② 光绪《续修庐州府志》卷45《文苑》。

而近之。此皆有益于身心,有裨于生计,子孙耳濡目染,不至为非。"①

(二)清代合肥地区文人的文学成就举例

合肥人龚鼎孳,字孝升,号芝麓。崇祯七年(1634)进士。李自成率领的农民军攻破北京城后,龚鼎孳降附,授直指使。清军入关后,龚鼎孳又投向清军,任吏科给事中。龚鼎孳在明亡后,可以用"闯来则降闯,满来则降满"形容。气节沦丧,至于极点。死后百年,终被清廷划入贰臣之列。其后在仕途上屡沉屡浮,在顺治年间南北党争中遭到攻讦弹劾,先后被降十四级,充翰林院蕃育署署丞。康熙元年(1662)重以侍郎候补,次年再任左都御史,历任刑、兵、礼三部尚书,死谥端毅。龚鼎孳"天才宏放,一时文士举无过焉"②。在清初颇负盛名,与钱谦益、吴伟业在诗坛上被称为"江左三大家",领京师风骚三十年。

龚鼎孳一生著述丰瞻,现存《定山堂文集》二十二卷,《定山堂古文小品》三卷、《续集》一卷,《定山堂诗集》四十三卷、《诗余》四卷,《浠川政谱》二卷,《露瀚园稿》四卷,《龚先生诗》七卷;《龚端毅公手札》、《龚端毅公奏疏》八卷,《龚端毅公集》五卷。《定山堂诗集》收录五言古诗 200 首、七言古诗 72 首、五言律诗 1157 首、七言律诗 1656 首、五言排律 26 首、七言排律 6 首、六言绝句 19 首、七言绝句 839 首,共计 3965 首。龚鼎孳的诗文,"其调高以逸,其词婉以丽,其音节响以沉,其托旨也遥深,而其取材也精确"③。《梅村诗话》亦言:"孝升于诗最秀颖高丽,声调遒紧,有义山之风。"乾隆二十三年(1758),杨际昌在其所著《国朝诗话》中对龚鼎孳之诗做了评论:"龚合肥诗文下笔数千言立就,不加点窜,世祖尝于禁中赏叹其才。诗刻意摹杜,古体多用韵,予谓见长初不在此。雅爱其《赠白仲调长歌》起云:'甲乙之岁无

---

① (清)王尚辰:《虱隐庵杂作》。
② 嘉庆《合肥县志》卷 24《人物传第四》。
③ 钱仲联:《清诗纪事》,江苏古籍出版社 1987 年版,第 1359 页。

事无,台城白昼嗥妖狐。'指南渡时事也。下云:'中有一人髯且怒,昔母赵娆父王甫。'指怀宁也。'髯且怒'活用'髯参军能令公喜,能令公怒'事,是怀宁气象,下句是怀宁罪案,老辣非浅学可办。敛才为绝句,如'倚槛春愁玉树飘,空江铁锁野烟消。兴怀何限兰亭感,流水青山送六朝。''万里秋阴入暮烟,盘空石磴断虹前。两风残叶能多少,变尽江山九月天。'气韵绝不凡也。虞山、太仓间,非公自难鼎足。"①稍后郑方坤《国朝名家诗抄小传》卷一《三十二芙蓉斋诗抄》小传亦有所评论:"吴门顾伦次先生集于虞山、娄东之后,有《江左三大家》之刻,纸贵一时,如鼎三足,匪仅若《禹贡》荆扬之称金三品者之有所轩轾于其间也。"②

吴伟业在为龚鼎孳《定山堂诗集》所作序中,从才、情、识三方面评骘了龚鼎孳其人其诗:"夫诗人之为道,不徒以其才也。有性情焉,有学识焉,其浅深正变之故,不于斯三者考之,不足以言诗之大也。今以吾龚先生选词之缛丽,使事之精切,遣调之隽逸,取意之超诣,其诗之工固已。俊鹘之举也,扶摇一击;骐骥之奔也,决骤千里。先生之潜搜冥索,出政事鞅掌之余;高咏长吟,在宾客填咽之际。尝为余张乐置饮,授简各赋一章,歌舞恢笑,方杂沓于前,而先生涉笔已得数纸;坐者未散,传诵者早遍于远近矣。此先生之才也。身为三公,而修布衣之节;交尽王侯,而好山泽之游。故人老宿,殷勤赠答,北门之窭贫,行道之饥渴,未尝不彷徨而慰劳也;后生英隽,弘奖风流,考槃之寐歌,彤管之悦怿,未尝不流连而奖许也。自伐木之道衰,而口龟勉有无,匍匐难者,吾不得而见之矣。先生倾囊橐以恤穷交,出气力以援知己,其恻怛真挚,见之篇什者,百世而下读之应为感动,而况于身受之者乎。此先生之性情也。"吴伟业的评价虽不无过誉,但从整体而言尚为中肯。

龚鼎孳的诗作多酬答、和韵之作,在四十三卷《定山堂诗集》中,

---

① 郭绍虞编选、富寿荪校点:《清诗话续编》,上海古籍出版社1983年版,第1673页。
② 舒位等著:《三百年来诗坛人物评点小传汇录》,中州古籍出版社1986年版,第192页。

有将近三分之一的作品标有赠、送和韵、次韵等，此类作品抒发了龚鼎孳的个人情怀，流露出故国之思与身世之慨。如龚鼎孳的《初返居巢感怀》云："失路人悲故国秋，飘零不敢吊巢由。书因入洛传黄耳，乌为伤心改白头。明月可怜销画角，花枝莫遣近高楼。台城一片歌钟起，散入南云万点愁。"这是龚鼎孳在居丧守制期间所作，国变、家愁、自身出路的逼仄，种种愁绪绞索纠合，使此篇作品透露出萧悲的气氛，读来令人心酸。另一首"流落人非故态狂，吞声不敢及沧桑。闻鸡就夜心犹热，裹剑还家鬓已苍"。与此为同一曲调，凄楚苍凉，都是自痛自悔、自怨自艾心态的写照。《赠歌者王郎南归和牧斋宗伯韵》其八："长恨飘零入洛身，相看憔悴掩罗巾。后庭花落肠应断，也是陈隋失路人。"牧斋即钱谦益，钱诗原作："可是湖湘流落身？一声红豆也沾巾。休将天宝凄凉曲，唱与长安筵上人。"《和栎园送黄济叔出狱南归》："相望蹉跎才一见，回看岁月暗沾襟。归迟总折春前柳，欢剧凭低醉后参。失路姓名偏借客，扳身霜雪勿惊心。"栎园即周亮工。龚鼎孳、钱谦益、周亮工，三人皆为当时名士，又都由明入清，成为贰臣，这两首诗表现了龚鼎孳的失身失意之感，不仅愧疚、悔恨，而且怀着无尽的伤心与悲哀。龚鼎孳在赠答、送别等诗作中广泛使用"失路"这一文学意象，表达自己内心的忏悔、自责、羞愧之感。如《老友阎古古重逢都下感赋》写出了对阎尔梅危难之际的诚挚心切："十载逢人问生死，相看此地喜还惊。破家仍可归张俭，无礼真当贵晏婴。过眼山川来倚杖，吞声宾客纵班荆。姓名已变诗篇在。犹恐人传变后名。城南萧寺忆连床，佛火村鸡五更霜。顾我浮踪唯涕泪，当时沙道久苍凉。壮夫失路非无策，老伴逢春各有乡。安得更呼韩赵辈，短裘浊泪话行藏。"阎古古即阎尔梅，是龚鼎孳的老友，明朝灭亡后，阎尔梅因组织抗清而入狱，与龚鼎孳形成对比。《赠丁野鹤》其三也出现了"失路"："失路感恩悲喜集，扁舟载行一心人。"

故国之思是龚鼎孳诗作表达的另外一个重要主题。《如农将返真州以诗见贻和答》一诗就表达了龚对故国的强烈思念："曾排闾阖大名垂，蝇附逢干狱草悲。烽火忽成岐路客，冰霜翻羡贯城时。花迷故国愁难到,日落河梁怨自知。隋苑柳残人又去,旅鸿无策解相思。"如农是清初著名遗民姜垛的字。明清鼎革之后,姜垛坚守气节,不仕新朝。龚鼎孳不论在热闹的宴席、歌舞场,还是在伤春悲秋、思友念朋,都不可遏制地发出故国之情,如他在《和秋岳八月十六夜诗》其三中表达了对故国的怀想感情:"樽前客散雀罗空,万事飘零一枕工。故国故人明月路,秋花秋草隔年丛。"再如《午日李舒章中翰招同朱遂初孙惠可给谏集小轩演吴越传奇得端字》亦表达了这种情绪:"穷巷凉风起薜萝,遥怜斗酒共经过。早霜故国清砧远,斜日中原画角多。"《乙酉三月十九日述怀》甚而抒发了龚鼎孳对故君的思念:"残生犹得见花光,回首啼鹃血万行。龙去苍梧仙驭杳,莺过堤柳暮云黄。寝园麦饭虚寒食,风雨雕弓泣尚方。愁绝茂陵春草碧,罪臣赋已罢长杨。"很多与故国相关的"竹林""乌衣巷""白下门"等意象也出现在龚鼎孳的诗篇中,如《赠丁野鹤》:"热血空怜霜草碧,遗民今见竹林游。垂阳袅袅能愁客,彼黍离离又报秋。"《暮春集子唯园亭酬赠》其一:"相逢何意落花边,不记曾经天宝年。江左衣冠同逝水,旧家亭沼尚平泉。"《和于皇见赠之作》:"君居白下门长杜,我到青山事已非。旧雨忽逢犹蝶梦,斜阳无语又乌衣。"

龚鼎孳在诗学活动之外,词学活动也比较活跃,写下了数量颇丰的篇章,《长相思·似多情》、《蓦山溪·送别出关已复同返用周美成韵》、《罗敷媚》四首、《点绛唇·草》等颇为词界同人所称许。《风流子·社集天庆寺送春和舒章韵》:"柔丝牵不住,眉尖小,一瞥又斜阳。问红雨洒愁,几番离别;绿萍漾恨,何代苍茫。子规说,麝迷青冢月,珠堕马嵬妆。苔铺锦钱,横抛芳影;燕冲帘蒜,偷觑柔肠。前欢真如梦,流莺懒风日,枉媚银塘。担阁背花心性,泪不成行。叹楼空杜牧,浓荫乍满;人分结绮,落粉犹香。拈合一春滋味,弹出伊凉。"遣辞之下,哀伤悲艳,曲折心境掩映其后。又如《蓦山溪·登关山吊伍子胥用秋岳乌江渡韵》,秋岳是浙西词派先河曹溶的号,这亦是贰臣中的名辈,与龚氏声气相埒:"银戈白马,跌宕人豪意。歌扇缕金裙,粉军容、江东绝技,水犀甲士,不上采莲船,雄略烬,老臣殂,一剑西风泪。

吴箫楚墓，炼就冰霜器。郢树蠹青天，违君父，岂同儿戏。倒行鸣怨，七尺等浮云，生有为，死何难，溅血非诙忌。"此词被学界视为"独标新见的精辟之作"。康熙七年（1668），一代词宗陈维崧携其新刻的《乌丝词》辗转进入北京，顿时在京师词坛掀起轩然大波，为众人交口称赞，龚鼎孳也为其题辞，写有《沁园春·读乌丝集和顾庵、西樵、阮亭韵》三首，其一上片云："烟月江东，文采风流，旷代遇之。恰临春琼树，家称叔宝；黄初金枕，人是陈思。如此才名，坐君床上，我拜低头竟不辞。多情甚，倩花间彩笔，描画崔徽。"其二云："髯且无归，纵饮新丰，歌呼拍张。记东都门第，赐书仍在；西州姓字，复壁同藏。万事沧桑，五陵花月，阑入谁家侠少场。相怜处，是君袍未锦，我鬓先霜。秋城鼓角悲凉暂握手、他乡胜故乡。况竹林宾从，烟霞接轸；云间伯仲，宛洛寒裳。暖玉燕姬，酒钱夜数，绾髻风能障绿杨。才人福，定清平丝管，烂醉沉香。"其三云："彼美何其，绣口檀心，婉娈清扬。怪须髯如戟，偏成斌媚；文章似海，转益苍茫。玳瑁为梁，珊瑚作架，十五城偿价未昂。朱弦发，听短歌日短，长恨情长。无端雪涕欢场，尽潦倒荒迷事不妨。胜流黄思妇，鸳机组织；从军荡子，马腾翔。有托而逃，是乡可老，粉黛英雄总断肠。君试问，任痴人济济，谁似羚羊。"从中可见龚鼎孳由衷的欣赏、惋惜和爱护。吴伟业云："其恻怛真挚见之篇什者，百世而下，读之应为感动，而况于身受者乎？"龚鼎孳写了此三词后，又依前韵写了三首，情深一往。

康熙十年（1671）秋，在清代词坛具有重要影响力的"秋水轩唱和"出现，周亮工长子周在浚在京师下榻于孙承泽的秋水轩，"一时名公贤士无日不来，相与饮酒啸咏为乐"。曹尔堪来到后，"见壁间酬唱之诗，云蒸霞蔚，偶赋《贺新郎》一阕，厕名其旁"，龚鼎孳适在席上，"大宗伯携尊饯客，见而称之，即席和韵。既而露垂泉涌，迭奏新篇，可谓濯彩笔于锦江，吐绣肠于籀矣"。从而掀起了在词史上空前的"剪"字韵酬唱盛举。今存《秋水轩诗倡和词》共收入26家，词176首，其中龚鼎孳22首，数量与徐倬并列第一。其首倡之作《青藜将南行，招同檗子等集雪客轩和顾庵韵》："帘飐微飔卷。正新秋、一泓秋水,一宵排遣。客舍高城砧杵急,清泪征衫休泫。随旅燕、栖巢如茧。老子逢场游戏久,兴婆娑、肯较南楼浅?眉总斗,遇欢展。西山半角藏还显。记春星、扪梦孤照,来青残扁。早雁渐回沙柳路,催起臂鹰牵犬。虾菜梦,来年难免。且饮醇醪公瑾坐,问风流,军阵今谁典?花月外,舌须剪!"青藜是曾灿之字,曾灿与魏禧等合称"易堂九子",为清初遗民。"随旅燕、栖巢如茧"道出了龚鼎孳平生际遇和郁愤、无可奈何的心境。《贺新郎·中秋后一夕月食寓怀》:"谁使清光卷。望层空,广寒宫阙,浓荫难遣。昨夜香风飘桂子,沾湿泪珠犹泫。偏此夕、明蟾封茧。怪底天公能耐事,纵金蜈,玉斧挥犹浅。云母障,几时展。素娥独立凭幽显。任漫漫,银河如墨,断云如扁。横笛短箫催急鼓,惊起五更邻犬。看顷刻、绿章除免。变幻总随时与数,料夔龙、也让羲和典。霄汉上,自裁剪。"这首词凄丽缠绵,借中秋之月抒发了龚鼎孳对世事变幻无常的感慨,可与其一生跌宕起伏的境遇相联系。《秋日蒙遣祭,至唐家岭,因游西山》:"孤鹤云中卷。喜三回、看山奉敕,九天差遣。何处麒麟高冢客,杜宇梦回啼泫。跳不出、乾坤围茧。岸柳萧疏村菊放,任宦情、也向西风浅。筇竹杖,且施展。少豪妄意功名显。到如今,残棋拍碎,唾壶捶扁。望里关门笳鼓竞,千队射雕调犬。羽猎赋、衰慵邀免。绝顶藤萝人共出,尽今宵、觞政更番典。尘海事,醉余剪。"该阕虽题为游览风景,但亦是借此抒发自身深远的感慨,透露出些许颓唐情怀。《贺新郎·和曹实庵舍人赠柳叟敬亭》一阕则传神地写出了沧桑变迁中的友谊:"鹤发开元叟。也来看、荆高市上,卖浆屠狗。万里风霜吹短褐,游戏侯门趋走。卿与我、周璇良久。绿鬓旧颜今尽改,叹婆娑、人似桓公柳。空击碎,唾壶口。江东折戟沈沙后。过清溪、笛床烟月,泪珠盈斗。老矣耐烦如许事,且坐旗亭呼酒。判残腊、销磨红友。花压城南韦杜曲,问球场,马鞘还能否?斜日外,一回首。"

朱景昭的诗文词具有强烈的现实感,充分关注社会问题,同情民众的生存环境,反思当时的官府行为。清王朝在"康乾盛世"后,道光以降,整个社会已呈千疮百孔之势,风气为之丕变,朱景昭用写实的手法在《监门哀》中详细描摹了当时合肥地区的社会现状：

咸丰六年丙辰岁，天久不雨禾尽悴。农商交病恶钱流，百物价腾随谷贵。

秋来处处屯飞蝗，元草成灰安得黄。江淮千里土龟坼，万家无一留嬴粮。

老翁携孙母携子，筋骨犹存且流徙。连村埽迹店无烟，忍饥贯行日数里。

隆冬始寒雪满天，腹不汤饮身不棉。北风一鸣腰脚软，眉目犹动沟中眠。

发春淫雨道弥梗，下流泽国犹可近。良家流宕不忍言，贞者甘填路旁井。

是时逆贼方披猖，号集饥民逐饱乡。心知作贼非长计，且缓旬时亦可伤。

高旌大马何官府，驱从纷纷猛如虎。追输不肯宽一毫，更算市缗困行估。

骨髓已干钱入官，请官帐恤留涸残。士夫执笔稽遗户，什一编成谁忍看。

就中婴儿更凄恻，失母旁皇步无力。千百为群号县门，赊死损官一朝食。

长官阅籍殊不怜，削留百一狗吏权。为言死者勿吾怨，我有上官须此钱。

大麦青青犹未熟，撚取聊充久枵腹。杂以野草和木皮，偶得藜羹似餐玉。

五月麦多民大欢，乍饱成疫医师难。痛定相逢聊指数，往往百口余丁单。

市中有人皆素服，野冢荒荒万家哭。又逢新岁何惨凄，老弱相看惊面目。

骤传烽火各犇逬，贼来缚取严新租。可怜旧日豪家子，遁迹他乡常作奴。

我闻宋家昔饥馑,公家不解惜民命。监门一吏怛然悲,图出流民来告病。

我皇轸念古所无,但见此状恩宜亟。谁排阊阖陈此图,孑遗之民一日苏。①

朱景昭在《无梦轩诗》中用五言体描写了在灾荒、兵火的逼迫下,贫困不堪的升斗小民为了活命,抛妻弃子,应征兵丁,整日在刀刃上讨生活,命悬一线。缺少顶梁柱的家庭更加难以为继,离妇、孤儿陷入衣食无着的艰难处境,读后令人唏嘘不已。如《征夫叹》云:"古来从军苦,逼迫由吏人。今我从军苦,乃由天不仁。遂逐兵余荒,饥寒及老亲。兄弟各离散,孑然为一身。饿死不足道,无人继宗门。是时枭獍凶,累载布游魂。聊藉甲士餐,庶几身幸存。独饱潜涕泪,负我骨肉恩。我从大将军,逾关涉长津。江潮昼如沸,贼舰排鱼鳞。水陆百余战,岂曰无微勋。苟活已伤骨,论功欲何云。昨逢故乡人,田园蒿艾新。问我家事讯,欲答还逡巡。前日战屡捷,录级赍以银。寄归当为谁,不如死孤贫。颇闻余老弱,一二居相邻。传语视坟墓,从兹为弃民。从军无还期,哀哉多苦辛。"《离妇叹》云:"浮云无根株,为雨难上天。征夫弃妻子,一去不复旋。乳下小儿女,久饥宁得全。丈夫不自保,忍苦成弃捐。君为船下波,妾若波上船。波荡船箭疾,所泊非故渊。儿瘦已如鹄,仓皇手中牵。托命于新人,涕泪潜流连。存我故夫祀,破镜不望圆。污池泥积塞,其中生青莲。顾视随风萍,摇宕碧水前。东家一少妇,烈烈甘重泉。万死守孤洁,心与金石坚。惭彼陶婴节,伤哉独不然。高天无视听,不能彻幽元。毁性延一线,此苦谁能传。哀哀离妇心,死者当见怜。"《孤儿叹》云:"木枯存稺条,人死存孤儿。亲尽无可托,哀啼沿路歧。粟贵麦未及,谁能给粥糜。何来一慈人,见之恻然悲。携归付老媪,且复充其饥。北风摧鹊巢,孤雏

---

① (清)朱景昭:《无梦轩遗书》卷8《无梦轩诗》。

一何危。长成有羽翼,亦傍汝门楣。老媪口不言,心怨翁尔为。此岁古所少,我活未可知。儿曹饭不足,拾此骈且枝。哀哉媪心异,儿死宁得辞。沟中积婴幼,惨惨足涕洟。一儿何足道,负尔翁心慈。昨来官育婴,编藉在所司。数多悉裁去,聊可销金赀。呜呼天梦梦,赤子罪安罹。觌此摧肝肠,泪下不可挥。顾我抱中儿,汝等犹娇痴。"《行旅叹》云:"非不恋妻孥,非不怀田园。荷担出门去,谁能理烦冤。兵烽交未已,道阻豺虎喧。早行风霜切,晚宿蒿艾繁。忽闻寇当来,负重纷然奔。官盗异顷刻,叱诘惊心魂。各有关律征,装橐锱铢论。问直逾其初,迟速赖主门。孤蓬四飘宕,终当守旧根。还家见骨肉,憔悴形质存。邻家独后至,掠取事难言。衣装并见夺,身有刀杖痕。闻之私自幸,我命犹未迍。古人重耕作,乡井长子孙。谁遣长仆仆,日营饱与温。承平宁有此,因念吾君恩。"《流民叹》云:"日月灼九宇,不照穷民心。穷民有故庐,弃之蹲江浔。担釜并孩幼,忍饥越危岑。田荒不得耕,因循到于今。主人非故识,迫促来相寻。一椽蒙许寄,感荷涕泗淋。日久情屡迁,渐复相侵临。我本安居者,汝来苦宜禁。天道有乘除,寒风成积阴。断炊谁复问,昂直以势侵。依人宜吞声,自恨非多金。流民汝勿泣,天心不可测。昔当泽乡没,就逐高原食。山农欺泽农,兹事恨未息。蛩蛩互低昂,循环非所识。往来皆传舍,何人无缓急。水国未可恃,庶留好颜色。"

二、史学

(一)清代合肥地区史学的整体概况

清代合肥地区的史学也取得了一定的成就。如收录在光绪《庐江县志·艺文志》中的史部类著作就有8部,分别为张文荣著《纲目考异条辨》、宋元征著《史考》、黄位中著《十七史考证》、孙维祺著《二十一史》、孙维泰著《三大史》、王凤翔著《学宫备考》、胡双栋著《盐政利害》四卷、俞守纯著《汉纪精言》。清代合肥地区的史学家及史学著作具体如下：

李宗白，号亦仙，合肥人。"未弱冠游邑庠，旋食饩，屡赴乡闱，十膺房荐，五列堂备，卒不售。以岁贡授职，复设训导，两举孝廉方正不就。穷经研史，广教生徒，品行正直，乡里推重。"著有《三余丛考》《读史存疑》《诗文赋集》①。

卢文靖，合肥人。幼积学，淹通经史，砥砺廉隅。"嘉庆丙子举人，丙戌大挑二等，署和州学官，后任建德，月课生徒，因人教育。及归，课子侄，四方就者甚多。平生著作经兵燹散佚，今存者惟《订春秋分国记事》《注读史论》《略作聪听篇选文集》，皆未梓稿，藏于家。"②

沈启泰，合肥人。"府学廪生。生平于经子实学极有考究，屡受学使者，名噪八邑。康熙间知府张纯修聘修郡志，多资订定。其所著有《四书条议》。"③

李廷耀，字荐扬，合肥人。"家贫力学，年十二补弟子员，旋食饩。……所著有《学庸精粹》《礼记尚书释义》。"④

王涟，字修溯，合肥人。"乾隆癸酉举于乡，以家贫亲老难违色养，不应礼部试。教授门徒多达者。所著有《四书正义》《易经正义》《还读堂诗文集》。"⑤

王时柄，字子枢，合肥人。"邑增生。攻苦积学，尤邃于经史，遇有疑义，辄录而辩论之。著有《群经积疑》及《诗古文集》若干卷。"⑥

王世濮，字育泉，合肥人。"贡生。咸丰元年荐举孝廉方正。生平磊落好义。性耽图史，尤留意经世之学。……身在兵间而好学厉行，暇辄读书通经致用。所著有《周易论语同异辩正》《小稣

---

① 光绪《续修庐州府志》卷45《文苑》。
② 光绪《续修庐州府志》卷45《文苑》。
③ 光绪《续修庐州府志》卷44《儒林传》。
④ 光绪《续修庐州府志》卷44《儒林传》。
⑤ 光绪《续修庐州府志》卷44《儒林传》。
⑥ 光绪《续修庐州府志》卷44《儒林传》。

川诗钞》。"[1]

孙维祺,字以介,号起山,庐江人。少聪颖,九岁能属文,其学自六经、三传、庄、屈、马、班而下,莫不渔猎,每落笔汪洋数千言。康熙三十年(1691)进士,筮仕河间令,调莱水。致仕归里后,优游林下,唯以著书自娱。所著有《五经说文》《廿一史论》《三太史讲义》《吃紧四书》《印证》《春秋大意》,选文不拘一体,评语皆中肯綮,一时流播海内[2]。

黄位中,字其相,号素庵,庐江人。"拔贡生。为学不事章句,务在研精性命之旨与力求圣贤用心所在。常端坐深思,达旦不寐,故其所见亲切,积之既久,理境豁然,胸中洒落。文章古茂,通秦汉而醇和渊懿,得之圣经为多。"所著有《十七史考证》《或问语类》《性理注释》《素庵古文》《松雪阁时文》[3]。

孙宗灏,字昭仰,庐江人。博学笃志,经学尤邃密,多所阐发,为制艺在思旷文止间。年四十决意仕进,闭户著书,所著有《周易本义》《四书本义》《古今文集》若干卷[4]。

王化洽,字懋昭,庐江人。家贫好学,补增广生。熟于汉唐传注及史书,多有折中,授徒四方,教以经术[5]。

唐肇,字鳌戴,号庐亭,庐江人。邑庠生。学友根柢,隐居教授,著有《庐亭古文存》若干卷。年登大耋,道光五年(1825)重游泮水。子向远、孙隆勤均世其业而通经史[6]。

黄金台,字贮贤,号篠岑,庐江人。乾隆三十三年(1768)副贡。"幼颖慧,善属文,及长,淹通汉宋元先儒疏注,平心折衷不为穿凿。嘉庆间纂修郡邑志,征文考献,详略得宜。其为文多载道之言,一时

---

[1] 光绪《续修庐州府志》卷44《儒林传》。
[2] 光绪《庐江县志》卷8《人物志·文学》。
[3] 光绪《庐江县志》卷8《人物志·文学》。
[4] 光绪《续修庐州府志》卷44《儒林传》。
[5] 光绪《续修庐州府志》卷45《文苑》。
[6] 光绪《庐江县志》卷8《人物志·文学》。

名流如姚姬传、孙渊如辈咸推为名宿。后选为建平县教谕,诱掖诸生,士咸奋勉。致仕归里后,自号曰晚香,以纂述为事。著有《四书说》《六经说》《籨岑古文钞》《诗钞》《制义钞》行世。"①

张文荣,字祺华,号絅斋,庐江人。恩贡生。诚笃廉朴,研究宋儒性理诸书,兼嗜汉儒笺疏,"尝谓圣人之道精粗毕贯,必存门户之见,偏重汉学宋学者,皆于古人之书无心得也,故所学渊博粹密。居恒闭户著书,耻于干谒。……所著有《五经集解》《资治通鉴纲目条辨》。"②

严朝标,庐江人。廪贡生。天资颖敏,淹贯经史,著有《易经析义》③。

宋衡,字伊平,号嵩南,庐江人。康熙十七年(1678)举乡试第一,二十四年(1685)成进士,选翰林院庶吉士,改编修,历侍读学士。衡幼从伯兄元征学,为文著发颖坚,及入史馆,悔其少作,精研先儒传注宦稿,尺幅简严,厌心切理,纂修《三朝国史》,撰顾宪成、张柔等传,俱确实不诬④。

丁宠,字师承,号冶南,庐江人。"邑廪生。少聪慧,十岁能为文,长益力学,研究经史古文,为文醇粹淡远,饶有大家风味。居家敦孝友,门庭雍睦,子孙咸遵其教。著有《怀瑾集》及《五经笺释》。"⑤

许应宽,字湘右,号容庵,庐江人。优贡生,举乡饮大宾。居家孝友,立品端方,博涉典籍,尤耽宋儒书。著有《朱子性理》《吟集说》《爱日堂诗草》《容庵诗钞》⑥。

李光枚,字密参,号雨川,庐江人。"恩贡生。幼颖悟嗜学,沈酣经史,为文简古。家贫课徒自给,足迹不入城市,左图右书,怡然自得,手录书籍千余卷。著有《四书论》四十卷。"⑦

---

① 光绪《庐江县志》卷8《人物志·文学》。
② 光绪《庐江县志》卷8《人物志·文学》。
③ 光绪《庐江县志》卷8《人物志·文学》。
④ 光绪《庐江县志》卷8《人物志·文学》。
⑤ 光绪《庐江县志》卷8《人物志·文学》。
⑥ 光绪《庐江县志》卷8《人物志·文学》。
⑦ 光绪《庐江县志》卷8《人物志·文学》。

李光瑜，字涤严，庐江人。"恩贡生。敦品立学，任江浦县教谕，训劝诸生有法度，士林爱敬之。著有《百药山房读古录》《四子语录》。"①

杨欲仁，号体之，巢县人。嘉庆十年（1805）进士，历任江苏睢宁、赣榆、泰兴、砀山、丰县知县，所至政声卓著。宦游十余年，公余殚心著述，所著已刊者有《孝经集解》、《大学中庸性道图说》、《四书精义》、《说贯寻乐》上下篇、《观心堂稿》，为学者所宗②。

（二）清代合肥地区志书的编纂

方志为一地之正史，"以里之人记里之事，详且悉，征且信也"③。方志的功用之一是为地方官提供了解该地情况的素材："后之来守兹邦者问疆域之沿革则茫无以应，问田赋之差等茫无以应，问风俗之淳漓茫无以应，问山川之阨要、人物之盛衰又茫无以应，辟如泛沧海而乏指南之针，令人目炫心迷无所适从。乌呼，此志之不可一日或无也。"④方志旧例是六十年一修，合肥地区在清顺治、康熙、雍正、乾隆、嘉庆、道光、同治、光绪各朝都进行过方志编纂。庐州府于康熙十二年（1673）、嘉庆八年（1803）、光绪十一年（1885）编纂志书。合肥县于雍正八年（1730）、嘉庆八年（1803）、光绪十一年（1885）纂修志书。庐江县于顺治十三年（1656）、康熙三十七年（1698）、雍正十年（1732）、嘉庆八年（1803）、同治七年（1868）、同治十年（1871）、光绪十一年（1885）进行修志，在庐州府属各县中最为频繁，其中同治年间的两次修志虽编纂成十二卷，但没有付梓成书。巢县分别于康熙十二年（1673）、雍正八年（1730）、道光八年（1828）修志成书。受战乱等社会不稳定因素影响，诸多方志已散佚不可寻，现存清代合肥地区方志约

---

① 光绪《庐江县志》卷8《人物志·文学》。
② 光绪《续修庐州府志》卷44《儒林传》。
③ 顺治《庐江县志》卷首《序》。
④ 康熙《庐州府志》卷首《序》。

有 11 部,分别为《庐州府志》3 部、《庐州卫志》1 部、《合肥县志》3 部、《庐江县志》2 部、《巢县志》2 部。从时间点上可以看出,雍正八年、嘉庆八年、光绪十一年是集中修志的年份,因为清政府在动议修《大清一统志》时,要求各省提供志书以备采辑。"合肥县志明季兵燹后原本残缺,康熙三十六年前令贾粗辑成编,今逢皇上文教诞敷,纂定一统全书,命天下省府州县各修通志以献,重加删订,冀得达史馆用备采择。"①安徽在修全省通志时亦要求各州县提供志书,"省志集州县之大成,虽详略之间,体裁各别,要必以州县之志为始基也"②。此传统可追溯至明洪武年间,"明洪武年间纂辑一统志,以总其全,下而州县亦各勒成一编,以备掌故。由是制度典章粲然大备,不特文献藉以征,抑亦守土者藉以考政治而昭法守"③。太平天国战争结束后,合肥境内一片废墟,"兵燹之后,百务废弛,善后举行,事多草创,苦无成规以资考证,而山川、疆理、文献、典章亦无从考究其颠末,乃欲得县志而综观之"。纂修志书也就成了地方社会战后重建的重要环节,因而合肥、庐江、巢县在光绪年间开展了修志活动。这同清初的修志活动有着相似的社会背景。明清易代之际,庐州大地受到极大的冲击,"庐邑自崇祯乙亥春献贼煽虐,室之焚毁者几半,逮七阅年,届及壬午则盘踞三季,屠戮之惨,族无数丁,祖龙一炬,文献俱尽,毋论邑无藏书,即穷乡僻壤之区颓壁荒原,鞠为茂草。䑛贼一夕数至,四野俱遍,士民挈家而逃,衣饰悉捐,安能携帙括也?"④由此庐江县在顺治十一年完成方志编纂。

清代,合肥地区各县的方志编纂有固定的人员与机构,一般由知县主持进行,延揽地方饱学士绅开设志局,人员众多,各司其职。如康熙年间,府学廪生沈启泰被知府张纯修聘请纂修郡志,多资订定⑤。

---

① 雍正《合肥县志》卷首《凡例》。
② 光绪《庐江县志》卷首《原序》。
③ 光绪《庐江县志》卷首《原序》。
④ 光绪《庐江县志》卷首《原序》。
⑤ 光绪《续修庐州府志》卷44《儒林传》。

庐江县在嘉庆年间编纂县志时,副贡生黄金台被聘为纂修,"征文考献,详略得宜"①。嘉庆年间《庐州府志》重修时的职员主要有主修、同修、监局、司局、纂修、协修、分修、采辑、校阅、分校、绘图几类。至光绪年间续修《庐州府志》时,主要人员分为总裁、协裁、倡修、总修、同修、总理、协理、提调、总纂、代办总纂兼分修、协纂、分修、删定、总校、分校、采访、收捐、监缮、收掌、校刊、司局、绘图。

历次修志,多以旧志为蓝本,采访耆老,增删订正,修成新志。如嘉庆《合肥县志》对雍正《合肥县志》不合规范或有误的内容进行修正,依志书体例,定为图、志、表、传四纲,根据事物性质进行分类,编为三十六卷。顺治《庐江县志》明确规定:"近世郡邑志多拟《汉书》以天文为首,或谓其模仿太过,且天文非一隅一区之所能悉,然一邑虽小亦在照临之下而星次占候毫发无爽,固不可谓之天文,则亦当题曰星野。"到光绪年间,《庐江县志》再次重修时,即取顺治志星野考补之置于全志之首。从《庐江县志》另外几条凡例能够看出修志活动的一般程序:"一、本邑旧志存者惟雍正、嘉庆两志,雍正志颇简净而率略粗浅处不免,嘉庆志较详赅而芜杂疏漏处亦不免,体裁均未允当。兹以嘉庆志为根据,而体例之因创分并则用意特殊,嘉庆志所未详者间采雍正志补之。一、嘉庆志分大纲十有五,细目五十有八,其中或有纲有目,或有纲无目,甚至义不足以相统,类不足以相从,亦往往前后倒置,混为依附,殊乖体裁。兹悉细为厘剔,大纲并而为十,细目则视旧加详,务使纲举目张,有条不紊。"②雍正《合肥县志》凡例规定较详,可以看出一二:"一、志尚核实,凡疆域之广轮,制度之沿革,物产之有无,细勘固不待言,至于人物一编,尤所致慎。奉文,凡续增名宦、乡贤、忠孝、节烈务核实,详题年月,其未经题请者亦必取具呈结另册申详,不敢滥入,致干功令。一、旧志无笃行一类,因见隐逸传中颇有敦品笃学怀珍待聘者,似不当概以隐逸,没其素志,况通省郡县志中皆

---

① 光绪《庐江县志》卷8《人物志·文学》。
② 光绪《庐江县志》卷首《凡例》。

具笃行一类,何独缺于合肥,故增出。一、耆寿实应运而钟,我皇上敦齿养老,岁给绢谷有差,时则年高德邵者何可泯没不传,因复增耆寿一编,采录二三以志。一、艺文例附志末,合邑人文渊薮,著作弘多,不能悉载。今志中所录唯取议论之切于民生、纪述之裨于风化者,至登山临水诸咏仅存一二,难免挂漏之讥,想作者自有专稿行世,应不借此以传也。"

方志的主要纲目为建置、沿革、风俗、赋役、职官、选举、人物、艺文等几大类,但各地方志在编修时多会根据实际情况有所变动。康熙年间,江南、安徽等处提刑按察使司按察使佟国祯在为康熙《庐州府志》作序时,清楚地交代了方志各纲目记载的大略内容:"建置孰为昔创而今废,孰为古无而今立,则志之;户口孰自某年而减,孰自某年而增,则志之;赋役孰为轻徭薄赋之始,孰为繁征厚敛之兴,则志之;土产贡献孰为常产所必需,孰为因时而间有,则志之;然则志岂可以不修乎哉?且志之修,匪徒以纪当年之轶事,而更以励将来之人心也。故名宦有志,则临民守己、慈祥恺悌、瘗鹿悬鱼;乡贤有志,则家修廷献、身先物望、化行俗美;祀典有志,以隆身后之报称;官师有表,以彰行事之休祯。艺文即一长而不掩,贞烈虽侧陋而必登。文武科名、儒林、侨释、方技、外传一一备具,旧志未载者增之,旧志或繁者损之,实而不滥,简而不支,涤故维新,有伦有要,以斯为志,其关于世道民风岂小补哉。"[①]我们从现存清代合肥地区方志的目录中也可以大致看出方志记载的上述主要内容。

三、戏曲

戏曲是中国传统艺术之一,剧种繁多有趣,具有载歌载舞,说唱结合,文武相得等多种表演形式。同时,戏曲作为一种大众喜闻乐见的民间艺术形式,扎根于民间,从民间汲取丰富的养分,从而以其独

---

① 康熙《庐州府志》卷首《序》。

有的艺术风格满足了社会各阶层的文化需求,获得了长足发展的空间。在清代合肥地区流传的剧种主要有庐剧和徽剧两种。

(一)庐剧

庐剧原名"倒七戏",或称"道祭戏"、"稻季戏"。江南人称"江北小戏",南京人称"和州戏",流行于合肥、巢湖、六安、淮南、滁州、芜湖等地。《巢湖地区简志》载:庐剧本区称"小戏",道光年间即在区内普遍流行,始为一种对唱式民歌小调,无固定脚本,唱词、念白均即兴编凑,常常颠三倒四,故称"倒七戏"[①]。

庐剧形成的具体时间已无史料可考,目前征引较多的是在巢县炯炀河镇发现的同治七年(1868)巢县知县陈炳所立《正堂陈示》碑,该碑文称:"近倒七戏名目,淫词丑态,最易摇荡人心,关系风化不浅。嗣后,如有再演此戏者,绅董与地保亦宜禀案本县捉拿,定将此写戏、点戏与班首人等,一并枷杖。"[②]庐剧是以大别山一带民间歌舞、皖西和皖中一带流行的俗曲作基础,受湖北花鼓戏的影响而形成。起初,皖中一带普遍流行锣鼓门歌、秧歌,以及灯会的高跷、旱船、花篮等舞蹈,逐渐结合形成演唱形式,久之又发展成倒七戏。早期倒七戏的演出,一般不上舞台,只打地摊子,多以二小、三小戏为主,其曲调皆为一剧一曲专用。庐剧于同治、光绪年间勃兴,其主要原因是每演出于各地,即吸收当地流行的戏曲艺术来丰富自己。当班社演出于阜南、固始一带,与嗨子戏艺人互相串班,便吸收了嗨子戏的《打长工》《打桃花》《打五扇》等小戏;演出于寿县、淮南、凤台等地,吸收了当地的端公戏中神调、丁香调,还将其剧目《河神》《九郎进表》《薛凤英》等收进自己的传统剧目中。庐剧在合肥、巢湖一带更为活跃,并长期与徽班合作。因为其时庐剧是地方小戏,尚不能作为请神还愿的庙戏、会戏演出,只能借助于徽戏,先请徽班演出征戏,然后再续演小戏。从

---

① 巢湖地区地方志编纂委员会编:《巢湖地区简志》,黄山书社1995年版,第405页。
② 安徽省地方志编纂委员会编:《安徽省志·文化艺术志》,方志出版社1999年版,第132页。

这种演出中,庐剧吸收了大量的徽戏艺术,搬来了《斩经堂》《滚鼓山》《紫荆树》《芦花絮》《九锡宫》《打面缸》等一批徽戏剧目,并原腔原调地套用,如《斩经堂》套用拨子调,《九锡宫》套用西皮腔。有的戏演出,徽、庐两调合用。当它到皖南花鼓戏盛行的地方演出,便吸收了花鼓戏《私情记》中的《反情》《拜年》《打瓦》《上竹山》等折戏。演出到安庆地方,又吸收了黄梅调,运用于《西楼会》的折戏中[①]。光绪年间,庐剧开始进入城市,但起初只是在茶楼或地摊上演出。如庐剧艺人王业明、傅昌柱所领班社,先后在芜湖大花园中演出。

庐剧在长期的流动演出中,受各地语言和习俗的影响,形成了西、中、东、北四路。西路和北路的庐剧,大多数艺人皆统一称为西路,或叫作上路,以霍山、六安为中心,流传于霍邱、岳西、金寨、麻城及河南的商城一带。较有名的班社有三义、唐包子、何家与萧家四班。较有名的艺人,有何代贤、宋策国、张金柱、戴志生等,他们以演二小、三小戏拿手,擅长于花腔杂调。由于班社长期在山乡村市演出,形成了唱腔粗犷、高亢的山歌唱法。中路庐剧以合肥一带为中心,流行于肥东、肥西、舒城、蚌埠等地。光绪初年,萧家班盛极一时,后有丁家班、吕家班、二杨班等先后进入大、中城市,演出以袍带戏为主。如《白玉楼》《彩楼记》《二度梅》等,唱腔以二凉、寒腔为主调,其吐字行腔,抒情委婉,且在唱句落尾,饰以假音,其中衬字较少,特别注意词句通俗易懂,一改惯用的乡音土语之旧习。东路庐剧以巢湖一带为中心,流行于巢县、庐江、无为、含山、和县,远及芜湖、南陵、繁昌、当涂、南京等地,有数十班社。由于长期流动演出于大江南北,与徽剧、京剧、扬剧交往甚多,吸收了这些剧种的艺术精华,迅速发展壮大。在演出剧目方面,本戏外又多演出连台本戏,班社成员相应地逐渐增多,个别班社甚至有七八十人之多。

王凤山班为职业庐剧班社,成立于光绪十八年(1892),班址在肥东,班主为王凤山,主要成员为王汝传、张宗耀、王本银、李小福,先后

---

① 安徽省地方志编纂委员会编:《安徽省志·文化艺术志》,第133页。

进班的还有许三大爷、许四九子、窦文先（旦）、老张三（文丑）、范金甫、吴老五（末）、汪四（丑、老生）、范家业（旦、老生）、丁业绍（丑）、费继圣（丑）、蔡老五（旦）等。主要活动在合肥东大圩、肥西、定远、全椒等地。经常演出的剧目有《打补缸》《打补丁》《小花讨饭》等，还有取自京剧的《打砂锅》《武家坡》等。王凤山班丑角居多，尤其以老张三的文丑和王凤山的武丑知名，老张三的文丑台词幽默，王凤山的武丑语言风趣。王凤山还十分注重向民间汲取养分，曾把民间小调《十八扯》吸收到庐剧剧目中来，并将《打补缸》中一男一女"顺贴"的道白改成"倒贴"的唱腔，增强了戏剧效果①。另一支比较有影响力的职业庐剧班社为德胜班，成立于宣统三年（1911），班址在肥东，班主吕尚城，艺名吕矮子，工花旦。该班社主要成员有吕尚明、吕尚富。其活动范围广涉江淮地区，代表剧目有《秦雪梅》《梁山伯与祝英台》等②。

（二）徽剧

徽剧，亦称"徽调"或"乱弹"，在其兴盛时期，曾流遍全国，大多地方剧种都受到了它的影响。明末清初，徽剧以青阳腔、昆曲及俗曲为基础，在安庆、枞阳一带发展而形成。明嘉靖年间，青阳腔在接受余姚腔影响的基础上，发展了"滚调"而兴起，此时昆山腔传来，两腔交流衍变，长期合目同唱。明末清初，山陕梆子随山陕商人势力在安徽境内获得进一步发展。与梆子腔同时，安徽还流行着一种乱弹腔。此两种声腔，至康熙年间已广为流传。早期梆子腔和乱弹腔的特点是唱词既有长短句，又有七字十字句；唱腔既突破曲牌体的束缚，又受曲牌体的限制，再吸收俗曲，显得很不统一。梆子腔在康熙年间，曾为早期花部诸腔之总称。高拨子调与梆子腔同时产生，在梆子乱弹腔中，即包括拨子调，早期金华徽班，称梆子腔和拨子调为乱弹。由于梆子腔与长拨子调长期同台合目演唱，互相影响产生变化，形成

---

① 安徽省地方志编纂委员会编：《安徽省志·文化艺术志》，第179页。
② 安徽省地方志编纂委员会编：《安徽省志·文化艺术志》，第181页。

新腔二簧调。二簧调在乾隆年间兴起,后与从湖北传来的西皮,形成合奏的局面,促进了徽班艺术的发展,形成几路艺术流派,其中巢湖一带的徽戏影响颇广。该路徽戏,是从桐城地方传来,在巢湖一带扎根,可考者有八班,流行于庐江、巢湖、含山、和县、滁州、来安、全椒等地。徽戏在巢湖扎根后,逐渐发生变革,据《中国戏曲志·安徽卷》记载,《武松杀嫂》的唱腔,艺人称作巢湖二簧平,实为石牌调之变调,是把吹腔、平板与巢湖民歌相结合而形成,因而在唱腔中夹杂"阿油呀哈咳"的小调衬字,其节奏、旋律,显得迅速、活泼、欢快。在八班艺人中,盛名于时的又有两人,如蔡家班的王龙胜,以唱唢呐二簧出名,他一出口带着山歌野调,民众爱听,他唱二簧反调,一板一眼,字多腔少。巢湖徽班以天寿班为最早,历史最久,从乾隆年间直至新中国成立,活动从未停息。最晚是凤元应班,起于同光年间,因凤元应技艺出众、领班有方,当地流传的民谣称:"大包(凤元应的外号)一生三件宝,钢钗、大刀和戏考。"凤元应还制定了十条班规,要求严苛,其他戏班也起而仿效之。

徽剧的《五台会兄》《滚鼓山》《高平关》《铁弓缘》等折子戏,为庐剧等剧种所吸收,还有一部分剧目移植自有血缘关系的外省剧种,如黄梅戏、庐剧、皖南花鼓戏所共有的《私情记》《蓝衫记》《小辞店》等剧目,皆移植自湖北的花鼓戏。

四、民俗

民俗即民间风俗,是人类社会生活中一种普遍的社会文化现象,是一种悠久的历史文化传承。我国著名民俗学家钟敬文认为:"民俗是人民大众创造、享用和传承的生活文化。它既包括农村民俗,也包括城镇和都市民俗;既包括古代民俗传统,也包括新产生的民俗现象;既包括以口语传承的民间文学,也包括以物质形式、行为和心理等方式传承的物质、精神及社会组织等民俗。"①钟敬文同时指出,要想把握民俗的范围,应该对"民间"(folk)和"风俗"(lore)二词的含义加以认真地考察。"民间"是民众中间,"风俗"是指人民群众在社会生活中世代传承、相沿成习的生活模式,它是一个社会群体在语言、行为和心理上的集体习惯。合肥地区的民俗有着自己丰富的内涵和显著特征,是合肥地区人民大众在长期的生产和生活中创造、享用和传承的文化事象。康熙《巢县志》曾交代了记录民间风俗的重要性:"杨于芳曰:'有不同者,地也;无不同者,天也。'夫人质因乎地而性命于天,故彝伦民秉尽人皆同,而风气习尚不无少异。今以经义取士而以文章声教一天下之趋向,所以易天下之风俗也,乃世每尚同因循苟且安土习俗而特立独行,立教于乡,振兴流俗者少。夫天下无不可变之俗,昔朝鲜有箕子而道不拾遗者千余年,西蜀有文翁而文教遹兴,于今尤盛。谨志一时风尚以听上之移易焉。"②也正因为观风俗而治天下的要义,合肥地区历代方志才不厌其详地对该地风俗进行记录。

(一)清代合肥地区民俗的整体概况

因受明清易代之际战争洗劫的影响,清初,合肥地区的民俗普遍呈现出"淳厚""朴素"的特色,如顺治《庐江县志》记载:"顺治去明嘉靖将近百年,中间失考不详。大约承平久,家殷户实,俗尚侈靡,虽人心不尽古若,然称僻饶易治。从流寇两次,残破庐舍,荡于烟烬,户口所存百无一二。昔日繁盛之区一望皆荒榛败瓦矣。顺治初年,犹土寇盘踞,委署县事者只住远村,以便贼至易避,不敢入城郭。继此亦少招徕之方,城中寥寥无百户,几无风可观,无俗可问。七年,知县孙弘喆到任,严于戢奸,慈于驭众,前之散存于四方者始有乐归乡土之思,而远人亦多慕义受廛焉。但疮痍残喘,久不习礼教,险诈相寻,好斗轻生,健讼嗜利,唯是率以孝弟,示以和让,感以朴诚,生齿于是渐

---

① 钟敬文主编:《民俗学概论》,上海文艺出版社1998年版,第4页。
② 康熙《巢县志》卷7《风俗志·杂占》。

衍，田土于是渐垦，比屋于是渐稠，人知重其身家，亦渐循于纪纲法度，淳风厚俗，其拭目竢之也欤。"①康熙《巢县志》记载："流寇焚劫，惨杀盈城，宫室焦土，继以荒疫频臻，民人耗折过半。皇清受命，渐返朴素。"②

　　随着社会承平日久，清中期以降，合肥地区的风俗为之一变，奢靡趋利风气渐炽，往日淳厚朴素的社会风气已成为文人士大夫悬想的对象："乃近今之奢靡何如也？席竞鱼翅，官场享燕，富豪效之，贫士亦间效之矣。服竞轻裘绮縠，家仅中人，年非老大，无不如是，至间色异饰，本涉奇邪，赌博雅片，实干例禁，可胜痛哉！"③世风丕变令传统士绅深为担忧，他们认为浇薄疏离的风气往往导致社会的动荡不安，被视为"合肥三怪"的朱景昭身经咸同兵燹，战火劫余，他对社会奢侈之风作了深刻反思："道光之末，民俗浇敝，捐输屡告，官习弥颓。余谓兄弟曰：'乱将作矣。'欲少置山田，挈家为耕织计，因循未果，至今恨之。十年来，吾郡忽重中元节，于七月望夕，张灯演剧，为百剧、僧道水陆之醮，动以旬月。余尝曰：'弃人重鬼，不祥莫甚焉。'又俗渐奢靡，一筵之费往往数千，贫家至不能宴客，识者忧之。"④朱景昭继而认为官府疏于提倡教化，士人钻营求利，上行下效，社会趋利附世之风盛行，在太平军进犯合肥后，乡民不是为了反抗，而是主动投献，使得纲常名教成为空谈，廉耻道丧，唯利是图，社会最终不治："近日官以教化为迂谈，士以风节为大苦，上骄下谄，惟利是趋，以致伦叙乖违，廉耻道丧，所从来远矣。贼来尚远，余讽谕乡民以大义，且为陈事后之利害，无不目笑者，既而供献迎贼，所在如狂，其间为乡导效奔走者盖不可一二计也。即如贼围城时，劫掠近城一带，百物皆备，所少者油耳，而奸民为四远罗市至数百石不已，贼得持久，虽能将如江公

---

① 顺治《庐江县志》卷1《舆地志上·风俗》。
② 康熙《巢县志》卷7《风俗志·宫室衣服之制》。
③ （清）李文安：《李光禄公遗集》卷8《杂著·淮南乡约》，沈云龙主编：《近代中国史料丛刊》第7辑，第62册，第503页。
④ （清）朱景昭：《无梦轩遗书》卷9《劫余小记》。

不能支者,以此言之,使人闷闷,此非独民之罪也。江淮间素尚侠气,一变至此,此有司之罪,亦士夫之罪也。他日平贼之后,有心世道者尚其念之?"①太平天国战争对合肥地区造成了极大的破坏,风俗也发生了一定的变化,如庐江县原本"民勤稼穑而多殷富,富户不为商贾,有余资则占田招客户耕种,于是有东、佃之目"。但自经兵燹,"十室九空,田归富户,富者益富,贫者益贫,且近日人情率多好讼,以此倾家失业者不少,而愿谨者终岁勤动,足不入城市者亦自多也"②。所以,太平天国战争结束后,在地方社会秩序重建的过程中,地方士绅重倡俭约之风,一些家族也特别强调勤俭、戒奢的家风,并写进族约之中,如合肥龚氏在居家规范中明确提出"崇节俭"的规定:"称豪爽于富人,定然色喜;劝省约于贫士,畴不钦承。盖富者囊橐多余,骄奢不免;贫者饔飧不给,挥霍无从,故世胄之淫靡,宜大申其诰诫。若吾宗之寒素亦奚用夫规箴,不知人情多厌朴而趋华,世俗每好奢而恶俭,在贯朽粟红之户,固未克持盈,即绳枢瓮牖之家,亦谁能安分?储无儋石,偏思馔列珍馐,地少立锥,尚欲衣裁罗绮,征歌剧饮,不恤妻子啼饥,赛会迎神,罔念室家悬磬,似此浸淫莫极,势必俯仰依人。倘然时绌而举赢,必至补疮而剜肉,岂如忍当前之淡泊,省不急之经营,留有限之脂膏,屏无涯之嗜欲,清贫立品,且图无辱无荣,勤俭持身,更可渐充渐裕。此日家徒四壁,不妨数米量柴,他年积有千箱,必解衣推食,若效执筹鐕核之贪,夫人将嫌其铜臭,如为扁箧悭囊之鄙子,我亦笑其钱愚。"③

(二)清代合肥地区的岁时节日

清代合肥地区的主要经济基础是农业,与天时、物候的周期性变换相适应,逐渐形成了社会生活中约定俗成、具有一定民俗活动内容和形式的特定时日——岁时节日。这些岁时节日有两项必不可少的

---

① (清)朱景昭:《无梦轩遗书》卷9《劫余小记》。
② 光绪《庐江县志》卷2《舆地·风俗》。
③ 光绪《合肥龚氏宗谱》卷次《居家规范》,清光绪刊本。

构成要素,一是有相对固定的节期,二是节期中有特定的民俗活动。岁时节日的产生、演变和发展,不仅反映了合肥地区不同历史阶段社会、经济和文化的发展水平,而且还反映了合肥地区民众的喜怒哀乐。参照民俗学中节日的分类方法,清代合肥地区的传统岁时节日大体上可分为以下几种类型:

1.农事性节日

这也是合肥地区传统岁时节日最主要的组成部分,因为我国的传统岁时节日,本就是农业文明的伴生物。节期的选择,也是农业社会生产、生活规律的一种特殊表现形式,"与春种、夏锄、秋收、冬藏的生产性节律相应,民间节日中,也就有了春祈、秋报、夏伏、冬腊的岁时性生活节律"①。合肥地区历代方志中,将天象、物候与农事活动紧密联系起来的记载文字十分丰富。如清代人朱弦在《金斗岁时略》中详细记录了合肥地区与农事活动密切相关的立春习俗:"正月立春,制土牛勾芒于威武门外。先一日,守令率僚佐往迎,有彩仗、有伎乐、有亭台,人人鬓边有花胜,谓之迎春。牛行,农器成行,鼓声轰轰,象农忙也。人家湘帘障户,女客艳妆,立于帘下,谓之看春。牛至,小儿以豆掷之,云稀豆也。勾芒之奄耳提且戴髻平梳之顶耳前后,与夫鞋袴行缠之悬着有无皆有所取,俗则以为他寒人不寒,他忙人不忙也,故称之曰拗芒神。次日,各官公服礼芒神,以鞭鞭牛者三,示劝农之意,谓之打春。"②巢县的迎春习俗为:"迎春日,扎彩亭,取之三十六行户,行各一亭,乐妇数人,靓妆丽饰,间作彩莲船,群袨服往观。县官尉迎春牛芒神,各役随之,至东门教场散春花饮酒,百姓于其榜或蹴鞠或戏马,无奈观者如堵,所谓与民同乐也。"③在合肥地区民间普遍流传的节气谣谚和农验,更是农事性节日特定事象的一个重要表现。如巢县:

---

① 钟敬文主编:《民俗学概论》,第151页。
② (清)朱弦:《金斗岁时略》,康熙《庐州府志》卷2《建置志·风俗》。
③ 道光《巢县志》卷3《舆地志·风俗》。

元旦，占候风物，宜清和无风为上，有风则宜东北。惊蛰孕蘖，雷声发，米价贱，谚曰："惊蛰闻雷，米似泥。"清明，取稻种水渍七日而蘖始播种，或春寒稍迟数日，至谷雨无不渍之种，谚曰："清明浸种，谷雨撒秧。"又清明宜晴，谷雨宜雨，其占为有年，谚曰："清明要晴不晴，谷雨要雨不雨，违时令也。"立夏后小满分秧忌晴，谚曰："立夏不下，犁耙高挂。"又曰："小满不满，芒种不管。"谓小满后，南风主雨，若小满日无雨则不应也。刈二麦种木棉，小暑后园蔬盛，大暑后刈早禾，谚曰："小暑吃园，小暑吃田。"处暑，晚秧莳毕，农工稍暇，谚曰："处暑不拈秧。"时秈秋二谷遍野皆穟，亟需雨泽滋润灌过，谚曰"白露总是空言"，虽雨无益也。又重阳为冬雨之占，谚曰："重阳无雨看十三，十三无雨一冬干。"又曰："重阳晴，好了取鱼人；重阳雾，好了打猎户。"盖鱼喜晴，猎喜雪也。又曰："十月三次雾，水打冈上赴；腊月三次雾，塘底走成路。"又曰，"腊前三白，多祥瑞"，此三者皆来岁占也。

　　正月，东方朔占岁首八日，一鸡、二犬、三猪、四羊、五牛、六马、七人、八谷，各以类占，遇晴则吉。

　　又曰："正月无三卯，田家苦不饱。"正月雷鸣二月雪，三干四月秧生节。

　　二月，惊蛰下雨，重冷四十日。又曰："十二花朝定要晴，晴明月半看丰登。"又曰："百谷生日。"又惊蛰后六日送九，雨主涝，霜雪主旱。

　　三月三日、七日宜晴，又三日听田间蛙声，早主水，宜高田，晚主旱，宜低田。

　　四月八日，不宜有小雨，主旱，谚曰："四月八，雨洒洒圩田，只好种芝麻。"又十六日晚，看月上迟早，早出，月色白，主水；迟出，色红，主旱。顺治壬辰年，八日小雨，十六月迟出，色赤，果大旱。

　　五月，夏至宜雨，谚曰："夏至见青天，有雨到秋边。"又曰："夏至端午前，人民难种田。"

　　六月初三，宜雨，谚云："六月初三一阵雨，夜夜风潮到立秋。"无雨主旱，谚曰："六月初三大日头，山中树木也焦头。"

七月七夕夜,看天河影没见迟早,占收荞麦多寡。

八月,谚曰:"云掩中秋月,雨洒上元灯",此只言杀风景耳,其实不相应也。

十月,初一日宜晴,立冬宜雨,谚曰:"立冬无雨一冬干。"小雪日宜雾,谚曰:"小雪雾,来年富。"

十一月,冬至晴,年必雨;冬至雨,年必晴。

十二月,冬至后第三戌为腊前三白大,宜来麦。

四季甲子:春甲子雨,秧黄麦死;夏甲子雨,撑船入市;秋甲子雨,禾头生耳;冬甲子雨,雪飘千里。①

节气谣谚和农验是人们在长期的生产和生活过程中,根据当地所处的自然和气候条件,摸索出来的应对自然的一套方法,是对农业生产所总结出来的经验概括,语言形象生动,简单易懂,反映了人们对自然的敬畏之心。在农业技术不发达的传统时代,一代代口耳相传,有着广泛的群众基础,是合肥地区民俗文化中的宝贵财富,所以历代方志编修者才不惜篇幅予以收录。如嘉庆《合肥县志》载:"正月初六日风,则四时皆有风起,俗谓之'六风子'。二十日忌雨,谚云:'正月二十阴,阴阴滴滴到清明。'四月十六宜阴云。是晚月上,须日落尽乃佳。谚云:'熟不熟,只看四月十六。'四月有鸟如乌,先鸡而鸣,俗呼'榨油郎'。农家候其鸣,则有事于田间。小满日宜雨,谚云:'小满不满,芒种不管。'五月二十、二十五谓分龙日,无雨则主旱。六月南风不可过大,谚云:'五月南风发大水,六月南风井底干。'立秋忌闻雷,谚云:'一雷收万顷。'八月初一日露重,为次年有秋(秋,谷物成熟、收成)之兆;十五日阴,来岁上元必雨,谚云:'云掩中秋月,雨洒上院灯。'重九及十三皆宜雨,谚云:'重阳无雨看十三,十三无雨一冬干。'除夕煮饭,以净纸铺板上,验其四角、中央干湿,以为来年之兆。

---

① 康熙《巢县志》卷7《风俗志·杂占》。

是夜四方皆宜黑。"①

2.祭祀性节日

现代民俗学者乌丙安指出,祭祀性节日主要是以祭祀天地、神灵和祖先等为主,以祈福禳灾、祛恶避瘟和趋吉避凶等信仰习俗为标志的节日②。清代,在崇尚尊祖敬宗、崇拜神灵的合肥地区,祭祀性节日在整个节日民俗中具有极其重要的地位,大部分传统节日都包含有祭祀性活动的成分。从春节祭祖、清明扫墓,到五月初五端午节的祭祀屈原,再到腊月小年的祭祀灶神等,祭祀性内容几乎渗透到清代合肥地区各大传统节日之中。

如清明,是二十四节气之一,时间大致在每年农历三月中旬。清明是合肥地区传统的祭祀祖先和死去亲人亡灵的节日,是清代合肥地区最为隆重的几大节日之一。合肥龚氏将清明诣墓祭祖写进族约中,要求全体族众务要严格遵守,不得懈怠:"议自四世分支,各分祖茔每年春祭,凡墓下子孙务竭诚办席,到坟拜奠,倘息玩不办,合族齐集祠堂议罚。"③巢县的习俗是"以柳枝插头,家各登其丘陇扫奠之,后即饮酒其间"④。庐江县的习俗为"清明于门侧插柳,士民结伴踏青,上陇扫墓"⑤。康熙《庐州府志》详细描述了清明节的祭扫习俗:

踏青扫墓则清明前后十日也,是时小儿以木为枚,上圆下锐,置地而鞭之,其枚旋转不停,谚云:"杨柳青,放风筝;杨柳活,打陀螺",此之谓也。风筝形状不一,声响则同。清明,人人簪柳丝,是日谓之鬼节,城隍出会,有为父母求寿者,有求子息者,有忏悔罪过者,有求解疾病者,发愿投充,伍伯鬼判,雇马赁衣,簇簇楚楚。诵佛则隐隐,拜香则顿顿,幢幡满街,香火满街,判官头鬼脸满街,五里至拱辰门

---

① 嘉庆《合肥县志》卷8《风土志》。
② 乌丙安:《中国民俗学》,辽宁大学出版社1985年版,第302页。
③ 光绪《合肥龚氏宗谱》卷次《族约(计十六条新增)》。
④ 道光《巢县志》卷3《舆地志·风俗》。
⑤ 光绪《庐江县志》卷2《舆地·风俗》。

外,厉坛祭毕回,对仗如初。人人帽有一寸尘,身有一斗汗,妇家灯下与妻子喜谈而乐道之。愚民见王法不知畏,语冥府罪业则骨法悚然,此神道设教,官司不禁也。

三月上巳,以虾蟆声卜丰稔,谚云"虾蟆害哑,场上无稻打"是也。男女扫墓,担提樽榼,香串弦索,附之轿马后,挂楮锭纷纷如也,酹者、哭者、为墓剪草添土者,各以纸钱置坟头,哭罢不归也,跌草列坐有饮者,哀往而乐回也。①

清代文人胡式玉在竹枝词中用白描的手法向我们呈现了巢县清明城隍出会的景象:

樱桃花发杏花香,吉日迎神趁艳阳;歌吹声繁仪卫盛,高轩云拥县城隍。

怪状离奇引驾长,青衣对舞爪牙张;披头金纸无人相,挂臂银丝烧肉香。

爆竹声声笑语哗,戈铤乱舞眩生花;连钱响处工抛撒,始信飞天有夜叉。

钲鼓乍停箫管出,又闻群鬼闹啾啾;口如含橛衣如雪,无数无常张盖游②。

端午节在农历五月初五,主要为祭祀屈原而设,是清代合肥地区传统的节日。饮雄黄酒、吃粽子的饮食习俗,迎神赛会及赛龙舟的娱乐竞技习俗,在合肥地区都开展得有声有色。如庐江县,"端午,插蒲艾于门,食角黍,饮雄黄酒,龙舟竞渡,箫鼓喧闹,游人杂沓"③。合肥县的端午习俗为:"五月五日,人家门悬艾虎,瓶浸葵花。日中,大小饮桑椹酒、雄黄酒。薄暮,出时雍门看竞渡,彩舟几处,云吹纷纷,龙

---

① 康熙《庐州府志》卷 2《建置志·风俗》。
② (清)胡式玉:《居鄵清明会竹枝词》,欧阳发、洪钢编著:《安徽竹枝词》,第 103—104 页。
③ 光绪《庐江县志》卷 2《舆地·风俗》。

舟有青者、有黄者，五色俱备，争先夺标，恍乎水马矣。婚聘家是日以角黍、时果、彩线、色紬相馈遗，谓之通信也。十三日，龙相会，亦忌雨，谓之剅龙头晒龙尾。廿日分龙，喜雨，廿五日回龙。谚云：'分龙不下，回龙下；回龙不下，干亚亚'，言回龙又要于分龙也。"①巢县建有三闾大夫祠，在县东聚贤坊，俗称"竞渡庙"。巢县的端午节祭祀屈原仪式也非常隆重，史载：

五月五日曰端阳节，人家以礼物相馈遗，而角黍则为时献，家戴艾帖符、饮雄黄菖蒲酒。又龙舟之戏，因屈子沉江以五月五日，楚人思之，每于是日投食以祭，恐为鱼虾所夺，乃作舟象龙形，鼓乐喧填而投角黍于水中。巢，旧楚地，故立竞渡庙于东方河浒，而塑屈原像于中，扁曰"三闾祠"，以原尝掌王族三姓为三闾大夫。三姓者，昭、屈、景也。今临河悉为民居而祠尚存，每岁于孟夏月望后三日祝水神，造龙舟，各坊一艘，各异色，舟大小不等，色忌白，相传以用白而没。至五月朔，迎会中偶神入舟，每舟集少壮数十人，穿号衣，列帜如舟色，击鼓奋楫，踊跃争先。士民竞结棚幔于舟，饰以彩，或双舟连结，以作平盘，上造彩架，舟首多载盆景，挟箫管乐妓，集亲朋宴饮嬉游，从流上下，五日而止。近时此会寖微，缘物力不能特造龙舟，只取小舟，沿故事而榜，人争先好斗，此风殊不可长。②

祭祀祖先是民间最常见的祭祀行为之一，除了清明日踏青扫墓进行墓祭外，中元日、冬至日也要祭祖，其中，冬至日是祠祭。如中元日在农历七月十五日，这一天主要是为了死去的亡灵所过，故民间又俗称鬼节。该日，巢县的民众是初尝稻，享祖考，僧众设盂兰会。"中元前一日，初尝稻以荐，中元日僧众设盂兰会，代荐冥魂，人多信之。"③这一习俗与徽州府绩溪县颇为相似："中元日，祀祖，荐新稻，罗

---

① 康熙《庐州府志》卷2《建置志·风俗》。
② 道光《巢县志》卷5《舆地·坛庙》。
③ 康熙《巢县志》卷7《风俗志·四时》。

列时馐,城隍神巡行县鄙,仪仗甚盛,扮诸鬼卒,扮无常二人,高与檐齐,满街放爆竹,谓之'跳无常'。"①庐江县则是"祀先祖于家,其新丧者,亲邻以纸角往奠。"②合肥县的七月十五日,"为佛,惟喜日寺作盂兰道场,城隍出会,对仗俱如清明"③。而合肥县的十月朔日亦为祭祖之日,这一天"谓之秦时岁首,祀祖先"④。庐江县在冬至日,"族众合祭先祖于祠"⑤。

3.庆贺性节日

庆贺性节日主要以喜庆丰收,祝福人畜两旺、平安幸福为主题。在传统农业社会中,庆贺性节日更多地带有娱乐放松的性质,充满着欢乐祥和的氛围。庆贺性节日还有一定的连续性和周期性,一般会持续数日。在清代合肥地区,一年中最大的庆贺性节日是中秋节、春节和元宵节。

农历八月十五是中国传统的中秋节,月到中秋分外明,这一天,合肥地区的人们相聚饮酒吃月饼赏月,其乐融融。在人们心目中,月亮是美好团圆的象征,所以在清代庐江县,每逢中秋佳节,月饼不但是中秋必吃的食品,还具有特殊的用意,既用来祭祀月亮以示崇敬之情,还用之祭献于祖先灵位前,表达对祖先的缅怀之意,同时还作为馈送亲友的珍贵礼物。在庐江县,"中秋,以月饼祀月,献先祖及馈遗亲族"⑥。巢县将月饼称为元饼,做成月亮的形状,与菱实一同祀月,馈送亲族:"中秋,作元饼,肖月形兼以菱实,家相馈送。"⑦在合肥县,中秋前两日,人们就以月饼相互赠送,中秋节深夜,月亮分外圆,待字闺中的姑娘用月饼、水果祭祀月亮,许下美好愿望。垂髫小儿不知祭

---

① (清)刘汝骥:《陶甓公牍》卷12《法制科·绩溪风俗之习惯·岁时》,清宣统三年安徽印刷局排印本,《官箴书集成》第10册,黄山书社1997年版。
② 光绪《庐江县志》卷2《舆地·风俗》。
③ 康熙《庐州府志》卷2《建置志·风俗》。
④ 嘉庆《合肥县志》卷8《风土志》。
⑤ 光绪《庐江县志》卷2《舆地·风俗》。
⑥ 光绪《庐江县志》卷2《舆地·风俗》。
⑦ 康熙《巢县志》卷7《风俗志·四时》。

祀月亮的含义,但也有玩耍绕墙的乐趣,村妇则辛苦备尝,即使是中秋当日,她们也要白天收割水稻,晚上在台阶下趁着月色纺棉,来不及休息片刻,耳旁虫声唧唧,愈益衬托出月夜的寂静。清人朱弦在《金斗岁时略》中详细记述了合肥地区的中秋习俗,为我们勾勒了一幅清代合肥人中秋节生活的生动图景:"八月中秋前二日,以月饼相馈,杂以红菱、雪藕、青豆角。饼,象月也,菱藕、豆角,荐新也。午夜,深闺女儿以饼果祀月。而小儿不解祀月,以无砾累小墙空中而灯之,鼓以绕之,谓之绕墙,此戏不知始于何人何时也。村妇昼出刈稻,夜归纺绵阶下,虫声唧唧,云:'虫言粗绩细绩,莫冻孩儿肚脐',警懒妇也。"①

同全国其他汉族聚居地区一样,清代合肥地区的春节具有连续性的特点,从腊月二十三或二十四日的小年夜开始拉开序幕,到旧历除夕夜和大年初一达到欢乐的高潮,直至元宵节前后,都属于春节范围。巢县在腊月二十四日祀灶,其习俗是用饴糖、小饼、炒米豆为供品,因为第二天玉皇大帝下界,要求严禁说秽语②。庐江县在腊月二十三日夜晚,摆糖果祀灶神,谓之"送灶"。二十四日夜晚设酒肴,祀先祖于堂,合家依次礼拜,谓之"接祖"③。合肥县在腊月二十三日祭灶,用糖炒米果、豆祭祀灶神,其意是用糖粘住灶神的口,使其见了玉皇大帝后不能说坏话。此外还要喂食灶神的马,其做法是把稻草铡成寸许长的秸秆,再把少许炒熟的黄豆拌于其中,制成马料,供灶神的坐骑食用。因为第二天清晨灶神要到天庭汇报凡间一年中的事,在祭灶活动中,各家在灶神神位前点烛焚香,供上糖果,然后自灶间至大门外,向空中抛撒马料,口中并不停地念叨"好多说,不好少说"。至清代,只有家中的男子才能参与祭灶,妇女则不能参与祭祀。而剩余的糖果,幼小的女孩也不能吃,因为"啖灶余,则食肥腻时口圈黑

---

① (清)朱弦:《金斗岁时略》,康熙《庐州府志》卷2《建置志·风俗》。
② 康熙《巢县志》卷7《风俗志·四时》。
③ 光绪《庐江县志》卷2《舆地·风俗》。

也"①。送灶之后,人们就要整日忙碌,杀猪宰羊,制作果品,备足年货了,外出者也大多返回过年,空气中洋溢着节日的喜庆气氛。大年三十是春节中最为忙碌的一天,各家贴春联,挂年画,准备年夜饭,这一天也同样要祭祀祖先。巢县的除夕,"用牲、醴、香烛、粲盛纸马、楮钱银锭,先祭天地三界,次祭家堂,所供家神及先远祖祢神主天地。焚千张纸马,千张者,春竹为纸,切方块而条分之,即爟火之遗纸马以像神祖先,则楮钱银锭像生者之用为冥资,凡时祭皆用之。至晚则合家饮酒,曰分岁,除夜具果品接司命神,爆竹之声达旦"②。庐江县"三十日,易门符,更春帖,祭天地神祇,拜祭先祖,谓之辞年。卑幼亦礼拜于尊长,夜围炉聚饮,谓之守岁。爆竹彻夜不绝"③。庐江县的春节习俗为:"元旦,鸡鸣起,具衣冠,礼天地神祇,拜先祖,贺长上,放花爆,然后开门,宗族里党亲朋交相拜贺。"④合肥县"除夕,换桃符,书春帖,祭五祀及先祖,辞岁迎灶神,守岁有彻夜者"⑤。朱弦的记载更为具体生动:"三十日,插芝麻楷于门檐空台,谓之藏鬼不令出也。贴春联于户,宜春字于门额,悬先上影像,祀以花果酒馔,长幼毕拜,己各自拜,谓之分岁。长幼围炉陈排盘饮栢叶酒,谓之守岁。"⑥大年初一凌晨,五鼓时分开始迎灶神,开大门,放爆竹,以其响亮与否卜一年之好坏。人们烧转香,天明即穿新衣、持红帖,亲朋往来投递拜年,谓之"贺岁"。一天拜访不完可延续至初二、初三日,到正月初四日开市,恢复正常贸易。此风俗合肥县各乡不尽相同,但大率如此。人们辛苦了一年,在春节期间彻底松弛下来,走亲访友,跳绳、踢毽子,听说书,极尽欢娱。

正月十五是元宵节,实际上也是春节的一个重要组成部分。这

---

① (清)朱弦:《金斗岁时略》,康熙《庐州府志》卷2《建置志·风俗》。
② 康熙《巢县志》卷7《风俗志·四时》。
③ 光绪《庐江县志》卷2《舆地·风俗》。
④ 光绪《庐江县志》卷2《舆地·风俗》。
⑤ 嘉庆《合肥县志》卷8《风土志》。
⑥ (清)朱弦:《金斗岁时略》,康熙《庐州府志》卷2《建置志·风俗》。

一日的灯会极为热闹。合肥县早在正月十三日就开始试灯,各种灯笼形状各异,匠心独运,十五日的灯会游神活动更是人山人海,摩肩接踵。当天,有女子新嫁者,其母亲则以米、茧、元宵相馈赠,元宵象征团圆,茧则取祀蚕之意,虽然不养蚕,此风亦相沿不改。十六日夜,大小人家三五眷属,或浓妆艳抹,或素面朝天,走桥踏月,称之为走不病。在广大乡村,从正月十四至十六日,农人不再终日劳累,而是人人束手,因为这几日如果有所事事,则会害忙病。朱弦为我们呈现了这一丰富的合肥春节景象:

>元旦五鼓迎灶神,开大门以爆竹之响亮,人言之美好,卜一年之休咎也。人以楮锭香烛遍秦寺窗,谓之烧转香。天明各着齐整海青光乍屐袜,持红帖,亲朋往来投递,谓之贺岁。有不足继之以二日、三日,第四日处处开市,不必尽然,大率如此。数日之间有跳绳者,有说书者,有扑蒙者,有蹴圆者,有踢毽子者,不必尽然,大率如此。十三日,试灯,有烧珠、有明角、有夹纱、有斛丝、有羊皮、有鳌山、有走马、有灯架、有灯棚,富厚人家以花爆间之,有龙灯、有狮包,沿门索烛,往往生事,官司禁之不止。十五日,有女子新嫁者,母家则以米、茧、元宵相馈赠遗,元宵象征团圆,茧则取祀蚕之意,虽然不养蚕,此风亦相沿不改。十六夜,大小人家三五眷属,或艳服,或素妆,或着家常衣,走桥踏月,谓之走不病。乡村十四至十六日,人人束手,云有所事事则害忙病也。①

庐江县的元宵节习俗与合肥县有相似之处,从正月十三日至十五日张灯结彩,锣鼓喧天,极大地吸引了民众的目光,"十三日至十五日夜,铺户居民门首悉张灯悬彩,有狮子、走马、鱼龙诸灯之戏,金鼓喧闹,彻夜乃止。元宵和米粉为饵,谓之元宵,亲族互相馈遗。元宵

---

① (清)朱弦:《金斗岁时略》,康熙《庐州府志》卷2《建置志·风俗》。

节前后治酒延亲朋,谓之年酒;二月间治酒延亲朋,务极丰美,谓之春酒"①。

巢县的元宵节也极尽热闹之能事,人们架花灯,舞龙灯,做灯会,奏笙歌,放爆竹,火花繁锦,令人流连忘返。史载:

> 上元宵夜,城市街巷,各家门首用木搭灯架,插柏枝、冬青,悬花灯于架上;或为走马鱼龙杂色之象,或各坊各为龙灯,长数丈,每节燃烛,用数十人持之,委蛇盘绕,舞于街市;或为毯形轮滚,或为狮子,人匿其中,盘旋跳跃;或人衣彩衣,做故事,装演成戏,名曰灯会。皆纵金伐鼓,奏笙歌,放爆竹花火,沿街导迎,照耀辉炳,有同白昼。自十三至十七,凡五夜,城市四乡老少观者,骈填塞道。十六夜,妇女相率渡桥,击瓦缶,如妖祥厌胜故事,至亲友相馈遗,俱以秫米面作圆丸,曰元宵;又作茧形,以应蚕丝之兆。②

(三)清代合肥地区的民间信仰

信仰,是指对某人或某种事物、主张、主义、思想、宗教的极度信服和尊重,并以之作为行动的准则。民间信仰又称民俗信仰,是在长期的历史发展过程中,在民众中自发产生的一套神灵崇拜观念、行为习惯和相应的仪式制度③。赵世瑜认为,民间信仰与民间宗教有所区别,它指普通百姓所具有的神灵信仰,包括围绕这些信仰而建立的各种仪式活动。它们往往没有组织系统、教义和特定的戒律,既是一种集体的心理活动和外在的行为表现,也是人们日常生活的一个组成部分④。清代合肥地区的民间信仰即是反映民众生活的神灵信仰心

---

① 光绪《庐江县志》卷2《舆地·风俗》。
② 康熙《巢县志》卷7《风俗志·四时》。
③ 钟敬文主编:《民俗学概论》,第187页。
④ 赵世瑜:《狂欢与日常——明清以来的庙会与民间社会》,生活·读书·新知三联书店2002年版,第13页。

理与活动,其内涵非常丰富,内容和形式纷繁复杂,不仅有祖灵信仰、英雄信仰和乡土神等人物神灵的信仰,而且还有宗教神灵信仰、自然信仰以及迷信习俗等,种类繁多。

1. 自然信仰与崇拜

合肥地区的自然神灵信仰相当广泛,除了列入国家祭祀大典的先农坛、社稷坛、厉坛等天地神灵和山川风云雷雨等自然神灵祭祀以外,其他非官方的自然神灵信仰统统被归入淫祀的范围之内。合肥人的自然神灵信仰,主要有月神、土地神、城隍神、水火神等神灵。前文已经提及,每年中秋佳节是合肥人祭祀月亮的时刻,对月神的崇祀表达了人们庆贺丰收,对团圆美好的向往。城隍神原本是城市保护神,后来逐渐演变成为具有守护城池、监督官员、明辨是非和兴云降雨等多种功能的复合体神灵。每遇到严重干旱或新官上任,当地官民都会向城隍求助,祈求天降甘霖,并保佑一方生灵的平安。清承明制,亦崇祀城隍神。清初定制,凡祭三等,城隍为群祀之一,以城隍主厉坛,每年仲秋祭都城隍;每月朔望,有司至都城隍庙上香,旸雨愆期则祷。

清初定制,国家祭祀分为大祀、中祀、群祀三等,京城所祀,有天、地、太庙、社稷、日、月、先农、历代帝王、先师孔子,还有城隍、八蜡等,而各省"如社稷,先农,风雷,境内山川,城隍,厉坛,帝王陵寝,先师,关帝,文昌,名宦、贤良等祠"①。大清律规定:"凡社稷、山川、风云雷雨等神及境内先代圣帝、明王忠臣烈士载祀典,应合致祭神祇,所在有司依时致祭。"②庐州府按照国家祭祀大典的规制,建有山川风雨云雷、城隍、先农、社稷诸坛,实行官祭。光绪《庐江县志》明确交代了官设祀典的目的:"祀典之设,凡以为民也。古圣王先成民而后致力于神,若社稷、山川、先农、八蜡诸坛庙,非皆民所瞻仰以报功崇德者乎,国家治明格幽,神人允洽,是以民和年丰,神降之福也。兹除学宫释

---

① (民国)赵尔巽等:《清史稿》卷82《礼志一》。
② 乾隆《武乡县志》卷2《祠庙》,清乾隆五十五年刻本。

奠列入学校志外,而凡有功德于民,宜一体致祭者,悉综而录之,以示春秋匪懈之意云尔。"①

在合肥县境内,清代民间自然信仰与崇拜的对象主要有社稷、邑厉、乡厉、马神、火神、龙王、金龙四大王、土地、伏羲、旗纛之神、城隍、南岳、东岳、碧霞元君等神灵或人物。围绕上述神灵或人物的崇拜和信仰,一方面,清代以前当地即建有相关祭祀设施,这些祭祀设施有的在清代仍然发挥作用;另一方面,清代也围绕上述神灵或人物信仰,修建或者重修有不少祭祀设施。

清代合肥县官设祀典诸坛的基础设施及祭仪情况如下:

社稷坛,位于县城西平门外三里。每年二、八月上旬之戊日举行祭祀仪式。府、州、县皆由地方长官主持祭祀,以各学教官、纠仪、生员充当礼生。祭品有羊、豕、尊各一只。每个祭祀牌位前各摆放帛一、铏二、簠二、簋二、笾四、豆四、爵二。主祭官行三跪九叩礼。每年四月举行的雩祭活动,则统风云雷雨山川城隍并先农之神合祭于社稷坛。

先农坛,位于县城威武门外五里堡耤田内,南向。礼制与祭祀社稷相同。自清雍正五年(1727)开始,各省耤田皆为四亩九分。每年二月,地方官率所属耆老、农夫行耕耤礼。农具赤色,牛黑色,厢青色。籽种从土宜。守坛农夫灌溉收入米谷,用过粢盛,造册报布政司。每年的耕耤日期,由钦天监择日颁行。

风云雷雨山川城隍坛,位于县城南薰门外,南向。每年三月初三日举行祭祀仪式,礼制与祭祀社稷相同。

郡厉坛,位于县城拱辰门外。每年的清明、七月十五、十月初一日举行祭祀仪式。在正式举行祭祀前,地方官要先向城隍神报告。祭祀当天的黎明,请城隍神位入坛。祭祀用品包括羊三、豕三、米饭三石。主祭官行一跪三叩礼。祭祀完毕,要礼送城隍神回城隍庙。祭祀银两开销总额为四两五钱。

① 光绪《庐江县志》卷2《舆地·坛庙》。

乡厉坛，位于各乡，由乡耆立于其里。耆老岁时各于其乡举行祭祀仪式。

里社坛，位于各乡，也由乡耆立于其里。每年二、八月社日，举行祭祀社神和谷神的仪式。祭祀完毕，长幼以次就坐，尽欢而退。

文昌宫，位于县城镇淮楼北。建于宋代。清乾隆年间重修。嘉庆六年(1801)，追封三代，神用木主。每年二、八月举行祭祀仪式，礼制与祭祀关帝相同。咸丰三年(1853)，合肥县城被太平军攻陷，城内尽成瓦砾，文昌宫未能幸免。光绪元年(1875)，湖广总督李瀚章，大学士、直隶总督、肃毅伯李鸿章，直隶提督、一等男刘铭传，直隶总督张树声，福建陆路提督唐定奎，按察使衔、大名道刘盛藻，湖北按察使蒯德标，四川夔州府知府蒯德模，江苏徐州镇总兵董凤高，记名提督吴宏洛等倡捐巨款，加上本县城乡绅耆士庶与舒城、庐江绅士的捐助，共得银四千九百三十六两一钱五分，制钱五十千文；候选训导沈用熙，同知衔、江苏即补知县谭庆余，拣选知县范彦瀛，候选训导范彦绪，江苏候补知府刘盛谷，霍邱教谕殷锡恩，候选营千总李金杰，监生吴余庆等经手修建。建成殿宇四重，走廊合面客厅四间，道士房四间，共计三十余间，历经三年竣工。剩余下来的五十千文钱通过生息，被用作为每年的维修经费。旧有庙田两分，共水旱种二十石零四斗，在西乡柏家店北首与东乡程保圩地方，归道士蔡泰升收管，作为香火费。

火神庙，位于县城水西门街南岳庙西。每年六月二十三日，知县主持祭祀，祭品包括羊、豕，行二跪六叩礼。

刘猛将军庙，位于县城东门城外白衣庵西。明代建。清嘉庆年间，潜山庙内也设有刘猛将军的神位。每年正月十三日及冬至后三戌日，知县主持祭祀，祭品用羊、豕，行二跪六叩礼。

八蜡庙，位于余公庙桥北。明代建。

府城隍庙，位于府学东北。宋皇祐年间建，历代重修。清康熙十二年(1673)，府县官率士民筹资重修，每月初一、十五日，各级官吏在此行香祈祷。咸丰年间，城隍庙毁于战火。同治十年(1871)，庐州知府周金章"提各属未解亩捐",委托士绅张清沂等重建大殿三间、官厅三间、头门一座,因为费用不足而停工。光绪五年(1879),合肥人、甘凉道李鹤章倡劝绅士捐输,委托董刘进、浦英旺续建完工。

县城隍庙,位于县城南门土街。清乾隆年间,合肥县知县陈大中建。

肥西三河城隍庙,清同治年间建,图片由周崇云提供

龙王庙,位于县城水西门街火神庙西。此外在乡间还有数座龙王庙,其中渊济龙王庙,在大蜀山,嘉庆年间塌毁;广惠龙王庙在土山;感应龙王庙,在小蜀山;义济龙王庙,在浮槎山;白龙王庙,在德胜门外二十里蔡家桥南。

马神庙,位于县署西旧金斗驿。清乾隆三十九年(1774)建。

金龙四大王庙,位于县城时雍门外里化桥南。

都土地庙,位于高家坎。清康熙八年(1669)建,雍正十二年(1734)庐州知府尤拔世修,嘉庆五年(1800)重修。

旗纛庙,在县城卫署西北隅。清嘉庆年间塌毁。

东岳庙,位于县城东城内七里街南。元至正年间建。另外,在撮城镇、罗家疃、将军岭等地也有东岳庙。

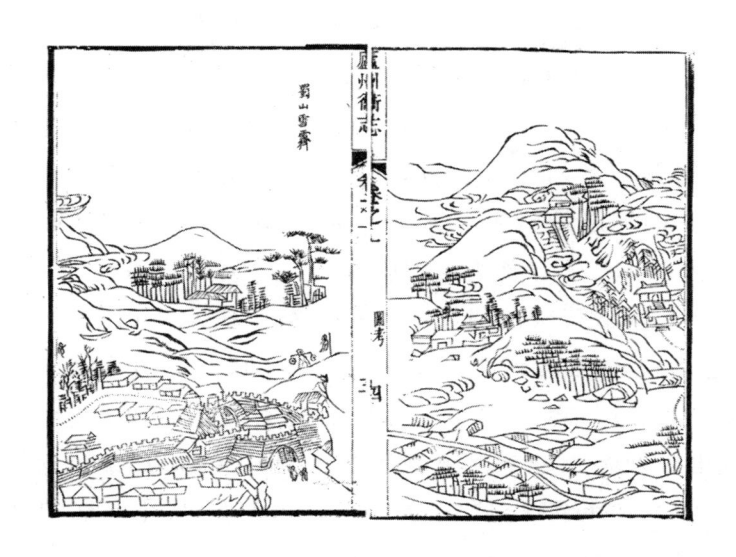

清代蜀山雪霁景图，来源于乾隆《庐州卫志》

南岳庙，位于县城惠政桥西。此外，在城西八十里高庙南及长城镇也有南岳庙。

伏羲庙，位于伏羲山上。创建年代不详。

女娲庙，位于梁乡。创建年代不详。

三皇庙，位于府治南横街。创建年代不详。明万历年间，庐州知府潘榛修。清乾隆二十八年(1763)，庐州知府王成重修[①]。

清代庐江县官设祀典诸坛的基础设施及祭仪情况如下：

社稷坛，位于县城小西门外绣溪坊。明洪武年间建，永乐、正德年间重修。清雍正十年(1732)，知县陈庆门重修。每年二、八月上旬之戊日，知县率僚属举行祭祀仪式。乾隆九年(1744)，额编祭祀银三两。附里社，凡乡村每一里百户立坛一所，祀五土五谷之神，一户轮当会首，春秋二祭，先期办祭物，至日约同里祭祀。其誓词曰："凡我同里之人，各遵守礼法，毋恃力凌弱，违者先共制之，然后经官。或贫无可赡，婚姻丧葬有乏，随力相助。如不从众及犯奸盗诈伪一切非为

---

① 以上见嘉庆《合肥县志》卷12《祠祀志》；光绪《续修庐州府志》卷18《祠祀志上》。

之人，不许入会。"誓词宣读完毕，长幼以次就坐，饮酒尽欢而退。其主要目的在于"恭敬神明，和睦邻里，以厚风俗"。

山川坛，位于县城南门外升仙桥南。方、广各二丈五尺，高三尺。明洪武年间建。清雍正十年（1732），知县陈庆门重修。在每年祭社稷坛之后的那一天，合祭山川风云雷雨城隍之神，知县率僚属前往山川坛行礼。额编祭祀银一两五钱。旧有厨房、库房、宰牲房、斋宿房各三间，位于坛之左。光绪年间废弃。

先农坛，位于县城东门外二里许。清雍正六年（1728），知县邬廷幽奉敕建并置耤田四亩九分；雍正八年（1730），知县陈庆门改建。方、广各二丈五尺，高二尺一寸。坛后建有正房三间，左右配房各一间，四周建有围墙。每年遵照朝廷颁示的日期，知县率僚属、耆老、农夫前往先农坛举行祭祀仪式，躬耕耤田，行九推礼。祭祀活动结束后，知县等将酒食散给农民以示劝耕。

厉坛，位于县城北门外。方、广各二丈。每年清明、七月十五、十月初一举行祭祀仪式，知县率僚属身穿常服行礼。额编祭祀银四两五钱。

常雩坛，位于县城小西门外街。每年官府举行一次祭祀活动，额编祭祀银一两六钱。

城隍庙，位于县城大北门内高阜上。明洪武年间建，永乐、弘治、正德、嘉靖、万历年间重修。在明末战乱中，此庙得以幸存。清顺治十三年（1656），当地生员赵珵、朱天佑重修；康熙四十二年（1703），知县吴宾彦重修；乾隆五十年（1785），士绅丁茂织兄弟重修。每月初一、十五日，知县率僚属行香，当遇到"雨旸愆期"等自然灾害时，地方官往往素服步行前往城隍庙祈祷。明洪武元年（1368），加城隍以封爵，府曰公，州曰侯，县曰伯；三年，朝廷下诏革去其封号，止称某府某州某县城隍之神，清代因之。清咸丰年间毁于战火，同治五年（1866），知县陈炳劝捐，重建正殿三间、大门一道。

土地祠，位于县署仪门外东偏。清顺治九年（1652），孙宏喆建。每年二、八月的戊日，地方官举行祭祀仪式。每月初一、十五日，向土地祠进香。额编祭祀银一两六钱。光绪年间毁弃。

文昌阁，位于县城内城隍庙左侧。清同治六年（1867），士绅王昆遵照其父良谕的遗命，捐资创建前殿三间，城上寮房一间，后殿在月城上，三间，捐瓦洋河王家坂田三石，每年额租二十一石。南乡禀请永远封禁之照壁山、清水塘、牛胫岭等处山场，每年草租大钱二十二千文，作为香灯及住阁伙食工资等经费①。咸丰年间毁于战乱；光绪三年（1877），士绅贾宏材、邹学勤、周作铭、陶崇文、汤益卿、李安堂等重建，一年后工程告竣，共花费银一千八百四十余两。

旗纛之神：每年霜降日，地方官在演武场举行祭祀旗纛之神的仪式，额编祭祀银一两六钱。

火神庙，位于县城城隍殿之西。每年五月初一，知县率僚属举行祭祀活动，额编祭祀银一两六钱。

八蜡庙，位于县城东北隅，地名香火墩。清雍正十一年（1733），知县陈庆门建；乾隆年间，知县李天植重修。每年春、秋二季举行祭祀活动，额编祭祀银三两。庙久废弃。光绪七年（1881），知县陆鼎敩率绅劝捐重建。原先在十二月祭祀八蜡，后来改在春秋丁祭之后举行，盖取春祈秋报之意。

岳神庙，清康熙三十四年（1695），知县王仁深修；雍正八年（1730），知县陈庆门重修。每岁一祭，额编银一两六钱。光绪年间毁弃。②

清代巢县官设祀典诸坛的基础设施及祭仪情况如下：

社稷坛，位于县城北二里地方。每年二、八月上旬之戊日举行祭祀活动，祭祀仪式由知县主持，以教官、纠仪、生员充当礼生。祭品包括羊、豕、尊各一只。每个祭祀牌位前各摆放帛一、铏二、簠二、簋二、

---

① 光绪《续修庐州府志》卷18《祠祀志上》载："文昌祠旧在儒学门内，嘉靖间改为启圣祠，康熙四十一年知县吴宾彦、教谕金佐、训导赵汎重于旧基前阁创。乾隆四十二年绅士孙宗洪、吴嗣默、胡仲濂、吴光乐、姚鸣冈等重修改建正门。儒学门嘉庆间改为文昌宫。咸丰间毁于贼，同治七年邑绅潘鼎新复建。"

② 以上见光绪《庐江县志》卷2《舆地·坛庙》；光绪《续修庐州府志》卷18《祠祀志上》。

笾四、豆四、爵二。主祭官行三跪九叩礼。每年四月举行的雩祭活动,则统风雷云雨山川城隍并先农之神合祭于社稷坛。

先农坛,位于县城东。每年二月,地方官率所属耆老、农夫行耕藉礼,农具赤色,牛青色,籽种从土宜。坛旁藉田四亩九分,岁租十二石五斗。清雍正五年(1727),开始设置守坛农夫,负责"灌溉收获"。坛后屋二楹,贮农器、五谷,以藉田所收供粢盛,余解藩库。每年的耕藉日期,由钦天监选定。每年二月的亥日,知县举行祭祀活动,仪制与祭社稷坛相同。巢县先农坛、牛及农器,由县令李袭祖捐俸置办。

风云雷雨山川坛,位于县城南五里地方。每年二、八月上旬之巳日,与城隍神合祭,神主以木为之,一曰"风云雷雨之神",一曰"巢境山川之神",一曰"巢县城隍之神"。祭仪、祭品与社稷坛相同。

县厉坛,位于县城东北三里地方。每年的清明、七月十五、十月初一日举行祭祀仪式。在正式举行祭祀前,地方官要先向城隍神报告。祭祀当天的黎明,请城隍神位入坛。祭品包括羊三、豕三、米饭三石。主祭官行一跪三叩礼。祭祀完毕,要礼送城隍神回城隍庙。

乡厉坛,位于各乡,由乡耆立于其里,每年都要举行祭祀活动。至清道光年间,祀典已无存。此外还有颜家、刘杨家坛,皆为乡厉坛,道光年间废置。

邑社坛,立于各里,每年二、八月的社日举行祭祀社神、谷神的活动。祭祀完毕,长幼以次列坐,受胙饮酒。清道光年间,邑社坛废弃。此外还有张山人坛,为社坛,道光年间改为东岳庙。

城隍庙,位于县治东北仁寿坊,马神庙也附属于此。此外有两所城隍庙在乡镇,一在高林河,一在柘皋镇。县城内的城隍庙创建于明洪武年间,崇祯十五年(1642)毁于战乱,清康熙四十三年(1704)重修。

旗纛神庙,位于县东山演武场。

八蜡庙,位于县东城门外。每岁祈年于此。清康熙五十七年(1718),县令孙芝芳建;六十年(1721),县令赵世绩重修。

刘猛将军庙,位于牛山文昌阁西。清乾隆八年(1743),知县华湘建。每年正月十三日及冬至后第三个戊日由知县主持祭祀活动，祭品用羊、豕，行二跪六叩礼。道光六年（1826），巢县境内发生蝗灾，知县舒梦龄在庙中举行祈祷仪式，捕蝗七日，蝗尽灭，于是"献额新其庙"。

龙王庙，位于县北十里处。

火神庙，无专祠，设像于城隍庙殿左。每年六月三十日及冬至后第三个戊日由知县主持祭祀活动，祭品用羊一、豕一，行二跪六叩礼，祭银三两。清咸丰年间毁于兵火，光绪七年（1881），庐州知府黄云筹款重建。

金龙四大王庙，位于浮桥南岸。每年二、八月举行祭祀活动。

东岳庙，位于县城北门外，此外在各乡多有分布。

南岳庙，位于县治的北面。

毛公祠，为祭祀汉代人毛义的专祠。位于县北门城内。明末遭兵火毁弃。清雍正七年（1729），署理知县纪咸在旧址上重加修建，每年春秋二季举行祭祀活动，额编祭祀银一两五钱。乾隆三十六年（1771），奉部议准奉祀生一名。该祠有祭田5.5石，坐落于极枝冈。咸丰年间毁于兵火，光绪年间建屋三间。

三官庙，有两座，其中一座位于镇巢驿附近，一座位于秀山铺。

天王庙，有两座，其中一座位于县城积善坊，一座位于县城北门长乐坊。光绪年间改为青莲庵。

青龙庙，位于县北青龙山顶，祭祀真武大帝。

宓义庙，位于东山口。

中庙，位于巢湖北岸，地名凤凰台。元大德初年建，正德年间重修。

胡、汉二王庙，位于离县城四十里的地方，并祀土神。

白龙王庙，位于县西四十里，各乡皆有分布。

蒋家渡庙，祭祀碧霞元君，清顺治五年（1648）建。

东口圣妃庙，位于县城西南十里地方。

巢湖庙有多座，"惟银屏峰最高，据众峰之巅，俯瞰全湖"①。

2.英雄信仰与崇拜

同全国其他大部分地区相似，历史上的合肥是一个崇拜英雄的地方，人们对各种英雄人物由敬仰发展到崇拜，进而赋予英雄人物以神性，将其神化，并建庙祭祀，让英雄人物享受香火。合肥人崇拜的英雄，既有讲求忠信节义的关公大帝，也有誓死守卫乡土的姚兴父子等，这些英雄人物既有来自本土的乡土神，也有来自外乡的神灵如镇守睢阳的张巡等。

关羽是三国名将，勇猛善战，讲究忠义，代表着"捐躯赴国难"的尚武精神和"视死忽如归"的壮士形象。隋唐时期，湖北当阳玉泉山上开始出现祭祀关羽的庙宇。北宋大观二年（1108），宋徽宗正式加封关羽为武安王，立祠祭祀，这是关羽死后首次被统治者封王。宣和五年（1123），又加封为义勇武安王。此后影响逐渐扩散，历朝均在此基础上不断加封。洪武二十七年（1394），明王朝在南京鸡鸣山建立关羽祠庙，是为中央王朝第一次在首都建立关羽专庙。清朝统治者对明代统治者尊崇关羽的做法予以继承并有所发展。清世祖封赠关羽为忠义神武大帝，后世均有加封，以致累封为忠义神武灵佑仁勇威显护国保民精诚绥靖翊赞宣德关圣大帝。雍正三年（1725），下令全国各州县重新建立或指定一所已有关羽庙为官祭庙，规定每年诞辰祭及春、秋祭由当地官员到官庙举行。

合肥县的关帝庙位于和平桥东。每年二、八月及五月十三日举行祭祀仪式。清雍正五年（1727），追封三代公爵，同日祭于后殿。祭品：前殿帛一、牛一、羊一、豕一、登一、铏二、簠二、簋二、笾十、豆十、尊一、爵三；后殿三案各帛一、羊一、豕一、铏二、簠簋各二、笾豆各八、尊一、爵三。主祭官在前殿行三跪九叩礼，在后殿行二跪六叩礼②。额编祭祀银四十七两八钱三分九厘。与此同时，还在关帝庙的后殿

---

① 以上见道光《巢县志》卷5《舆地志·坛庙》；光绪《续修庐州府志》卷18《祠祀志上》。
② 嘉庆《合肥县志》卷12《祠祀志》。

举行祭祀关帝三代曾祖光昭公、祖裕昌公、父成忠公的活动。乾隆元年（1736），陕西商人陈印等人重建。咸丰年间毁于战火，因旧基狭隘，署理庐州府王积懋购地移建于河平桥北岸。为了筹集经费，邑绅、甘凉道李鹤章倡劝士绅捐输，委托参将浦英旺重建，经费不足部分，则由李鹤章等代为捐垫①。

巢县境内的关帝庙共有两处，一座位于柘皋镇西街，一座位于北城外。北城外的关帝庙，明嘉靖、万历年间重修；清康熙年间，知县聂芳再次修葺。每年二、八月及五月十三日举行祭祀活动，祭品用太牢一、羊一、豕一、帛一、登一、铏、簠、簋各二、笾豆各十、尊一、爵三。雍正五年（1727）追封三代公爵，同日祭于后殿②。咸丰年间毁于战火，同治六年（1867），监生刘春荣等劝本坊捐资重建正殿五间两厢③。

庐江县关帝庙，原名武安祠，位于县城儒学东。明洪武六年（1373），知县傅铉建；正德、嘉靖年间重建。清康熙十四年（1675），知县孙承麟重修；四十一年（1702），知县吴宾彦重修；嘉庆年间，知县胡文锦、魏绍源先后重修。咸丰年间毁于兵火，同治初年，防军总兵云南陈自明捐建殿三楹。按照旧制，每月初一、十五日向关帝庙行香。雍正六年（1728），朝廷下旨：每年春秋二季及关帝诞辰日举行祭祀活动。与此同时，在关帝庙右侧的专祠中举行祭祀关羽曾祖光昭公、祖裕昌公、父成忠公的活动。乾隆九年（1744）额编每岁祭祀银共四十七两八钱三分二厘九毫五丝八忽三微④。此外，在庐江县南二十里中沙溪镇也有一座关圣庙。咸丰年间遭战火破坏；同治十二年（1873），由僧人云凯募化建瓦屋六间⑤。

张巡是唐代邓州南阳人，开元末进士，先后任清河、真源等县县令。安史之乱爆发时，张巡作为谯郡长史，与乱军展开激战，后与睢

---

① 光绪《续修庐州府志》卷18《祠祀志上》。
② 道光《巢县志》卷5《舆地志·坛庙》。
③ 光绪《续修庐州府志》卷18《祠祀志上》。
④ 光绪《庐江县志》卷2《舆地·坛庙》。
⑤ 光绪《庐江县志》卷16《杂类·寺观》。

阳太守许远拼死保卫睢阳城，经大小数十次战斗，终因孤立无援，睢阳城破失陷，张巡与许远不屈被害。安史之乱平定后，张巡被追授为扬州大都督，并立庙祭祀。巢县祭祀张巡的庙为宏通庙，据方志记载："宏通庙，祀唐睢阳太守张巡，相传公为神，主瘟疫。庙旧在长乐坊，县尉陈国梁移建于县治左，俗呼宏通庙。其一在柘皋镇。"①

南宋时，金兵入侵中原，宋王朝迁都临安，合肥成了抗金前线。此时的合肥城墙，虽然除城门外主要还是夯土建筑，但城高池固，金兵屡攻不下反受重创，合肥城遂有"铁庐州"之称，先后爆发了几次著名战例：绍兴元年（1131），庐州知州王亨率领军民大破攻城的金兵；绍兴四年（1134），岳飞部将牛皋增援庐州，在城池下追击金兵；绍兴三十一年（1161），统制姚兴率其子以四百余骑抵挡十万金兵。因抗金战争，人们建立了几座庙宇以祭祀为守卫合肥做出贡献的牛皋、杨存忠、姚兴父子。这几座庙宇分别为：

牛寨寺，地处岗集，据说牛皋曾在这里安营扎寨，并大破金、齐联军，后人为纪念这一胜利，在其驻兵处建了一座庙宇，取名牛寨寺。每年正月十六逢庙会时，寺中香火十分旺盛。方志称："牛寨寺，在白塔子西，离城三十五里，元代建。"②

姚公庙，又称旌忠庙，相传姚兴父子率兵迎敌于尉子桥畔，血战数日，终因寡不敌众，全部战死，金主完颜亮闻讯后下令停止进兵合肥，并作《宋统制姚兴诗》以示敬仰："独领孤军将姓姚，一心忠孝为南朝。元戎若假征兵檄，未必将军死尉桥。"③人们后在北乡"定林铺"建一庙宇，名曰"姚公庙"，以纪念姚兴父子二人的功绩。方志对此记载较为详细："旌忠庙，在北乡定林铺，祀宋统制姚兴父子。绍兴末，金主亮南侵，统制与金遇于尉子桥。力战，杀数百人，父子俱死。事闻，即其寨立庙。及复淮西，又立庙战所，赐额旌忠。统制以四百骑当金

---

① 道光《巢县志》卷5《舆地志·坛庙》。
② 嘉庆《合肥县志》卷12《祠祀志》。
③ 嘉庆《合肥县志》卷31《集文第一》。

人数十万,金人相谓曰:'有如此者十辈,吾属敢前乎?'"①合肥南乡也建有姚公庙。此外还有姚、李二公庙,在德胜门外十三里,祭祀宋统制姚兴、招抚使李显忠。姚公庙在巢县被称为姚忠毅公庙:"姚忠毅公庙,在县东山冈上,祀宋统制姚。金完颜亮渡淮,与遇于定林,却之;又迎战于尉桥,众寡不敌,王权拥兵自卫,数告急不救,自辰至午手杀数百人,矢志援绝,坠马死。高宗悯其忠,赠容州观察使,立庙战所,赐额旌忠。开禧初,从侍郎赵善坚请赐谥忠毅。尉桥,巢地也。"②

杨将军庙,位于合肥西城,是为纪念抗金名将杨存忠而立。每年六月初六行香。清嘉庆七年(1802),庐州知府张祥云、合肥知县左辅主持重修杨将军庙。《重修杨将军庙碑记》详细记录了杨将军阻击金军的过程及重修庙宇情况:"杨将军庙建于庐郡城西,创始年月不可考。世言将军在南宋时有藕塘之捷,郡赖以全,因尸祝之。按《宋史》,将军初名沂中,字正甫,后赐名存中,代州崞县人。绍兴六年,刘豫遣子麟、猊分道寇淮南,韩蕲王世忠请将于朝。张魏公浚举将军击之。与刘猊遇于藕塘。猊据山列阵,矢下如雨。将军先使统制吴锡以劲敌突阵,自以精骑衔其胁。大呼曰:'破贼矣!'值前军统制张宗颜自泗来会,复背击之,贼大败。刘猊以首抵其谋主李愕曰:'适见髯将军锐不可当,果杨殿前也。'以数骑遁去。余党万人僵立失措,将军跃马叱之,皆怖而降。藕塘即今郡北百二十里定远县之藕塘镇也。初刘光世守合肥,闻刘猊兵,大人欲退守江;已行,得张魏公严令,始回。非将军邀战于藕塘败之,则刘猊兵乘势东下,庐郡不能守,城民糜烂矣。将军以功除保成军节度使、殿前都虞侯兼领马步帅。后复与刘太尉锜败金兵于橐皋,庐得以无警。《记》曰:'有功德于民则祀之。'将军庙食于此土也,固宜。庙久颓圮,守庙僧体云募修,缺资,功卒未竟。岁壬戌,会辅有修城之役,郡守晋江张公命辅新之。庐郡城西平岗高数仞,将军庙在其岭。自岗麓叠石作径,盘折而上,丛树荫

---

① 嘉庆《合肥县志》卷12《祠祀志》。
② 道光《巢县志》卷5《舆地志·坛庙》。

翳,高豁下幽。殿门故隘,彻而广之。复辟左右廊庑数楹,规模粗具。庙既新,乃撮撼将军之功著于庐者并志之。"①此外,清代合肥境内还有祭祀三国大将张辽的张辽庙,该庙位于合肥县城威武门瓮城内;祭祀宋代统制乔仲福、张璟的乔、张二公庙;祭祀唐末无为州人袁杰的巢县袁公庙,等等。

五、宗教信仰

以神道设教为特征的宗教信仰始终是中国人民精神生活的重要内容。清代,佛教和道教依然是合肥地区流行的两大主要宗教,其中佛教占据主导地位。合肥地区城乡之间,寺观林立,香火兴盛,深刻影响了普通民众的日常生活。

(一)佛教

佛教自两汉时经西域传至中国内地,到东汉末年,佛教开始在社会上有进一步的流传。三国两晋南北朝时期,佛教在与中国固有思想文化的相互冲突和融合中得到了迅速传播与发展。隋唐时期,佛教进入了创宗立派的新阶段。宋代以后,佛教逐渐式微,但仍有所发展,其传播范围和在中国民众中的影响都达到了相当程度,对社会生活和文化领域的渗透也日益加深,清代合肥境内的佛寺有相当一部分是在宋代建立的。寺是佛家之地,清代合肥县境内,兴修了部分佛寺,更多的佛寺是从前代发展而来,早在宋元年间建造的佛寺不断得到重修维护,到了清代继续发挥作用。

据方志记载,清代合肥县境内的佛寺有80余所,分布在城内和四乡。其中分布在城内的佛寺主要有明教寺、罗汉寺、万寿寺、福泉寺、地藏寺、天王寺、五星寺、广华寺、澄惠寺、华祖寺、准提庵、三教庵、月潭庵、三义庵、万福庵、慈慧庵、水月庵、万缘庵、护城庵、清华

---

① 嘉庆《合肥县志》卷33《集文第三》。

庵、圆陀庵、白衣庵、睡佛庵等。其中，天王寺，位于县城西平门内。宋代建。清雍正年间重修。三教庵，位于德胜门城下。清顺治四年（1647）建。月潭庵，位于县城南门内。清康熙四十五年（1706）重修。万福庵，位于县城尚节楼南。清顺治五年（1648）建。慈慧庵，位于县城演武场西。清顺治五年（1648）建。水月庵，位于县城官营巷。清顺治七年（1650）建。万缘庵，位于县城漆井北。清康熙十年（1671）建。护城庵，位于天王寺后。清康熙二十二年（1683）建。清华庵，位于县城惠政桥北。清康熙十七年（1678）建。圆陀庵，位于县城新街北。清康熙二十三年（1684）建。白衣庵，位于县城威武门外。清顺治七年（1650）建。睡佛庵，又名卧佛寺，位于县城演武场西。清顺治十年（1653）建。庵中有睡佛铜像，相传为萧梁时造。该佛像原在浮槎山道林寺中，清嘉庆年间移至睡佛庵内。

分布在四乡的佛寺具体情况如下：东乡主要有朝霞寺、长乐寺、长宁寺、寿龙寺、黄塘寺。其中，朝霞寺，本名庆和寺，位于四顶山。宋代建。寺中有藏经全部，至清嘉庆年间已遗失过半[1]。

南乡主要有青龙寺、施婆寺、清平寺、石佛寺、丘陵寺、潮城寺、小丰寺、定光寺、大丰寺、迎水庵。其中，小丰寺，又名西来山，离县城六十里。元代建。清乾隆年间重修。

西乡主要有西庐禅院、三向庙、开福寺、宝福寺、营元寺、义成寺、白露寺、清规寺、华城寺、宝教寺、显应寺、马埠寺、龙泉寺、潮城寺、三乘寺、石佛寺、秋栅寺、周顿寺、白云寺、肥宁庵、圆通庵。其中，西庐禅院，清顺治初年僧人鉴融建。三向庙，位于小昆仑山西，离县城四十里。创建年代无考，清乾隆四年（1739）重修。白云寺，位于大潜山下，离县城一百二十里。唐代建。清雍正年间重修。

北乡主要有福岩院、牛寨寺、多宝寺、土山寺、净住寺、西香积寺、包城寺、邑棠寺、龙会寺、龙泉寺、龙城寺。其中，土山寺，在土山，旧

---

[1] 光绪《续修庐州府志》卷19《祠祀志下》载，东广福寺、龙成寺、龙华寺、游塘寺、施婆寺、清平寺俱宋代建，均在东乡。迎水庵亦在东乡磨店，不知建于何时，咸丰间邑绅刑部郎中李文安办理团练，设局于庵内，后被太平军捣毁。

为广惠龙王庙，清康熙年间改名为姚英寺，后废。乾隆二十六年（1761）重建，后改为土山寺。

梁乡主要有龙华寺、游塘寺、东香积寺、三学寺、演法寺、药师寺、净果寺、香社寺、膳城寺、龙王寺、洗马寺、诸佛寺、常乐寺、释迦寺、明觉寺、甘露寺、麻城寺。其中，香社寺，位于柘塘集西北，离县城百里，创建年代无考。寺前旧有琉璃舍利塔。清嘉庆年间废址尚存。附近住民常常于夜间看见塔有火光，殿东南隅古碑半段，已磨灭不可句读，惟碑额"佛骨舍利塔记"六大字尚存①。

与合肥县相比，巢县境内的佛寺数量要少，清代以前留存的大量佛寺得到修缮和维护，继续发挥自身作用。这些寺庵主要有定林慈氏寺、罗汉寺、法云寺、林泉寺、大甘泉寺、小甘泉寺、相山寺、清泰寺、观心寺、法轮寺、大力寺、广严寺、尖山寺、金城寺、圆通寺、上生寺、白马寺、凤凰寺、龟山寺、濡须寺、芙蓉庵、竺城寺②。

清代巢县境内也兴建了诸多寺庵，据民国年间的调查资料可知，清代新建的寺庵所奉宗派、寺产及僧人情况如下：

极乐庵：县城小西门内，清建，临济宗，租60石，屋宇10余间，僧6人；圆觉禅院：西乡鱼山下，清建，临济宗，租180石，屋宇40余间，僧20人；福应庵：东乡鼓山上，清建，临济宗，租80石，屋宇10余间，僧3人；观音庵：柘皋镇，清建，临济宗，租24石，屋10余间，尼5人；古人庵：柘皋东黄山，清建，临济宗，租20石，屋10余间，僧4人；华严庵：中垾镇西二里，清建，临济宗，租24石，屋10余间，僧3人；广严寺：大庙集西二里，清建，临济宗，租12石，屋20余间，僧3人；宝觉庵：县城西北十里平顶山后，清建，临济宗，租40石，屋10余间，僧2人；净土庵：柘皋东十里，清建，临济宗，租9石，屋10余间，尼3人；指南庵：西乡西黄山，清建，临济宗，租140石，屋10余间，僧8人；大

---

① 以上见嘉庆《合肥县志》卷14《古迹志》；光绪《续修庐州府志》卷19《祠祀志下》。
② 道光《巢县志》卷5《舆地志·寺观》。

东庙:南乡曹家山口,清建,临济宗,租50石,屋10余间,僧2人;普慧庵:南乡黄家洼,清建,曹洞宗,租50石,屋10余间,僧3人;甘泉寺:南乡桃花岭,清建,曹洞宗,租18石,屋10余间,僧1人;化城寺:南乡任家山,清建,临济宗,租60石,屋20余间,僧2人;子房庵:南乡白云山,清建,临济宗,租4石,屋10余间,僧1人;普济庵:夏阁镇东小伏岭,清建,临济宗,租60石,屋10余间,僧2人;甘露寺:夏阁镇东万家山,清建,临济宗,租24石,屋10余间,僧2人;忍成庵:西北十五里瑯山街,清建,临济宗,租18石,屋10余间,僧1人;天绘庵:南乡二十里方山头,清建,临济宗,租20石,屋5间,山场周围百余亩,僧1人;大力寺:城北十五里小李村北首,清建,临济宗,租40石,屋10余间,僧1人;圆通寺:南乡牛角山,清建,临济宗,租29石,屋10余间,僧1人;潮湖庙:南乡槐林镇,清建,临济宗,租40石,僧3人。[①]

清代庐江县境内的佛寺也为数可观,清代以前留存的大量佛寺得到修缮和维护,继续发挥自身作用,同时也兴建了许多佛寺。这些佛寺主要有金刚寺、西乐庵、万寿庵、冶父寺、伏虎庵、云隐庵、麻城寺、竹林寺、清泰寺、竹林寺、大升寺、光明寺、青莲庵、牛首庵、胜因寺、灵泉寺、观音寺、凤涧庵、三宝寺、龙泉寺、圆觉寺、甘泉寺、龙池庵、万峰庵、皇觉寺、福昌寺、金牛寺、妙光寺、三宝寺、觉海寺、宜游庵。其中,金刚寺,位于县城内紫芝坊。唐杨行密建,以居伏虎禅师,久废。明代,次第增建、修葺,明末毁于战火,只存天王殿。清乾隆十四年(1749),知县朱元裕重建;道光十三年(1833)秋,监生柯鳌倡捐重修,咸丰年间遭到破坏。西乐庵,位于小西门外直街北。清初孙嗣孔建。康熙五十六年(1717),邑绅吴生重修;乾隆五十六年(1791),吴生之孙光达等重修;五十八年(1793),邑绅许麟与李宗远等添修财神殿刊碑。道光十七年(1837),僧人海林募化众姓重修。

---

① 民国《安徽通志稿·宗教考》第3册《佛教下·巢县》,民国二十三年铅印本。

咸丰年间毁于战火,承平后,因讼案详奉上宪批准作常雩坛。万寿庵,位于县治东北四十里马厂冈。清康熙三十二年(1693),监生李继昉建;乾隆二十八年(1763),李继昉孙、贡生旦云重修,并捐田二十三亩二分,为施茶费;三十七年(1772)李继昉曾孙、贡生方荣,嘉庆八年(1803)李继昉曾孙、荆溪县训导方岩等相继重修。光绪年间,众姓捐修屋三间。冶父寺,位于县治东北二十里冶父山。唐伏虎禅师所创。宋、元、明三朝重修。清咸丰年间毁坏,光绪四年(1878),寺僧如能持文募化,邑绅吴长庆助资修建斋堂一进,寮房十余间。伏虎庵,位于冶父山顶。唐光化元年(898)伏虎禅师建。清道光年间,寺僧重修望江楼。咸丰年间毁于战乱,仅存无量殿。同治四年(1865),僧汗雨募化重建;光绪年间,僧德和扩建。云隐庵,位于县治东北二十里。明正统初僧衍顺建。清雍正十年(1732)寺僧重修,咸丰年间毁于战火,光绪年间,高、邓、王三姓重修。麻城寺,位于县治东二十里黄陂湖北石被山。元代僧人建。清咸丰年间毁于战火,战后僧人募化重修瓦屋数间。竹林寺,位于县治东六十里。李姓捐地,寺屋三进。清咸丰年间遭到毁坏,仅存寮房数间;同治五年(1866)重修。清泰寺,位于县治东七十里。唐贞观年间建。清咸丰四年(1854)被毁,同治三年(1864)僧宝筏募化重建。大升寺,位于县治东南四十里。元代僧人无涯建。清雍正十年(1732)寺僧重修,咸丰年间遭战火破坏,光绪年间僧人募修。光明寺,位于县治东南七十里。创建年代不详。清顺治十一年(1654)僧人行瑞重修,康熙六十年(1721)寺僧复修。胜因寺,位于县治南五十里罗昌河镇。清康熙五十七年(1718),寺僧重修。灵泉寺,位于县治南六十里。唐代建。明末毁于兵燹。清雍正年间,僧人实明重建;咸丰年间再毁于战火,僧人智山率其徒弟了然募建。观音寺,位于县治西南四十里大凹山麓。明洪武十二年(1379)僧瑛建。清康熙二十三年(1684)重修,咸丰兵燹后,张万选堂重建,僧人雨华、晓峰修理。风涧庵,位于县治西南四十里大凹山第三峰。清康熙十九年(1680)重修。三宝寺,位于县治西三十里浮祥山。僧人宗儒、正宝相继重修。清咸丰年间毁于兵燹,同治五年

(1866)，僧人志诚、宝林、松林相继重建。龙泉寺，位于县治西三十五里。明嘉靖元年（1522），僧人正安重修。清道光年间，僧人心定、观莲修理，咸丰兵燹后，僧人真如复修。圆觉寺，位于县治西三十里铺。明崇祯年间，江宁僧人白斋建，邑人张宿耀捐田奉香灯。清咸丰年间毁于战火，同治年间，僧人明如、智恒、常桂重修。甘泉寺，位于县治西三十五里龙池山之麓。创建年代不详。清顺治十一年（1654），僧人宽继复建。咸丰年间毁于战火，同治十年（1871）僧人解机重建。嘉庆年间，王积善堂捐建并田二十四石，租归甘泉寺，僧人施茶，用有余修积善桥；同治六年（1867），王氏后裔兆麟等重修。龙池庵，位于县治西三十五里龙池山顶。清顺治年间，僧人照样移建。康熙十五年（1676），僧人翠如、静如重修；雍正二年（1724）毁，僧人含万重建；嘉庆五年（1800），僧人应宗、应明次第重修；咸丰兵燹后，僧人志成复修。万峰庵，位于县治西三十五里龙池山麓。清顺治十五年（1658），僧人恒修、尔玉创建。皇觉寺，位于县治西四十里。明洪武三年（1370），僧人妙宁建。清嘉庆四年（1799），僧人宗兑扩建；咸丰年间遭毁弃，同治年间僧人顶修、顶视重修。福昌寺，位于县治西北四十里。唐代建。清康熙二十四年（1685）复修，后众姓建瓦屋三间。妙光寺，位于县治西北六十里双龙山。元代僧人无隐创建。明崇祯十五年（1642）毁于战火。清康熙五十三年（1714）重修，咸丰年间再毁于战乱，邑绅王占魁于庙旧基捐建崇正书院，光绪十年（1884），僧人界如合众姓于书院旁重建。三宝寺，位于县治北四十五里。清咸丰年间被毁，由僧人募化重修。觉海寺，位于县治北五十里。明宣德年间僧人守晞重建。清咸丰年间毁坏，后由僧人募化建数楹[①]。

此外，庐江县还有数量不少的寺庵在咸丰、同治年间毁于兵火，仅存数椽屋宇，虽然战后得到重建，但却无法恢复昔日的规模。这些寺庵主要为水月庵、老人庵、左慈庵、将军庙、茶庵（七处）、观音庵（两处）、泉水庵、石登殿、西峰庵、大牛王庙、慈山殿、新庵、凤台庵、万寿

---

① 光绪《庐江县志》卷16《杂类·寺观》。

庵、甘露庵①、西成庵、青松庵、福荫庵、抱龙庵、白衣庵、灵迹寺、法云庵、骑龙庵、长春庵、志慧庵、永兴庵、观音堂、大慈庵等。

(二)道教

道教是我国本土的宗教,其对中国古代社会的影响之大是包括佛教在内的其他宗教和神祇所无法比拟的,它将许多属于祠庙祭祀的神祇收入道教中,被神化了的人亦是道教诸神的来源,诸如东岳大帝、碧霞元君、灶神、土地神、福禄寿三星,乃至城隍等都是道教信奉的神祇。经过唐宋变革以后,道教的世俗化色彩愈益浓厚,其教义、教规及崇奉的各种神灵已深入民间,在明清中国社会生活层面产生了重要影响。

宫观为道家所居。据嘉庆《合肥县志》记载,清代至嘉庆年间合肥县境内的道观主要有佑圣宫、左圣宫、北极宫、崇宁宫、白鹤观、玉虚观、永真观、梓潼观、冲元观、三清观。其中,佑圣宫,位于县城德胜门内。清顺治年间重修。康熙《庐州府志》载:"宫祀真武神。明正德、崇祯间寇至,屡显灵异。"崇宁宫,位于白鹤观西。清乾隆二十七年(1762),山西商人董希汤等建。白鹤观,位于教弩台西。元代建。清康熙年间重修②。

据道光《巢县志》记载,清初至道光年间巢县境内的道观主要有西圣宫、东圣宫、紫薇观、云台宫③。据民国年间调查资料可知,清代巢县境内道观所奉宗派及道士人数具体情况如下:

城隍庙:城内北闸,清道光年间,正乙派,道士4人;紫薇观:城内卧牛山顶,清道光年间,云真派,2人;西大庙:县城西40里大庙集,清

---

① 甘露庵于清初由浮槎山僧人正瑜创建,该僧戒律精严,植松万株,并自筑小室居之,"邑士大夫罕有能见之者,见则谈今古忠孝事相劝勉,年六十六先期示寂,越二十年龛坏,启视,貌如生,众惊异,乃金身构室奉之"。参见光绪《续修庐州府志》卷59《方外传附》。
② 嘉庆《合肥县志》卷14《古迹志》。
③ 道光《巢县志》卷5《舆地志·寺观》。

同治年间,玄真派,3 人;姚王庙:东城外,清同治年间,正乙派,2 人;中庙:西乡巢湖边,清道光年间,玄真派,6 人;柘皋镇城隍庙:柘皋镇,清道光年间,正乙派,4 人;南岳庙:柘皋镇,清同治年间,正乙派,2 人;东岳庙一:柘皋镇,清同治年间,正乙派,3 人;东岳庙二:夏阁镇,清同治年间,正乙派,2 人;东岳庙三:南乡灰堆嘴,清同治年间,玄真派,2 人;东圣宫:城东鼓山顶,清道光年间,玄真派,2 人;南圣宫:城南大秀山顶,清道光年间,玄真派,2 人;西圣宫:城西凤凰山顶,清道光年间,玄真派,2 人;北圣宫:城北试刀山顶,清道光年间,玄真派,2 人;王乔洞:城北俞府村后,清同治年间,玄真派,2 人。①

据光绪《庐江县志》记载,清初至光绪年间庐江县境内的道观主要有真武观、双扶庵。其中,真武观,位于县城西门外。明永乐年间,知县黄惠命道士唐嗣尧建。明末毁于战乱,道士倪清源重建。清咸丰年间,遭战火毁坏;同治年间,道士张长林募建瓦屋三间。双扶庵,位于县治南五十里。明景泰年间建。清咸丰年间被毁,同治年间,邑绅姚长雄重建②。

第二节　教　育

经过明末战乱与社会动荡,安徽大多数府州县学或毁于战火,或年久失修,规制不举,教学荒废,生员散漫,一片破败衰落景象。地处皖中、向为战略要冲的庐州府更是难于幸免,由于战争的破坏,该府境内的府学、县学等教育机构相继遭到重创,如庐州府儒学"明季兵毁殆尽";合肥县儒学"明末毁于兵";庐江县儒学在经过明末兵燹之

---

① 民国《安徽通志稿·宗教考》第 3 册《各县道教宫观表》。
② 光绪《庐江县志》卷 16《杂类·寺观》。

后,"祭器文籍,荡焉无存"①;自兵兴以来,巢县"泽宫鞠为茂草"②,不但"衙舍倾圮,风雨不蔽,甚至圣宫榛芜,蔓草丛生,前自棂星门、魁楼、大成门、两庑殿楅,以至伦堂、启圣诸祠,无不瓦毁木烂,栋折榱崩"③。

　　清朝建立之后,为巩固统治,确立了"兴文教,崇经术"的教育方针,重视兴办学校,发展教育,"我皇上励精图治,亲视成均,躬先释奠,诏修阙里庙堂,次及省会郡邑,东渐西被,道一风同,可谓盛治矣"④。顺治九年(1652),顺治帝下诏谕礼部:"帝王敷治,文教为先。臣子致君,经术为本。自明末扰乱,日寻干戈,学问之道,阙焉未讲。今天下渐定,朕将兴文教,崇经术,以开太平。尔部传谕直省学臣,训督士子,凡理学、道德、经济、典故诸书,务研求淹贯。明体则为真儒,达用则为良吏。果有实学,朕必不次简拔,重加任用。"⑤于此可见,清初统治者以理学等为主的教育内容和培养真儒、良吏的教育目的,已成为兴办地方官学的纲领。在官府的大力倡导下,各级地方官学陆续得到恢复和重建。从时间上看,"清代安徽地方官学的发展,自顺治年间承继前明,府、州、县普遍设学,建章立制,初成系统,至康熙时期不断扩展和规范,雍正、乾隆两朝进一步发展,空前兴盛"⑥。庐州府官学教育的恢复与发展基本与此一致,其府学、县学在顺治、康熙年间大体上都得到了恢复和重建,如庐州知府吴允升在到任之初,"即捐俸修庙"。

一、府学

　　经过明代几次重修,庐州府学的斋舍亭廨、庾库疱湢先后增置,

---

① 康熙《庐江县志》卷7《学校》。
② 康熙《巢县志》卷17《艺文志上》。
③ (清)魏侯聘:《修学自纪》,康熙《巢县志》卷18《艺文志中》。
④ (清)宋元征:《募修学宫序》,光绪《庐江县志》卷14《艺文志·记序》。
⑤ (民国)赵尔巽等撰:《清史稿》卷106《选举一》。
⑥ 陈贤忠、程艺主编:《安徽教育史》,安徽教育出版社2006年版,第329页。

学宫也即文庙的规模结构基本完备,文庙前为棂星门、戟门、泮池。大成殿居中部,两翼为东西两庑,各十三楹,东庑右隅,为祭器库三楹。文庙后为明伦堂,堂东为进德斋、正谊斋,西为崇道斋、育英斋。明伦堂前为吏廨、土地祠、省牲所。再往前依次为井亭、大门,大门东隅为名宦祠,西隅为乡贤祠。明伦堂后沿轴线依次分布着尊经阁、敬一亭、启圣祠。明伦堂东隅为聚星堂,西隅为馔堂。但在明末的战乱中,庐州府学"被贼焚毁十之二三",仅剩"中殿一楹",其他门、堂、殿、阁均"荡然平地",整个旧基"牛羊成群,鸟鼠纵横",一派荒毁景象。清顺治八年(1651),庐州知府吴允升捐俸修建文庙,以使士子有求学之所。康熙二十年(1681),知府薛之佐重建名宦祠,两年后完工。此后,在庐州知府的主持下,文庙屡屡得到重修,如康熙四十九年(1710)知府马从云、乾隆四年(1739)知府尤拔世、乾隆二十一年(1756)知府赵瓒、乾隆二十八年(1763)知府王宬、乾隆三十三年(1768)知府祝忻等,皆对文庙进行了修缮。此后,乾隆四十五年(1780),知府恭格修筑照墙;乾隆四十六年(1781),绅士重修泮池;乾隆五十七年(1792)知府和腾额重修奎楼。特别是嘉庆七年(1802),知府张祥云对文庙进行了大规模的整修。他捐俸倡修,庐州府属各县知县也纷纷解囊,修建了大成殿、两庑、戟门、棂星门、泮池、左右坊,题名云路街,以及崇圣祠、明伦堂,中庭内外去除杂草、铺以石板,并移建名宦祠于奎楼之左,乡贤祠重加修葺,周边围墙也立了起来,整个文庙焕然一新。张祥云还"复考典礼,购置祭器,选士民中之俊秀者四十人为乐舞生,习演乐舞"①。咸丰年间,文庙遭战火焚毁。同治二年(1863),褚开泰捐钱一千串助修文庙。同治四年(1865),甘凉道李鹤章倡劝淮军文武捐钱一万八千两,并请五属复抽亩捐,同年冬,两江总督李鸿章札行庐州府唐景皋与各级官员督修文庙,大成殿、两庑、戟门、泮池、棂星门一律遵照旧式重加修建,次年工程结束,并重建了崇圣祠、乡贤祠、名宦祠、福神祠、东西学署,又于学署东首

---

① 《郡守张祥云重修庐州府学碑记》,嘉庆《庐州府志》卷16《学校上》。

临街造屋三重,由知府谕绅士经理,招租收息,拨归府学作岁修工费①。

庐州府学的所有祭器、乐器均在咸丰兵燹中荡然无存。光绪四年(1878),合肥邑绅唐定奎捐资委托举人范彦瀛到苏州购办全部器具,并聘请苏州乐舞师沈锦垣、吴荫培、沈锦埏、杜英到合肥设中和局,庐州知府王绩懋督同府学教授吕贤桢、训导金昆考选乐舞生91名送局学习。又经知府黄云督演,历时五月完成,于祭前一日亲自率领属员观看演习。并具册申详上司允准立案,准许乐舞生中有文生科试考三等者免考录遗,一体乡试;有文童文理清顺者免应府县考,由府学教官具册送院以佾生应试。同时,在明伦堂后靠近府学署左右各建祭器库二间,分别存放祭器、乐器,由教谕、训导分别管理。当教谕、训导去职交卸祭器、乐器时,要会同中和局士绅照簿查交。凡购置器局的费用、修建库房的工料、延师修金、局员薪水等皆由唐定奎捐备。光绪六年(1880)夏,唐定奎又捐中和局善后湘平银②五千两,除在福星祠左边加盖厨屋二间、添置桌凳等物件外,另买合肥北乡白塔后纠藤田秧三十四石、西乡十里庙田种十九石六斗、西乡井冈埠田秧十二石,净存湘平银二千七百两存典生息,每年田租银利均归中和局收存,作为每年春秋丁祭、办理乐舞、修补残缺的经费。唐定奎前后共捐湘平银一万一千三百八十两,折实库平银一万九百二十两,为数甚巨。唐定奎的善举受到各方称赞,安徽巡抚卢士杰上奏请予奖励③。

作为一府教化讲习之所,藏书是庐州府学应有的备置。嘉庆《庐州府志》记载了嘉庆时期府学的藏书书目,由此可以考察清代庐州府学藏书的一些侧面。嘉庆《庐州府志》著录的图书书目十分丰富,主要包括儒家权威经典、理学类著作、史传类著作、规章制度等几大类。

---

① 光绪《续修庐州府志》卷17《学校志》。
② 清代及民国前期湖南等地所用的银两衡量标准。
③ 光绪《续修庐州府志》卷17《学校志》。

其中，儒家经典和程朱理学类著作主要有《易经大全》《书经大全》《诗经大全》《礼记大全》《春秋大全》《宋元人经解》《二程全书》《朱子语类》《孝经》《朱子近思录》《小学》（4部）；帝王的解经著作或指定的理学著作主要有《御纂周易折衷》（2部）和《钦定周易述义》《理性大全》《御纂理性精义》《御纂朱子全书》《钦定四书文》《钦定诗义折衷》《钦定周礼义疏》《御纂春秋传说》《钦定春秋直解》；儒家经典的注疏类著作主要有《易经注疏》《书经注疏》《诗经注疏》《周礼注疏》《仪礼注疏》《春秋注疏》《公羊注疏》《谷梁注疏》《孝经注疏》《论语注疏》《孟子注疏》《尔雅注疏》《十一经旁训》《易经来注》和《五经图》（4轴）；史传类著作主要有从《史记》到《明史》的正史类著作（共2套42部），《资治通鉴纲目》《文献通考》《史纂左编》《御批资治通鉴》（2部）、《御批资治纲目三编》《勃正续编纲目》（2部）、《礼乐志》；诗文类著作主要有《昭明文选》《汉魏百名家》《郑鉴阳四十大家文》《陈百史大家文》《文定》《文待》《古唐诗纪》《钦定唐宋诗醇雅》《御制诗书文》《万寿衢于歌采章》；规章制度类著作主要有《御制训饬士子文》、《上论》或《御论》（历朝帝王的理论著作，共30多本）、《吏部处分则例》、《吏部则例》、《礼部则例》（2部）、《国子监则例》（2部）、《学政全书》（2部）、《钦定科场条例》、《科场全例》、《磨勘条列》（2部）；其他类著作主要有《稗编》《武编》《乐谱》《册府叙论》《武英殿聚珍版丛书》《御制平定金川碑文》《大学碑文》《南巡盛典》。

二、县学

（一）合肥县学

清代合肥县学位于县署东南洛水桥东，前至前大街，后至后大街，东至庐州营署，西至孝义巷。清代合肥县学主要建筑结构、空间布局及修建情况如下：学宫最前面的建筑为棂星门，共分中、东、西三门，东门上题"德配天地"，西门上题"道贯古今"，中门前甬道至街，宽三丈，深三弓。甬道左右下马碑各一道，高八尺。棂星门后为泮水池，池上有桥，桥长四弓三尺，宽一弓一尺三寸。池东西宽七弓四尺四寸，深三尺七寸。戟门在泮池桥内，东西宽七弓，深四弓三尺。门高一丈三尺，左右角门各高一丈。东角门东更衣厅三间，西角门西省牲所三间。戟门内为月台，高二尺，台阶五层，宽七弓二尺，深四弓二尺，台下南至戟门十三弓。月台北为大成殿，殿屋五间，深七弓二尺，东西广十弓，正梁高三丈五尺。顺治初年，县学训导苏绍轼因兵毁重建。大成殿东西两庑各十三间，皆深四弓，宽二十四弓。大成殿左右为东西掖门屋，深二弓，宽三弓五尺。门在殿旁。大成殿后为明伦堂，堂屋五间，深七弓，广十一弓。康熙二十二年（1683），庐州知府杜立本重修。明伦堂后为尊经阁，阁前东西皆有门。尊经阁后为崇圣祠，旧称启圣祠，康熙四十四年（1705），县学教谕钟于序改建，乾隆四十五年（1780），合肥知县刘昆增修。崇圣祠后为后墙。

合肥县学学生既是将来参加科举考试的考生，也是国子监贡监生的潜在生源，以为未来踏入仕途打基础，"各省例定学额，为士子登进之阶"①。因而府县学生额必须与朝廷的官员可容纳量相适应，朝廷直接确定和控制地方官学的学额。合肥县学每年举行岁科两试，文童每试额取二十人入县学，初入者为附生，武童生岁试取十二人为武生。旧额两试皆只取十六人，雍正四年（1726）增加四人，为二十人。庐州卫文武童生旧由卫试送入卫学，乾隆四十一年（1776）并入县学，亦并归县试。县学附生无定额，增广生二十人，廪膳生二十人，岁贡生两年一人，以资格深的廪膳生充任，拔贡生十二年一人②。

（二）巢县县学

清顺治十五年（1658），巢县县学得到了恢复和重建。据康熙《巢县志》载：顺治十四年（1657），"通府刘公来署县事，见学宫芜茀，堂庑

---

① 光绪《钦定大清会典事例》卷370《礼部·学校》，《续修四库全书》本。
② 嘉庆《合肥县志》卷9《学校志上·选举》。

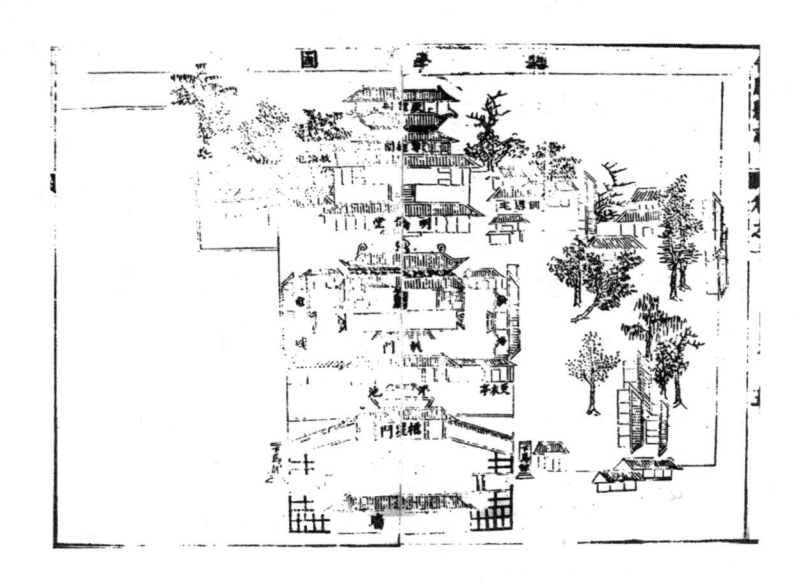

清代合肥县学图，来源于雍正《合肥县志》

倾圮，遂与学博魏君谋撤而新之。魏君遂为己任，率先捐俸为士民倡。因周咨邑荐绅暨阖学弟子员，出财鸠工，以次年之孟夏始其事，阅四月乃竣厥功"①。也就是说，巢县县学主要建筑在明末战乱中倾毁，顺治十四年（1657），在县学教谕魏聘的精心组织下得以修复。此后在康熙、乾隆年间也渐次得到重修，如康熙年间知县于觉世、训导车之垣，乾隆年间知县史必大、教谕李景堂、训导叶时鸣等人皆对县学进行了不同程度的修缮。

清代巢县县学主要建筑结构、空间布局以及修建情况如下：簧门内有泮池，明万历年间知县陶九韶开凿而成，康熙年间知县杨极、教谕毛士铨建造石桥。棂星门在戟门前，知县孙芝芳重修，县监生杨景佺捐资兴建棂星中门，县志载："杨景佺，监生，精岐黄术，活人无算。乾隆四十六年，邑新学宫，佺建棂星中门，费银一千两，令其子瑶仰承先绪，呈请修葺"②。邑人杨景仟同其弟景俅、景倬、景伦于乾隆四十

---

① （清）葛遇朝：《重修儒学记》，康熙《巢县志》卷17《艺文志上》。
② 道光《巢县志》卷13《人物志·笃行》。

六年(1781)认建棂星东、西两门,费二千余金。道光八年(1828),其后人"试用主簿珀、候选主簿琼、生员毓麟、江西大庾县知县献弼仰承先绪,呈请修葺"①。大成门位于大成殿前,东隅为更衣所,西北隅为省牲所。乾隆五十七年(1792)县贡生李朔、千总职衔李从龙重修。大成殿位于月台北,共五间,深七弓二尺,正梁高三尺五寸,为乾隆四十七年(1782)新建。邑人李忠职、千总方苍祺同在城叶枝苏、刘永福,南乡郑秉乾,北乡黄松山、刘孔阶认修大成殿、启圣祠两处,工程分成四股,每股需费用二千余两白银,"叶、刘系出囊金,余皆领袖一乡,倡首劝捐,捐输不足,仍解囊成之。至因公受累,如刘孔阶尤为邑人士所称"②。两庑各八间,东庑南为钟室,北为乐器库。西庑南为鼓厅,北为祭器库。邑人周鳌、胡铜、邓玉珵、单维城等慷慨任事,在修建县学宫时,捐资为倡,并认捐建乐器所、祭器所,东西两库,花费银八百余两。道光八年(1828),其后人周兆权、邓兆骧、胡观江、单锦春等"仰承先绪,呈请复修"③。崇圣殿位于尊经阁后,旧名启圣祠,共三间,崇祯年间知县宁承勋建。尊经阁共三间,上设文昌魁星像,崇祯末年毁于战乱,直至清康熙四十八年(1709),庐州知府马云从才在旧址上重建。明伦堂位于大成殿西北,共三间,内悬题名额。敬一亭在明伦堂后,明天启年间建,清道光年间废弃。礼门在明伦堂南向。

清代巢县县学的学额,岁科两试,每试额取文童16名入县学为附生,岁试额取武童12名为武生;廪膳生20人,廪膳年深轮充岁贡;岁贡生两年一人,遇有恩典,以正贡作恩贡,以次贡作岁贡;拔贡生十二年一人。

巢县县学田,旧额共3顷45亩2分5毫,坐落县内8处地方,至道光年间,各田亩已分给县学贫困生员领佃收租,岁纳租银14.64两,由县征收解司转解督学衙门,为给廪赈贫之用。文献记载表明,巢县县学学田的实际运转及成效并不明显:这些学田离县城较远,又多为

---

① 道光《巢县志》卷13《人物志·笃行》。
② 道光《巢县志》卷13《人物志·笃行》。
③ 道光《巢县志》卷13《人物志·笃行》。

贫瘠之产，佃户顽惰不力或借口歉收短少籽粒，往往因而结讼，贫生所得租稻不足以资助膏火，更谈不上缴纳租银，每岁催迫，徒滋扰累。道光五年（1825），知县舒梦龄"悯念孤寒，特为悉示捐廉代解"。

除了上述学田外，清代巢县县学还有其他几种名目的学田：一种为乡会试卷资县试桌凳费田，分别为坐落在三滕圩南陡门田租一百二十八石，麦租四石；井儿冈田租四十四石、麦租二石；贾塘圩田租三十五石、麦租二石，以上合学公置。东塘圩田租四十四石九斗、麦租二石，都司职胡永汇、试用盐大使胡永灿公捐；南乡葡萄岭田租二十二石，邑庠生邓光奎捐。一种为县试津贴卷资田，坐落西乡，计大小九十三坵，租七石九升二合三勺，武举程泗源捐。一种为添修祭器田，坐落崔家冈、黄家冲，计租二十石，监生秦上逵捐。

（三）庐江县学

关于庐江县县学，在明代，其建筑设施十分完备齐全："吾庐学制旧称宏丽，有殿，有堂，有庑，有阁，有名宦、乡贤祠，有斋祭之室、诵讲之斋、休息之所，至于庖湢库廊，无不具备。"但是经过明末战火的洗劫，破坏十分严重，"自壬午兵燹以来，荡然无复存者。顺治初，草创卑陋，至康熙六年始易今庙，迄今又十余年，其桷榱瓮瓦挠折腐坏者，几于不蔽风雨，而两庑、尊经阁以及诸祠犹缺然不备"[①]。因而，自清初开始，庐江县的历任地方官都将重建县学、发展县学教育作为自己施政的主要内容之一。

清代庐江县学主要建筑结构、空间布局以及修建情况如下：文庙，位于南门外。清顺治四年（1647），知县周迓祚以露祭不忍，在其主持下，庐江县举人毕翼周、生员徐愈壮各捐助工费，对县学大成殿进行了重建[②]。康熙六年（1667），知县孟述乾、训导盛捐之，"庀材鸠工"，修建圣殿及棂星门，其两庑、明伦堂东西宅房未建。康熙五十四

---

① （清）宋元征：《募修学宫序》，光绪《庐江县志》卷14《艺文志·记序》。
② 康熙《庐江县志》卷7《学校》。

年(1715),知县何洪先重修,监生汪澄修殿前重埠。雍正八年(1730),知县陈庆门"通体重修,规制始备"。乾隆二十七年(1762),知县李天植重修,此次修整规模较大,前后用时三年,"费金良多","其因旧而新之者曰大成殿、曰东西庑、曰大成门、曰泮池石桥、曰崇圣祠、曰明伦堂。其创建者曰崇圣祠、拜台、棂星门之石坊,旁及文昌、毛公诸祠,与学舍之附离者皆加饰。又学之前临文明河久淤,学之后枕北城,城多坏,乃更以其余力甓城四门,门各数百丈,浚河道自东俎南亘里许。其间庀材聚工,统计木之数大小一千三百四十植有奇,而故材之可理而用者不与,砖之数大小二十六万七千一百有奇,瓦之数三十万八千四百有奇,山石斤计十一万九千一百有奇,富石白石丈计一千二百三十有奇,其金木杂具琐细者无算。内木之工三千六百七十有奇,瓦之工七千四十有奇,石之工二千三百七十有奇,圬塓之工三千七百九十有奇,丹护之工二千六百有奇,城之工三千六百有奇,河之工二千六百八十有奇。总计工凡二万五千七百九十有奇,凡用银四千八百四十三两有奇。自经始泊蔵事,凡三年。"①乾隆五十九年(1794),巡抚朱珪再次倡捐重修。嘉庆二十二年(1817),知县朱锦琮率邑绅刘家鸾、鲍瑚等重修。道光年元年(1821),知县华浩重修。道光十七年(1837),知县傅继勋重修。咸丰年间毁于兵燹,同治六年(1867),知县黄光彬率邑绅筹捐重建,经理人名勒碑竖立于大成门右侧。

两庑在大成殿前,旧制,东西各十五间。清康熙二十四年(1685),邑庠生李锦林重建。乾隆二十七年(1762)、乾隆五十九年(1794),"锦林元孙光琦、光珩、光瑜、光琼等陆续修理"。咸丰年间毁于战火,同治六年(1867),"锦林裔业纯、鹤应、琮、炳荣、志高、长有等户捐造,鹤翔子兆奎赴湖北购木",照原基址东西各建十间、八间,供奉木主;南首两间,东为礼器库,西为乐器库。李锦林的善举载入《庐江县志·人物志》的"义行"卷:"李锦林,字文中,邑增生。好施予,贫

---

① (清)李天植:《重修儒学记》,光绪《庐江县志》卷14《艺文志·记序》。

者多赖之。庐邑泮宫毁于寇四十余年，修缮未备，锦林赞成之，又独修两庑，邑令李衍芳为记其事。"①

崇圣祠三间，位于文庙东北。清顺治十年（1653），知县孙宏喆捐俸重建；康熙四十一年（1702），教谕金佐移建于文庙东北处；雍正二年（1724），知县马洪遂、教谕张廷琛、训导万汝楫重修；乾隆二十四年（1759），知县李天植重修；乾隆五十九年（1794），绅士重修。咸丰年间毁于兵火，同治六年（1867），知县黄光彬率士绅重建。

大成门五间，旧志称戟门，位于大成殿前。清顺治十二年（1655），知县孙宏喆重建；康熙二十八年（1689）受灾毁，知县王仁深重建。咸丰六年（1856）毁于兵戈，同治六年（1867）知县黄光彬率士绅重建，并于大成门旁左右建侧门各一间，侧门左右建文武官厅各三间。

泮池并桥由石头砌成，位于大成门前。清雍正十年（1732），邑贡生王昌任、州同卢元、监生薛于俨、庠生夏爽、王昌斌、胡琦、吕道南等重修。咸丰年间遭战乱毁，同治六年（1867）知县黄光彬率士绅重建。

棂星门，位于泮池前。清顺治十年（1653），知县孙宏喆重建；咸丰年间毁于战火，仅存石柱，战争结束后，邑绅钟崇基、马家瓒、朱祝三、张存本、庞经锽、钟崇钦等鸠工砌壁。同治六年（1867），知县黄光彬率士绅重建化龙池。

万仞宫墙，位于化龙池南。清光绪元年（1875），邑绅吴长庆捐建宫墙，邑绅曹德庆捐资创建文德、武定石桥两座，后因桥栏毁坏，又于光绪十年（1884）添购石料，加修完固。

明伦堂五间，位于大成殿后。中三间，右立卧碑，左右二间旧制为学库，储礼乐祭器。清康熙六年（1667），训导盛捐之重建；二十五年（1686），教谕王琳征重修；雍正二年（1724），教谕张廷琛、邑绅杨诜等重修，并于堂的左右翼建礼门、义路两牌楼；乾隆七年（1742），邑绅许望龄重修。咸丰年间毁于战火，邑绅章廷榜率侄子、侄孙捐洋六百

---

① 光绪《庐江县志》卷 8《人物志·义行》。

元添用学宫,剩余木料于同治七年(1868)修建。庐江县知县刘高培到任次日即拜谒文庙,"仰瞻大成殿规模宏敞,焕然如新,两庑祀先贤先儒者亦复修整。殿之左为崇圣祠,而前则奎星楼耸其东,后则尊经阁拥其北,俱栋宇辉煌,适与大成殿相称"①。

尊经阁,位于明伦堂后。清雍正十年(1732),邑绅卢辰告捐建;乾隆五十九年(1794)邑绅重修。咸丰年间遭兵火破坏。

儒学门三间,在学宫左偏。清康熙二十四年(1685),教谕王琳征、训导丁象临建;雍正四年(1726),教谕李蒸重修。咸丰年间遭到破坏,同治六年(1867),知县黄光彬率士绅重建。

泮宫木牌楼一座,位于儒学门前。同治六年(1867),知县黄光彬率士绅修建。

文昌宫三间,位于儒学门左。清康熙四十三年(1704),知县吴宾彦、教谕金佐、训导赵渢重建;乾隆四十二年(1777),邑绅孙宗洪、吴嗣默、胡仰濂、吴光乐、姚鸣冈等重修,改建大门与儒学门。咸丰年间毁于战火,同治六年(1867)邑绅潘鼎新重建大殿三间,每年春秋诞辰额编祭祀银四十五两。

奎星楼,位于学宫巽方。清嘉庆二十二年(1817),邑绅刘家鸾、鲍瑚倡捐,督工创建门楼一座。史载,"鲍瑚,字俊斋,优庠生,读书明理,以立身为先务。……邑文庙倾塌,瑚与刘家鸾倡捐督修,复于文庙巽方倡捐修建奎楼,于嘉庆丙子年落成"②。刘家鸾,"字呈瑞,号桐坡,候选卫千总。……与鲍瑚劝捐重修文庙并创建奎楼,复与弟照藜捐田以为文庙岁修费。经管潜川书院,延师勤课,惠及士林"。太平天国战争对奎星楼造成了损毁,战争结束后,同治七年(1868)邑绅潘鼎新重建,扩地周垣,后添寮房三间③。

教谕署,位于明伦堂东,崇圣祠后。清顺治九年(1652),教谕钱念修建;十一年(1654)训导于有甲增建前厅。康熙二十五年(1686),

---

① (清)刘高培:《重建明伦堂记》,光绪《庐江县志》卷14《艺文志·记序》。
② 光绪《庐江县志》卷8《人物志·义行》。
③ 光绪《庐江县志》卷8《人物志·义行》。

教谕王琳征重建;四十一年(1702),教谕金佐重修。同治六年(1867)重建前后两进,计屋十间。光绪元年(1875),邑绅潘鼎立于署厅右间添置架阁以储存乐器。

训导署,位于明伦堂西。清顺治九年(1652),教谕钱念修创建前厅;康熙六年(1667),训导盛捐之增修;乾隆三十二年(1767),训导胡承谱重修并建引胜轩、谈经所;同治六年(1867)重建前后两进,计屋十间。

乡会试有贡院,院考有试院以密关防。府县试则试于署中者多,庐江经咸同兵燹,县署被毁,战后有邑绅筹款购备公所以为试院。试院位于县城大西门内,坐北朝南,计照墙一座,每进屋五间,共六进,第四进中有阁一间,四进、五进、六进中有穿堂,旁有厢屋,共计屋四十三间①。

太平天国战争中,庐江遭受了严重破坏,城中官署仅存瓦砾,民舍亦焚毁殆尽,"而应试诸童益怅然于斯文之不兴,文场之竟废也",王曙堂与其女婿吴小轩慨然引为己任,于同治二年(1863)在大西门内购买吴姓故宅一所,重新加以修葺,而规模甫立,因桌椅尚未齐备,又次第添置之;又因试院对门的照壁系民间私产,便将之购买下来并加以补葺。试院的房屋自大门以至后厅共六进,每进五间,各有厢屋,旁边又有外宅,中有杰阁,凡应试诸童"莫不乐广厦而托㡌幪"②。

此后,庐州府境内的府学、县学在各处地方官员的倡导下,又陆续得到了改建或扩建,其规制逐渐趋于完备。

三、书院

书院教育是清代合肥地区教育体系的又一重要组成部分。"古者,家有塾,党有庠,术有序,凡以收束学者之身心而使有观摩之助

---

① 光绪《庐江县志》卷4《学校志·试院》。
② (清)倪元恺:《试院记》,光绪《庐江县志》卷14《艺文志·记序》。

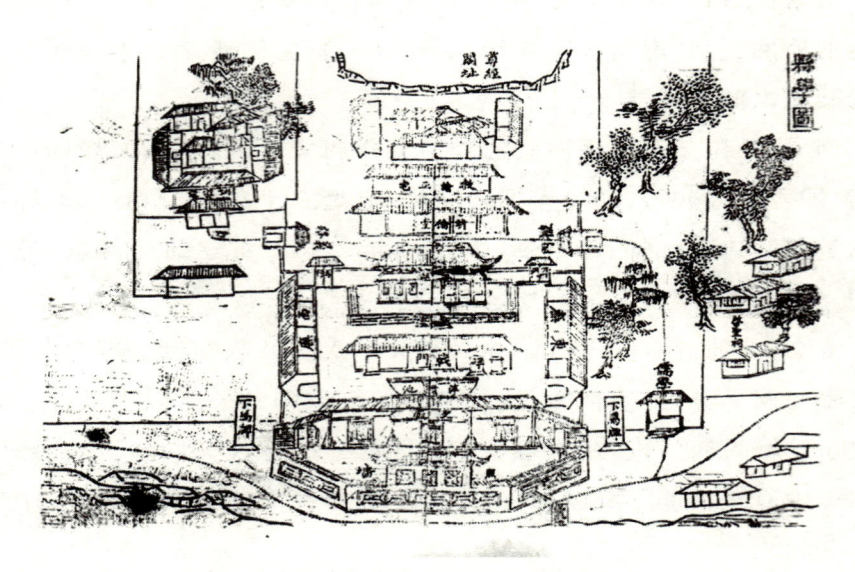

清代庐江县学图，来源于康熙《庐江县志》

也。自朱子讲学而始有书院之设，一时人文荟萃，称为极盛，后世踵而行之，使士皆潜心性理之学，以立身为本，不徒以文艺争长，则学有根柢，其出处自有不同矣。"①从时间上来看，合肥地区的书院教育，其兴起时间较早，书院教育的历史也比较悠久，如合肥县在元代就建有三贤书院，明弘治、嘉靖年间又分别建有包公书院、正学书院②。到了清代，书院教育仍是合肥地区一种重要的教育形式，这一时期合肥地区均有新的书院创立，其新建书院数量达14所之多，如表8-2-1《清代合肥地区新建书院一览表》所示。

---

① 光绪《庐江县志》卷4《学校志·书院》。
② 嘉庆《合肥县志》卷10《学校志下·书院》。

表 8-2-1　清代合肥地区新建书院一览表

府县	书院名	院址	创建时间	创建人	备注
庐州府	庐阳书院	郡城东南	康熙四十四年（1705）	知府张纯修	
合肥	斗文书院	府城隍庙西	康熙年间	知府王业兴	
	肥西书院	西乡大潜山马跑寺	清代捐建	邑绅刘铭传、张树声、周盛波、丁寿昌	
庐江	潜川书院	城内钟楼桥西街	乾隆三十一年（1766）	知县李天植	
	崇正书院	城西北妙光寺旧址	光绪七年（1881）		
	莲溪书院	城南	嘉庆年间		
巢县	巢湖书院	卧牛山麓	雍正十二年（1734）	朱湛	旧为义学
	凤仪书院	城南望城岗	清中叶		
	东山书院	东山下	嘉庆年间		
	牛山书院	不详	雍正十二年（1734）		

资料来源：陈贤忠、程艺主编《安徽教育史》，安徽教育出版社 2006 年版，第 353—354 页。

在清代，地方书院日趋官学化是一种较为普遍的现象，这在合肥地区也表现得十分明显。清代合肥地区书院的官学化主要体现在以下几方面：

一是清代合肥地区的书院多以官办为主，书院的创办者多由地方行政官员和士绅积极倡导兴建。此类书院在合肥地区为数不少，如位于合肥县城隍庙左边的斗文书院即是由康熙年间庐州知府王业兴捐资兴建的；另一位知府张纯修在合肥城东南隅创建了横渠书院，后更名为庐阳书院，乾隆、嘉庆年间分别在时任知府赵瓒、张祥云的主持下进行了扩建和重修①。庐阳书院属于官办书院。据嘉庆《庐州府志》记载：庐阳书院坐落在郡城东南隅，康熙四十四年（1705）知府张纯修创建，原名横渠书院，当时的书院讲堂只有十余间。乾隆十四

---

① 嘉庆《合肥县志》卷 10《学校志·书院附》。

年(1749),府属无为州有田地之争,知府蔡长沄请求上司将有争议的田地归入书院,所得岁租作为书院的经费,这在制度上保证了书院得以正常运行。十五年(1750),知府赵瓒又添建十三间讲堂,并购买了多种经史书籍,并且考虑到"师生膳脯不敷",捐俸倡议助学,得到了乡绅的积极响应,共捐得白银一千多两。其中,七百多两购置田产,用以岁收;另有二百多两命令合肥知县交与钱庄用以生息。另有乡绅李植、陈嘉鸾各捐田庄一座,并将每年的收入作为膏火之需。嘉庆七年(1802),知府张祥云重修了院内的正谊堂、修整了墙宇、添置了各种器物,"增取正课、外课",使得"肄业生徒倍于往昔"[①]。咸丰年间,庐阳书院毁于兵火。同治元年(1862),庐州知府唐景皋、合肥知县桂中行劝邑绅储开泰倡捐瓦屋五十间,集资重建。光绪五年(1879),经乡绅李鹤章、王清沂、王尚辰等请求,官府将原来府学考棚多余的十余间房子也改为书院,并悬有李鸿章书写的匾额。在经费上,唐景皋派人清查先前的学田,以岁入供养;又将庐州废弃的僧庙田充为书院学田。时任两江总督李鸿章亦捐湘平银一万两,并委托乡绅刘步青、戴昌言等购置田房租利,以作书院童生加资、奖赏之需。至此,庐阳书院得以复兴。

庐江的潜川书院也是在当地官员及士绅的共同参与下得以兴建。潜川书院,位于县城内钟楼桥西街。清乾隆三十一年(1766),知县李天植、绅士吴崇诰、王昌僖集赀在察院旧基及买民地创建。咸丰年间,该书院遭兵燹毁坏。同治年间,该县邑绅马家彦等人督工重修。至光绪十年(1884),庐江县知县钱荣"率邑绅筹款重修照壁一座,厅事后建左右厢房十二间、讲堂五间,后进大楼上下各五间"[②]。

二是清代合肥地区书院的开办运作所需经费多由地方官府和士绅负责筹集,经费来源主要有田产、税课、房产、典息等,呈现出多元化的格局。以庐阳书院为例,该书院在创立之后,在经费方面就先后

---

① 嘉庆《庐州府志》卷16《学校上》。
② 光绪《庐江县志》卷4《学校·书院》。

得到历任知府等地方官绅的大力支持,如乾隆十四年(1749),因无为有互争苇荡之讼,知府蔡长沄力请上宪将其归于书院,"岁入租四百有奇,递年增至八百二十九两八钱,以供经费"。至乾隆十五年(1750),新任知府赵瓒担心"师生膳脯不敷",又"捐俸倡议,绅士欣然响应,得白金一千两有奇",并用白金七百两于合肥县南乡五十里铺置田弓二十六石,岁入租一百二十石,后"因田瘠薄,递年减免",随将所征之租六十余石、银二百一十两,"檄发合肥,交典生息,岁解息银五十两零"。乾隆十九年(1754)、乾隆四十一年(1776),捐职州同李植、陈嘉鸾又分别捐田入学,以充书院膏火之需①。咸同战乱以后,地方官绅仍为书院积极筹集经费,据方志记载:"经费旧有绅捐田租若干石,无为州芦课银八百余两。兵燹后,课征缺额,前知府唐景皋委绅赴州清查,暂定岁解芦课六百两,俟开熟再照前额征解,所有庐州废寺无僧庙田暨从贼逆产田房,皆查明充入书院,并经大学士肃毅伯李鸿章捐湘平银一万两,委绅刘步青、戴昌言添置田房,租利以作书院生童加给奖赏之需。光绪五年(1879),复经甘凉道李鹤章等请提广益局育婴堂田租一千五百石,暂归书院以济膏火。"②可见,在庐阳书院经费筹集过程中,政府官员发挥了重要作用。不仅如此,在他们的大力支持下,庐阳书院的规模也有所扩大,在书院初创时,仅有门堂讲舍十余楹,至乾隆十五年(1750),又添建堂十三楹,庑十楹③。

此外,地方士绅也是兴办书院的一个重要主体。除庐阳书院外,其他如位于合肥西乡大潜山马跑寺的肥西书院,也是由地方邑绅刘铭传、张树声、周盛波、丁寿昌等人"公同捐建",并"捐有市房田亩,以备肄业生童膏火之资"④。

庐江县的崇正书院在咸丰年间因战乱遭到焚毁,到了光绪七年(1881),亦由邑绅许安邦等禀请就寺基改建,并由邑绅王占魁捐资,

---

① 嘉庆《庐州府志》卷16《学校上·学田》。
② 光绪《续修庐州府志》卷17《学校志·书院》。
③ 嘉庆《庐州府志》卷16《学校上·学田》。
④ 光绪《续修庐州府志》卷17《学校志·书院》。

肥西书院，清同治年间建，图片由周崇云提供

"独力举办，创建大门三间、仪门三间、讲堂五间、东西廊房十四间、厨房二间"，并"捐田一百二石五斗，为生童膏火"[①]。该县潜川书院的发展也离不开地方士绅的大力资助。潜川书院位于庐江县城内钟楼桥西街，旧系照墙一座，大门五间，二门楼一座，厅事五间，厅后左右厢屋十二间，讲堂五间，讲堂后左右厢屋四间，后堂五间。乾隆三十一年（1766），知县李天植、绅士吴崇诰、王昌僖集资就察院旧基并买民地创建。在咸丰年间的战火中，仅存大门五间、二门楼一座、厅事五间，其余建筑设施"鞠为茂草"，尊经阁所藏图书亦被毁烬。同治年间，邑绅马家彦等人督工重修；光绪十年（1884），知县钱荣率邑绅筹款重修照壁一座、厅堂后建左右厢房十二间、讲堂五间、后进大楼上下各五间，所集捐款皆立碑纪念，经理其事者为邑绅朱祝三、卢钰、鲍灼、陈希桂、张存本、霍翔、俞金庚、俞燮奎、曹时明等人。钱荣所撰《重修潜川书院记》详细记录了该书院修建的来龙去脉："越明年春，集绅议续邑志并修书院，倪君澎畦闻而乐之，自金匮县任首寄八百金相助，乃益以他款。于夏间清理界址，缭以垣墉，旧留之屋茸而整之，

---

① 光绪《庐江县志》卷4《学校·书院》。

复建照壁一座、讲堂五间、廊房十二间。不数月告成,以经费不继,拟暂停工,邑之人乃进而请曰:'公以振兴文教为心,邑之人幸甚,奈何半途而废?'余应之曰:'余始愿。欲于讲堂后建楼五间,劝邑绅之宦于他省者购寄书籍庋乎其中,以备考证。无已,惟有借资志书捐款以竟其功乎?'复于九月开工,至十二月工竣。余捐书若干卷,以为之倡。"①潜川书院的学田也多由捐置而来,分别为庐江知县李天植捐廉置中吴桥田七十亩,每年额租七十石;邑绅吴崇诰、王昌僖、陈大起捐王老人桥田三十七亩五分,每年额租三十七石五斗;邑绅刘憩捐陆家冈田二十四亩,每年额租二十四石;汪和九捐八窖山田二十二亩八分七厘,每年额租二十二石八斗七升;刘欧氏捐杨柳圩田六亩,每年额租六石。邑绅吴崇诰捐助书院的义举被载入县志:"吴崇诰,字绍伊,号耕野,候选布政司经历。少失怙,事母尽孝养,生平好善乐施。邑故有书院,兵燹后废弛无存,崇诰倡绅士即旧察院地并买民居建潜川书院,延名师训课诸生。捐置田亩及赎回学田之久入民者一十六所,岁入租五百余石,充山长束修及诸生膏火,文风大振。文庙城垣久倾塌,衷费修葺。"②

　　三是清代合肥地区书院的生徒数额、规章制度多由官府制定,所学课程和教材也遵循朝廷定制;在教育目标上,书院教育多以应科举、登仕途为目的。如《郡守赵瓒碑》记载:"乙亥夏,檄召五属生童扃门命题,手自甲乙,拔其尤者,舍之于院,延请名宿,朝夕讲贯。余暨邑令学博按月课试之,奖其勤,策其惰。"③

---

① 光绪《庐江县志》卷4《学校志·试院》。
② 光绪《庐江县志》卷4《学校志·试院》。
③ 嘉庆《续修庐州府志》卷16《学校上·书院》。

四、社学

除府学、县学外,作为启蒙教育的一种组织形式,社学①也是清代合肥地区教育体系的一个组成部分。清顺治九年(1652),朝廷明令:"每乡置社学一区,择其文义通晓,行谊谨厚者,补充社师,免其差役,量给廪饩养赡。"②同时规定:"凡近乡子弟十二岁以上,二十岁以下,有志文学者,令入学肄业。……如有能文入学,社师优赏;若怠于教习,钻营充补者褫革。"③时人对社学的基本功能有着清醒的认识:"社学,养蒙也。蒙曷为义,惧民之坏于童稚而严小学之教以教之也。教不随俗课文而先考德,何也?古者,八岁入小学,教之以孝弟谨信汎爱亲仁,次及学文,文后也,今犹行古之道也。故先考德也,先德后文,古之人有行之者矣。近世其踵循者,谁氏也,陈白沙有言曰:'社学,教之之地也;小学书,教之之具也。'王阳明、魏庄渠先后申饬条列具存,余仿三先生之意而行之也,非余一人之私意也,然则其日有程,月有课,何也?童子之性乐嬉游而惮拘束,惧其社师,徇其父兄之溺爱久而稍疏也。且不佞师保一邑,无以提撕警觉,使日渐月化入于圣贤之教,虑风俗日婾而教养之职有愧也。故设此格以考其勤惰,稽其积累,课诸童并课社师而以自课也,此之谓养蒙。蒙以养正,圣功也。"④清顺治十一年(1654),庐江知县孙宏喆捐俸在县治西重建社学,选择社师,教以功课,并"授田以为修脯"。孙宏喆十分重视社学的教学质量,常常亲往社学,稽查学生德业。

---

① 所谓社学,是地方官奉朝廷诏令在乡村设立的"教童蒙始学"的学校,始设于元代。清初,仍令各直省的府、州、县置社学,每乡置社学一所,社师择"文义通晓,行谊谨厚"者充补。凡近乡子弟,年12岁以上20岁以下、有志学文者,皆可入学肄业,入学者得免差役。社学成为乡村公众办学的形式,带有义学性质。清末,随着新式教育的兴起,这种教育形式也随之消失。
② (清)素尔讷等:《钦定学政全书》卷64,上海古籍出版社1995年版。
③ (清)张廷玉等撰:《清朝献通考》卷70。
④ (清)孙宏喆:《社学功课小序》,光绪《庐江县志》卷4《学校志》。

清代合肥地区虽然设有社学,但与明代相比,其数量已大为减少,很多社学已经毁坏,只剩下一些历史遗迹而已。如康熙《巢县志》仅记载其处所而已[①]。社学的功能在于对儿童进行识字和基本伦理道德规范教育,教学内容"以《百家姓》《千字文》为首,继以经史历算之属"[②],这对于农村地区的儿童教育有一定的积极作用。

五、义学

在清代,合肥地区还存在着一种特殊性质的学校,即义学,主要为贫寒子弟所设,一般不收学费。义学起源于宋代,本是宗族内部的蒙学组织,清代的义学最早是为旗人子弟所设,康熙四十一年(1702),礼部奏准在京师五城各设一所义学,此后扩展到八旗,以教授幼童学习满、蒙文字。后为了维持边疆地区的稳定,康熙、雍正年间,又多次令云贵、广西、四川等地设置义学。乾隆以后,内地各省府州县也开始广泛设置义学,目的在于教育、管束贫寒子弟,以维护社会安定。如道光六年(1826)襄阳知府周凯在《义学章程》的"序言"中所言:"近因各乡村蒙馆太少,义学不设,以致风俗狂悍,好勇斗狠,轻生犯上,皆由蒙童失教之故。本府与诸牧令劝谕绅耆,就地设义学,以教贫民子弟,成为安身良民。"在清代合肥地区,雍正七年(1729),巢县知县邹理创设义学六处,一在城内文昌阁,一在东关外东圣宫,一在西关外西圣宫,一在南关外晏公庙,一在北关外关庙,一在柘皋镇。上述义学存在时间不长,到了道光年间俱已废而不闻[③]。

---

① 康熙《巢县志》卷12《胶庠志·社学论》。
② 陈贤忠、程艺主编:《安徽教育史》,第368—369页。
③ 道光《巢县志》卷7《学校志一·义学》。

第九章

太平天国在合肥地区的主要活动与淮军的兴起

第九章 太平天国在合肥地区的主要活动与淮军的兴起

清代中叶以后,随着封建统治的日益腐败和阶级压迫、剥削的日益沉重,阶级矛盾和社会矛盾日益激化。为了反抗封建压迫和剥削,洪秀全、杨秀清等人在广西金田村揭竿而起,发动了大规模反清运动,史称太平天国运动。安徽是太平天国运动主战场之一。居于皖之中、地处江淮腹地的合肥地区,由于经济、政治、军事位置的重要,成为清军与太平军争夺的主战场。太平军攻陷安庆后,合肥一度被升为安徽省会,安徽巡抚迁于合肥县。太平军在与清军争夺中屡克庐州,取得著名的三河大捷。在太平天国运动如火如荼之际,为了维护清廷的统治,以李鸿章为代表的封建官僚在合肥地区掀起了创办团练、组建淮军的活动。

第一节 太平天国在合肥地区的主要活动

一、首克庐州

庐州,居皖之中,地处江淮腹地,历史上就是著名的政治中心和军事重镇,号称"淮右襟喉,江南唇齿"[①],"雄制中权,据巢湖濡须之险,堂奥宏固,实当江淮都会之区,据此则可挹江南之财,制淮上任侠之命"[②],战略地位十分重要。这里圩堤交错,河网纵横,土地肥沃,物产丰富,素有鱼米之乡之称,是皖省主要的鱼米输出地区;加上水陆交通便利,长期以来一直是巢湖沿岸、大别山区商品物资集散中心,以及苏杭京广杂货转输的中转站。太平天国建都天京(今南京)以后,庐州在经济、政治、军事地理上的位置更显重要,掌控庐州,既可

---

① (清)顾祖禹:《读史方舆纪要》卷26《南直八·庐州府》,中华书局2005年版。
② (清)陈澹然:《江表忠略》卷17《安庐列传》,上海图书馆藏。

控制江淮粮仓，保障米粮供给；又可与安庆互为犄角之势，屏障天京；同时还可联络淮河以北的捻众，进援北伐军。因此，在太平军回师西征、驻守安庆后不久，翼王石达开即于 1853 年（咸丰三年）11 月 12 日，命春官正丞相、护国侯胡以晃，殿左一检点曾天养等率军万余自安庆出发，往攻庐州府城。

就清政府而言，安庆首度失陷两个月后，即于 1853 年（咸丰三年）4 月 24 日从前任巡抚周天爵之请，改庐州府为安徽省城。9 月 26 日，石达开率众驻守安庆后，筑城挖壕，"复纷扰巢县等处，欲扑庐州"，而"该处（指庐州）近接颍、亳，切须防贼北窜"，为应对危局，清廷于 10、11 月份相继颁发上谕，对皖省主要官员以及防务作出调整：巡抚李嘉端因"到任以来，毫无布置……调度乖方，有负委任"[①]被革职，任命湖北按察使江忠源为安徽巡抚，未到任之前，由安徽布政使刘裕鉁暂署[②]，李嘉端则赴颍州与兵科给事中、帮办团练之袁甲三镇压捻军；命前漕运总督、兵部侍郎、帮办安徽军务周天爵派拨兵勇、妥筹保卫庐州之策，并从邻省抽拨兵勇往援，命署理湖广总督张亮基飞催都司戴文兰带兵勇 2000 自湖北田镇兼程赴皖，再命钦差大臣琦善饬令总兵瞿腾龙并原带官兵 2000 由扬城间道赴皖协剿[③]；命署理安徽巡抚刘裕鉁传谕合肥县办理团练之地方绅士人等，令其捐资助勇，实力董率，奋勇杀敌，保卫乡间[④]；周天爵病逝后，新任皖抚江忠源亦因武昌危急暂留湖北未能即刻履新，所有皖省防剿事宜，由署抚刘裕鉁会同工部侍郎、帮办团练大臣、主持桐舒军务之吕贤基以及署理安徽布

---

① 《清文宗实录》卷 106 咸丰三年九月辛酉，中华书局 1985 年版，第 617 页。
② 《清文宗实录》卷 106 咸丰三年九月辛酉，第 619 页。
③ 《清文宗实录》卷 107，第 625、627 页。"瞿腾龙前经琦善奏留扬州，一时未能赴任。"《清文宗实录》卷 110，第 701 页。
④ "至合肥县办理团练之廪生唐会衢、翰林院庶吉士黄先瑜、监生郭有训、廪生吴毓芬、监生姚恩祺、举人周沛霖、赵凤举、副贡生司坷、廪生龚永乎、文生蒯德模、李鹤章，所办团勇均有成效，著该署抚即传谕该绅士等加以奖勉，令其实力董率，保卫乡间，并查明各属绅士捐资出力及杀贼立功者，即行奏请鼓励，候朕施恩。"《清文宗实录》卷 106，第 624 页。

政使袁甲三悉心筹划、严密布置①。

11月12日,胡以晃率太平军自安庆出发进入桐城县境,于14日攻克桐城县城,29日克舒城,在城内行馆徒手主持桐、舒军务的吕贤基投水自杀,吕之随员编修李鸿章则于城陷前一日先期逸出;负有防剿之责的已革总兵恒兴则逃往庐州,12月5日清廷下令将恒兴正法②。太平军在舒城修补城墙,开挖壕沟,留检点张遂谋等率军坚守,以为庐州后援。11日,胡以晃领大军自舒城启程,傍晚进据肥西上派,次日黎明,兵临庐州城下。

清军驻守庐州的主将是新任安徽巡抚江忠源。江忠源(1812—1854),字常孺,号岷樵,湖南新宁人。1837年乡试中举。太平军兴,即率领由新宁团练组成的"楚勇"在广西、江西、湖南、湖北等地围攻太平军,因在广西全州蓑衣渡、江西南昌对抗太平军有功而名噪一时。两年多的时间里也从一名知县升任湖北按察使、帮办江南军务。1853年(咸丰三年)5月底,太平军北伐过皖,直驱滁凤,旨命江忠源统带兵勇,"迅速驰赴安徽凤阳一带,会同周天爵等攻剿"③,因其远在江西缓不济急,未克成行。后与云南鹤丽镇总兵音德布率兵勇增援湖北,10月15日,在田家镇被太平天国西征军万贞祥部打败,突围出。就在此时,清廷因太平军再克安庆、进窥庐州,将李嘉端革职,于21日任命江忠源为安徽巡抚。在帮办安徽军务的周天爵病死、吕贤基投水死后,镇守庐州、"防贼北窜"的重任就落到了江忠源肩上。

江忠源接到朝廷的急诏,于11月18日率楚勇600余名和音德布绿营兵1400人,自湖北黄陂启程,26日抵霍邱洪家集,身患疟疾,寒热交发,27日冒雨抵六安州城。12月2日,清廷因皖省情形吃紧,命陕甘总督舒兴阿毋庸由河南信阳赴楚,即日带兵迅往安徽。在得悉舒城失守后,5日再命舒兴阿飞速前进,与江忠源合力保卫庐州,

---

① 《清文宗实录》卷109,第683页。
② 《清文宗实录》卷111,第724页。
③ 《清文宗实录》卷92,咸丰三年四月丁酉。

并设法克复舒城、桐城、安庆等处,"以期肃清江北,遏贼分窜"①。8日,考虑到舒城去庐州仅百余里,而吕贤基业已殉难,江忠源因感受风寒不能克期前行,袁甲三又忙于剿办颍亳一带捻众不能分身兼顾,庐郡防守督办无人,清廷谕令漕运总督福济兼程驰赴庐州、六安一带,会同江忠源及刘裕鈖督率地方文武官员办理防剿事宜,并谕令江忠源"如尚未痊愈,所带兵勇即可交福济酌量调拨,如已就痊,著即与福济相机筹办"②。同日,江忠源在六安州接受了署理安徽巡抚刘裕鈖派员送来的安徽巡抚关防和芜湖关关防,明知事不可为仍扶病强起,不顾"六安吏民遮留",留音德布领兵勇千名防守六安,自带亲信楚勇及新募之霍邱勇等两千多名于9日启程,10日抵庐州。

江忠源进入庐州后,很快就发现这里兵勇单薄、兵饷匮乏、人员缺乏,随即向清廷据实上陈"安省现在万难措手情形",列举庐州城守情况及其所面临的困境:一是兵力稀少。庐州外围最要之处当属东关,仅有寿春镇总兵玉山与已革臬司张印塘所带兵勇2200名;庐州城及外围所依靠的仅有江氏带来的四川兵、开化勇、广勇700余名,及在六安新募之勇2000名、李鸿章所带练勇600名、刘裕鈖新募之勇数千名,"且初集之众,尚须设法教练,方能得力"。二是兵饷匮乏。藩库丝毫无存,东关兵勇已欠发口粮20余日;江氏所带来的6万两银子,仅敷各路兵勇十月份口粮及补发欠饷、各勇锅帐器械之需,"而城上守御器械一切俱无,城中米粮又复不足,子药铅丸俱形短少"。三是属吏乏员。庐郡候补知县、候补佐杂仅有数员、十数员,简直是无员可委③。当时的庐州城周26里,城门7座,城堞4570余,且"各门月城厚不满三尺,高不及一丈,又与城身不通,防守尤难得力"④。而全城兵不满300,勇不满3000,"居民仅四千五百户,户或一二人,

---

① 《清文宗实录》卷111,第725页。
② 《清文宗实录》卷111,第729—730页。
③ 《江忠源奏》,(清)奕䜣等:《钦定剿平粤匪方略》卷69,中国书店1985年版。
④ 《陈明庐州获胜并请调兵拨饷疏》,《江忠烈公遗集》卷1,台北文海出版社影印本,第40页。

其妇女辎重皆徙于野,招之不集,令之不从"①,所以有人发出"合肥不可守"之叹。

尽管庐州城内防守力量薄弱,所有兵勇按陴而守不敷一堞一名,但江忠源还是在短时间内对庐州城的防守做了布置。庐州府城有城门7座,东曰威武门、时雍门,南曰南薰门、德胜门,西曰西平门、水西门,北曰拱辰门。具体城防为:水西门城垣低矮狭小,城外坡垅独高,最为吃重,由江忠源亲自带兵镇守;湖南举人邹汉勋、候选训导邹召旬守西平门(大西门);四川都司杨焕章守德胜门(大南门);云南参将惠成、候补直隶州知州李承恩守南薰门(小南门);池州府知府陈源兖守时雍门(小东门);已革庐州府知府胡元炜守威武门(大东门);署合肥县知县张文斌守拱辰门(北门)。其余文武各员均驻扎城上,分段守御。江忠源还下令焚毁环城外围房屋,闭塞城门,以阻止太平军进攻。

太平军于12月12日兵临庐州城下,在随后的数日内,不间断地对庐州各城门展开猛攻,时人形容太平军的阵势为:"数万环攻,旌旗蔽日,金鼓声震天,黄雾阴霾,连日不解。"②强攻数日后,太平军即临阵变计,占据城外民房,环城搭木城,筑土垒,围困七门,并辅以挖地道以地雷轰城。在太平军日夜攻击下,江忠源为解决守城兵力和粮饷问题,一方面饬令就城内居民选募壮丁分守垛口,向城内各商铺店面借银钱米粮,令各官员捐银助饷;另一方面则不断向清廷呼救,请求就近添派援兵、增拨饷银。清廷深知"庐州危急万分,稍有疏虞,致贼北窜,所关非细",于是积极组织救援:传谕湖广总督吴文镕、湖北巡抚崇纶将留守武昌之江忠源原带兵勇全数交都司戴文兰带赴庐州;严催陕甘总督舒兴阿自河南陈州、江南提督和春自徐州、兵科给

---

① (清)王正谊:《合肥不可守论》,中国史学会主编:《捻军》(6),中国近代史资料丛刊,神州国光社1953年版,第362页。
② (清)方宗诚:《柏堂集续编》卷11《候选教谕王君(汝贵)传》,清光绪七年刊本。

事中袁甲三①自蒙城(后以对付捻众为由未赴援)迅速赴援;饬令江西、河南、山东无论何项银两迅速筹解安徽②。与此同时,江忠源亦分别咨调驻守六安的鹤丽镇总兵音德布,驻守东关的寿春镇总兵玉山与已革臬司张印塘,在凤颍防剿捻众的臧纡青带兵赴援。于是,各路援军于12月底至次年初先后到达庐州外围,同知刘长佑、千总江忠信率楚勇驻扎城西官亭,音德布扎营于城西二三十里处,舒兴阿率数千援军(《湘军记》记为万五千人)在城西北三十里之冈子集扎营,张印塘、玉山移驻店埠,和春带兵千名赶至庐州东北的梁园。清廷并根据江忠源的请求,以和春总统庐州城外诸路援军③,试图"步步为营,渐逼城下,内外夹攻"④,以解庐州重围。

太平军围攻庐州数日后,改用围点打援战术,即在对庐州城采取长围围困的同时,以主力部队歼灭城外援军,消灭敌军有生力量,使其不能迫近城下,形成合围之势。12月18日,太平军大败进援拱辰门的张印塘、玉山部东关戍卒,阵斩寿春镇总兵玉山;次日,乘音德布与刘长佑、江忠信部兵勇于大西门外尚未合队之机,迎头痛击,迫使其退回官亭;1854年(咸丰四年)1月1日,乘夜奔袭拱辰门外宿于民房的李登洲部千余名川勇,几乎将其全歼;4日、7日,两次击退进犯水西门外木城的舒兴阿部援军;10日,拦截江忠浚部楚勇于大西门外之五里墩;12日,大败再援水西门之张印塘、董吉元、舒兴阿部兵勇于四里河,清军自是不敢冒进。当时情形正如《湘军记》中所载:"当是时,援军壁庐州者,总兵玉山率滁兵驻拱辰门,陕甘总督舒兴阿率万五千人驻岗子集,总兵音德布率滇兵驻枣林,江忠浚、刘长佑自湖南至,驻西平门五里墩。玉山战死,舒兴阿、音德布屡战受挫,庐州

---

① 周天爵1853年10月卒于颍州王市集军营,11月5日诏命袁甲三接办"剿匪"事宜。
② 《清文宗实录》卷112,第754页。
③ "所有各路赴援官兵,统归和春节制,如有不遵调遣者,即以军法从事。"《清文宗实录》卷115,第818页。
④ 《军机处录副档案》"革命运动类",卷772第8号,转引自《安徽史学》1985年第4期,第53页。

益饥困。"①

在成功阻断清方援军的同时,太平军加紧攻打庐州城。太平军设大本营于坝上街,一方面将近城道路桥梁挖断,卡住庐州通往外界的水陆要道,阻断城内的粮物供应,使内外声息隔绝;另一方面,占据城外民房以为藏身之处,复于无民房之处分扎营垒,搭木城相连,环城营垒如星棋罗布,四周几无隙地②。其攻城之术尤多,或令小股分攻六门,以大队架云梯集中攻一门;或编搭浮桥,逼近城根,开挖地道,以地雷轰城;或声东击西,使守城清兵顾此失彼,穷于应付。太平军长围坐困庐州城三十余日,城内军饷、子药、粮油、日用诸物匮乏,物价飞腾,人心惶恐,军心离散,霍邱勇、庐州勇多想翻墙逃走③。山穷水尽、心力交瘁的江忠源只能祷求神佛相助。1月14日凌晨,太平军乘浓雾弥漫,再次以地雷轰水西门,城墙坍塌数丈,守军溃散。把守拱辰门的徐怀义部庐州勇、周恩部霍邱勇暗中以长绳系城垛垂墙而下,接太平军入城。太平军乘势杀入,城内大乱。江忠源等大小官员被逼退缩到城西北的金斗圩一带,胡以晃率军猛攻,混战中,江忠源身受重创,投水关桥下古塘而死,布政使刘裕鉁、池州知府陈源兖、都司戴文兰等大批文武官员被杀,署庐州府知府胡元炜投降。

庐州之役是湘(楚)军与太平军在安徽战场上的首次正面较量,江忠源明知事不可为而强为之,"公初拜帮办江南军务之命时,凤阳、南昌皆告急,公以南昌祸急而事难,遂赴之,城得以全。及授安徽巡抚,诏留楚相机而动,不必拘成命。公曰:'吾前未援凤阳,以南昌急于凤阳也,今安徽事亦急,吾不遄往,何以对父老子弟。'遂拜疏冒雨而行,达庐州而贼大至,竟以粮竭兵单及于难"④,除了向朝廷表明自

---

① (清)王定安:《湘军记》卷6,岳麓书社1983年版,第69—70页。
② (清)张德坚:《贼情汇纂》,中国史学会主编:《太平天国》(3),中国近代史资料丛刊,上海人民出版社1957年版,第133页。
③ (清)周邦福:《蒙难述钞》,中国史学会主编:《太平天国》(5),第58页。
④ (清)姚永朴:《旧闻随笔》卷3,黄山书社2011年版,第117页。

己的孤忠以外,"以书生倡勇敢"①,也极力体现出一种力挽天下狂澜的卫道意识。

太平军首克庐州,主要是由于战术运用得当,而在清军方面来说,除了兵力、人数、战斗力、意志力弱于太平军外,还有两点影响至深:一是未能得到四方团练的有效支持。合肥名士朱景昭在《劫余小记》中说:"四郊团练皆士绅主之,而见远祸、识大义者颇少,江中丞屡从围中出手书谕以忠义,并陈祸福,卒无应者。……余与旧识数人往赴诸练首家涕泣言城中危苦状,且言城破后必为乡民大患,诸人漠然不闻。一富家忽瞠目谓余曰:'先生责某等以大义甚峻,先生能自执旗鼓为先驱乎?'余曰:'诸君如用老仆,请以死先,退缩则诸君先杀我可也!'其人良久曰:'必不得已,吾但弃数百石米耳。'余请其说,则曰:'以石米雇一丁,只得二百人向城边一探视则吾责塞矣。'余知无济,叹息而去。于时援兵不敢进,民兵不肯集,城孤无援,余料其必不守矣。"二是清军内部步调不协。尤其是陕甘总督舒兴阿坐拥重兵,而驻扎在城外三十里的冈子集,不肯前进,虽也派出部分兵勇往援庐州,但并不遵旨拨兵交和春统带调遣。当事人之一的李鸿章在《张印塘墓表》中亦记道:"庐州之围,江忠烈公故与君善,自东关召君赴援,师薄城下,夺贼垒而玉山陷阵死。君收残卒屯近郊为声势,比援军麇至,将帅不相能,城卒以不救陷。"②此处的"将帅不相能",指的就是舒兴阿与和春。

攻克庐州,于太平天国意义颇大,一是天京有了北部屏障,二是太平天国北伐军有了后援基地,三是为太平天国在安徽开展基层政权建设提供了坚实基础。

---

① (清)朱孔彰:《中兴将帅别传》卷3上《江忠源传》,岳麓书社1989年版,第32页。
② (清)李鸿章:《原任安徽按察使司按察使张君墓表》,(清)李鸿章:《李鸿章全集》(9),海南出版社1997年版,第4733页。

二、治理庐州

1853年(咸丰三年)秋,太平军回师西征驻守安庆后,石达开主持"安庆易制",建立太平天国安徽省,开始设官治理,建政安民。随着庐州克复,沿巢滨江之域也纳入太平天国控制之中。

政权建设。1854年(咸丰四年)1月太平军攻占庐州之初,即进占巢县,18日克庐江,2月占据无为州,加上此前进军庐州途中已攻克舒城,至此,清制庐州府属4县(合肥、庐江、舒城、巢县)1州(无为州)均为太平军控制,改称庐州郡,巢县改名为"聚粮县",建为粮储基地。太平天国安徽省下郡设总制,县设监军,组成郡、县两级政权,担任总制、监军的多为太平天国的"朝内官""老兄弟",也有太平天国自己的知识分子及清廷降吏,如后四监军李秀成调守庐州,兼理民务,擢殿右二十指挥。在县以下的广大集镇农村建立乡官政权,即以居户为对象,仿太平军建制,自下而上分为伍、两、卒、旅、师、军六层,每五家为一伍,设伍长一人;五伍为一两,设两司马一人;四两为一卒,设卒长一人;五卒为一旅,设旅长;五旅为一师,设师帅;五师为一军,设军帅。不用胥吏,废弃保甲,以乡人治乡。至1854年(咸丰四年)9月,合肥县三河镇一带,"乡官林立"①。

城市政策。1854年(咸丰四年)1月14日太平军攻克庐州后,入城踞守。召集居民开会,动员加入拜上帝会,询问姓名、年龄、职业、家庭情况,"问清注入册子,便算是入营"。据估计,合肥人被"勒令充他军役"的"有万人"。其余的人"皆做他的百姓"。16日,春官丞相下令"本日封刀",不杀人了,又传令"要打姊妹馆","将妇女都叫进馆来"。后来贴出告示:"士农工商各有生业,愿拜降就拜降,愿回家就回家。"将愿回家的送出城外②。在此期间,太平军在城内"日大索民

---

① 吴光大:《见闻粤匪纪略》,《安徽史学》1984年第2期。
② (清)周邦福:《蒙难述钞》,中国史学会主编:《太平天国》(5),第66页。

间,寸铁尺刃咸罄。既又日括其子女财贿,隶其丁壮于军;既又尽括其粟,薪其屋材……人给粟日三合;既又将递减其食,多为杂役以苦之"①。其他政策如将城中的耕地收归国有、入圣库,由专员主管经营;贸易公营,店铺买卖本利"总归天王",店铺中属生产作坊的铺户,转为像百工衙、诸匠营这样的专门机构集中管辖,属于商业的店户,几乎都先停业,再由太平天国设立新的买卖机构,在临城之大南门外、大东门外等处设立由太平天国官员管理的买卖街;男女分行,男丁拜上帝会参军,老幼入牌尾馆量力服役,由圣库供应生活必需品等。总体而言,与当时在天京采取的措施基本相同,即城与市、兵与民、男与女分开。太平军占领三河后,在这里屯集米粮军火,将三河北岸居民店铺尽行逐去,建立城池,长约一里,横约半里,也实行类似政策②。1854 年(咸丰四年)以后,太平天国的城市政策有所变化,如逐步恢复家庭制度、去除禁商政策等,因资料阙如,在庐州地区的情况难以详述,只能略加说明。庐州郡是 1855 年(咸丰五年)初开放婚姻家庭之禁的。工商方面,太平军攻克庐州后不久,庐州郡有关机构即颁示明令:"商贾往来,准许挂号"③领凭,即所有店铺作坊必须报经太平天国地方政府批准,发给印凭,方为合法经营;一切行商,亦需申报,领取路凭,方能通行。商业开禁后,食盐、布棉、米豆等成为贸易大宗,庐州郡辖区内的商贸活动渐渐趋于正常,合肥的三河成为有名的集镇,"庐州人结伴负贩,由苏常一带运物于被陷地方,获利颇厚,是以负贩日多,往来如织"④。

农村政策。太平天国建都天京以后不久,即颁布了《待百姓条例》:土地王有,个体经营收归公有,计口授食,历行供给制度。所有的物资供应主要依靠打仗缴获和占领区的民间贡献。巢湖沿岸的米

---

① (清)徐子苓:《敦艮吉斋文存》卷 2《复庐州记》,清光绪三十二年合肥李氏刻集虚草堂丛书甲集本。
② 赵德馨:《论太平天国的城市政策》,《历史研究》1993 年第 2 期。
③ 吴光大:《见闻粤匪纪略》,《安徽史学》1984 年第 3 期。
④ 佚名:《平贼纪略》,太平天国历史博物馆编:《太平天国史料丛编简辑》(1),中华书局 1963 年版,第 229 页。

第九章 太平天国在合肥地区的主要活动与淮军的兴起

肥西中和祥老字号旧址，清光绪年间建，图片由周崇云提供

粮区不仅有当地的驻军索贡，还有来自扬州、镇江等地的太平军索贡，1853年（咸丰三年）8月下旬，"约有六七百艘，分股窜入裕溪口。巢县、运漕、庐江、无为州等处，俱遭不堪"①。到后来，收贡地区从沿江近水船运便捷之地延伸到内地山区，收贡方式也演变成"打贡"（强行索贡），甚至以武力屠杀相威胁，加上所到之处强行征兵、掳人入伍，引得民怨沸腾，纷纷躲避迁移。太平天国调整政策，取而代之的则是计亩征粮，老百姓照旧交粮纳税，即依照清朝征收地丁漕粮旧例，按亩向土地所有者征收赋税。1854年（咸丰四年）9月，庐州地区开始实行。据载，在合肥，1854年（咸丰四年）9月，"三河伪指挥黄征收秋粮，每担田熟米五斗。派河、丙子铺征稻，有三担、二担不等"；1855年（咸丰五年）夏，"三河伪指挥黄征春粮，取秋征四分之一"，合每担田一斗二升五合，同年秋粮略有增加，"每石田征米六斗五升，征钱二百二十文"②。据《中华民国习惯调查》，合肥等地，一石田合五六亩至七八亩不等，以五亩计，亩均征米一斗至一斗五升、钱四十四文，

---

① 《粤匪杂录》，太平天国历史博物馆编：《太平天国史料丛编简辑》（5），第39页。
② 吴光大：《见闻粤匪纪略》，《安徽史学》1984年第3期。

折银约二分许,与清制安徽民田每亩岁征银约一钱零六厘、米七升一合相比①,大体相当,但后者正税之外还有名目繁多的浮收勒征。在庐江,据余一鳌《见闻录》记载,1860年(咸丰十年),"其田亩月出钱一百文,曰费事,粮米在外。复照亩出夫,运送军需,周而复始,曰打差"。既然计亩征粮,势必要承认地主、小土地所有者的土地所有权、允许地主收租,而非没收田地公有,众多的农民虽未分得土地,但如前所叙负担减轻,且抗租抗粮之事常有,在合肥,"强霸东租"②之事比户联村。此外,太平天国掌握政权时,也注意农业生产和农田水利兴修。"贼踞安徽,督修河堤以卫民田,故民不乏食。"③作为巢湖重要支流的杭埠河,流域跨舒城、庐江、合肥三县,每逢夏秋山洪暴发,河水盛涨,常淹没民田庐舍。1858年(咸丰八年)春夏之交,舒城乡官朱陆动员民工数万,赶在汛期到来之前,筑就方家冈七里长堤,使城关上下数十里地区的民众受益。

三、庐州失守

江忠源死后,清廷于1854年(咸丰四年)1月22日任命漕运总督福济为安徽巡抚,会办安徽军务,并从江北大营、江南大营及河南等地调来援兵2万余夺取庐州。又在沿淮布置兵力,抽调提督秦定三赴寿州正阳关一带驻守,令主持皖北军务的兵科给事中袁甲三自宿州移营临淮,防止已将安庆、庐州连成一线的太平军自庐州北上联合捻军增援北伐。而太平军自攻克庐州后,注意力放在西线,只派了少数部队北上接应北伐军,主力部队已循江西上,进军两湖。留守庐州的太平军不足万人,桐城、舒城、潜山、太湖等各县城守兵不过数百

---

① 徐川一:《太平天国安徽史稿》,安徽人民出版社1991年版,第112—113页。
② 吴光大:《见闻粤匪纪略》,《安徽史学》1984年第3期。
③ (清)周振钧:《分事杂记》,太平天国历史博物馆编:《太平天国史料丛编简辑》(1),第229页。

人，作为整个西征中转站的安庆驻军亦不逾千人①，太平军驻守安庆要员燕王秦日纲、冬官正丞相罗大纲、翼王石达开等人的精力也主要放在西线战事上，时常出入湖北、江西。太平军在庐州至安庆一线的防守力量十分薄弱。

1854 年（咸丰四年）2 月 16 日，福济到达庐州城东店埠，与先期到达的督办安徽军务江南提督和春会商军务。3 月初，清军移营城东三里冈，开始进围庐州。和春复命副都统忠泰、翰林院编修李鸿章带兵勇二千余前往巢县一带，以阻遏太平军北上之路。提督秦定三亦自正阳关移营往攻舒城，以牵制太平军援兵。就在清军逐渐缩小对庐州的包围之际，主持庐州军政的胡以晃于 9 月初调往湖北，接替守城的是夏官又正丞相周胜坤、秋官又副丞相陈宗胜。尽管清军兵勇对庐州形成了合围之势，但并未对庐州城内的太平军构成严重威胁，"自（咸丰）四年春提督和春奉命图复庐州，夏，提督秦定三奉命图复舒城，皆去城数十里，名围城实不据贼要害，贼援皆由庐江进，往来不绝"②。因为太平军有水师优势，可以依托巢湖进行物资、兵力转运。清军对此毫无办法。实际上，自 1855 年（咸丰五年）初合围庐州之后，清军与太平军的战事主要是在庐州近郊及附近的巢县、含山与舒城一带零星进行。倒是这一时期庐江、舒城、桐城、六安等地的团练首领，得知湘军水师在两湖一路告捷、曾国藩有水陆合围安庆之议，闻风而动，十分活跃，庐江练首吴廷香起义庐江，舒上舍起义舒城，桐城练首马三俊起义霍山，六安团总李元华助攻太湖，不过，最终都被太平军扑灭。

福济、和春久围庐州不下，越来越感到必须设法暗图，事乃有济，于是改变策略，暗中策反，射书城中，做陷入城内的当地士绅工作，要其做内应，接应清兵攻城。经过两次试射，终获成功。1855 年（咸丰五年）秋，城内的乡绅王子固、监生鲁云鹏、廪生王南金、武举沈广庆、

---

① （清）方宗诚：《柏堂集续编》卷 6《马征君传》。
② （清）方宗诚：《柏堂集续编》卷 6《庐舒二义士传》。

廪生朱学贵等密谋策应，并与太平军东城水营带兵官、大东门城楼巡察说好约为内应，以白布缠头为号。清军兵至，绅民内应者千余人，开门迎官兵入城。庐州于1855年（咸丰五年）11月10日被清军攻陷，城内太平军守将周胜坤退守三河，陈宗胜被戕。庐州失守，也使得太平天国庐州郡各属失去了北部屏蔽。次年2月20日，太平军退出舒城。至1856年（咸丰六年）9月天京内讧发生，杀戮四起，人心惶惶，加上皖中大旱成灾导致饥民潮水般涌入沿江、沿巢湖地带觅食，使得太平军无心恋战，也无力应战，清军乘势连克三河（9月16日）、庐江（9月18日）、无为（9月30日）、东关（10月5日）、巢县（10月27日）等城镇，和州亦于10月26日攻克。至此，太平天国庐州郡属四县一州全部陷落，其在皖中的实际控制区，仅限安庆一隅。

四、再克庐州

庐州失守后，从舒城等地撤出的太平军，多退守桐城，以拱卫省会安庆的北路。奉命救援三河的李秀成部得知三河、庐江失陷后，遂改援桐城；主持宁国军务的成天豫陈玉成亦奉提理朝政的翼王石达开之命北上援桐。1857年（咸丰七年）初，陈玉成抵达枞阳，地官副丞相李秀成轻骑赶至，会商作战方案：李秀成固守桐城，陈玉成在外围作战，牵制围攻桐城的清军，迫使其撤围，然后内外夹击。会后，陈玉成联合自武昌来援的太平军，于1月11日收复无为州，接着进克仓头、运漕，大败清军总兵札隆武于东关，再克巢县，佯攻庐州。安徽巡抚福济方寸顿乱，自桐城统兵赶回庐州，并抽调清军退守三河、舒城。陈玉成则由巢县西南急进，31日攻克庐江，2月初经舒城县境越北峡关进抵桐城北乡界河、新店一带，派人约李秀成前后夹击。随后，陈、李联军在桐城东北乡吕亭驿、三十里铺等地大败清军。27日，陈玉成部克舒城，寿春镇总兵郑魁士逃奔庐州，福建陆路提督秦定三逃亡六安。3月3日，李秀成率军克六安，秦定三再逃庐州。此次桐城之战，基本上打垮了庐州清军。

第九章 太平天国在合肥地区的主要活动与淮军的兴起

1857年（咸丰七年）3月11日，自六安顺淠河东下的李秀成、陈玉成部太平军在寿州正阳关与张洛（乐）行、龚得等率领的捻军会合，决定在皖豫边界的寿州、霍邱、固始等地活动，谋求米粮供应。但在接下来的时间里，天京接连告急，一是太平天国主要领导人之间的倾轧仍在持续，继东王杨秀清、北王韦昌辉在内讧中被杀，入朝主政的翼王石达开也因天王洪秀全的猜忌和洪氏兄弟的掣肘排挤，于5月底愤然离京，经和州、无为州前往安庆，后走江西另谋发展，再未返回江南；二是清军趁天京内讧、太平天国元气大伤，集结力量发起攻击，重新组建起来的江南大营攻克镇江，隔断了镇江与天京之间的交通要道与主要粮路，江北大营也攻占浦口、江浦，南北合围天京。在打通两浦以解京围的计划受挫之后，合天侯李秀成以提兵符之令的副掌率身份，通知各镇守将齐至安徽枞阳共商大计。1858年（咸丰八年）7月下旬，李秀成、联合捻军在皖鄂交界大别山区与湘军周旋的又正掌率陈玉成、太平军三河守将吴定规、巢县守将吴如孝与黄和锦、庐江守将易侍钦、舒城守将朱凤魁、池州守将韦志俊、芜湖守将李世贤、安庆守将张朝爵与陈得才等，齐聚枞阳望龙庵，订约会战，决定以攻打庐州为突破口，谋解京围。枞阳会议后，各镇守将依议而行。朱凤魁回到舒城、吴定规返抵三河筹措粮饷、物资，以备攻城。陈玉成、韦志俊则由霍山、潜山向舒城进发，为攻打庐州做准备。

庐州清军主力在上年桐城之战中基本上被击垮，残部退回后疲软尤甚，兵将均不耐战，安徽巡抚福济知庐州难以长守，奏请开缺，被清廷驳回后，借口护卫粮道，于1857年（咸丰七年）4月29日将大营撤至梁园；秦定三则声称防守临淮，带领兵勇离庐州而去；反对移营的郑魁士被福济奏请调往江南军营，接替者湖北提督德安日吁乞休，希望脱离苦海。而城内军粮奇缺，兵勇索饷抢劫之事时有发生。清廷鉴于庐州兵力薄弱，命在寿州、霍邱、六安一线镇压捻军的胜保、袁甲三向庐州靠拢，复命湖北按察使李孟群带勇往援，湖北巡抚胡林翼

"分兵二千五百人资其行"①。李孟群部辗转多日才经六安抵店埠,胜保、袁甲三部则完全被捻军牵制住,始终未能靠近,这主要是因为:1858年(咸丰八年)5月下旬,在六安活动的捻军一支因发生了刘饿狼事变,内部出现分裂,开始转移,26日退出六安,沿淠河北上,经正阳关顺淮东下,6月向南占据怀远、临淮关、凤阳,打通了淮河南北的通道,既切断了庐州清军的淮上饷道,也牵制住了胜保、袁甲三部,帮助太平军完成了对庐州的合围。

7月23日,清廷因庐州军务废弛革去安徽巡抚福济(屡与安徽统兵将领不和)头品顶戴及太子少保衔,命其返京候用,以江南大营帮办翁同书为安徽巡抚,督办安徽军务。8月10日,又令新任安徽布政使李孟群在翁同书抵任前护理安徽巡抚。就在原任安徽巡抚福济已离开庐州、新任巡抚翁同书尚未抵达、护理巡抚之职的李孟群尚在店埠之时,太平军已择机攻城了。20日,太平军三河守将吴定规率部连败清军副将余应彪、庐州城守主将副都统麟瑞,攻破庐州城南二十里铺、十八里冈清军营垒,后续部队继进,拥至城西大蜀山一带,扎营10余座。23日,陈玉成下令总攻,太平军涌入,署理总兵萧开甲毙命,城内文武要员知府伍成功、麟瑞、余应彪等逃往店埠,署理安徽按察使马新贻仓皇弃印夹在乱民中出城,太平军半日即攻克庐州。随后陈玉成进军店埠,时在店埠的护理安徽巡抚李孟群退至梁园。太平军一分为二,一路进逼梁园,一路南下巢湖,攻陷清军建成不足一年的巢湖水师基地撮镇,焚毁基地船厂②。与此同时,李秀成派兵自全椒出,于全椒、巢县分别击溃清军湖北提督德安大树街大营、甘肃河州镇总兵吉顺柏皋大营,亦追至梁园。新任安徽巡抚翁同书刚到

---

① 《胡林翼年谱》卷2,(清)梅英杰等撰:《湘军人物年谱》(1),岳麓书社1987年版,第255页。

② 清军巢湖水师创建于1857年。1月6日,皖抚福济奏请湘军统帅曾国藩选派水师将弁带同工匠、两江总督怡良于上海关税内筹款购买洋炮百尊,帮助其组建巢湖水师,以巡查缉捕巢湖水面。当年7月,曾国藩选派的船厂委员黄际昌、黄国尧等抵达庐州,设水师营地于合肥东乡撮镇,在南邻巢湖的施口等地鸠工赶造船只。太平军再克庐州时,黄国尧被杀,基地、船厂被毁,所遗炮、舟被沉焚。

梁园,太平军两路合击,清兵稍稍抵抗即溃败,翁同书收集残部退往定远,李孟群逃往寿州。

再克庐州后,陈玉成率军东下,图解京围,留倚天燕陈世容、怡天豫黄英兆统兵两三万人镇守庐州。克城当天,太平军即"封刀"安民,次日打开城门,准许自由出入;并开始分赴四乡筹饷积粟,清剿豪绅练首。大局粗定后,太平军重建东、西、南、北、梁园5个军的乡官基层政权;恢复税收;发布告示,招徕流亡,垦荒种植;组织民众,兴修水利,改善农业生产条件。

五、三河大捷

清廷在接到李孟群、翁同书关于庐州军情危急的奏折后,于8月31日颁发谕旨,任命胜保为钦差大臣,督办安徽军务,所有皖境各军均归节制,着即"进攻庐州,不准避难就易",其原任豫皖鲁三省剿匪事宜,由袁甲三接任;命安徽巡抚翁同书帮办军务;命湖广总督官文知照江宁将军都兴阿、巡抚衔浙江布政使李续宾酌分劲旅由桐城、舒城一带赴援庐州,力扼安庆太平军北上之路;考虑到胜保督兵怀远不能克时抵庐、湘军绕越需时,命翁同书咨商江北大营钦差大臣、都统衔德兴阿先行酌拨马步官兵前往协剿。当天,收到庐州失守的奏报,清廷再颁谕旨,着官文即行知照李续宾、都兴阿等"先其所急,改道赴援庐州"①,以夺取庐州,"兼扼贼匪北趋"。

李续宾,字如九,号迪庵,湖南湘乡人。贡生。太平军兴,与弟续宜募勇随罗泽南作战,1856年(咸丰六年)罗泽南伤毙于武昌城下后,代统其军。1857年(咸丰七年),协同攻克湖口、小池口,升浙江布政使;1858年(咸丰八年),九江攻城夺得"首功",赏加巡抚衔。此次进军皖境,得以专折奏事。经过近一年半的围困搏杀,1858年(咸丰八年)5月19日,湘军攻克九江,曾国藩、胡林翼等统帅经过磋商,很快

---

① 《清文宗实录》卷259,第1022—1023页。

即制定出了"先清皖北,再议皖南"①的战略,并实施水陆合围安庆的作战计划:李续宾担任主力由中路进攻,都兴阿由宿松、太湖进兵,福建提督杨载福率水师直攻安庆。这一方案也得到了清廷的旨准。9月1日,李部前锋进抵太湖小湖河。10日,正在太湖前线与太平军作战的李续宾,接到清廷8月31日"先其所急,改道赴援庐州"的谕旨后,当即上奏力陈不便分兵:所部马步仅8000余人,都兴阿兵力亦不甚厚,攻打太湖县城正吃紧,若遽行分兵庐州,两无裨益;只有会商都兴阿"迅图克复太湖,分击潜山、石牌,赶紧酌量分兵,一以联络水师,以图安庆;一以横出舒、桐,以规庐州,庶楚围日固而皖疆渐次可以恢复"②。但太平军再克庐州后,与在淮南作战的张洛行部捻军已连成一片,且"从前失陷时兵力饷源尚属可恃,今日情形迥非昔比,皖北军政废弛,非溃兵所能支持"③;另一支留在淮北家乡的捻军,在孙葵心、刘玉渊等人的带领下于1858年(咸丰八年)秋向北经萧县、砀山,破江苏丰县,进至山东、河南境内。防范太平军、捻军联合进军畿辅,一直是清廷的战略重点。庐州失陷、江北大营被李秀成与陈玉成联合攻破、捻军的战略转移,使得咸丰帝在太平军、捻军如此凌厉的攻势面前,方寸大乱,催促李续宾驰援庐州的诏书一连"至于十下"。

在朝廷谕旨的催促下,李续宾被迫放弃稳扎稳打、逐步推进、力避攻坚的战术策略,转而一路强攻。9月23日,攻占太湖县城,所部阵亡已有千余人。攻下太湖后,湘军即开始分军,都兴阿移驻茶铺岭,其部下副将鲍超进屯李家店、副都统多隆阿进据蜡树柯,进攻潜山,并往攻石牌、安庆。李续宾则西进赴援庐州。27日攻陷潜山,10月13日攻下桐城,所部精锐伤亡甚多。在桐城,李续宾也曾"谋进止于僚佐",当地士绅孙云锦曾献计曰:"孤军不可过于深入,宜驻扎,俟

---

① 龙盛运:《湘军史稿》,四川人民出版社1990年版,第210页。
② 《李续宾年谱》卷3,(清)梅英杰等撰:《湘军人物年谱》(1),第170—171页。
③ 《安徽巡抚翁同书奏》(咸丰八年七月二十三日),(清)奕䜣等:《钦定剿平粤匪方略》卷200,第10页。

多、鲍两军合围安庆,接应之师大至,再由桐城移师前进。"①但李续宾最终还是决定直逼庐州,以示对朝廷尽忠。

　　10月24日,李续宾攻下舒城,军锋直指庐州。一月之内,连下太、潜、桐、舒4城,胜利使得李军上下充满了虚骄之气,急进猛攻也消耗了大量有生力量,而且处处分兵驻守,结果"兵以屡分而单,气以屡胜而泄"②。从舒城至庐州,沿桃溪、上派,路程仅120里,且有驿道相通,中无险阻,一日便可到达。其时,太平军主力在皖东、苏北作战,庐州守城军单薄,而且胜保、翁同书也从盱眙、定远赶往庐州,形势十分危急。关键时刻,太平天国地方政权的基层乡官担负起诱敌深入的任务,将李续宾的主力引至偏离大道的三河。"有陈文益者,庐江人,先为军帅,八年引李九大人(李续宾,字如九,俗称李九大人)深入三河,以致失利,即此贼也。"③而李续宾之所以会走偏道,与湘军的筹饷制度有关。湘军非经制军,在很大程度上要靠自己筹饷,攻城掠夺是其作战的一大目的。三河是鱼米之乡,也是皖中的物资集散地,俗有"装不完的三河"之称。太平军到后,又在此屯集米粮军火,作为拱卫庐州的据点和供应天京粮储的后勤基地。这对连续作战又缺乏供给保障的李续宾来说,极具诱惑力,况且绕道三河,只比前述驿道多走三十里,故在上奏时颇为自负:"臣所部八千人,因克潜、太、桐城及此间(指舒城)留防分去三千余人,数月以来时常苦战,未尝一日休止,伤损精锐,疮痍满目,现已不满五千人,皆系疲乏之卒。三河一带,悍贼虽多,自揣犹足以制之。"④

　　三河古镇位于合肥、舒城、庐江三县交界,地处水陆冲要,湖滩水网密布,港汊、圩田交错,地形复杂,易守难攻。太平军于1854年(咸丰四年)初占庐州前后进驻这里,建立城池,长约一里,宽约半里,城

---

① (清)孙孟平辑:《桐城孙先生遗书·附年谱》,稿本,安庆图书馆藏。
② (清)奕䜣等:《钦定剿平粤匪方略》卷210,第26页。
③ (清)余一鳌:《见闻录》,太平天国历史博物馆编:《太平天国史料丛编简辑》(2),第125页。
④ 《李续宾年谱》卷3,(清)梅英杰等撰:《湘军人物年谱》(一),第179—180页。

外筑有九垒,皆密设大炮。1858年(咸丰八年)11月3日,李续宾自舒城拔队启程进扎三河,6日占据南岸空垒。次日,李部开始攻夺其他砖垒,三河太平军守将吴定规部则凭险据守。由于太平军已将所有通往三河城的桥梁破坏,只有陆师的李续宾部无法越河而攻。8日,李续宾命当地绅练于丰乐镇旁筑坝截断三河水源,使湘军能涉河攻城。但此时太平军各路援军已至。李续宾还在桐城时,舒城、三河太平军守将即向各处吁求援助。攻克六合后的陈玉成、李秀成一同返斾回援,于11月7日抵三河西南三十里之金牛镇、白石山一线,连营数十里,截断李续宾之后路;而庐州太平军守将吴如孝亦奉命南下,隔断舒城湘军往援三河之路;捻军张洛行部亦南下援助。11月13日傍晚,陈玉成大队从金牛镇、白石山一带压下,数十里间,人头攒动。14日,李续宾以马步配合向金牛镇反击,至王家祠,太平军出大队迎战,数支包抄、数支搦战,以铁锅埋沙下。湘军马蹄踏穿铁锅不得出,2营马队悉被擒斩,失去马队掩护,湘军阵营大乱。15日,陈玉成、李秀成率太平军乘大雾前后夹击,将李军左、中、右三营冲开隔断,三河城内太平军分股冲出,与援军会合,将湘军团团围住。为断绝湘军溃逃之路,陈玉成派出小分队,急驰丰乐镇,掘开李续宾所筑堤坝,河水复归三河,淹没了李军退路。当夜,李续宾强起突围未果,被击毙于镇西三里之胡疃圩,曾国藩胞弟曾国华亦死于乱军之中。

　　三河一役,太平军全歼湘军精锐近5000人,加上进攻潜、太、桐、舒阵亡士卒,湘军损失兵员约七八千,内多谋臣、策士与基层骨干。这一方面加重了湘军后方基地两湖兵力不足和财政不敷的困难,"养生吊死,抚旧募新,顿益三十余万两之费"①。另一方面,也严重打击了湘军的士气,湘军自1854年(咸丰四年)出境作战以来,一役被歼精锐数千之事此乃头遭,正如曾国藩所言:"三河之败,歼我湘人殆近六千,不特大局顿坏,而吾士气亦为不扬。"②

---

① (清)胡林翼:《致四川总督王雁汀前辈》,《胡文忠公全集》(2),世界书局1936年版,第698页。
② (清)曾国藩:《曾国藩全集·书札》卷7,岳麓书社1985年版,第23页。

三河大捷后,陈玉成、李秀成分兵为两路,乘胜追击,11月18日,不战而克舒城,24日克桐城。时已率部攻至安庆城下的都兴阿,闻知三河、桐城之败,慌忙撤兵,安庆之围立解。25日,李秀成部收复潜山,12月1日收复太湖。三河之战,保卫了太平天国在安徽的政权,也扭转了自天京内讧以来的颓势。

六、庐州再度失守

1861年(咸丰十一年)9月5日安庆失陷后,太平军援军分头撤退,陈玉成率部经石牌、太湖、宿松转至湖北黄梅、黄州,招集二次西征时留在鄂东的部队,由英山、霍山经六安于9月中旬返抵庐州。回到庐州后,陈玉成率本部人马驻守庐州,以原守庐州之功天安陈得才、自黄州归来的杰天义赖文光驻守城北五十里埠,一与庐州相犄角,一与移驻定远的张洛行捻军联成一气;另派则天义梁成富率军进驻三河;同时在庐州城外及附近的大兴集、长临河、中庙等处筑垒设卡,派兵驻守店埠、柘皋,以与巢县前军主将吴如孝相通,并"于近城地方大肆焚掠,多掳米粮入城,意图死守抗拒"①。尽管庐州的局面暂时稳定了,但面临的形势依然严峻,在南面,湘军攻克安庆后,水陆并进,连克桐城、池州、舒城、铜陵、庐江、无为、运漕、东关,既威胁着庐州侧翼,又切断了庐州与天京之间的主要通道;在东面、北面又分别有降清后盘踞在滁州、全椒的李世忠部豫胜营和已进占临淮、凤阳的督办安徽军务袁甲三的临淮军。更为重要的是,此时的太平军已人心离散,主要将领之间又因猜嫌疑忌难以抱成团,李秀成回忆安庆失守后一段时间太平军及陈玉成的情况时说:"那时英王在外,见省失守,扯兵由石牌而上,黄、宿之兵尽退,上野鸡河,欲上德安、襄阳一带招兵。不意将兵不肯前去。那时兵不由将,连夜各扯队由六安而下(庐)州。英王见势不得已,亦是随回,转到(庐)城,尔言我语,各又一

---

① (清)曾国藩:《曾国藩全集·奏稿四》,第2003页。

心。英王见势如此，主又严责，革其职权，心繁（烦）意乱，愿老于（庐）城，故未他去，坐守庐城，愚忠于国。"①

为在清军的包围中求得生存与发展，陈玉成决定派员北上，利用捻军的掩护，攻打颍州、新蔡，前往河南、陕西等处广招兵马"打江山"，以图东山再起。为此，他奏请天王晋封赖文光为遵王、陈得才为扶王、梁成富为启王、蓝成春为祜王，担任远征招兵重任；另请晋封张洛行为沃王、练首出身的苗沛霖为奏王，以加强联盟。是年底次年初，陈得才、赖文光等分批启程，率师经苗沛霖控制区渡淮北上河南、陕西等地。

就在此时，天京接连送来几道圣诏，追究陈玉成安庆之败的责任，并要他与扶王陈得才进兵取粮接济天京。当"心烦意乱，愿老于（庐）城"的陈玉成准备前往寿州正阳关，与已率军远征的陈得才商议取粮济京问题时，清荆州将军多隆阿已率部来攻。1862年（同治元年）2月中旬，多隆阿率马步14营由舒城经上派从西、南两路进逼庐州，焚毁庐州城南买卖街，接连攻克太平军大兴集、长临河、中庙及庐州城西、城南门外等处卡垒。清军沿用攻克安庆的办法，准备合围庐州，断其粮路，使其不战自溃。在东面，袁甲三统率的临淮军在攻克定远后，亦进围庐州，3月3日克梁园，27日陷店埠，准备与多隆阿长围庐州。与此同时，湘军曾国荃部在攻克巢县、含山、和州、裕溪口、西梁山等州县及水陆冲要后，与盘踞在滁州、全椒并已攻克江浦、浦口的李世忠豫胜营控制区相连接。至此，庐州通往天京、皖南的水陆通道全断，成为一座孤城。

庐州守城之太平军不足2万，且"旧日悍党无几"，日与清军交锋，损伤亦重。困守待援的陈玉成屡次求救，但北路扶王陈得才等远征军音讯全无，南路护王陈坤书、章王林绍璋、堵王黄文金等部本已奉命渡江北上来援，但因英法联军攻打上海又不得不撤回南援。外援不至，破围无期，城内又粮饷奇缺，日用匮乏，再加上清军加紧进行

---

① 罗尔纲：《增补本李秀成自述原稿注》，中国社会科学出版社1995年版，第296页。

策反,内变不断。形势十分危急,正如陈玉成致函护王陈坤书所云:"该残妖见我孤城独立,遂纠集皖、桐、舒、六残妖逼近来犯。现下郡城东、西、南三门之外,残妖逼近扎穴,仅离一炮之远。而东北又有定远之妖,离城十余里扎窟,日夜来犯。城边城中天将官兵惊慌不定,日夜不宁。……今事已燃眉,弟无从措手。"此时,苗沛霖派人送信给陈玉成,说陈得才、张洛行、马融和等均已远去,不能回救,邀陈玉成到寿州。陈玉成不得已于5月12日夜与导王陈士荣、从王陈得隆、王宗统天义陈聚成、主将向仕才、王宗虔天义陈安成、祷天义梁显新等率部转移,北上寿州。13日,庐州城陷。引诱陈玉成北上是时已投降胜保的苗沛霖策划的向清廷邀功的一个计谋。此前首鼠两端、反复无常的苗沛霖见形势于太平军大大不利,已于3月下旬接受督办皖豫军务的胜保的招抚,并配合清军夹攻张洛行捻军。胜保从截获的太平军文书中得知陈"意欲踞寿州,勾结皖、豫各贼以图北犯"后,即密饬苗沛霖务于寿州地方,设计伏兵,扼要截剿,毋令占踞寿城,更不得任其假道,致滋他患。并谕以"前次攻剿颍上,张洛行逃窜已为憾事,今若能擒获首逆,非但建立奇功,更可自明心迹"①。苗沛霖依计而行,派人至庐州面见陈玉成并递书信,内求陈到寿州,帮募人马攻打汴京,且庐州孤城独守,兵家大忌云云。苗所言颇合陈玉成"如得汴京,黄河以南,大江以北实可独当一面"的想法,遂不顾部下反对,决意假道寿州。陈玉成出庐州城时带部众万余,沿途不断遭到清军、团练的袭击,于5月15日抵寿州东津渡时,所部只剩下三四千人。陈入寿州城后即被拘执,部众则被隔在城外,大多遭屠戮。21日,陈玉成等被苗练押解至颍州胜保军营,6月4日被杀于河南延津西教场。

安庆、庐州相继失陷,其影响不言而喻,正如王定安《湘军记》所言:"曾国藩、胡林翼经营东征,尤急急以谋皖为事。贼苦围攻久,则旁掠湖北、江西以疲我。我军崎岖角战,屡濒于危。自曾国荃克安

---

① 贾熟村:《苗沛霖与太平天国》,《安徽史学》1987年第3期。

庆,悍酋陈玉成就戮,群贼夺气;而淮南北奸宄反侧之徒,始争输诚言款事矣。"①自此,太平天国在安徽的统治宣告瓦解,太平军在安徽的斗争主要转向皖南一带,以配合天京保卫战。

第二节　淮军的兴起

一、庐州地区团练的兴起与活动

咸丰初年,为对付已成燎原之势的太平天国起义,清朝统治者除了不断调兵遣将,进行围追堵截之外,一方面谕令各地推行保甲与坚壁清野之法,另一方面则下令在"贼氛逼近"之处举办团练,以对抗太平军,委任在籍、在职大员帮同地方官办理本地团练事宜。1853年(咸丰三年)2月2日,旨命侨居皖省的前任漕运总督周天爵协同安徽巡抚蒋文庆办理团练防剿事宜②。3月1日,以皖城告警(其时安庆已陷),命旌德人、工部左侍郎吕贤基驰赴安徽,会同巡抚蒋文庆办理军务;赏前任漕运总督周天爵兵部侍郎衔,会同安徽巡抚蒋文庆、工部左侍郎吕贤基办理安徽军务。4月6日,命泾县人、前任江南河道总督潘锡恩赴安徽太平府一带办理捐输团练事务。5月12日,命署庐凤道给事中袁甲三、太湖人荆宜施道赵畇分赴凤阳、安庆督办团练③。此外,还将孙家泰、李鸿章、李文安等一批皖籍京官陆续派回,协助地方办理团练防剿事宜。吕贤基抵达安徽不久,即与周天爵联衔颁布团练章程37则,通饬全省各州县举办团练。至1856年(咸丰

---

① (清)王定安:《湘军记》卷6《规复安徽篇》,第68页。
② 《清文宗实录》卷80咸丰二年十二月庚子。
③ 《清文宗实录》卷83咸丰三年正月丁卯,卷86咸丰三年二月癸卯,卷90咸丰三年四月己卯。

六年)11月,清廷更依皖抚福济之议,将安庆、庐州、六安、滁州、和州、凤阳、颍州、泗州八府州团练事宜归按察使及庐凤道分统稽查,由皖抚福济居中调度,徽州、宁国、池州、太平、广德五府州团练事宜归徽宁道统理稽查,由驻徽宁之已革巡抚张芾调度;安徽按察使、庐凤道、徽宁道及各府知府、各直隶州知州分别加督办团练、协理团练等衔,各县知县及各府属州知州专管本属团练事宜,卓著功绩、力保地方者加协理团练衔①。这样,以皖省既有官僚体系为基础,将各级官员全部纳入办团行列。安徽各地团练正是在这样的背景下兴起并展开活动的。

肥西张新圩炮台,图片由周崇云提供

团练之名,早已有之。清代团练之制,始于嘉庆年间镇压白莲教起义。1853年(咸丰三年)吕、周二人联衔颁布的《团练章程》,系照搬江苏宿迁举人臧纡青的团练章程而来,其原本即仿嘉庆川楚豫三省团练章程,计有原定条款21则、续定条款13则、推广条款3则,共37

---

① 《清文宗实录》卷209,第304页。

则①。具体内容包括：编造户册，申明保甲，择立练总（大团）、练长（小团、分团）；按居里设团，联团御侮，守望相助；择15—50岁精壮男丁充乡勇，并编队设勇目；明确旗号信号；议定捐输奖叙条例，等。随着形势的发展，作为乡土武装，团练之外，又有勇营，由团练脱胎而生，其主要特征是官给口粮，出境作战。在安徽民间，一般称乡勇（随营打仗，防守卡隘，官给盐菜口粮，听候调拨）为"官团"，团勇（百姓等自己出资，修筑寨堡，择其中年轻精壮各备器械，里民自行捐给口粮，以为守御）为"民团"。然而，实际的情况要比这复杂，有时团练与乡勇混称，有时民团也会出境作战。

在清政府的大力倡导之下，安徽境内团练林立。根据皖省通志、各府州县方志及《昭忠录》《两江忠义录》等文献的不完全统计，整个咸丰年间，安徽各地的大小团练头目数以千计。庐州地区的团练头目如下表所示。

表9-2-1　清咸丰年间庐州地区主要团练头目一览表

姓名	籍贯	身份	办练时间	备注
徐怀义	合肥	游民	咸丰三年	降太平军
王汝贵	合肥	附贡	咸丰三年	守庐州死
王世溥	合肥	乡绅	咸丰三年	卒于军
王尚辰	合肥	名士	咸丰三年	王世溥子
张绍棠	合肥	乡绅	咸丰三年	从李文安办练，李鸿章妹夫
解先亮	合肥	乡绅	咸丰三年	从英翰办练，所部归入淮军
余思枢	合肥	文生	咸丰三年	从李文安、李元华办练，入淮军幕
张荫谷	合肥	乡绅	咸丰三年	
张树声	合肥	廪生	咸丰三年	张荫谷子，淮军树字营统领
张树珊	合肥	乡绅	咸丰三年	张荫谷子，淮军树字营统领
张尔荩	合肥	乡绅	咸丰三年	张荫谷子，淮军树字营统领

---

① 团练章程具体条款，可参阅马昌华：《捻军调查与研究》，安徽人民出版社1992年版，第118—125页。

(续表)

姓名	籍贯	身份	办练时间	备注
张树屏	合肥	乡绅	咸丰三年	张荫谷子,淮军树字营统领
王学懋	合肥	乡绅	咸丰三年	入淮军幕,保升道员
周保泽	合肥	乡绅	咸丰三年	投淮军,升知县
张凤鸣	合肥	乡绅	咸丰三年	助江忠源守庐州
吴酉山	合肥	文生	咸丰三年	战死庐州,子吴斌,淮军副将
宋士猷	合肥	六品军功	咸丰三年	从李鸿章办练
刘汝霖	合肥	监生	咸丰三年	从李文安办练
鲁云鹏	合肥	监生	咸丰三年	助清军克庐州
鲁云章	合肥	武生	咸丰三年	助清军克庐州
黄登先	合肥	文生	咸丰四年	战死
吴毓蘅	合肥	乡绅	咸丰四年	战死
吴毓芬	合肥	文生	咸丰四年	吴毓蘅弟,淮军华字营统领
吴毓兰	合肥	监生	咸丰四年	吴毓蘅弟,淮军华字营统领
蒯德模	合肥	附贡	咸丰四年	从李文安办练,入淮军幕府
蒯德标	合肥	举人	咸丰四年	从李文安办练,入淮军幕府
龚作楳	合肥	乡绅	咸丰四年	战死
褚开泰	合肥	乡绅	咸丰四年	战死
周盛华	合肥	乡绅	咸丰四年	战死
周盛波	合肥	乡绅	咸丰四年	周盛华弟,淮军盛字营统领
周盛传	合肥	乡绅	咸丰四年	周盛华弟,淮军盛字营统领
李鹤章	合肥	廪贡生	咸丰四年	李文安子,入淮军
李昭庆	合肥	廪贡生	咸丰四年	李文安子,入淮军
李 胜	合肥	农民	咸丰四年	李鸿章族人,淮军亲兵营统领
郑世才	合肥	商人	咸丰四年	子郑国魁、国榜为淮军魁字营统领
韩照杨	合肥	乡绅	咸丰四年	入淮军,至提督
刘铭传	合肥	农民	咸丰四年	淮军铭字营统领
刘盛藻	合肥	塾师	咸丰四年	刘铭传族侄,入淮军铭字营

（续表）

姓名	籍贯	身份	办练时间	备注
丁寿昌	合肥	塾师	咸丰四年	入淮军铭字营，至提督
李经棠	合肥	乡绅	咸丰四年	淮军桂字营营官，升道员
郑海鳌	合肥	农民	咸丰四年	淮军护军营统领，记名提督
张桂芳	合肥	乡绅	咸丰四年	淮军桂字营统领，记名提督
王邦宪	合肥	乡绅	咸丰四年	在舒城办团练
王元超	合肥	文生	咸丰四年	王邦宪子，入李鸿章幕府
浦尚存	合肥	农民	咸丰四年	从李鸿章办团练
刘士发	合肥	乡绅	咸丰四年	办练战死，子克仁，淮军记名提督
吴沛然	合肥	文童	咸丰四年	从李文安办练
吴永章	合肥	文童	咸丰四年	从李文安办练
唐殿魁	合肥	农民	咸丰六年	入淮军铭字营，至提督
唐定奎	合肥	农民	咸丰六年	入淮军铭字营，至提督
董凤高	合肥	农民	咸丰六年	淮军凤字营统领，至提督
董履高	合肥	农民	咸丰六年	入淮军树字营，至提督
丁德昌	合肥	农民	咸丰六年	入淮军铭字营，至提督
聂士成	合肥	农民	咸丰六年	入淮军铭字营，至提督
解先聘	合肥	乡绅	咸丰七年	从李元华办练
张绍堪	合肥	乡绅	咸丰八年	张绍棠兄，从李鹤章办练
褚渭滨	合肥	六品军功	咸丰八年	委办合肥西乡团练，战死
王孝祺	合肥	农民	咸丰八年	入淮军铭字营，至提督
段佩	合肥	农民	咸丰八年	入淮军铭字营，至总兵
李正芳	合肥	乡绅	咸丰九年	从翁同书办练，淮军记名总兵
李正佩	合肥	乡绅	咸丰九年	李正芳弟，记名提督
万春生	合肥	文生	咸丰九年	
吴廷香	庐江	优贡	咸丰三年	战死
吴长庆	庐江	乡绅	咸丰三年	吴廷香子，淮军庆字营统领
潘璞	庐江	县吏	咸丰三年	被太平军俘杀

(续表)

姓名	籍贯	身份	办练时间	备注
潘鼎新	庐江	举人	咸丰三年	潘璞子,淮军鼎字营统领
潘鼎立	庐江	农民	咸丰三年	潘璞子,淮军提督
潘鼎琛	庐江	文生	咸丰三年	潘璞子,道员
王纯臣	庐江	乡绅	咸丰三年	战死
王占魁	庐江	武举	咸丰三年	淮军提督
卢垩	庐江	庠生	咸丰三年	战死
胡祖谦	庐江	员外郎	咸丰三年	战死
姚崇举	庐江	同知	咸丰三年	战死
鲍云鹏	庐江	文生	咸丰三年	战死
计寅生	庐江	衙役	咸丰三年	战死
朱必璜	庐江	文生	咸丰三年	战死
马家彦	庐江	文生	咸丰三年	战死
俞文慧	庐江	文生	咸丰三年	战死
鲍斗基	庐江	文生	咸丰三年	战死
朱绍衣	庐江	文生	咸丰三年	战死
钟业鉶	庐江	监生	咸丰三年	战死
丁荣澧	庐江	监生	咸丰三年	战死
吴量才	庐江	监生	咸丰三年	战死
鲍崇椿	庐江	监生	咸丰三年	战死
吴鉴盘	庐江	增生	咸丰三年	吴廷香族人,战死
吴维藩	庐江	乡绅	咸丰三年	吴廷香族人,战死
姚长雄	庐江	贡生	咸丰三年	战死
周启发	庐江	军吏	咸丰三年	战死
张大顺	庐江	乡绅	咸丰三年	战死
章邦彦	庐江	拔贡	咸丰三年	战死
庞光勋	庐江	文生	咸丰三年	战死
王明贤	庐江	监生	咸丰三年	战死

（续表）

姓名	籍贯	身份	办练时间	备注
毕鸣岐	庐江	监生	咸丰三年	战死
洪正启	庐江	监生	咸丰三年	战死
孙广勋	庐江	乡绅	咸丰三年	战死
曹南山	庐江	乡绅	咸丰三年	战死
顾 昶	庐江	乡绅	咸丰三年	战死
徐广远	庐江	乡绅	咸丰三年	战死
王必寿	庐江	军吏	咸丰三年	战死
沈必发	庐江	军吏	咸丰三年	战死
黄福兰	庐江	县吏	咸丰三年	战死
夏福五	庐江	县吏	咸丰三年	战死
许正发	庐江	乡绅	咸丰三年	战死
高 戴	庐江	文生	咸丰六年	
潘志贵	庐江	军吏	咸丰七年	
梅春发	庐江	乡绅	咸丰七年	
程增荣	庐江	乡绅	咸丰七年	
汪宗泗	庐江	文生	咸丰八年	
褚银山	庐江	乡绅	咸丰九年	
柏生采	庐江	县吏	咸丰十年	
吴良清	庐江	乡绅	咸丰十年	
夏允材	庐江	监生	咸丰十一年	
夏执坤	庐江	监生	咸丰十一年	
何忠贞	庐江	监生	咸丰十一年	
夏忠弼	庐江	乡绅	咸丰十一年	
陈业滋	庐江	县吏	咸丰十一年	
郭良干	庐江	文生	咸丰十一年	
周启铨	庐江	文生	咸丰十一年	
陈必达	庐江	文生	咸丰十一年	

(续表)

姓名	籍贯	身份	办练时间	备注
张立功	庐江	文生	咸丰十一年	
宛光亮	庐江	农民	咸丰十一年	
杨起胜	庐江	农民	咸丰十一年	淮军将领,绰号"杨蛮子"
钟崇铨	庐江	庠生	咸丰十一年	入淮军,升道员
张遇春	巢县	武举	咸丰三年	从李鸿章办练,淮军春字营统领
汪人廉	巢县	举人	咸丰四年	先后从李文安、李元华作战
刘世平	巢县	农民	咸丰四年	淮军记名总兵
冯如霖	巢县	武童	咸丰四年	淮军记名提督
王成发	巢县	五品军功	咸丰四年	从李鸿章办练,战死
姚士礼	巢县	武童	咸丰六年	淮军记名总兵
张志邦	巢县		咸丰十年	张遇春子,淮军总兵
张志鳌	巢县		咸丰十年	张遇春子,淮军记名总兵
班广益	巢县	农民	咸丰十年	淮军总兵

说明:1.本表资料来源:皖省通志及庐州地区府县志;陈澹然《江表忠略》;李鸿章、丁日昌修《昭忠录》前编、正编、补遗、三续;《两江忠义录》采访册(稿本)。2.清庐州府下辖四县一州,本表所列地区仅限合肥县、庐江县、巢县;无为州、舒城县因不属于今合肥地区,未列。

安徽团练势力的分布,皖北、皖中、皖南三大区域不均衡。就密集程度而言,皖中最强,皖北、皖南稍次。皖中又以庐州地区为最,团练势力众多、战斗力强。究其原因,一是当地乡绅对时局有着清醒认识,并早筹应对之方。在道咸之际,部分有识之士已对皖省乡里风俗浇浮、伦常相渎、游民大量涌现的动荡局面有着清醒的认识,甚至发出了"天下其将乱乎"的警语。合肥东乡人李文安曾手订《淮南乡约》,"条教精详,为后日团练义勇之本"。并于1852年(咸丰二年)"著圩寨图说,团练规条",同时"寄信回里,劝谕乡人,为思患预防之计"①。西乡乡绅张荫谷早在1846年(道光二十六年)即"聚乡人,部

---

① (清)李文安:《李光禄公遗集》卷8,沈云龙主编:《近代中国史料丛刊》第7辑,第62册;(清)王茂荫:《王侍郎奏议》卷5,黄山书社1999年版,第88—89页。

以兵法"击走"寿州盗",之后他"逆料东南将有兵患,乃率诸子广招豪杰材武之士,相与周旋,晓以忠孝大义,人莫测其所为"①。俟太平军入皖,他便立刻办起团练。撮镇人郑世才也被当地绅富推举为练首,团练乡兵。二是与当地民风习俗有一定的关系。这一带民风刚劲、人性躁劲,史籍早载。清人王定安在所著《湘军记》中曾对皖地风俗作过概括:"安徽襟江带淮,江以南,士喜儒术,巽懦不好武,民则懋迁服贾于外,无雄桀枭猛之姿,故畏祸乱,少奸宄。独滨淮郡邑,当南北之交,风气慓急,其俗好侠轻死,挟刃报仇,承平时已然。"②皖人王茂荫亦认为,安徽"唯庐、凤、颍三府习俗强悍,勇于战争"③。说的就是这种情况。三是这里拥有庐州这一战略要地,如上节所述,太清双方在这里争夺激烈,庐州府城及其所属州县城池复而旋失,局势的动荡又引发"盗贼蜂起",焚掠竟日,人心摇惑,城乡鼎沸,在官府倡导之下,地方上出于自卫,纷纷筑圩团练自保,可谓在在皆团、处处皆练。

庐州团练主要兴起于1853年(咸丰三年)2月太平军入皖到1854年(咸丰四年)1月首克庐州这段时间。如同刘体智在《异辞录》中所记述的,当时的庐州团练,就性质而言,分为官团和民团两种。前者主要在合肥东乡、北乡,西乡也有一部分,著名团练头目有李鸿章兄弟、吴毓蘅、龚作楣、褚开泰、解先亮等;后者则集中在合肥西乡及附近的庐江、巢县一带,尤以紫蓬山、周公山、大潜山三山民团最为凶悍。这些地方团练,无论是官团还是民团,几乎无一例外都是以宗族弟子为骨干,以乡邻为补充的,如李文安与子李鸿章、李鹤章,张荫谷与子张树声、张树珊、张树屏,周盛华与弟周盛波、周盛传,刘铭传与侄刘盛藻、刘盛休,吴毓蘅与弟吴毓芬、吴毓兰,潘璞与子潘鼎新、潘鼎立,吴廷香与子吴长庆等,均是以父子、叔侄、兄弟关系来统率本族弟子办练,在对外作战中,常常是父死子继、兄亡弟替;一人战死,

---

① 《合肥张氏宗谱》卷5;(清)李鸿章:《张荫谷墓表》,肥西县政协文史资料委员会编:《肥西淮军人物》,黄山书社1992年版,第15页。
② (清)王定安:《湘军记》卷7,第87页。
③ (清)王茂荫:《王侍郎奏议》卷2,第32页。

全家上阵；一家战死，合族上阵。在方志中，咸丰年间一族数人乃至数十人战死的记载，并不鲜见。而民团和官团的关系是："寇至则相助，寇去则相攻，视为故常。"①平时民团之间也经常攻杀，互争雄长。在庐江方志中关于团练之间的争斗就有如下记载："庐邑计保一百有八，每保或一二团，或三四团，或富者自为团，视贫者如秦越；或贫者共为团，日与富者相抵牾；或贫富共为一团，强有力者或且桀骜难驯，弱肉强食。祸变之来将不在外患，而在内讧。"②不过，民团也有可能转化为官团，由官府发给官团旗，受调遣离境打仗，补贴粮饷。

肥西淮军将领刘盛休墓，图片由周崇云提供

自1854年（咸丰四年）1月太平军首克庐州到1861年（咸丰十一年）末李鸿章受命招募淮勇，是庐州团练不断分化和发展壮大的阶段。此间，两个因素对庐州团练的影响颇深。一是太平军于1854年（咸丰四年）1月、1858年（咸丰八年）8月两克庐州，使当地的团练发生了分化，如由署理庐州知府胡元炜联络的担任合肥城防事宜的徐怀义部团练，在太平军首度兵临城下时就投降太平军。另一方面，太平军攻克庐州后，在安抚民众、设立乡官的同时，对当地的团练也施行过拉拢劝降政策。如《周武壮公遗书》中就有1854年（咸丰四年）官军围城，"日与贼战，吾乡为桐舒援贼往来孔道，又距城远，为官军号令所不及，人心摇惑，附贼者日益众。伪乡官有为贼来说者，峻拒

---

① （清）刘体智：《异辞录》卷1，中华书局1988年版，第27页。
② 光绪《庐江县志》卷14《艺文》。

之"的记载。对于张树声兄弟所办团练,"贼欲以威胁利诱致降屡矣"①。太平军见对当地团练的拉拢政策未能奏效,则厉行清剿,尤其是对"与官军相掎角,视为腹心患"的合肥西乡诸圩,战事极其惨烈。周盛波兄弟在1855年(咸丰五年)3月太平军攻破周兴店圩,三兄盛华、亲属练丁数十人战死的情形下,一度欲散练归农②。随后周氏兄弟在族人帮助下又在罗坝筑圩,"族长方策公助以山中林木,起乡民三千人昼夜转运,筑墙掘濠,不三日而工竣","团练御贼,起癸迄辛将十载,为战者二百九十有六,杀贼以数万计,而未请一饷,未受一职,徒以义愤所激,与众并命,上报国家,下全乡里"③。太平军大规模的清剿并未能消灭以三山为首的团练武装,反而激起其更加激烈的对抗,他们与六安的李元华和曹远荣、庐江的吴长庆、三河的潘鼎新等连成一气,互为声援,势力日益壮大。二是地方官府对团练武装的依赖日渐加深,由于传统的经制军在数量、战斗力上难与太平军匹敌,日处飘摇之中的地方官不得不更多地利用团练乡勇来与太平军抗争。太平军首攻庐州时,身处危城之中的皖抚江忠源曾想募集合肥四乡团练来守城,而当时庐州及外围防守所依赖的即是庐州勇、开化勇、楚勇、广勇等武装。1855年(咸丰五年)11月,清军亦系在当地团练与城内内应的帮助下,一度夺取了庐州城。1857年(咸丰七年)秋,太平军联合捻军再攻庐州,知府马新贻苦于城内兵力不足,只好商请周盛传等带练助防。在这方面,最典型的要数合肥知县英翰。1859年(咸丰九年)春,英翰出任合肥知县,其时太平军占据庐州,邻邑皆陷,英翰由寿春间道至合肥境,招抚团练,因无处落脚,只好以西乡解先亮圩堡为行署,解部官团也因此深受器重。

与庐州团练日益受到官府器重相对应的是,其出境作战也日趋

---

① (清)李鸿章:《张荫谷墓表》,肥西县政协文史资料委员会编:《肥西淮军人物》,第15页。
② (清)周家驹续辑:《周武壮公遗书·年谱》,台北文海出版社1969年版,第14、33、15页。
③ (清)周家驹续辑:《周武壮公遗书·年谱》,第16、36页。

第九章 太平天国在合肥地区的主要活动与淮军的兴起

肥西周老圩花厅，图片由周崇云提供

频繁。庐州团练中，属于官团系统的受调遣随清军作战，如合肥西乡解先亮部官团，1859年（咸丰九年）曾在华子岗与陈玉成部展开激战；1862年（同治元年）清军攻打庐州时，又事先率千人潜入城中充内应，助多隆阿部攻下府城。庐江吴长庆于1855年（咸丰五年）受皖抚福济委派办理庐江、舒城团练，次年，新任皖抚翁同书又命其办理合肥东乡团练。曾大败陈玉成部太平军于华子岗、助湘军占领三河，后所部团练被曾国藩按湘军营制收编。民团系统中，周盛波、张树声、刘铭传等早期也曾接受官府和清军将领的约请，出境对抗太平军、捻军。咸丰末年，出于对实际战局的考虑，他们基本上属于六安练总李元华的指挥系统，外出作战次数渐多。周盛波兄弟早在1856年（咸丰六年）即应滁全音统领募，带练勇与太平军作战，帮助清军收复和州、来安；1856（咸丰六年）、1857年（咸丰七年）间又应六安举人李元华观察招，进攻潜山、太湖、六安等地太平军。1861年（咸丰十一年），苗沛霖围攻寿州，派队扼守西阳集，驰援寿州，闻知太平军自麻城攻六安，又星驰回援。当年9月，官军克复安庆，进取桐、舒，自率练丁设伏于河湾，击退太平军援军，助多隆阿部攻克桐城、舒城。张树声兄弟在咸丰年间亦率练勇跟随李文安、李鸿章父子及李元华等出境与太平军作战，先后助克含山、六安、英山、霍山、潜山、太湖、无为州①。刘铭传于1859年（咸丰九年）率乡勇随官军收复六安，1860年（咸丰十年）自备饷糈救援寿州，"皆有功"②。吴毓芬兄弟在咸丰初年先随李文安、李鸿章父子在凤阳、定远等地抵抗捻军，后又从克巢县、无为、和州，解寿州围。上述团练头目也因团练乡兵、出境作战等劳绩深受地方大吏与统兵大员的赏识，并经官府保荐，分别获得副将、都司、千总、同知、知县等官衔。

肥西淮军将领刘铭传旧居九间厅，图片由周崇云提供

总之，咸丰初年，在太平军、捻军的打击下，朝廷的经制军不足恃，地方政权也无威信可言。庐州地区各色人等出于自保身家性命的需要，纷纷拉起团练队伍。以宗亲血缘关系和地域关系为基本特征的团练，有着基本一致的目标，面对"兵匪发捻"交乘的混乱局面和日益频繁的军事行动，旋起旋灭，愈战愈勇，表现出很强的坚韧性。

---

① （清）张树声撰、（清）何嗣焜编：《张靖达公奏议》卷首，台北文海出版社影印本，第15页。
② （清）刘铭传撰，马昌华、翁飞点校：《刘铭传文集》，黄山书社1997年版，第520、554页。

这些大小不一的团练队伍，除了在长期的战争中自生自灭以及局势平稳后回归到传统的保甲体系中以外，有少数加入到太平军和捻军中，如前述徐怀义部团练、合肥人郑国榜兄弟等（后投降清军）；部分变身为勇营，纳入清军队伍之中，分别归属于袁甲三的临淮军（如合肥人聂士成）、英翰的皖军、曾国藩的湘军（巢县人张遇春）、宋庆的毅军、鲍超的霆军等；大部分团练则汇入日后李鸿章统率的淮军系统，张树声、刘铭传、潘鼎新、吴长庆部并成为淮军早期的骨干大枝。

二、李鸿章的团练活动

李鸿章，本名章铜，字渐甫，一字子黻，号少荃（泉），晚年自号仪叟。1823年（道光三年）2月4日出生于合肥东乡磨店（今属合肥市瑶海区）。父李文安，道光十八年（1838）进士，官刑部郎中。兄弟六人，行二。李鸿章6岁时即就读于家馆棣华书屋，开始启蒙学习，并先后师从乃父李文安、堂伯李仿仙、合肥名士徐子苓等习经史。1843年（道光二十三年）入选优贡，随后应父命入京，准备参加次年顺天恩科乡试，赴京途中，曾作《入都》诗十首以言志，为世所传诵。次年，乡试中举。1847年（道光二十七年）中丁未科二甲第十三名进士，朝考后改翰林院庶吉士，以24岁的绝对年龄优势走完八股考试的全过程，可谓"少年气象自峥嵘"。与他同榜的举人、进士中，人才济济，如张之万、沈桂芬、李宗羲、沈葆桢、何璟、郭嵩焘等，不少人日后出任枢臣督抚，与李鸿章关系密切。在京期间，李鸿章还在任刑部郎中的父亲的引荐下，结识了不少皖籍京官，如吕贤基、赵畇、王茂荫等，并以年家子的身份投入曾国藩门下习经世之学。

太平天国起义这场突发的社会动荡，让李鸿章中断了传统的升官之路。1853年（咸丰三年）2月，太平军沿江东下，大举入皖。3月1日，诏谕工部侍郎吕贤基前往安徽，会同皖抚蒋文庆、周天爵督办团练事务。3天后又依吕贤基之奏，命李鸿章与袁甲三随吕赴安徽帮办团练防剿事宜。李鸿章抵皖后，入署抚周天爵①幕中帮办事务。旋随同周天爵赴颍州、定远一带，堵剿颍州王市集陈学曾、纪黑壮部捻军以及定远陆遐龄起义军。吕贤基决定亲赴舒、桐前线后，将李鸿章等一干属员分遣回乡，令"各就乡邑，激劝乡民，且团且练"②。6月，因庐州防守空虚，新任皖抚李嘉端调李鸿章回驻梁园，复令户部主事王正谊与李鸿章分谕东乡各团首，自店埠至麻布桥按时点验练勇，使枪炮之声联络不绝，以壮声势。随后李鸿章又率勇堵防和州裕溪口，败太平军于运漕镇。在此后的9、10月间，李鸿章率部转战于柘皋、巢湖、无为间，并攻克东关。太平军自安庆大举进攻庐州，水师收复东关，李鸿章仓皇败退。时值舒城、桐城告急，李鸿章又往投舒城吕贤基军营。11月29日，太平军胡以晃、曾天养部攻占舒城，吕贤基投水死，李鸿章率所部团练退回庐州。

李鸿章回到庐州后，由于曾国藩的推荐，新任皖抚江忠源邀其驻北门外冈子集，以为应援。1854年（咸丰四年）初，已革陕甘总督舒兴阿统援兵至冈子集，李鸿章前往谒见，愿自备口粮，率所部团练打头阵，请舒速进援庐州，不允。1月15日，庐州城陷，巡抚江忠源及布政使刘裕鉁等力战死之，李鸿章则率部北退。

1853年（咸丰三年）底，李鸿章的父亲李文安也因户部侍郎王茂荫之奏保，回籍办团练。李文安抵达临淮后，为袁甲三奏留，募集训练乡勇，联络沿淮堡寨，并命李鹤章招练勇数百人往随。后因继任皖抚福济催其速赴庐州，李文安回到家乡，与子鸿章、鹤章等一起办练，均受福济（丁未科副主考，也是李鸿章的座师）节制。1854年（咸丰四年），李鸿章随副都统忠泰在巢县、含山一带作战，因功赏给知府衔，换戴花翎。1855年（咸丰五年），李氏父子率勇进攻巢县，被太平军击败，李文安回到家中于7月病故，李鸿章从巢县前线回乡奔丧，适太平军猛扑巢湖清军营，清军忠泰部全军覆没，忠氏仅以身免，李鸿章

---

① 1853年2月安庆失陷，皖抚蒋文庆死之，廷旨命周天爵署任皖抚。周以年老体衰力辞。3月，上命李嘉端为巡抚，周以兵部侍郎衔办理防剿事宜。

② 民国《安徽通志稿·吕贤基传》，民国二十三年（1934）铅印本。

因在丧次幸免于难。后皖抚福济、江南提督和春率军围攻庐州城,李鸿章随大营参赞。城内之士绅监生鲁云鹏、廪生王南金、武举沈广庆等密谋约为内应,以白布缠头为标记。官军抵城下,犹迟疑不决,逡巡不敢入。李鸿章"为请于巡抚,促诸将进",绅民内应者千余人开门延官兵入城,遂于11月10日克复庐州城。事后,李鸿章奉旨交军机处记名以道府用。1856年(咸丰六年)10月,李鸿章又率团练随福济、郑魁士等克复巢县、和州、东关等地,赏加按察使衔。李鸿章因此以"知兵"闻名。然而,功高易遭妒,"忌之者众,谤讟繁兴,公几不能自立于乡里"①。1857年(咸丰七年)3月,太平军追击清军至桐城、舒城,李鸿章部团勇溃散,北逃。10月,皖抚福济奏报李鸿章丁父忧,让其回乡补行守制,俟经手事件料理完毕,给咨回京供职,从而结束了李鸿章将近5年的团练生涯。是年,论李鸿章迭次镇压太平军之"功",奉旨交军机处记名,遇道员缺额,请旨简放。

李鸿章带领团练主要在庐州及附近的巢县、含山、无为、和州、舒城、桐城一带同太平军作战,这一带位于水陆冲要,为兵家必争之地,因而太平军与清军之间的战况尤为激烈。李鸿章以书生带兵,吃尽苦头,在时人笔记及著述中,对于这一时期的李鸿章,既有"专以浪战为能"的记载,也有"翰林变作绿林"的嘲讽。但不管怎样,这一段时间的历练,为其日后统率淮军提供了军事经验。

李鸿章在原籍带团助战期间,还利用自身与其父皆进士出身、乡望素孚、为乡里所推重及联合对太平军作战的影响,与庐州当地的团练建立起了千丝万缕的关系。从前面对庐州团练兴起与活动的简要叙述中可以看出,李鸿章与庐州团练发生关系主要在后一个阶段。就其与庐州团练头目的关系而言,主要有以下几种类型:

一是宗族亲属。李鸿章家族中,三弟鹤章在1853年(咸丰三年)即以廪生倡办本籍合肥东北乡团练,称"保和",后随父兄转战于定远、巢湖、无为、合肥一带,因功以州同选用,并带练勇帮助清军于

---

① 丁德照、陈素珍编著:《李鸿章家族》,黄山书社1994年版,第51页。

1855年(咸丰五年)11月攻陷庐州府城,直到1858年(咸丰八年)太平军再克庐州才离开安徽,随长兄瀚章前往江西,进入曾国藩幕府;六弟昭庆亦随父兄在家乡办理团练,年未弱冠,"备闻父兄之教,已隐然有揽辔澄清之志";族人李胜(一说为族侄,一说为管家,统带李氏族丁)在籍办练,随李鸿章转战于含山、巢湖、合肥等地,获六品军功;妹夫张绍棠及其兄绍堪分别从李文安、李鹤章办团练。

二是同乡好友,如蒯德模、蒯德标兄弟,王学懋等。蒯德模在县学岁试场中与李鸿章订交,两人常有诗信往来,后在籍办练,合肥知县马新贻倚为左右手,保升教谕,加五品衔。

三是本部练勇头目,如巢县张遇春,为李氏嫡系;其他如合肥人浦尚存、宋士猷,巢县人王成发,和州人陶元甲、魏挺拔,寿州人宋元方,凤阳人李桃等,或从李鸿章办练,或率练随李鸿章作战。

四是父亲李文安的旧部,如张树声、张树珊兄弟,吴毓芬、吴毓兰兄弟等。1854年(咸丰四年),李文安奉命回籍督办团防,张树声以父命,偕弟树珊、树屏"往从戎",张树声还因县廪生出身,被李文安"召襄戎幕"①。3月,张树珊及吴毓芬兄弟均率练随李文安参加了庐江白石山之战,解合肥围。1858年(咸丰八年)庐州再陷后,张树声"与诸团长讲信修睦,联络援应",隐然成为合肥西乡诸圩之头领。

五是门生,如潘鼎新、刘秉璋,同居三河镇,自幼同学,刘就学于潘父璞。1845年(道光二十五年),两人结伴入京,拜李文安门下。两年后李鸿章考取进士,两人又以师礼事之,"是后文字,皆就文忠是正矣"②。太平军兴,刘秉璋赴皖南入张芾幕,潘鼎新则回籍投效安徽军营,因父为太平军所杀,在三河一带筑圩办练。

还有一层关系即是乡谊,如庐江吴长庆,合肥西乡周、刘、唐等民团,李鸿章与他们没有太多的直接交往,但通过中间人居中联络,也能搭上关系。吴长庆与潘鼎新、刘秉璋既是同乡,又有世谊,曾奉皖

---

① (清)张树声撰,(清)何嗣焜编:《张靖达公奏议》卷首,第7页。
② (清)刘体智:《异辞录》,第3页。

第九章 太平天国在合肥地区的主要活动与淮军的兴起

肥西张老圩内壕沟，图片由周崇云提供

抚翁同书之命办理合肥东乡团练。吴部团练为官团，与合肥西乡解先亮部官团关系密切，后来解部团练大多归入吴长庆部下。李鸿章在招募淮勇时，即是通过刘秉璋、张树声等与吴长庆及西乡诸民团联络的。

宗族、亲属、好友、故旧、门生、乡谊等，概括起来，即是依托血缘、地缘和业缘三大关系而建立起来的错综复杂的人际关系网络，构成了李鸿章日后招募淮勇、组建淮军的组织基础。

三、李鸿章投奔曾国藩

1858年（咸丰八年）7月23日，清廷因安徽军务疲弱，军政不睦，将皖抚福济调京，另候简用，而以翁同书接任皖抚，督办安徽军务，翁抵任之前，由藩司李孟群署理巡抚之职。座师福济的离去，让在家守制的李鸿章更没了依靠。一个月后，太平军再克庐州，进占店埠、梁园，合肥城东大兴集被辟为买卖街，李家房宅被毁。李鸿章无处容身，只好携带家眷转赴南昌，投奔为湘军办理粮台事务的长兄瀚章。

427

8月23日（阴历七月十五日，俗称"鬼节"），也就是太平军再克庐州的当天，李鸿章曾给曾国藩写了一封长信，信中表达了对曾、胡（林翼）等湘军将帅"倡义旅于湘中""别树一帜""久而见功"的仰慕，而自己六年来一事无成，"处桑梓兵燹，困心横虑，靡所补救，非其地、非其人，则无从学习也"，深感有愧于老师的栽培。在信末他还指出由于福济调离，自己也进退失据，表达出能"拏轻舟谒吾师于江上，一敂提训"的愿望①。曾国藩收到此信后，即资助李氏兄弟银两三百金作为安家之资，并致函李瀚章，邀请李鸿章来湘军大营襄助。李鸿章遂于1859年（咸丰九年）1月13日赴江西建昌，拜谒曾国藩，被留充幕僚。

曾、李之间原就有很深的渊源。曾国藩与李文安同年中进士，李鸿章早年在京师求学时，就以"年家子"身份投帖曾氏门下，习经世之学。曾国藩亦认为李鸿章才大可用，将其与郭嵩焘、帅远燡、陈鼐并称为"丁未四君子"，十分器重。李鸿章回乡办团练，曾氏致函新赴任的皖抚江忠源，推荐李鸿章的干才，后还将自己编练湘军的心得告诉李鸿章，期望甚殷。

李鸿章来到建昌大营时，正值湘军遭三河败覆，损兵折将，元气大伤，曾国藩急需招募人手之际。对于这位得意门生，曾国藩视为可以共商大计的得力臂助，颇为倚重。曾国藩曾对人言："此间一切皆取办于国藩与少荃二人之手。"②又说："少荃天资与公牍最相近，所拟奏咨，皆大有过人处，将来建树非凡，或竟青出于蓝亦未可知。"③而在晚清笔记中，亦有不少关于曾国藩为挫其锐气，刻意对其进行砥砺磨炼的记载④。

李鸿章在曾国藩军营中，除帮办文案、参赞军务外，还曾受命赴皖北的霍邱一带招募马队，后又随曾国荃部助攻江西景德镇，考察军务。但前者因太平军、捻军势力正盛，地方官府、团练不愿放人，派去

---

① 此信收于黄书霖辑：《合肥李文忠公墨宝》，民国七年石印本。
② （清）曾国藩：《曾国藩全集·书信》(2)，第1518页。
③ （清）薛福成：《庸庵笔记》卷1《李傅相入曾文正公幕府》，江苏人民出版社1983年版。
④ 如（清）刘体智《异辞录》、（清）吴永《庚子西狩丛谈》、（清）李子渊《合肥诗话》等。

之人空手而归;后者因李鸿章不愿寄人篱下去做一名谋士,两月之后又回到曾幕中。1859年(咸丰九年)11月,旨授李鸿章福建延建邵遗缺道,李鸿章权衡久之,最终力辞未就,仍留在曾幕中。1860年(咸丰十年)8月10日,清廷实授曾国藩两江总督,并命为钦差大臣,督办江南军务,大江南北水陆各军皆归其节制。9天后,曾国藩即上奏称李鸿章"堪膺封疆之寄"①,保荐简授江北地方实缺(两淮盐运使),兴办淮扬水师。由于清廷没有下文任命,加上太平军在沿江发动了新一轮攻势,军情紧急,李鸿章复被曾国藩奏留军营。

在曾幕中,李鸿章在一些重大问题上,诸如曾氏是否应命领军入川,鲍超的霆军是否入卫京师,湘军图谋规复苏州时安庆、桐城两军应否撤围等,都对曾氏的决策影响甚深,曾氏往往"得少荃数言而决"。尽管曾、李旨趣相投,但两人性格、经历、见解、处世方法差别较大,因移营祁门和弹劾李元度等问题,曾、李之间产生了严重的意见分歧。适值结发妻子周氏病重、家事急需料理,李鸿章遂于1860年(咸丰十年)底离营而去。

离开曾国藩军营的李鸿章,依兄瀚章于南昌,进退失据,一方面,福建延建邵遗缺道无缺可补,同年好友沈葆桢、徐树铭等均劝其不要赴闽;另一方面,胡林翼、郭嵩焘等人劝他仍回曾营以获进身之阶。李鸿章深知,要寻找崭露头角的机会,唯有依赖曾国藩的提携。于是在离营约八个月以后,李鸿章最终于1861年(咸丰十一年)7月抵达东流大营,重入曾国藩幕。从此时起直到统率淮勇入沪,李鸿章除因夫人周氏病故,回南昌料理丧事离营一个月外,一直追随在曾氏左右参赞戎机。而在此期间先后发生的几件大事,为李鸿章的崭露头角和淮勇的招募提供了历史前提:

一是湘军1861年(咸丰十一年)9月攻克安庆,其结果直接威胁着太平天国的都城天京。随着战局的发展,面对广袤的长江下游战场和湘军兵、饷两缺的实情,招募新的勇营已是一种必然的趋势。而

---

① (清)曾国藩:《曾国藩全集·奏稿》(2),第1188页。

此前,湘军在经常回湖南招募新勇的同时也已经招有 3 营"淮勇"。

二是胡林翼的去世,意味着湘军早期的一批统兵将帅先后凋谢,而战事方殷,任务艰巨,此一情景促使曾国藩把选将择人放在首要的急务上。才干、历练、学问、资历均不逊色的李鸿章似乎有了出头之日。

三是辛酉政变的发生,慈禧太后夺权,与曾氏颇有渊源的肃顺被处死,执政的恭亲王奕䜣启用汉臣,曾国藩奉命督办苏、皖、浙、赣四省军务,其权力比起肃顺当政时还要大。想到功高震主,生性懦缓的曾国藩不禁胆战心惊,急流勇退的想法不时在书信里流露。此时的湘军暮气渐深,重建一军以分猜忌,不失为一个好主意。

此时此刻,要招募新勇,无论是地利还是兵源,两淮地区可以说是较佳选择。湘军入皖后,曾国藩对安徽的形势较为了解,实任两江总督后不久,即上《复奏统筹全局折》,在筹划江北布局时,他明确提出可在此地招募勇丁:"淮徐等处,风气刚劲,不患无可招之勇,但患无训练之人","得一二名将出乎其间,则两淮之劲旅,不减三楚之声威"[①]。实际上,曾国藩曾让李鸿章派人赴皖北的霍邱一带招募过马队,而湘军在进入安徽后,也已招有 3 营"淮勇",即桐城人马复震的"震字营"、张遇春的"春字营"、李济元的"济字营"。这些淮勇的特点就是凶悍善战,备受湘军将领青睐。至于其统帅人选,以皖人治皖军,李鸿章也颇合适。这一切都在等待一个历史契机,而这一机遇就是沪绅的安庆请兵。

四、李鸿章与淮勇招募

1860 年(咸丰十年)3 月至 6 月,太平军李秀成、李世贤等部相继攻克杭州、二破拥兵 7 万的清江南大营、占领苏州,以摧枯拉朽之势经略苏杭,整个苏浙除镇江、上海、湖州等少数地方外,都为太平军所

---

① (清)曾国藩:《曾国藩全集·奏稿》(2),第 1202 页。

第九章 太平天国在合肥地区的主要活动与淮军的兴起

合肥李鸿章故居

占领,江南豪绅地主纷纷逃避到已形同孤岛的通商口岸——上海。东南局势的不可收拾以及江南大营坍塌后出现的军事和政治上的真空,为"久蓄大志"的湘军将帅提供了一个扩充实力的绝好机遇。6月8日,朝廷将两江总督何桂清革职拿问,命曾国藩署理两江总督,率所部兵勇赴苏州,以保东南大局。2个月后,即改为实授,并以钦差大臣督办江南军务,所有大江南北水陆各军皆归节制。而在弹丸之地的上海,避难于此的苏浙士绅、买办,为避免最后的覆灭,一方面筹办"中外会防局",组建洋枪队,企图依赖西方列强的武力来保护上海;另一方面,经过精心筹划,派出钱鼎铭等代表前往安庆请求曾国藩早日派兵救援。

1861年(咸丰十一年)11月18日,上海官绅代表户部主事钱鼎铭、候补知县厉学潮等,携带苏州名士冯桂芬起草的《公启曾协揆》抵达安庆,谒见曾国藩,陈述沪上饷源可恃,殷望援师。钱鼎铭等先是动之以情,每日泣涕哀求,云上海盼援兵如久旱盼云霓,大有不得援兵誓不还乡之势;继而晓之以利,说上海每月可筹饷60万两之多;同时还利用其父钱宝琛与曾国藩、李文安同年的关系,以通家世谊的身份造访李鸿章,让其帮忙劝说曾国藩速下决断。经过一番考虑后,曾国藩答应来年春筹兵救援。

曾国藩应允派兵东援后,首先在统帅人选上费了一番心思,这一方面源于湘军"以将择兵"的组军惯例,另一方面鉴于上海此时形同孤岛而对手十分强大,非有文韬武略能独当一面者不能担此重任。再者,上海富甲天下,这一饷源重地,必须牢牢把持。而根据曾国藩日记的记载,李鸿章参与了整个策划过程。曾国藩首先想到的是九弟曾国荃,几次去函相催,并准备让李鸿章、黄翼升(统淮扬水师)同行,水路结合,无奈曾国荃志在夺取金陵首功而不愿去。也就在这个时候,曾国藩获悉辛酉政变的结果,朝局的突变,使其改变了原来的想法。适清廷有旨令其察看苏浙两省抚臣是否胜任,据实复奏。12月25日,曾国藩亲拟片稿,密荐李鸿章为江苏巡抚,领兵东援:"江苏巡抚一缺,目前实无手握重兵之人可胜此任。查有臣营统带淮扬水师之延建邵遗缺道员李鸿章,劲气内敛,才大心细,若蒙圣恩将该员擢署江苏巡抚,该员现统水师五千,臣再拨给陆军六七千,便可驰赴下游,保卫一方。"[①]一个月后,朝廷明降谕旨,按照曾国藩所拟,由李鸿章督带水陆兵驰赴下游;至于江苏巡抚之职,待薛焕移交后再降谕旨。

如是,东援统帅人选敲定。曾国藩这么做,其原因除了李鸿章的资质、历练可以独当一面,以及上述政局突变使得曾国藩下决心自削权势以分众妒外,还有一个不可忽视的因素,即李鸿章与苏南世家、士绅的关系。就科举考试的师承渊源而言,李鸿章丁未会试主考官为祖籍徽州、江苏吴县人潘世恩,房师为浙江名士孙锵鸣,孙之恩师即是江苏常熟人翁心存(辛酉政变后以帝师之尊复出)[②]。就此次沪绅请兵而言,主持者为江南团练大臣庞钟璐,系李鸿章会试同年,主

[①] (清)奕䜣等:《钦定剿平粤匪方略》卷281,第18—20页;王钟翰点校:《清史列传》卷45,中华书局1987年版,第18页。

[②] 李鸿章在1860年6月12日给翁心存长子、新任皖抚翁同书的信中表白了这层关系:"鸿章会试出蕖田(孙锵鸣字)师之门,通家谊重,未敢以属吏之礼进,""往岁供职词垣,曾亲炙中堂太夫子渥荷训诲,铭感弗谖。"此信收入上海图书馆藏李鸿章未刊稿。

谋之一为刑部郎中潘曾玮（潘世恩四子），来安庆请兵之钱鼎铭与李鸿章系世家，父辈系同年。这种隐形的政治力量，熟谙世事的曾国藩不可能熟视无睹。

东援的主帅明确以后，接下来是如何组军。按照曾国藩的设想，东援之师应在万人左右。曾国荃不愿去，手头上又无现成兵勇可拨，鉴于此，曾国藩曾致函湘军宿将陈士杰，请其出山，招集旧部，另募新勇二营，合成四千之数，随同东下，并保荐其为江苏按察使，可是陈士杰视下游为畏途，以老母年迈力辞。招募勇丁的工作只能让李鸿章独自承担了。实际上，约在1861年（咸丰十一年）12月，李鸿章已开始通过书信与庐州团首进行联络、招募淮勇了。由于当时安庆大营军务缠身，李鸿章并没有回庐州，整个招募工作主要是通过信件进行的。在这一过程中，有两个人出力甚多，即张树声与刘秉璋。

据乡土资料介绍，合肥西乡刘铭传、张树声、周盛传等民团一度准备扯旗响应太平天国起义；也有资料描述西乡民团准备推张树声为盟主，自立一军，结果都是在祭旗时忽遇大风折纛，众以为不祥，事乃罢①。这些都只是传说，从刘、张、周等人频繁与太平军作战的记载来看，投效太平军之事并不可信。至于是否有过独树一帜、自立一军的想法，目前尚无更多的资料佐证。不过，他们在闻知湘军曾国藩治军有法度，屡胜太平军，李鸿章佐曾幕的消息后，召集各团练首领密议出处，取得了一致意见，"遂由树声起草，致书鸿章，洋洋数千言，洞陈天下大势，暨同乡诸绅人士慷慨报国意"②。李鸿章于1861年（咸丰十一年）6月1日致曾国藩的亲笔信中提到了此事："昨有舍亲自庐江来，寄到合肥廪生候选同知张树声致鸿章函。张生血性忠义，历年办团带勇，现居庐六交界，结乡民筑数十寨以自卫。肥、舒贼不敢近，

---

① 肥西县政协文史资料委员会编：《肥西淮军人物》，第31页；金松岑编：《淮军诸将领传》之《张树声传》，稿本，上海图书馆藏；（清）张树声撰、（清）何嗣焜编：《张靖达公奏议》卷首。

② （清）张树声撰、（清）何嗣焜编：《张靖达公奏议》卷首。

可谓劲风疾草矣。所陈皖事亦有体要,谨将原件附呈钧阅。"①由此可见,张树声等人早在1861年(咸丰十一年)5、6月份就已向曾国藩主动请缨了。

刘秉璋于1860年(咸丰十年)考中进士,1861年(咸丰十一年)选翰林院庶吉士,授编修。当年11月下旬,刘秉璋来安庆向老师李鸿章辞行,经李鸿章介绍,得以谒见曾国藩。当他得知"李公有督师上海之议,尚未成行",于是在返乡后、进京前,积极参与了庐州团练的招募、编练工作:"与李公运筹决策,选将练兵,以勤苦耐劳为尚,以朴实勇敢为先。"②其本人也于1862年(同治元年)7月被李鸿章奏调至营。

肥西淮军将领刘秉璋旧居,图片由周崇云提供

淮勇的招募工作从1861年(咸丰十一年)12月至1862年(同治元年)2月,历时3个月。其招募方法完全仿效湘军,即由大帅选拔统

---

① 黄书霖辑:《合肥李文忠公墨宝》。
② (清)刘体乾等:《刘秉璋行状》,清光绪三十一年刻本。

领,统领选拔营官,营官选拔哨官,哨官选拔队长,队长招募勇丁。李鸿章另建一军,只是统领身份,他当时的主要工作就是物色营官。由于当时安庆大营军务缠身,招募工作主要是通过信件往返进行的:一是通过张树声联络西乡民团刘铭传、周盛传兄弟等,当时刘、周属于六安团练头目李元华部下,因此李鸿章又亲自致函,请负责安徽军务的湘系李续宜出面向李元华"商调",李元华本人也在同治初年加入淮军幕府。二是通过刘秉璋联络三河团练头目潘鼎新、庐江团练头目吴长庆,潘、吴都是官团,尤其是吴长庆部下骨干如叶志超、王占魁等,原先是西乡解先亮官团成员,他们与当地民团积有宿怨,但李鸿章能兼收并蓄,并很好地利用。三是命三弟鹤章回乡联络旧部,如张桂芳、吴毓芬、张志邦、李胜等,这一部分团练成军稍迟,直到次年夏才从江北陆路赶赴上海。

尽管李鸿章本人没有回乡,但是经过张树声、刘秉璋等人的奔走联络,同时借助于李氏父子过去建立起来的关系网,加上庐州团练头目的踊跃响应,整个招募工作颇为顺利。1862年(同治元年)2月13日以后,首批招募的树(张树声)、铭(刘铭传)、鼎(潘鼎新)、庆(吴长庆)4营陆续开到安庆集中。首批4营抵达安庆以后,曾国藩对这批新招淮勇十分关注,在总督府亲自召见张树声、刘铭传、潘鼎新、吴长庆等新任营官,以及准备充当营官的李鹤章、吴毓兰、吴毓芬、张树珊、周盛波、周盛传[①]等10余名将领。

2月22日,李鸿章移营安庆北门外新营盘,建立起自己的指挥部。是日,曾国藩亲至新营盘道喜,并"为定营伍之法",淮勇"器械之用,薪粮之数"也完全仿照湘勇章程。淮勇营制,就初到安庆的4营而言,每营设营官1名(分别为张树声、刘铭传、潘鼎新、吴长庆),下分前后左右4哨。每哨设哨官、哨长各1员,每哨正勇分为8队:刀矛4队,每队正勇10名;抬枪2队,每队正勇12名;小枪2队,每队正

---

① 根据《周武壮公遗书·年谱》及相关史料记载,在李鸿章招募淮勇时,周氏兄弟应邀赶赴安庆,并随同东下赴沪,担任亲兵营哨官,稍后才回乡募勇,故所部盛字营、传字营并不属于淮军最初的营制序列。

肥西刘老圩南大门，图片由周崇云提供

勇 10 名；每队设什长、伙勇各 1 名；每一哨官领护勇 5 名、伙勇 1 名。合计每哨官兵 108 名，4 哨官兵共计 432 名。营官有亲兵 6 队，不置哨官、哨长，其中小枪 1 队、劈山炮 2 队、刀矛 3 队，各队置什长 1 名、亲兵 10 名、伙勇 1 名，6 队共计 72 名。每营官兵共计 505 名。

  李鸿章移驻营地之后，便按照湘军成法对淮勇勤加操练。但曾国藩考虑到，这批新募淮勇仅 2000 余人，势单力薄，且未经战阵，难称劲旅，要担负东援的任务显然力量不够。于是在李鸿章的奔走央告之下，曾国藩从湘军中调拨了 10 营供李鸿章节制调遣，以充实其力量：张遇春的"春字营"和李济元的"济字营"，前者原系李鸿章旧部，李入曾幕后，张遇春随将所部团练按照湘军营制改编为"春字营"，隶属于湘军副将唐义训，此时已在安庆；后者亦由练勇改编，其统领李济元于 1857 年（咸丰七年）任太平军军帅，次年 5 月即投效湘军杨岳斌部，以凶悍好战闻名皖南，1861 年（咸丰十一年）起自立营号，初名"建字营"（因县名，李济元为安徽建德人），后改"济字营"。时在曾国藩幕府的李鸿章也与李济元常相联络，"慰勉备至"。李济元时驻池州，接到檄令后率队赶至安庆。程学启的"开字营"2 营。程学启，安徽桐城人，1853 年（咸丰三年）加入太平军，在 1860 年（咸丰十年）湘军围攻安庆之役中，负责扼守北门外石垒，屡挫湘军，后曾国藩用桐城名士孙云锦策反计，投降湘军。程学启初亦不愿去上海，以其为偏隅死地不足以用兵，后经李鸿章一再以乡情招请及孙云锦劝说，乃慨然请行；而所部时归曾国荃辖制，曾国荃又不愿放行，经曾国藩出面劝说、李鸿章强颜索调而拨归。韩正国亲兵营2营，由韩正国、周良才分别统带，原系曾国藩两江督标亲兵营，作为"赠嫁之资"送给李鸿章，同时也隐含对李氏制约监督之意。滕嗣林、滕嗣武兄弟的"林字营"2营，原系滕嗣林受江苏巡抚薛焕委托在湖南招募的湘勇，后为曾国藩截留，从4000人中挑选出1000人，带至安庆，按湘军营制编为林字2营，由滕嗣林、滕嗣武兄弟分别统带。陈飞熊的"熊字营"和马先槐的"垣字营"，此为曾国藩在湖南新募之勇，原准备由陈士杰统带赴沪，因陈士杰未能成行，所以直接拨归李鸿章指挥。

1862年（同治元年）3月4日，曾国藩在李鸿章的陪同下，至安庆校场巡阅这支新组建的军队（熊、垣两营未到），淮勇的招募、组建工作告一段落。在勇丁数目粗具规模后，李鸿章感到，"营官尚有可用之材，但无统将"①，在曾国藩的授意下，他又出面向湘军各部借将，先后从与他私交甚笃的鲍超部以及曾国荃部借得覃联升、宋有胜、杨鼎勋、郭松林4人。鲍超以客籍（四川奉节人）居湘军，同有寄人篱下之感，慨然以覃、宋、杨3将借予李鸿章；而李鸿章数次向曾国荃商调郭松林，均未有结果，后郭因过失惧曾国荃苛责，于1862年（同治元年）6月下旬只身逃到上海投靠李鸿章。这4人皆系只身投军，到沪后另立营头，其中松、勋两部，日后亦发展成为淮军的大支。

在募兵选将的同时，李鸿章还积极展开了遴选幕僚的工作。李鸿章本身出自幕府，因而深知延揽幕府人才对于自己事业的重要性。1861年（咸丰十一年）冬，李鸿章自己还是幕僚身份，看到建德寒士周馥为有用之才，立即"招致为己佐，分薪水以资给之"②。此外，除前面

---

① （清）李鸿章：《复李黼堂方伯》，《李鸿章全集·朋僚函稿》卷1，第2354页。
② 周馥有诗记此事："吐握余风久不传，穷途何意得公怜（原注：咸丰十一年冬，公见余文字谬称许，因延入幕）。偏裨骥尾三千士，风雨龙门四十年。"参见（清）周馥：《秋浦周尚书（玉山）全集·诗集》卷4，台北文海出版社1967年版，第11页。

提到过的刘秉璋外,李鸿章还向同乡好友王学懋,蒯德模、蒯德标兄弟等发出邀请,对于当时往来于安庆的钱鼎铭、潘馥、杨宗濂等人,也时常造访,这些人在同治初年陆续加入李鸿章幕府,分执要是。在安庆期间,李鸿章还曾向曾国藩求调丁日昌、郭嵩焘等。从李鸿章初期网罗人才的片段材料来看,他对幕府人才的取舍,似以务实、干练、通外情、晓时务为基本标准,和曾国藩幕府三教九流、无所不包的景况相比,已显有不同。

从上面的介绍中可以看出,李鸿章奉曾国藩之命组建的这支军队具有以下几个特点:

一是广收杂揽,成分复杂。这支营伍共计14营,大致是由庐州练勇5营(树、铭、鼎、庆、春字营),新招湘勇2营(熊、垣字营),截留湘勇2营(林字2营),原属湘军的由太平军降卒改编的3营(开字2营、济字1营),湘军亲兵2营(韩正国部2营)5部分组成。以建制言,原属于湘军系统8营(开字2营、亲兵2营,春、济、熊、垣字营),属于淮勇4营(树、鼎、铭、庆字营),属于江苏防军2营(林字2营)。以勇籍言,则淮勇8营(树、鼎、铭、庆、春、济字营,开字2营),湘勇6营(亲兵2营、林字2营,熊、垣字营),可以说是来源不一、成分复杂。李鸿章能把这些人集中到一块,混合成一支队伍,固然有时间仓促、别无选择的原因,但也初步显现出他的操纵驾驭能力,使得这支营伍从一开始就具有兼收并蓄这样一个特色。新建营伍中湘勇成分几占一半,说明湘、淮军"本系一家,淮由湘出,尤有水源木本之谊"①。与湘军相比,李鸿章新组建的这支军队虽也有地方特色,但较湘军尚显单薄。

二是将领文化层次较低。与湘军"以儒生领山农"、将领多为有功名的科举之士相比,李鸿章所统领的这支营伍将领文化层次普遍较低,在最初的各营营官中,只有举人2人(潘鼎新、张遇春为武举)、廪生1人(张树声)、监生1人(李济元),其余出身多为团首、盐枭、防

---

① (清)柴萼:《梵天庐丛录》卷4,山西古籍出版社1999年版,第32页。

军、降将等。造成这种局面的原因,一是由于李鸿章组建营伍的时间很短,前后加起来才3个月,无法精挑细选,像曾国藩那样去收罗大批文武兼备的儒生来任统领;二是李鸿章虽系科举出身,但受家庭环境、亲身经历影响,并不很注重门第,反而更看重个人胆略、才能与实际作战、应变能力;三是由于包括庐州在内的皖中皖北地区在文化教育水平上相对落后。与此相对应,各营营官虽然大多数出身低微,但却拥有一定的职衔,如滕嗣林为副将,张树声、潘鼎新为同知,韩正国为通判,其余的也有参将、游击、都司、守备等军衔,这些官衔大都是在与太平军作战时因劳绩、战功,通过地方官员保举而获得的。

肥西张老圩内壕桥,图片由周崇云提供

三是私属性。李鸿章在招募、组建营伍时,基本继承了湘军"兵为将有"的特点,其情形正如王定安在《湘军记》所说的:"一营之中指臂相联,弁勇视营、哨,营、哨视统领,统领视大帅。"[①]也就是说各级只对他的上级负责,只认他的上级。这种私属性在营头上体现为:虽然各营营官出身不同,职衔有高有低,但在当时都各不相下,只听命于

---

① (清)王定安:《湘军记》卷20《水陆营制篇》,第338页。

李鸿章。在各个营头内部,这一特征在树、铭、鼎、庆、春各营淮勇中尤为明显。他们都是以张、刘、潘、吴等宗族弟子为主体,辅以相邻地域、血缘、业缘关系的团练武装改编而成。这些营头的统将只能是本姓或本地人,如"庆军必以庐江一系接统"等。正是因为这种封建的私属关系,使得日后淮军在调动指挥中的层层负责,比起湘军有过之而无不及。

在营伍组建基本就绪后,朝廷谕旨也一再催促曾氏东援,曾国藩、李鸿章在筹商如何东下时做了水陆两手准备。前次沪绅请兵时即言及轮船装载,行军的速度会快些,但长江下游地区尽为太平军控制,民船不得过,租雇洋商轮船又颇费交涉,而钱鼎铭等人回到上海后筹雇外轮在初期也不顺利。于是曾、李在等待轮船消息的同时,确定了由安徽巢县、和州、含山入江苏六合、江浦一路冲下的陆路方案,曾氏并于1862年(同治元年)3月将这一安排分别函告给沿线军政大员如两淮盐运使、督办江南江北粮台乔松年、江宁将军都兴阿、江苏巡抚薛焕、苏松太道吴煦等。3月28日,钱鼎铭、潘馥等带轮船抵安庆,告知曾氏已经雇妥英商复和、德裕洋行轮船七只,将分三次"潜载少荃之兵直赴上海"①。沪绅的到来,使得原定的陆路行军方案将被搁置,为此曾国藩大伤脑筋,一方面用轮船装载兵勇穿越敌方控制区千余里,乃自古以来行军所未见,兵勇势必议论纷纷,疑虑丛生;如果弃水就陆,则沪绅雇洋船所费18万两就白花了,且有负其"殷殷请援之意"。曾、李两人反复计议,最终决定由水路东下,径赴上海。这一决定在营官及勇丁中产生了很大反响,一些人对即将开始的吉凶未卜的远行"虑事不济,临事多辞退",建德人李济元就以"乡人禀留为由",在征得曾国藩同意后,率济字营回建德留防。这样,随李鸿章东下入沪的营头也由14营减为13营。

① (清)曾国藩:《曾国藩全集·日记》(2),第724页。

第九章 太平天国在合肥地区的主要活动与淮军的兴起

李鸿章统领的这支营伍（后人一般称为"淮军"）计13营约9000人①，自1862年（同治元年）4月5日至5月29日共分7次用轮船装赴上海。根据曾国藩日记记载，其分批入沪的时间、营头大致为，4月5日：亲兵两营、开字两营；4月11日：树字营、铭字营；4月15日：春字营、鼎字营；4月22日：庆字营、鼎字一哨、林字二哨；4月28日：林字营；5月20日：垣字营；5月29日：熊字营②。李鸿章率亲兵营、开字营于4月8日抵沪，4月25日，署理江苏巡抚，成为地方大员，掌握了地方政权和饷源，就使得其统帅的这支军队有了生存和壮大的基础。但当时他面临的环境极为严峻："岛人疑谤，属吏蒙混，逆众扑窜，内忧外侮，相逼而来。"③面对洋人及上海绅商不断催促出战，李鸿章考虑到现有兵力不足，且未经战阵，一方面谨遵师训，"专以练兵学战为性命根本"：筑营扎寨，严加训练，申明军纪，派将弁观摩洋兵作战，随队学习，开始并不急于出战；另一方面则渐次厚集军力，6月上旬，李鹤章统带的马队、亲兵营由江北陆路绕道来沪，周盛波、周盛传兄弟，吴毓芬、吴毓兰兄弟，唐定奎、唐殿魁兄弟等所募之勇也于7、8月间陆续赶到；7月初，在其央求下，黄翼升统领的淮扬水师4营驶抵上海（其余5营于是年年底陆续抵达）；8月，按照湘军旧习，委派张树声、吴长庆回皖招募新勇9营（为曾国藩留在庐江、芜湖协防，次年初调回上海），并曾派人赴江北扬州一带招勇；通过招降太平军吴建瀛（泾县人）、骆国忠（凤阳人）、钱寿仁（本名周寿昌，桐城人）等部，吸收降众中的安徽籍将士，既充实了兵力，又增添了乡土特色；还有自皖北接踵而来的投军者。李鸿章统领的这支营伍实力迅速扩充，而且

---

① 关于李鸿章统领的这支营伍乘轮赴沪时的人数，历来说法不一，有6500人、8000人、10000人、5500人等说法。此处从9000人之说，主要依据：一是根据曾国藩手书日记，共有13营赴沪，每营正勇（官兵计505名）加上随营行动的长夫（180名），共8900余人，再加上营务处人员，总数当在9000左右；二是根据沪绅与英商签订的运兵合同，载明由安庆载9000兵勇到沪，船价每名银20两，共合上海规银18万两（《英轮运兵合同》，太平天国历史博物馆编：《吴煦档案选编》第2辑，江苏人民出版社1983年版，第285页）。

② （清）曾国藩：《曾国藩全集·日记》(2)，第729—746页。

③ （清）李鸿章：《复李黼堂方伯》，《李鸿章全集·朋僚函稿》卷1，第2379页。

淮勇已占绝大多数，通过新桥、北新泾、四江口三次独立作战，成功打退太平军的进攻，在上海彻底站稳了脚跟。李鸿章于12月3日被清廷实授江苏巡抚，淮军也成为在苏南同太平军对抗的一支重要军事力量。

淮军以庐州团练为骨干，在镇压太平天国和捻军起义中不断壮大：人数上，从最初的13营约9000人发展到高峰时的120多营、兵力总数在7万人以上；装备上，开始时是以刀矛为主，辅以抬枪、鸟枪，入沪一年后"尽改旧制，更仿夷军"，使用开花炮、成立洋枪队、聘用洋教练，接受西法训练。经过19世纪60年代和70年代的两次装备更新，完成了由冷兵器向热兵器的过渡，成为各地练军和绿营兵效法的榜样。淮军虽非朝廷经制军，但随着其统帅李鸿章权势和地位的上升，在70年代以后成为深受朝廷倚重的一支重要军事力量，至甲午战争前夕，曾驻防于直隶、山东、江苏、山西、台湾、广西等10余省，并赴朝鲜守边，在浙江、台湾、广西等地抵抗法国侵略军。与此同时，李鸿章也依靠淮军的力量而位登显要，并以此作为支柱，逐步在政治、经济、外交、军事等各个领域开展活动，使一批淮军将帅幕僚位居要津，并相互呼应，连成一气。甲午战争爆发后，已呈衰势的淮军在朝鲜、辽东战场上一败再败，其地位逐渐为袁世凯统领的新建陆军所代替。

第十章

合肥地区近代化事业的开启

第十章 合肥地区近代化事业的开启

鸦片战争之后,颟顸无能的清政府节节退让,中国国门被迫打开,欧风随之东渐,传统中国社会的肌体上出现了异质的基因。虽地处内陆,合肥地区也开始了与西方文明的初步接触,西方的天主教、基督教进入合肥地区布道传教,并建医院,设学校,进行慈善活动以争取更多的信徒,从而为固闭已久的合肥地区带来一缕新鲜的风气。合肥地区的近代交通航运业、邮政电信业也开始起步,并获得一定的发展空间,从而为合肥地区的经济近代化打下了基础。随着对西方文明了解的加深,"师夷长技以制夷"的观念日渐普及,教育救国的呼声不断增强,合肥地区的教育近代化拉开了帷幕。

第一节 与西方文明的初步接触

一、西方教会势力的进入

1840年(道光二十年)鸦片战争之后,以英国为首的西方资本主义国家开始全面侵入中国,中国的国门也随之洞开。西方教会势力也凭借一系列不平等条约获得进入中国内地传教的权利,在安徽各州县建立教堂,吸收教民,从事传教活动。在合肥地区的西方教会势力主要有天主教和基督教,其实早在元代,天主教就已传入合肥地区。据余阙《青阳集·合肥修城记》记载,元朝,也里可温教教徒马世德曾在合肥做官,修筑城墙。明末清初,虽然天主教重新传入安徽,但只集中在五河、安庆和婺源县的东门镇,合肥地区尚未进入。鸦片战争后,天主教势力开始恢复在安徽的传教活动,合肥地区也随之为天主教所染指。

1895年(光绪二十一年),德国传教士戴尔第从六安进入合肥县传教,在德胜街购买张、陆、刘、王等姓地基8000多平方米,开始建筑教堂,经数年努力,终在1903年(光绪二十九年)建成哥特式教堂一座。圣堂前为唱经楼,其后依次为钟楼、教士大楼、教员小楼和校舍等附属建筑,共华洋兼式楼房20余间,总面积1000余平方米。当时天主教在合肥除设有本堂外,还另设有5个分堂,分别在城南德胜街、西乡雷麻店、西乡高刘集、西乡烧脉冈、西乡张周馆。法国天主教于1897年(光绪二十三年)进入巢县,先后在二十三、二十五、三十等年份陆续购买陈、曹二姓地基,在城内北隅建造教堂,共有华洋兼式瓦屋、草屋23间。在巢县传教的教士为法国人林福恒,另有女教士张某、沈某,均为上海人。巢县还另有1个分堂,在北乡柘皋镇。光绪年间合肥地区天主教的具体情况如表10-1-1所示:

表10-1-1　清光绪年间合肥地区天主教堂一览表

名称	地址	教堂建筑	教堂基地	教士	备注
合肥县法天主总堂	城南德胜街	华洋兼式楼房20余间	光绪二十一年价买张、陆、刘、王等姓基地,契已税	教士侯晋康,德国人	有义学
分堂一	城南德胜街	华式草屋13间,瓦屋3间	光绪二十八年价买瞿姓之屋,契已税	女教士龚某,上海人;郑某,宣城人	有女义学
分堂二	西乡雷麻店	华式草屋8间,洋式经堂1座	光绪二十三年价买赵姓基地,契已税	教士系总堂侯教士兼理	有义学
分堂三	西乡高刘集	华式草屋11间	光绪二十五年孔姓送建	教士系总堂侯教士兼理	
分堂四	西乡烧脉冈	华式草屋9间	光绪二十五年价买满姓之屋,契已税	教士系总堂侯教士兼理	
分堂五	西乡张周馆	华式草屋5间	光绪二十七年价租张姓之屋	教士系总堂侯教士兼理	
巢县法天主堂	城内北隅	华洋兼式瓦屋、草屋23间	光绪二十三、二十五、三十等年陆续价买陈、曹二姓基地,契已税	教士林福恒,法国人;女教士张某、沈某,上海人	有义学。附近武营巡警
分堂一	北乡柘皋镇	洋式瓦屋3间	光绪三十三年价买吴姓基地,契已税	教士林福恒,法国人;女教士张某、沈某,上海人	

资料来源:光绪《皖政辑要》交涉科卷6《教务二·庐州府属教堂表》,黄山书社2005年版。

合肥地区天主堂的教务如表10-1-2所示：

表10-1-2　清代合肥地区天主教堂教务一览表

地名	圣堂	教友	保守
合肥县	7	998	2705
庐江县	30		
巢县	2	581	1314

资料来源：《圣心报》第273、274、276号，转引自张湘炳、蒋元卿、张子仪编：《辛亥革命安徽资料汇编》，第69页。

合肥的天主教组织屡有变动，在戴尔第进入合肥时，其关系隶属于六安总铎区。从1897年（光绪二十三年）开始，一直到1907年（光绪三十三年），合肥天主堂隶属太平府总铎区。其后直至民国九年（1920），合肥开始自成一总铎区，下辖舒城和雷麻店本堂区。天主教合肥总铎区中国传教士为陆起龙，别号驾云，圣名玛窦，籍贯江苏海门，1902—1904年出任首任本堂。

表10-1-3　清末合肥总铎区外国传教士一览表

姓名	别号	国籍	教堂	年度	备注
戴尔第	意云	德国	合肥	1896—1907	合肥教堂创建人
瞿功昭	自敏	法国	舒城	1905	舒城二任教士
服罗英	举洲	法国	舒城	1909	在瞿功昭之后
侯晋康	福君	法国	合肥	1907—1909	首任总铎
翁承伟	钓江	法国	合肥	1909—1920	二任总铎，卒于合肥

资料来源：合肥市地方志编纂委员会编：《合肥市志》卷17《宗教》，安徽人民出版社1999年版，第1901页。

基督教则是伴随着鸦片战争的进展传入中国内地的。基督教在中国常单指称新教，又称耶稣教，是16世纪时由天主教分裂开来的教派，故称新教，以示与天主教旧教的区别，在西方一般称新教为抗议宗或抗罗宗。16世纪马丁·路德宗教改革后，新教内部陆续分化出多达百种以上的教派，基督教差会是基督教差派传教士进行传教活动的组织，多为西欧、北美国家的基督教会所设立，派遣传教士到亚洲、非洲、拉丁美洲等国设立教会、开办学校、报馆和举办慈善事业[①]。1890年（光绪十六年），基督会派遣美国和澳大利亚传教士在安徽滁州、庐州和芜湖分别建立宣教区，开始传教活动。1896年（光绪二十二年），中华基督会总会派美籍传教士徐鸿藻到合肥，在东门大街杜家巷租赁12间民房，一面行医，一面传教。次年，中华基督会总会又派美籍传教士兼医生柏贯之到合肥传教。1898年（光绪二十四年），基督教会又在四牌楼北面购地2100多平方米，兴建西式基督教堂一座，建筑面积440平方米，另建中式平房小礼堂一所，教牧人员住宅楼等附属房屋共计1200平方米。1900年（光绪二十六年），美籍传教士泰德师在巢县县城小东门购买刘姓地基建筑教堂，为洋式瓦屋，成立美基督会堂，开始了在巢县境内的传教活动。合肥地区基督教会情况如表10-1-4所示：

表10-1-4 清光绪年间合肥地区基督教堂一览表

名称	地址	教堂建筑	教堂基地	传教士	备注
英基督总堂	城东小东门	洋式瓦屋	光绪二十七年价买费姓基地，契已税	教士柏志道，英国人；女教士，美国人	有施医
美基督会堂	城东小东门	洋式瓦屋	光绪二十六年价买刘姓基地，契已税	教士泰德师，女教士，均美国人	
美基督会堂分堂一	城内大东门杜家巷	华式瓦屋12间	光绪二十九年价买王姓之屋，契已税	教士系小东门泰教士，另有一名女教士兼理	有义学
美基督会堂分堂二	城南南门口	洋式瓦屋	光绪二十八年价买孙姓基地，契已税	教士夏培果，女教士一人，均美国人	
美福音堂	大西门内三坊	华洋兼式房屋3间	光绪二十九年价买侯姓之屋，契已税	教士溥尔祺，美国人；女教士赵某，中国人	有义学

---

① 顾长声：《传教士与近代中国》，上海人民出版社2004年版，第106—107页。

（续表）

名称	地址	教堂建筑	教堂基地	传教士	备注
美福音堂分堂一	北乡柘皋镇	华式房屋5间	光绪三十四年价租某姓之屋	教士溥尔祺,美国人；女教士赵某,中国人	
美基督教堂	巢县县城钟楼上	华式房屋9间	光绪三十年价租程姓之屋	教士泰德师,美国人	附近武营巡警
美基督教堂分堂一	小西门内	华式瓦屋7间	光绪三十年价买某姓基地,契已税	教士泰德师,美国人	附近武营巡警

资料来源：光绪《皖政辑要》交涉科卷6《教务二·庐州府属教堂表》。

此外，在清末安徽进行教堂调查时，巢县尚有一处美福音堂没有开堂，该福音堂在巢县小西门内卧牛山下，建有洋式三层楼房，上下共15间，楼北厨房2间，院内平屋书房3间，住房4间。

合肥基督教在组织上隶属于中华基督教南京总会，合肥教区下辖城市教会、乡村教会、附属医院、学校、农场、乳牛场、女子服务社和普益社等。合肥教区区议会，由城乡教会负责人、附属机构负责人和外国传教士共同组成。区议会设主席1人，书记1人。教会重大事项，由区议会讨论决定，各部门执行。教会及各门的经费由总会拨发，教会和附属机构主要负责人的任免、调动，均由南京总会决定。

作为一种异质文化，西方教会势力进入中国内地传教，不可避免地与当地民众产生冲突，对于固守传统生活方式数百年的中国民众来说，高鼻子蓝眼睛的外国传教士具有一种不可理解的恐惧。更主要的是，一些传教士依恃不平等条约与本国的坚船利舰，对中国民众进行了一系列侵犯活动。他们强迫捐献、盗买盗卖、低价勒索、霸占土地民房，甚至干涉内政，包庇作奸犯科的教民，直接侵犯了中国的国家主权和百姓利益，导致晚清各地频频爆发教案。如1885年（光绪十一年）2月16日，英籍传教士卜罗柏来到合肥后即引发了一场矛盾。卜罗柏在庐州府城内四牌楼吴姓饭店寓住，次日夜突然被人辱打,并遭抢走衣被等五件。等合肥知县闻知迅速赶来弹压时,卜罗柏将芜湖关颁发的准其内地游历护照交由知县呈验。随即由县认赔损失衣服,暂时派兵护送回芜。去后,英领事照会南洋大臣曾国荃咨会巡抚,严饬该管道府县速拿为首滋事之人,并索单开饭店店主失去各件之数。经知县查据,饭店供无所失。认偿教士失物三百余元,缉犯照办议结。

合肥知县为避免天主教受到冲击,在四街通衢广发通告,严禁地方民众成群结党随意进入教堂打探,亦不得捏造谣言,妄肆诋毁,滋生事端,否则将予以从严惩办。其布告原文如下:

照得法国天主教士,来郡传教,久经奉旨允准,载在约章,由地方官妥为保护,诚恐小民未及周知,合行出示晓谕。为此示仰诸色人等知悉,天主教无非劝人为善,奉教与否,各听其便。凡遇讲授之时,只许入座静听,不得喧嚣毁辩,平时亦不得成群结党,入堂定探以及捏造谣言,妄肆诋诽,致滋事端。自示之后,如敢故违,定即查提到案,从严惩办,决不宽贷。其各懔遵毋违。切切,特示。

右仰通知

光绪二十三年正月二十九日示①

虽然地方官府屈从于外国列强的压力,采取保护教会活动的策略,但教民之间的冲突仍旧在所难免。1908年(光绪三十四年),庐江县教民许修齐等人因神父生病赴上海就医,便在罗昌河镇租赁民房数间作为聚会之所。该镇士绅刘和钧唯恐教民久住镇内,遇事掣肘,遂约集多人与之理论。教民不服,双方发生争执,最终将领头人刘和钧殴打一番,刘和钧即刻赴庐江县禀控,县令饬差役提押教民一人。此举原本为敷衍起见,试图平息事端,孰料许修齐等教民借机大肆吵

---

① 《钦加五品衔署庐州府合肥县正堂方出示晓谕事》,张湘炳、蒋元卿、张子仪编:《辛亥革命安徽资料汇编》,黄山书社1990年版,第67页。

闹，不肯罢休。结果原告、被告都到庐州府衙申诉，一时间闹得地方鸡犬不宁①。

二、西方传教士的教育、医疗、慈善活动

也正因为各地此起彼伏的教案冲突，西方传教士发现基督教教义与中国传统的价值观相悖，不能再持守文化上的优越感，否则传教活动就很难推进。有些传教士认为，基督教与西方文化是一体两面的，不可分割，欲使中国基督教化，必须先以西方文化取代中国传统文化。

1830年（道光十年），美国公理会传教士裨治文在广州创办Bridgman School，这是西方传教士在中国设立的第一所教会学校。19世纪60年代以后，随着洋务运动的兴起，中国社会逐步改变了对西学的看法。同时，洋务运动的兴办与扩大，也激发了对西式人才的需求，给教会学校的迅速发展提供了良好的契机。1890年（光绪十六年），在华传教士在上海举行宗教会议，确定创建学校，兴办教育为中国教会之正当工作。

教会开设学校，其实也是为了培植中国籍的传教助手，争取到较多信徒，达到传教和扩充教会势力的目的。据学者研究，"不论是天主教或是基督教开办的教会学校，它们的主课就是宗教。天主教办的学校里要学生读《教义问答》（或《教会问答》），内容是讲述天主教的主要教义和教规；基督教办的学校里学生要读《圣经》，主要选读其中有关的创世论、赎罪论和耶稣生平等教义，宗教课不及格不能升级。此外，他们还要学生参加弥撒或做礼拜以及其他各种宗教集会，经过一段时期的训练和考核，让他们接受洗礼入教。传教士通过宗教课和宗教活动，严格控制学生的思想，若有越轨活动，轻的则处以

---

① 《庐江民教又起龃龉》，《申报》1908年12月14日。

体罚,停止领圣体或不给饭吃,重的则开除教籍、开除学籍和追回学杂费"①。各教会学校按照西方教育模式,构建了正规的教学体制,在专业化和规范化的基础上,形成了从小学到大学的教育体系,成为近代中国新式教育的滥觞。

合肥天主教开办的学校是在1899年(光绪二十五年),德国传教士戴尔第在德胜街购买瞿余庆住宅一所,修整改造后,兴办义学。到1904年(光绪三十年),该校有男女学生150名,分成两部,教员4人,教学内容除文化课外,还主修天主教的"经言要理"。其后,学校规模不断扩大。合肥基督教开办学校的时间是在1907年(光绪三十三年),中华基督总会派美籍教士方淑美到合肥办学。方淑美最初在合肥县城四牌楼北首购买姚家公馆作为校舍,开始招收女学生,教读认字,编织毛线,命名为女学。不久,方淑美调离合肥,美籍教师华椿接替掌管该女学,将其更名为"三育女子小学"。1909年(宣统元年),美籍教士彭育恩接任,又将学校更名为"三育女子中学",其经费由中华基督教南京总会拨给。据日本学者山口昇的统计,1902年(光绪二十八年),三育中学校共有学生40人,年龄在14—22岁之间,所收学费为寄宿生36元,主要师资有国外男教员1人、中国教员5人。而三育女学校的规模要比三育中学大,1909年,该校共有女生85人,年龄在14岁上下,学费为寄宿生28元,有外国女教员2人、中国教员7人②。女子学校的开办,对推动合肥地区女子教育的发展,争取妇女的权利地位具有一定的作用。据学者研究,"大多数天主教学校是小学水平,讲课用中文,学校的全部课程和课本的宗旨则几乎都是为了加强学生的基督教信仰,很少或根本没有做出努力来介绍的非宗教知识"③。

---

① 顾长声:《传教士与近代中国》,第214—215页。
② [日]山口昇:《欧美人的支那文化事业》,转引自苏云峰《中国新教育的萌芽与成长》,北京大学出版社2007年版,第206—207页。
③ [美]费正清等编:《剑桥中国晚清史(1800—1911)》,上卷,中国社会科学出版社1985年版,第614页。

西方传教士在合肥进行传教的同时,还将医疗和慈善事业作为传教的辅助手段,以赢得当地民众的好感。美国基督教差会重要负责人司弼尔道出了传教士举办慈善事业的目的:"我们的慈善事业,应该以直接达到传播基督福音和开设教堂为目的。……因此,作为一种传教手段,慈善事业应以能被利用引人入教的影响和可能为前提。要举办些小型的慈善事业,以获得较大的传教效果,这要远比举办许多的慈善事业而只能收获微小的传教效果为佳。"[①]1898年(光绪二十四年),美国基督教会传教士、眼科医生柏贯之在合肥创办诊所,这是当时合肥唯一的西医诊所。创建之初,诊所租赁房屋12间,既是行医场所又兼作教堂。因病人逐渐增多,房屋不敷应用,便在城内购得1.6万平方米,于1902年(光绪二十八年)开工,共建造了1幢2层西式病房楼、1幢西式平房门诊部、3幢西式2层宿舍,全部为砖木结构。1903年(光绪二十九年)扩建为合肥基督医院,命名为"柏贯之医院",设有内科、外科和妇产科,共50张床位。医院建成后,教会即搬迁到医院小礼堂做礼拜。

天主教合肥总铎区在外国传教士统治时期,为了发展教徒,曾在本堂和分堂办过多期保守学,传授教规教义,使学员取得受洗资格。学员的书籍、伙食费全免,每逢荒年,参加保守学的农民骤增,故而当时合肥境内流行"吃教"之说。1897年(光绪二十三年),戴尔第在雷麻店开办了第一期保守学。1901年(光绪二十七年),教会在本堂开办了两期保守学,参加的男子230人,女子54人。1908年(光绪三十四年)又续办了6期,参加学习的男子113人,女子83人。戴尔第还为保守学编写了一册《教理详解》,该书简明易懂,流传全国。

---

① 《美国和加拿大基督教差会会议记录,1899年》,第47页,转引自顾长声《传教士与近代中国》,第256页。

第二节 合肥地区经济近代化的开端

一、近代交通航运事业的开启

交通是各种运输手段的总称。就种类而言,大致可分为陆运、海运和空运三类;从运输方式来看,约有铁路、公路、水路、航空和管道五种方式。水路运输在中国传统社会长期占居举足轻重的地位。在清末合肥地区的交通运输领域,具有主导作用的依然是水运,运输工具为轮船、汽船、帆船等。

（一）近代合肥地区的水路概况

合肥地处皖中、长江下游北岸,属巢湖流域,拥有江淮区域优势。境内河湖港汊众多,河网密布,肥水、派河、襄河、青帘河、七里河、界河、柘皋河等主要河流贯穿其间,作为中国五大淡水湖之一的巢湖亦镶嵌其中,水运路线四通八达,极大地方便了合肥与其他地区的沟通。据史料记载,合肥地区的水道情况为:"入江之水曰西河,上承庐江之黄陂湖、白湖、后湖诸水,东流为青帘河,入无为境为西河,至襄安镇受永安河水,又东北流,北分支过马口,合襄水,入黄雒河。正流分绕圩堤,由灰河、土桥、泥汊、栅港、神塘诸口入江。襄河出无为州西北诸山,东南流绕州城,东南合西河,分支水为运河,又东北流入黄雒河。巢湖居府境之中,跨合、庐、巢三县界。舒城之七里河、界河诸水出县西南诸山,会于三河东流注之。合肥之派河出周公、大蜀诸山,东南流注之。肥水出将军岭,东南流合店埠河,至施口注之。柘皋河出西黄山,经柘皋镇南流注之。其余合、庐、巢三县诸山水皆入于湖。东流经巢县城南为天河,东南流入无为州境（与和州以河为界)为黄雏河(即濡须河)。合运河水转东流至和州之裕溪口入江。其南分支由奥龙、马龙诸河入江者,今皆淤浅。余如合肥北境之滁水,则出黄泥段东流受石塘桥水,又东流北受小马厂水,又东入滁州境。西北之西肥水,则出将军岭,西北合吴家桥水,西北流合铁索涧,入凤阳府境。"[①]

合肥境内的主要航道有南淝河、派河、丰乐河三条河流和滁河干渠,通航河流均发源于大别山余脉,自北向南各自形成"倒鸡爪"状通向巢湖。南淝河是历史上著名的漕运、军运要道,也是江淮之间重要的水运通道。南淝河古称"施水",源出于合肥西乡将军岭,流经合肥通向巢湖,全长65公里,流域面积1619平方公里。南淝河属自然河流,河床沿低洼地势而下,弯曲狭窄,比降值小,水流排泄不畅。南宋乾道七年(1171),淮西帅郭振奉诏在南淝河旁拓建合肥城池,在出入城区跨河处设东、西水关,将南淝水从西水关引入,与金斗河、包河、逍遥津和凤凰桥四水连网贯通,再由东水关流入南淝河。明万历十七年(1589),合肥地区大旱,合肥知县胡正亨差人在城东3里处建"王公闸",蓄南淝河上游水供城内居民饮用,同时也利于小船在城区航道上短途转运货物。清乾隆二十七年(1762),庐州知府王宬主持修复闸坝,蓄水以维护城内短途航运。但年久代远,城内航道逐渐淤塞断航,港埠被迫迁至东门外河岸。

合肥的水运路线南通长江,北通淮河,连达江淮,极大地方便了合肥的对外交通。民国时期,日本东亚同文会曾作过详细的河流调查,据此可知,合肥通往长江的路线情况为,由芜湖下长江经裕溪口入三汊河经巢县县城过巢湖,由施口溯店埠水自三汊口入淝水到达合肥,或者不经裕溪口,由芜湖对岸走雍家河,也可以与上述水路相汇合。从芜湖到合肥的主要河流依次有:(1)三汊河。在裕溪口附近,河面宽18丈,由此至雍家镇两岸均筑有堤防,在雍家河河面约宽15丈,水流极缓。由三汊河向北行八里,有自东而来的一条支流,水

[①] 光绪《皖政辑要》邮传科卷98《水道》。

阔6丈,能通民船。其北岸有山丘,由此再上4里有自西而来的一条支流,水面宽30丈,本流宽约48丈。在运漕下游约一里处,河宽逾72丈,在运漕附近约24丈,曲折画一大半圆,有两小河来汇。溯河而上其间支流甚多,沿路俱有小山脉。迨流至平地,即到黄雒河。出黄雒河约里许,右岸近处有山,山高自50尺至100尺,将入山地之处有二条支流,水宽3丈,能通民船。再往前五里始离山地,再向前一里,又与山相会,待接近东关处才开始为平地。出东关一里,右岸有山,沿山前进约三里半,山势渐低,再前行半里余则为平原。离东关14里与由西而来之小支流会合,自此以上山更小,只有一里便达淋头,小岗连续不断,中向西北上溯,水势不急。(2)巢湖。过巢县数里即到巢湖。沿湖筑堤,高5尺,叠石筑成运河,河之北岸一带有山,高百尺上下,沿湖向北走,岸南则为丘陵地带。巢湖水浊而且深,湖上行船方便,渔业非常兴盛。湖中有三岛,中央为姥山,北名鞋山,西名孤山。三岛的大小略等。岛中有渔村,小轮船及民船皆沿湖的北岸西进,由鞋山对岸的忠庙向西北行,从施口入店埠水,湖的面积较大,风波剧烈,所以民船航行的条件比较恶劣,备极艰险。(3)店埠水。店埠水水浊流缓,两岸的平原皆系水田,堤防为土筑而成,堤上植柳,高出水面4尺,堤宽5尺,河宽30丈内外。由此上行9里至三汊口,与来自西北方向的淝水在此处会合。由此地到合肥的河面宽约十八九丈,堤甚高,宽9尺,亦植柳树[①]。

  从芜湖到合肥水运的沿途共有数处重要市镇,亦为重要码头。(1)裕溪关。此镇系长江与运河的会合点,该处水深,因可避风波之险,所以凡是由巢湖运米东下的米船皆在此地寄宿,然后再开往芜湖。街市沿运河两岸分布,清末有厘金局、小轮码头,附近停泊民船。(2)雍家镇。该镇距离芜湖45里,清末住户不满百家,系小轮码头之一,商业不甚发达。(3)三汊河。距雍家镇30里,清末住户约300

---

  ① 东亚同文会编:《安徽省志》第四编《交通及运输机关》第三章《民船》第一节《以芜湖为中心之民船·芜湖庐州间之民船》,日本大正六年(1917)刊本。

家,有旧关小轮来往靠埠,系附近米粮及杂货的集散地,商业稍盛。(4)运漕。距三汊河15里,清末住户70家,为米的集散地,商业甚盛,停泊民船较多,竹筏尤多。(5)黄雒河。距三汊河15里,小轮来往靠岸,街市在运河的右岸,河宽30丈,河道稍弯曲,水势和缓,清末住户约70家,竹木集散甚盛,其他买卖则不足观。(6)东关。在黄雒河上30里,在运河的左岸,虽然为小轮码头,但清末住户不满30家,市面极其冷落。(7)淋头镇。在东关上15里,运河河面宽不过18丈,亦为小轮码头之一,清末住户仅有25家。(8)巢县城。距淋头镇30里,距芜湖、庐州皆为180里,由芜湖乘小火轮8个半小时可以到达。航行庐州、芜湖间的小轮水大多在此地寄宿,水小时即以此地为终点,三河所出稻米以巢城为集散地,城内商况较为活泼。(9)忠庙。距巢县县城90里,在巢湖北岸,位于突出的岬端上。清末住户约三四十家,有大庙,为忠庙命名的由来,亦系小轮码头之一,但市面冷落。(10)施口。距忠庙30里,在店埠水的河口。清末住户二三十家,亦为小轮码头之一,但镇市极小,为往来巢湖民船停泊之所①。

  淮河亦是水运时代比较重要的交通干线,正阳关是淮河中流的重要码头,从合肥通过水路可以抵达正阳关,继而转运淮河上下。出合肥西门渡西门桥有两条路线可通正阳关,一条为通往六安正阳关的道路。另一条则是通北方寿州的道路,取道北进,经高墩铺、成子铺、定林铺等乡镇而达吴山庙,由吴山庙再分为两路,一往寿州,一为六安,通往六安的道路中途分路而往正阳关。自吴山庙起,地势稍稍低降,东有迎河集,由迎河集西行五里而达沘河。沘河发源于庐州府西官亭附近的周公山,向北可流入瓦埠湖,河面不及十丈,无桥梁,亦无堤防,遵道西北行而至双庙集,其间道路平坦但曲折甚多,并无大集镇。由双庙集更西进而至老庙集,为稍大集镇,临安丰湖畔,湖脚有安丰疃湖,周围有六十里,但水涸则水草蔓生,民国时期成为牧场。

---

  ① 东亚同文会编:《安徽省志》第四编《交通及运输机关》第三章《民船》第一节《以芜湖为中心之民船·芜湖庐州间之民船》。

道路自庙集起即为大道，沿湖边的大道而进，经新巴店子、田家洼等集镇，最后到达正阳关，正阳关位于正阳湖的突出处，该湖亦为淮河曲流所派生①。如果从走水路来说，合肥通往正阳关亦可走寿县再转往正阳。

由合肥到省垣安庆亦可通过水路辗转抵达。其大致路线为安庆—连潭—桐城—舒城—合肥。连潭在安庆北60里处，来往行人多由水路从枞阳经过。连潭、桐城之间的河流则甚多，如发源于砦拔山注入菜子湖的沙河，发源于石镜山注入鸭子湖的大河及发源于挂车岭、龙眠山注入鸭子湖的挂车河、龙眠河等，各河流沿岸均筑有堤防，沿岸堤防可以放畜。桐城、舒城之间的主要河流有吕亭镇北的鲁汪河及支流鲁亭河，发源于华岩山的三十里铺河，过三十里铺入菜子湖，水深五尺。石桥山河亦发源于华岩山，在大关南注入三十里铺河。发源于仙女台山、法华山的巴阳河即七里河，注入巢湖，水深十五尺。可用渡船联络的舒城南有城河，发源于云雾山，注入巢湖。舒城、合肥间的河流主要有三河和派河。三河发源于楮皮岭、小霍山，在桃城镇流入巢湖，水深八尺。派河发源于周公山、李陵山，亦流入巢湖，在派河镇水阔十二丈，深一丈②。

（二）近代合肥地区的航运交通工具

合肥地区发达的水网系统决定了交通工具的选择。1898年（光绪二十四年）前，合肥境内还没有专门从事客运的水运工具，只有载客10余人、短途往返于内河沿岸各点的木划子，俗称赤膊猴。水上长途货运以木帆船为主，短途转运货物则用驳船。因各地遍设厘金关卡，在合肥水域出现了专为隐瞒货物量而建造的从事货物运输的木帆船，主要有巢湖船（又名焦湖船）和摆江船两种。巢湖船板厚梁

---

① 东亚同文会编：《安徽省志》第四编《交通及运输机关》第五章《各地间陆运及水运》第三节《河南通道·正阳固始间》。

② 东亚同文会编：《安徽省志》第四编《交通及运输机关》第五章《各地间陆运及水运》第四节《以合肥为中心之通道·安庆合肥间》。

密,结构坚固,型长、低宽、肚子大,舱口窄小。摆江船亦板厚梁密,但船型短,肚子大,舱口短窄,阻力大,航行慢。这两类木帆船平均日航60～70公里,抗风力3～4级,因口小肚大,载重时大肚子藏在水下,关卡难以查出实数而减少纳税,但航行慢又不易装卸。往来于芜湖、合肥之间水道的民船也大都是装货之船,以摆船、江船、划子船为最多。大的摆船可以装六七百担重的货物,但通常以装四五百担之船居多。装运货物以合肥、巢县及三河等地所产稻米为大宗,与其他农作物一同向芜湖输送,继而由芜湖换进杂货如煤油等日用货物,再转运各地销售。

第二次鸦片战争之后,西方国家为了获取更多利益,开始涉足中国内地。为此,首先涉足的是中国水上航线的开发,一些外国商人纷纷创办轮船公司。19世纪60年代初有多家英美公司开辟长江班轮航运,日清、太古、怡和、鸿安、招商局等各家公司开通上海至汉口的航线,芜湖、安庆、大通成为这些公司轮船定期停泊的口岸。甲午战争之后,清政府禁止外国轮船驶入长江以外中国内河的规定成为一纸空文,被迫逐步放开内河的航运权,1898年(光绪二十四年)总理衙门令各通商省份的所有内河,无论华商、洋商,均准行驶小轮船[①]。同年,清政府还颁布了《内港行船章程》,规定华、洋各项轮船可任便往来于中国内河。在外国轮船公司肆意扩张的同时,华商航运企业也开始起步,以期同列强争夺航运权。

1898年(光绪二十四年),部分中国商人与英商新顺昌公司商定,由他们投资在芜湖设立于英国注册的立生祥小轮公司,得到英国驻芜湖领事富美基的支持,由其照会芜湖关道吴景祺,要求允许新顺昌设立立生祥小轮公司。同年十一月,芜湖关道吴景祺具禀安徽巡抚、南洋大臣,订立六条章程:"一、长江自下江之南京至上江之安庆,向为芜湖新关之境。现本口所发船牌为小轮船,行驶似应限定上至安庆下至南京,北至庐州府南至太平府为止。二、小轮赴税务司处请领

---

① 朱士嘉编:《19世纪美国侵华档案史料选辑》,中华书局1959年版,第415—416页。

关牌,送监督盖印发给。若欲前往何处内港,于出口、回口时赴关报明,由税务司随时函知监督,以备稽考。三、小轮拖客船以几只为限,拖货船以几只为限,所有悬挂灯盏、防范撞碰及招雇更换水手、查验机器等事,现已移询苏州关小轮章程,俟复到酌办。四、奉颁章程五、六、七三条,似小轮在本口装洋货赴内港领有洋货税单,及在内口装土货回扣领有土货报单,小轮船内之货在洋关完出口、回口正税,又在内口完各常税厘金,是小轮装货必须在口赴港、在港回口,不得在此内港装货至彼内港卸载,致漏洋税。外国商民向不准在内港各处居住,开设行栈,应仍照章禁止。五、小轮及所拖之船,应于有关卡之处搭客装货,报由关卡验明,照旧征收税厘给发放行。逢关纳税,遇卡抽厘,无关卡之处概不准起下货物,即无客货,经过关卡亦应停候验收,以免走私。六、小轮船所拖之船货照常完各常税厘金,不完洋税,不归税务司管理。其装货完税厘等事,由该船主自理。如有违章等弊,由关卡将该船扣留,均与小轮船主无涉。"①立生祥记小轮公司成立后,即购买船只行驶庐州、太平等处。《中外日报》于1899年(光绪二十五年)2月5日进行过报道:"立生祥号创设内河轮船公司,悬挂洋旗,专走庐州内河一带,已于十八日开办。搭客甚夥,行旅便之。"

　　立生祥小轮公司开设以后,获利颇丰,吸引了其他华商纷纷跟进,他们悬挂英商牌号,成立了"顺丰公司及丰和公司,行驶小轮,专走太平府、和州、南京、狭[荻]港、凤凰颈、大通、枞阳、安庆等处"②。1901年(光绪二十七年)6月,泰昌轮船航运公司开办,该公司为中国人合股自办,自购"升隆号""升和号""升发号""升财号""升泰号"等5艘小轮,另租小轮2艘。公司的规模居芜湖轮船公司之首,航线以芜湖为起点,航行南京、合肥、安庆、宁国、南陵及安庆、九江之间。1902

---

①　《内河行驶小轮文牍》,光绪《皖政辑要》邮传科卷99《航业》。
②　《湖北商务报》第44期,光绪二十六年七月初一日,"各省商情",第8页。引自聂宝璋、朱荫贵编《中国近代航运史资料》第二辑(1895—1927),下册,中国社会科学出版社2002年版,第975页。

年（光绪二十八年），日商广安公司购置快轮数艘，开通庐州、芜湖间的航线，"水脚极廉，便利之至，不似民船之时时守候风潮，且渡巢湖有诸般危险也"①。利济轮船公司也开通了芜湖至合肥的航线，购置的小火轮系小马力木壳蒸汽船，约有 100 客座，50 吨级。至此，合肥境内的水上开始有轮船客运，具体航线为合肥—施口—忠庙—巢县—运漕—裕溪口—芜湖，航程 2 天。自小轮开通以后，行旅往来乘坐小轮者逐渐增加。

截至 1905 年（光绪三十一年），芜湖已成立 5 家小轮公司，共有十余艘小轮，行驶庐州、合肥或安庆、大通等处，往来搭客。同年 5 月，候选知州程步章等人禀请洋务局立案，在芜湖设立江皖公司，自备小轮二艘，一为合肥号，一为芜湖号，由芜湖行驶庐州，往来贸易②。7 月，华商汪瑞卿亦在芜湖开设新安和记公司，置备小轮一只、拖船一艘，由芜湖行驶庐州、运漕、雍家渡等处，往来搭客贸易，并"禀请商务局给示饬县保护"③。芜湖的戴生昌轮船局系台湾人戴玉书创办，有轮船五艘，以芜湖为中心，航行于南京、合肥及安庆、九江之间。源丰轮船公司亦由中国人合股自办，自购小轮 2 艘，另租有小轮 2 艘，以芜湖为起点，开通合肥、安庆及安庆、九江间的航线。

民国《芜湖县志》对芜湖开往合肥的轮船航运有所记述："自光绪二十四年商人创设公司，先行江北巢湖、合肥，次南京、安庆。今则宁国、南陵内河一带，无不通行，共有小轮二十余艘。惟冬令水涸，则多半停业耳。"④据东亚同文会的调查，清末芜湖、庐州间的航线情况如表 10-2-1 所示：

---

① 《庐芜行轮》，《大公报》1902 年 8 月 1 日。
② 《中外日报》1905 年 5 月 29 日。引自聂宝璋、朱荫贵编《中国近代航运史资料》第二辑（1895—1927），下册，第 976 页。
③ 《中外日报》1905 年 7 月 8 日。引自聂宝璋、朱荫贵编《中国近代航运史资料》第二辑（1895—1927），下册，第 976 页。
④ 民国《芜湖县志·政治志·交通》，民国八年刻本。

表 10-2-1　清末芜湖至庐州间水运航线一览表

地名	由芜湖	各地间	地名	由芜湖	各地间	地名	由芜湖	各地间
雍家镇	45里	45里	三汊河	75里	30里	运漕	90里	15里
黄雒河	105里	15里	东关	135里	30里	淋头	150里	15里
巢县	180里	30里	忠庙	270里	90里	施口	300里	30里
庐州	360里	60里						

安庆的小轮航运业自芜湖之后也开始出现和发展，开通了驶往庐州的航线。1904年（光绪三十年）6月2日的《中外日报》进行了报道："由安庆旱道至凤颍各属，虽是通衢，而往返异常艰难。自内河水涸，小轮不能达巢县，省垣之旅行皖北者，不得不由旱道。近以春雨连绵，内河水涨，省垣之泰昌、万集两轮局，开往枞阳、大通、鲁港等处者，搭客甚形拥挤。其由芜开往和州、巢县、庐州等处者，现已可直达庐州。故现在由省往凤颍、六安皆绕道趋小轮至庐州，再雇骡马车轿以就便捷。"[①]至1906年（光绪三十二年），安庆已有小轮公司数家，开行于安庆、芜湖两地，"间日开班"，其后广济公司购得坚快浅水小轮二艘，一为怀宁号，一为桐城号，每三日一开班，"开驶安庆、大通、芜湖、巢县、庐州埠各大埠暨沿途各小埠"[②]。

1911年（宣统三年），寿州商人孙多煊等人因该县与庐州接壤、连通巢湖，向来商人运货，只有依靠民船往来于巢湖寿州间，存有诸多不便，他们遂合股创办浅水小轮公司，购置小轮数艘，行驶巢湖一带，以利商旅[③]。

据不完全统计，清末行驶庐州的小轮共有十艘，隶属七家公司，分别是商务公司、泰昌轮船航运公司、森记轮船公司、江皖公司、源丰公司、江淮公司、淮汇公司等。各小轮公司的牌号、载客额数、沿途停

---

① 《中外日报》1904年6月2日，引自聂宝璋、朱荫贵编《中国近代航运史资料》第二辑（1895—1927），下册，第977页。

② 《东方杂志》第3卷第4期，"交通"，1906年4月，第117页，引自聂宝璋、朱荫贵编《中国近代航运史资料》第二辑（1895—1927），下册，第978页。

③ 《创办巢湖小轮》，《北洋官报》1911年，第2797期。

泊处所、开行时间等情况如表10-2-2所示：

表10-2-2　清末合肥地区小轮航运一览表

船名	船牌	经理人	载客额数	行驶地方	沿途停泊地	开行年月
逍遥津	江海关539	商务公司	136人	庐州府	雍家镇、下三汊河、运漕、黄雒河、东关、淋头、巢县、忠庙、三河、施口、上三汊河、合肥	光绪三十三年(1907)六月
筝笛浦	江海关572	商务公司	108人	庐州府	雍家镇、下三汊河、运漕、黄雒河、东关、淋头、巢县、忠庙、三河、施口、上三汊河、合肥	光绪三十三年(1907)六月
濡须坞	江海关581	商务公司	43人	庐州府	雍家镇、下三汊河、运漕、黄雒河、东关、淋头、巢县、忠庙、三河、施口、上三汊河、合肥	光绪三十三年(1907)六月
升隆	江海关574	泰昌	171人	庐州府	雍家镇、下三汊河、运漕、黄雒河、东关、淋头、巢县、忠庙、三河、施口、上三汊河、合肥	光绪二十七年(1901)五月
升和	江海关522	泰昌	134人	庐州府	雍家镇、下三汊河、运漕、黄雒河、东关、淋头、巢县、忠庙、三河、施口、上三汊河、合肥	光绪二十七年(1901)五月
楚南	芜湖关3	森记	82人	庐州府	雍家镇、下三汊河、运漕、黄雒河、东关、淋头、巢县、忠庙、三河、施口、上三汊河、合肥	光绪三十一年(1905)正月
芜湖	江海关430	江皖公司	54人	庐州府	雍家镇、下三汊河、运漕、黄雒河、东关、淋头、巢县、忠庙、三河、施口、上三汊河、合肥	光绪三十一年(1905)八月

（续表）

船名	船牌	经理人	载客额数	行驶地方	沿途停泊地	开行年月
永福	芜湖关27	源丰公司	76人	庐州府	雍家镇、下三汊河、运漕、黄雒河、东关、淋头、巢县、忠庙、三河、施口、上三汊河、合肥	光绪二十八年(1902)二月
玉泰	芜湖关28	江淮公司	51人	庐州府	雍家镇、下三汊河、运漕、黄雒河、东关、淋头、巢县、忠庙、三河、施口、上三汊河、合肥	光绪三十三年(1907)十二月
瑞兴	江海关487	淮汇公司	106人	巢县	雍家镇、下三汊河、运漕、黄雒河、东关、淋头、巢县	光绪三十四年(1908)七月

资料来源：光绪《皖政辑要》邮传科卷99《航业》。

清末合肥地区小轮航运业的出现，标志着以机器推动的轮船取代了依靠人力和风力推进的舢板和帆船等传统运载工具，具有运输技术革新的意义，实现了合肥地区航运业的近代化。马克思曾言："交通运输工具的改良，会绝对缩短商品的移动时间。"[①]轮船通行，使人们的长途远行及货物运输更加便利，促进了商贸发展和人员流动，从而推动了合肥地区的近代化进程，为近代合肥地区经济的发展创造了较为良好的交通条件。

合肥为皖中最大的货物集散地，每年在该处集散之米有二百万石，大部分用民船运往芜湖，由芜湖远销南方各省。就运输及运费而言，合肥当地与芜湖通水运，在夏季涨水时能通九百担之民船，运米赴芜湖皆用民船，平时旅客往来及他种货物之运送则坐小轮，冬季水落至极小时，小轮以巢县为终点，忠庙以上辄用水牛曳民船以行。庐州除南面外皆不通水运，故货物之交通概用小车，民船之运费通常由当地至芜湖每米一石需本洋五六角，小车运费米一石每里十文内外，

---

① 《马克思恩格斯全集》第24卷，人民出版社1972年版，第277页。

又由当地至芜湖每石征厘金二角。晚清合肥城内著名的米商粮行主要分布在东门外码头近处,有 30 余家,其中著名字号主要有杨裕发、沈德丰、沈鸿昌、益兴隆、同宏泰、杨丰泰、沈余庆、永康、鸿福兴等。这些米商粮行的发展与兴盛,在很大程度上得益于当地近代航运业的发展。

二、近代邮政电信事业的初创

(一)近代邮政事业

邮政在中国历史上具有重要地位,可谓源远流长。据甲骨文记载,中国古代邮驿起源于殷商,兴盛于周代,至春秋战国时期已比较普遍,孔子曾言:"德之流行,速于置邮而传命。"由此可见当时邮传的普及程度。在由商至清的漫长历史过程中,中国邮驿不断发展完善,自成体系。晚清列强入侵,中国被迫开放,新式邮政开始萌生,最终清政府废止传统的驿站制度,裁驿归邮。

清代邮驿的设置较明代更为普遍,全国范围内的驿站多达 2000 余个,递铺 1.4 万个,有 7 万多名驿夫和 4 万多名铺兵[①]。清代的邮驿分为铺递、驿递两种。铺递以铺夫、铺兵走递公文,驿递则用马,除送公文外,还护送官物及官差。清代驿站名称多样,或称驿,或称站,或称军塘、营塘,或称台等。驿站的设立,按道路之远近和地理位置之处要冲或偏远设之,"各省马驿水驿,其需要马驴车船人夫什物等项各有定额,钱粮或设驿丞专管,或属州县官兼管,或令武职带管,俱责成各该督抚驿传道稽察"[②]。

合肥地区的古驿通信可追溯至元初。清初,庐州府的驿站位于全省前列,多达 10 处,到光绪后期,安徽全省共设驿站 76 处,庐州府

---

① 王化隆、王艳玉主编:《中国邮政简史》,商务印书馆 1999 年版,第 22 页。
② (清)刘锦藻:《清朝续文献通考》卷 374 考 11200,浙江古籍出版社 1998 年版。

境内亦设有 10 处。设在肥东的有驿传、铺递两种,铺递东西向有坡岗、汤棚、店埠、邱城、西山驿、枣巷铺;南北向有店埠、路口、梁园、护城、八斗、响导。清代,省城安庆通往北京,经过合肥县境内的店埠驿、护城驿。店埠驿、护城驿原设驿丞 1 员,乾隆三十一年(1766)裁汰[①]。嘉庆年间,合肥县设有金斗、派河、店埠、护城四驿,马 220 匹,马夫 140 名,差夫 96 名。庐江县因非通衢要道,历代都没有设驿站,仅置班马走递紧急公文。光绪《庐江县志》比较详细地记录了该县邮递的情况:"原额班马六匹,马夫六名,额编银二百四十七两二钱。康熙十五年奉裁班马四匹、马夫五名,康熙二十年奉复班马一匹、马夫一名,康熙二十四年仍裁班马一匹、马夫一名。雍正五年全裁,其额编银两俱归入起运项下,其常行文移皆由铺兵走递,包封宪件定限时刻者随到随行,为途一百八十里直达居巢交卸,逾期辄不收。是年详奉按察使司准宽期限。迨至咸丰十年秋,县城初复,军务倥偬,羽檄尤关紧急,奉札改设步拨,来往文件星驰走递,不事稍稽。同治八年,军务肃清,步拨奉裁,仍立铺递,凡遇排单插翼文件,仍系飞递,不致延逾时刻。"[②]此外,该县额设铺司十名、铺兵二十二名,分拨各铺,在地丁俸工留支项下岁支银一百九十两八钱。额设铺舍十处,明正统年间知县黄金兰重建,此后屡次重修,明末毁于战乱。清顺治十年(1653),庐江知县孙宏喆重建,但咸丰年间全部毁于兵火,铺兵只得寄居民舍间,走递公文[③]。光绪年间合肥地区驿站情况如表 10-2-3 所示:

[①] 肥东县地方志编纂委员会编:《肥东县志》第六章《交通邮电》第二节《邮电》,安徽人民出版社 1990 年版,第 260 页。
[②] 光绪《庐江县志》卷 5《武备志·邮递》。
[③] 光绪《庐江县志》卷 5《武备志·邮递》。

表 10-2-3　清光绪年间合肥地区驿站一览表

府州县置驿地方	马匹	马夫	差夫	买补马价	槽锄等项
合肥县金斗驿	55匹	34名,每名日支工食银4分	24名,每名日支工食银3分	307.34两	78.1两
合肥县护城驿	55匹	35名,每名日支工食银4分	24名,每名日支工食银3分	307.34两	78.1两
合肥县店埠驿	55匹	35名,每名日支工食银4分	24名,每名日支工食银3分	307.34两	78.1两
合肥县派河驿	55匹	35名,每名日支工食银4分	24名,每名日支工食银3分	307.34两	78.1两
合肥县吴山庙驿	2匹	2名,每名日支工食银2分		11.176两	2.84两
巢县镇巢驿			8名,每名日支工食银3分		
巢县高井驿			8名,每名日支工食银3分		

资料来源:《通省驿站总表》,光绪《皖政辑要》邮传科卷94《驿传一》。

　　1842年(道光二十二年)《南京条约》签订后,英国以"香港英国邮局"为基础,在新开的五个通商口岸中开办了"领事邮政代办所",直属英国邮政总局,被清政府称为"客邮"。1858年(咸丰八年)《天津条约》规定:"大英钦差大臣并各随员等,皆可任便往来。收发文件,行装囊箱,不得有人擅行启拆。由沿海无论何处皆可送文,专差同大清驿站差使,一律保安照料。"英国在中国领土上开设邮政机构,引得奉行"利益均沾"的其他列强纷纷跟进,设立了自己的邮局。1885年(光绪十一年),清政府创议邮务;1890年(光绪十六年)三月,宁海关税务司葛显理试办邮务。1896年(光绪二十二年)二月,经总理各国事务衙门奏准,清政府在全国推广海关试办邮政,正式开办大清邮政。大清邮政设邮政总署于北京,统辖全国邮政,以总邮政司为长官,由总税务司兼任,赫德司其事,下置邮政总办,监督全部邮政事宜。赫德制定了邮政章程"通商口岸互相往来寄递""通商口岸往来内地寄递""通商口岸往来外国寄递"和"邮政总章"4项共计44款内容。清政府以通商口岸为标准,就通商口岸邻近一带划设一邮界,将全国划分为

35个邮界区,每区设1个邮政总局,内设邮政司主持区内邮务。区域过大的则设副总局以分治;内地各省会亦置总局,并于大都市设分局,以总局之属员任邮务长,无分局之市镇,则设支局代办柜所或信柜。宣统三年(1911)五月,邮政与海关分立,归辖于邮传部,成立邮政总局,邮政区域也进行了变更,改以行政区域为分划标准,全国设邮界14,副邮界36,共为55区。

安徽省共设芜湖、大通两总局,芜湖总局以芜关税务司兼管,大通总局以盐厘副税务司兼管。宣统三年(1911),邮政区域变更后,安徽为副邮界,隶属于江苏,设副界总局于安庆,芜湖、大通两局则改为副总局。光绪二十七年(1901)十月,庐州邮政分局成立,由芜湖总局派遣并管代办各铺商,内设邮政供事、局役、信差、邮差等,定远县、三河、舒城县、梁园、店埠、桃溪各城镇隶属之,此为合肥近代邮政之发轫。至光绪三十年(1904),合肥县村镇相继开办的邮政代办局所已达26处;光绪三十二年(1906),增设三河邮局;宣统三年(1911),邮政代办局所达到32处,其基本业务有信函、包裹、汇兑等。信函以官府交发为主,普通民众的业务量较为稀少,且主要邮寄少量平安家信。包裹、汇兑则以商界寄交为主[①]。

大清邮政时期,重要的县城设立自办邮局,次要的集镇设立邮寄代办所。清末十年期间,合肥县境设立的邮寄代办所有三河(1902年)、上派河、丰乐河、大柏店、官亭、新仓、枣树店、栏岗集、汤家店(1904年,以上今属肥西县)、忠庙(1904年,今属巢湖)、长临河、六家畈、店埠、梁园、施口、刘家渡、撮镇、桥头集、园疃集(1904年,以上今属肥东县)、吴山庙、下塘集、庄墓桥(以上今属长丰县)、金牛、白石山、石嘴头、盛家桥(1904年,以上今属庐江县)[②]。

邮运网络主要有步班邮路,近代称为旱班邮路或邮差邮路。光绪二十八年(1902),大清总邮政司呈报全国17条干线邮路线数据表

---

① 合肥市地方志编纂委员会编:《合肥市志》卷6《邮政·概述》,安徽人民出版社1999年版,第780页。
② 合肥市地方志编纂委员会编:《合肥市志》卷6《邮政·邮政网络》,第799页。

明，安徽省芜湖口岸通达河南开封的旱班邮路途径庐州、寿州、颍州、陈州，总长734公里。另有庐州至凤阳、庐州至六安两条旱班邮路，分别长144公里和104公里，一直运行到清末。因铁路线建筑较迟，晚清合肥地区邮政主要依靠水、陆运输。从光绪三十年（1904）开始，合肥—三河、芜湖—巢县—合肥之间，已有正常的小轮定期或不定期带运邮件①。

邮政业务方面主要有函件、包件、汇兑、邮发报刊、特快专递、国际邮政业务、邮票发售和集邮几大类。其中，函件又可约略分为普通信函、挂号信函、快递信函、代收货价信函、邮件回执几种业务。

1.普通信函。大清邮政时期的信函包含平信、明信片、新闻纸、书籍、印刷物、贸易契、货样等品种，对信函内装物品无明确规定。庐州于光绪二十七年（1901）十月开办，信函每重半英两为4分银。宣统二年（1910）八月，每重20格兰姆为3分银。（1）明信片，也称信片、信函片。大清邮政于光绪二十三年（1897）二月开办，同年八月首次发行直式蟠龙图邮资明信片，为单片，浅红色。光绪二十五年（1899）十月发行单、双片两种，深红色。庐州于光绪二十七年（1901）十月开办，发售上述二类三种邮资明信片，单片1分银，双片2分银。光绪三十一年（1905）发售绿色3次片，为单、双2种，次年发售绿色横式4次片，也为单、双2种，售价不变②。（2）新闻纸。向邮局申请登记、交寄的新闻纸，即定期出版物，包括报纸、杂志等，初办时统作一种收费，庐州于光绪二十七年（1901）办理。光绪三十一年（1905）四月，细分为三种：一类"平常"，为公众、报馆散寄之报刊；二类"立券"，为出版法规定发行之报刊，每次交寄报纸500份以上，单件重10公斤以上，封包计重寄送；三类"总包"，为逐日、隔日之华文报纸，限寄汽车、火车、轮船直达通运局，每包至少50份，捆包交寄。各类均每件2公斤，一类新闻纸，每重50格兰姆，宣统二年（1910）八月收费

---

① 合肥市地方志编纂委员会编：《合肥市志》卷6《邮政·邮政网络》，第805、807页。
② 合肥市地方志编纂委员会编：《合肥市志》卷6《邮政·邮政业务》，第818页。

1分银①。(3)印刷品。大清邮政称印刷物,其界定内装物品粗略、笼统,庐州于光绪二十七年(1901)后办理,次年四月,不逾3英两收1分银②。(4)贸易契。光绪二十七年(1901)办理,每重2英两收2分银③。(5)货样。光绪二十七年(1901)办理,每重2英两为2分银④。

2.挂号信函。大清邮政时期,挂号信函分别为"请领挂号执据"和"请领收信人回执"两种业务,光绪二十七年(1901)十月,庐州办理。次年四月,除平信邮资外,"挂号执据"每件另加5分银⑤。

3.快递信函。宣统元年(1909)五月,开办快递挂号信函业务,除普通邮资外,另加快递费,每件初重1英两收1角银,续重每英两收5分银⑥。

4.代收货价信函。光绪二十四年(1898)开办,称"代卖主收价"或"代货主收价",光绪二十七年(1901)十月,庐州开办⑦。

5.邮件回执。光绪二十七年(1901)庐州建局时,邮件回执与函件业务同时开办,挂号信函附回执,亦称"双挂号",汇票回执称"回帖",是用户交寄信函、汇款要求得到收妥凭证而设立的业务门类,回执每件收5分银⑧。

在函件资费处理方面,大清邮政初期,对未帖或少帖邮票的欠资挂号邮件,规定"照常递交收件人,勿庸另索资费",如发现内部局员出现错误,则进行谴责。光绪三十年(1904),发行"欠资邮票",规定向收件人补收,拒付者退回。邮资总付。用户邮递大宗函件时采取预付、记账结算邮费的方式,大清邮政于光绪三十一年(1905)四月,对立券(二类新闻纸)邮件,经过登记,估算预付邮费,可不贴邮票,加

---

① 合肥市地方志编纂委员会编:《合肥市志》卷6《邮政·邮政业务》,第819页。
② 合肥市地方志编纂委员会编:《合肥市志》卷6《邮政·邮政业务》,第819页。
③ 合肥市地方志编纂委员会编:《合肥市志》卷6《邮政·邮政业务》,第820页。
④ 合肥市地方志编纂委员会编:《合肥市志》卷6《邮政·邮政业务》,第820页。
⑤ 合肥市地方志编纂委员会编:《合肥市志》卷6《邮政·邮政业务》,第821页。
⑥ 合肥市地方志编纂委员会编:《合肥市志》卷6《邮政·邮政业务》,第821页。
⑦ 合肥市地方志编纂委员会编:《合肥市志》卷6《邮政·邮政业务》,第823页。
⑧ 合肥市地方志编纂委员会编:《合肥市志》卷6《邮政·邮政业务》,第825页。

盖"大清邮政局特准挂号之邮件"特别戳记,邮局即予寄发、投送。宣统二年(1909),合肥开始采取此种方式。用户每次交寄相同资费 100 件以上函件、印刷物,采取总付邮费办法。邮件加盖"邮资已付"邮戳,资费总额以邮票贴在三联单据骑缝处,敬盖销日戳以示结付[①]。

大清邮政时期,包件是邮政的主要业务,先后开办了国内挂号、保险、代卖收价三种包裹。

1.挂号包裹。大清邮政创办时,包裹必须挂号邮寄,称之为挂号包裹,又被称为平常包裹。光绪二十七年(1901)十月,庐州开办普通包裹业务,每件包裹(轮船、火车通达局)限重 22 磅;未开通轮船、火车的局,初期限重 6 磅,后改为 3000 基罗格兰姆。其资费按重量和地区远近分级核定。光绪二十八年(1902)国内分为两类:第一类为附近邮局,是指各局就地投递界内或称本埠;第二类为寄往各局,即各局互寄。

2.保价包裹。该种类型的包裹又称为保险包裹,庐州于光绪三十三年(1907)开办,规定金、银、铜钱、珠宝玉器、时辰表等贵重物品,必须按保险包裹寄送,保险限额为 500 元,同时又规定 30 元以上贵重物品必须保险交寄,并限通达火车、轮船的邮局办理。保险费,无论寄往何处及内装何物,均按价值的 1% 收取,最低 2 角银。往来重庆及冬令往天津、牛庄之包裹,值百抽二。封皮严密缝封,除坚固箱匣、筐篮,仍须外用口袋及结实纸布严密缝封,并于骑缝及绳端,每隔三寸熔用火漆加盖本人戳记。限重同平常包裹[②]。

3.代收货价包裹。又称"代卖主收价"或"代货主收价"。庐州于光绪二十七年(1901)建局起开办此项业务[③]。

庐州府邮局开设后,在汇兑业务方面主要办理普通汇票开发兑付。光绪二十七年(1901)十月起,庐州府邮局开始办理普通汇款,每张汇票限 10 元,每人每日可汇 10 张,汇率为 2%。初期汇票使用两

---

① 合肥市地方志编纂委员会编:《合肥市志》卷 6《邮政·邮政业务》,第 825 页。
② 合肥市地方志编纂委员会编:《合肥市志》卷 6《邮政·邮政业务》,第 829 页。
③ 合肥市地方志编纂委员会编:《合肥市志》卷 6《邮政·邮政业务》,第 830 页。

联单,按汇额购等值邮票粘贴于汇银执据与存根中缝,一剪为二,分寄收银人和兑银局。取银时,要求盖章画押,超过6个月即退汇,再超过6个月便注销作废。光绪三十年(1904)起改为三联单,即执据、核对联、存根三联。光绪三十三年(1907),合肥列为火汇局(通达火车、火轮),每张限50元。同年,三河列为旱汇局(通达旱班邮路),限汇10元。宣统元年(1909)起,改为每人每日限汇5张①。在汇兑资费方面,除基本汇费外,收取币值差数贴水。光绪三十年(1904)规定,汇款及汇费用上等洋银交纳,如用小洋,以11角当大洋1圆,即每角贴水1分②。

光绪二十七年(1901),合肥办理新闻纸的邮寄业务。宣统元年(1909)五月,合肥开办国内快递业务。光绪二十七年(1901)十月,庐州开办国际函件业务,包括平信、明信片、印刷品。按照万国邮票公约,执行划一邮资,光绪三十三年(1907),信函初重半英两1角银;明信片,单片4分银,双片加倍;印刷品每重二英两2分银③。

在邮政管理方面,庐州府邮政局成立后,实行向芜湖邮政总局报账制度,宣统三年(1911)改向安庆副邮界(副总局)报送邮务收支账目。账务、票券由局长掌握。邮政收入来源主要是邮资、汇费两项;支出仅限于核定的工资、办公费、邮运费等项。由于庐州邮局经营较好,每年扣除工资等费用后,还略有盈余,结余按月上解芜湖总局或安庆副总局④。

(二)有线电报的架设

当新式邮政在合肥地区逐渐推广并开始影响民众日常生活之际,有线电报也在合肥地区获得发展。19世纪60年代以后,西方列强曾不断要求在中国架设电报线路,但遭到清政府的坚决

---

① 合肥市地方志编纂委员会编:《合肥市志》卷6《邮政·邮政业务》,第835页。
② 合肥市地方志编纂委员会编:《合肥市志》卷6《邮政·邮政业务》,第841页。
③ 合肥市地方志编纂委员会编:《合肥市志》卷6《邮政·邮政业务》,第855页。
④ 合肥市地方志编纂委员会编:《合肥市志》卷6《邮政·邮政管理》,第915页。

抵制。以英、俄、法、美为代表的列强不甘放弃，一再向清政府提出在华建设电报线。随着民族危机的日益加深，一些洋务派官员意识到有线电报在近代国防、商业活动中的重要性，晚清政府开始接受电报这一新的技术，"其意倡于俄，而英法继之，一国扬其波，众国遂随其流"[①]。光绪九年(1883)，两江总督左宗棠在郑观应的建议下，亲自主持修建架设了自镇江至汉口的长江电报线路[②]。其后逐渐由沿江向内地扩展支线。光绪十年(1884)，殷家汇的支线扩展至安庆，安庆黄甲山设立安庆电报分局。光绪十六年(1890)，电报线路从安庆经练潭架至桐城，桐城设局。光绪十九年(1893)，该条线路延伸至舒城和庐州。

同年3月，庐州电报局成立，地址设在合肥县城内府学前街九间大屋内，也就是电报局局员李叔伦的住宅，该局聘用司事二名、报生二名。《申报》比较详细地报道了庐州架设电报线路的经过：光绪十八年(1892)冬，上海电报总局派员带领工匠前往并转运供架电线用的杆木，因时值大雪纷飞，开河冰冻，舟车阻滞，至腊月下旬才抵达庐州。此年正月，开工立杆，经三河、舒城而达英家汇，二月中旬工程大致结束。与此同时，庐州电报局成立事宜也在进行中，司事、报务生征调齐全[③]。2月18日，线杆全部架设完毕，次日即开局收报。按照旧章，送报三日不取电资，所有寄费经督办盛宣怀订定，由庐州至芜湖每字取洋五分。电报线路由三河、庐江接至英家汇，全程四百二十里，沿途派有哨弁，带领巡丁若干名，按段守护[④]。因庐州电报局至芜湖、安庆两处的寄费每字取洋五分，而芜湖、安庆间电报往来每字取洋一角，如辗转绕道庐州，则只需一半，似未公允。盛宣怀对收费标准进行了整改，于2月24日，电饬芜湖、安庆、庐州三局，自当日为

[①] 台湾"中央研究院"近代史研究所编：《海防档·丁·电线》，台湾艺文印书馆1957年版，第51号文，第66页。
[②] 邮电史编辑室编：《中国近代邮电史》，人民邮电出版社1984年版，第63页。
[③] 《添设电线》，《申报》1893年3月15日。
[④] 《电局新开》，《申报》1893年4月15日。

始,全部改为每字取洋一角,以使收费不致畸轻畸重①。

合肥坐拥江淮,地处安徽中部,与全省各地往来便利,电报线路也经由合肥继续向淮北地区扩展。这由《申报》的报道可见一斑:"安徽庐州府为各省往来要道,向有电线直达安庆,以期消息通灵。近日上宪拟另由庐州添设一线通至凤阳,迤逦抵正阳关,以达颍州,然后蜿蜒北上。业已鸠工庀材,择日兴办矣。"②光绪二十八年(1902)五月,开工兴建从庐州到寿州、颍州、亳州一带的电报线路,庐州电报局派员督工树立线杆③。时隔两月,电线接修至凤阳,然后再抵达正阳关④。宣统元年(1909),修至颍州、亳州⑤。宣统年间,庐州电报局又扩展至六安的支线,全程45公里,立杆1105根⑥。

庐州电报局设立初期为商办,有莫尔斯电报机1部,办理电报业务,莫尔斯机为人工操作,采用并列式接线,单工方式做报。该机以纸条录印莫尔斯电码符号传递电报,操作程序繁琐,传递效率低⑦。庐州电报局为子局,与府署、县衙、庐州营等同为府治的重要机构,不仅收发电报,还担负电报线路扩展的工作。光绪三十四年(1908),清政府决定将"各省电报国有,裁撤电政大臣和电报总局,改设电政局,由政府直接掌控"⑧。庐州电报局改为官办。光绪年间,只收官报和商报,电报等级分为一等紫花印官报及二、三、四等电报⑨。在电报业务交换量方面,宣统元年(1909)八月下旬,共去报39次、737字,来报74次、1875字,合计113次、2612字,平均每次23字⑩。

---

① 《庐州府酌改电费》,《申报》1893年5月13日。
② 《庐添电线》,《申报》1901年4月16日。
③ 《推广电线》,《大公报》1902年6月19日。
④ 《凤颍道电》,《大公报》1902年8月8日。
⑤ 民国《安徽通志稿·交通考》第13册,第4538—4539页。
⑥ 合肥市地方志编纂委员会编:《合肥市志》卷7《电报·电报机线设备》,第969页。
⑦ 合肥市地方志编纂委员会编:《合肥市志》卷7《电报·电报机线设备》,第969页。
⑧ 邮电史编辑室编:《中国近代邮电史》,第85—87页。
⑨ 合肥市地方志编纂委员会编:《合肥市志》卷7《电报·电报业务》,第968页。
⑩ 合肥市地方志编纂委员会编:《合肥市志》卷7《电报·电报业务》,第966页。

近代合肥地区邮政与电报事业的开创,极大地密切了合肥与省内各地乃至国内其他地区的联系,拓展了民众交流的空间范围,对促进合肥地区政治、经济、文化的发展具有积极意义。

第三节 合肥地区新式教育的起步与发展

近代中国在西方列强的侵略与冲击之下,开始认识到自身的不足,日益危急的情势使得许多知识分子产生了强烈的危机意识,纷纷提出对时局的看法,发出了教育救国的呼声。光绪二十七年(1901),在内忧外患的催迫之下,清廷最高统治者不得不祭起改革的大旗,清末新政拉开帷幕。

新政期间,兴办新式教育成为各界的共识,其主要指导思想是吸收西方教育理论学说,对传统教育资源加以改造利用,构建适应新形势的教育体系,为新政培养各式实用人才。同年9月14日,清廷发布上谕:"著各省所有书院,于省城均改设大学堂,各府及直隶州均改设中学堂,各州县均改设小学堂,并多设蒙养学堂。其教法当以四书五经纲常大义为主,以历代史鉴及中外政治艺学为辅。务使心术纯正,文行交修,博通时务,讲求实学。庶几植基立本,成德达材。"[①]书院改办学堂开始大规模展开。

光绪三十年(1904)1月13日,清政府颁布了《奏定学堂章程》,这就是在我国近代教育史上具有深远影响的"癸卯学制",从此结束了我国新式学堂无章可循的历史。该学制对各级学堂的年限、学习科目、学生管理通则、考试办法等方面做出了规定,包括《学务纲要》《大学堂章程》《通儒院章程》《高等学堂章程》《中学堂章程》《初等小学堂章程》等共计22件,甚为完备。"癸卯学制"首次构建了中国近代教

[①] (民国)朱寿朋编:《光绪朝东华录》第4册,中华书局1958年版,第4719页。

育的各级各类学校体系，划定了学堂之间的递升层次，在纵的方面可分为3个阶段7个级别。第一阶段是初等教育，分3级，分别是蒙养院4年，但不在正式学制内；初等小学堂5年，高等小学堂4年。第二阶段是中等教育，设立中学堂一级4年。第三阶段是高等教育，分3级，分别为高等学堂或大学预科3年，分科大学3至4年，通儒院5年。在横的方面则分为师范教育和实业教育两个旁支。其中师范教育与中学堂程度相当的是初级师范学堂5年，与高等学堂程度相当的是优级师范学堂4年。实业教育与高等小学堂平行的是实业补习学堂4年，初等农工商实业学堂3至4年，另有艺徒学堂。与中学堂平行的则是中等农工商实业学堂，与高等学堂平行的是实业教员讲习所和高等农工商实业学堂。该学制虽然规定学习的年限过长，但是学制的组织形式比较完备，对后来的学校教育制度影响较大。

  对学堂兴办产生巨大推动作用的举措是光绪三十一年（1905）科举制的停废。清末，科举制度已为千夫所指，被视为推广新式教育的严重阻碍。经过朝野多方讨论，光绪三十一年（1905）9月2日，袁世凯、张之洞等封疆大吏联名会奏，立停科举以推广学校教育。清廷最终于当日宣布，从光绪三十二年（1906）起停废科举考试。史载，废科举的次年，兴学之风大盛，"各处学堂，以是年创设者，不可屈指计。以今观之，自兴办学堂以来，此年之进步，可谓一跃而至极点矣"[①]。

  合肥地区没有自外于清末新式学堂普遍开办的时代潮流。合肥最早出现的新式学堂是由外国传教士开办的。如前文所述，光绪二十五年（1899），德国传教士戴尔第开办义学，讲授文化课，与中国传统的授课内容截然不同。但此后数年，新式学堂的发展一直裹步不前，直至新政推行，此种情况才有所转变，新式学堂在合肥地区如雨后春笋般渐次设立起来。总体看来，合肥地区新式普通教育的发展呈现出学堂数量可观、教育层次完备的显著特征。

---

① 《论我国学校不发达之原因》，《申报》1909年5月24日。

一、初等教育的广泛开办

对照"癸卯学制"的划分,清末合肥地区的新式教育从纵的方面可分为初等教育、中等教育两级,在横的方面为师范教育。高等教育则尚没有实力开办。合肥的初等教育主要分为初等小学堂、两等小学堂和高等小学堂三类。《奏定初等小学堂章程》规定:"设初等学堂,令凡国民七岁以上者入焉,以启人生应有之知识。""兹当创办之初,暂行从宽变通,年至九岁、十岁,亦准入初等小学。但此例系暂时通融,俟学堂开办合法五年后,即不行用,至七岁必须入学。"《章程》还强调:"每百家以上之村即应设初等小学堂一所,令附近半里以内之儿童附入读书;惟僻乡贫户,儿童数少,不能设一初等学堂者,地方官当体察情形,设法劝谕,命数乡村联合资力,公设一所,或多级或单级均可","今学堂开办伊始,虽未能一律齐设,所有府厅州县之各城镇,应令酌筹官费,速设初等小学以为模范。其能多设者固佳,至少小县城内亦必设初等小学二所,大县城内必设初等小学三所;各县著名大镇亦必设初等小学一所。"其经费,"各省府厅州县,如向有义塾善举等事经费,皆可酌量改为初等小学堂经费;如有赛会演戏等一切无益之费积有公款者,皆可酌提充用。此等学堂或一城一镇一乡一村各以公款设立,或各以捐款设立者,及数镇数乡数村联合设立者,均名为初等公小学。"①

《奏定高等小学堂章程》规定:"设高等小学堂,令凡已习初等小学毕业者入焉,以培养国民之善性,扩充国民之知识,强壮国民之气体为宗旨。"《章程》还规定:"凡初等小学毕业后,生如有愿入高等小学堂肄业者,勿庸考验,一概准其入学,以宏教育之途。"同时强调:"城镇乡均可建设高等小学堂,虽僻小州县,至少必应由官设立高等

---

① 《奏定初等小学堂章程(光绪二十九年)》,舒新城编:《中国近代教育史资料》,中册,人民教育出版社1961年版,第417页。

小学堂一所以为模范,名为高等官小学堂。"其经费,"各省府厅州县,如向有义塾善举等事经费,皆可酌量改为高等小学堂经费;如有赛会演戏等一切无益之费积有公款者,皆可酌提充用。凡一城一镇一乡一村各以公款设立之高等小学堂,及数镇数乡数村联合设立之高等小学堂,均名为高等公小学"①。

由学堂章程规定可以看出,初等小学堂构成基础教育的庞大分母,遍布城乡,私人创办者居多,部分由私塾、义学或族学改造而来②,办学规模小,经费来源也不甚稳固。由于高等小学堂对办学硬件及教员素质、课程设置的要求相对严格,所以其数量低于初等小学堂,但经费规模大于初等小学堂。高等小学堂多设立在城镇乡或联合周围乡村创办,招收所辖之地初等小学堂肄业者。清末合肥地区兴办的学堂以巢县为最多,约占全府的三分之一,其中以巢县城内的高等小学堂为著名。据光绪《皖政辑要》记载,合肥县有高等小学堂1所,两等小学堂4所,初等小学堂8所;庐江县有高等小学堂1所,两等小学堂3所,初等小学堂1所;巢县有高等小学堂1所,两等小学堂1所,初等小学堂31所③。应当看到,由于各县对调查重视的程度不同,上组数据仅能反映部分问题,但至少能从中看出各级小学堂之间的数量差距。

就高等小学堂而言,庐江县和巢县在同一年设立,而合肥县开办较晚。光绪三十一年(1905),巢县高等小学堂就试院改设,在城内中区卧牛山上依山而建,因山势高下而气象雄伟,知县黄绍堃开办。以书院旧有田租及地丁平余提解练兵费外余款,充公卫田、庵田租息为常年经费,学生有44人,到宣统元年(1909)学生数便增加到100余人。同年十月,庐江高等小学堂在县城西门内就原有试院开设,系官

---

① 《奏定高等小学堂章程(光绪二十九年)》,舒新城编:《中国近代教育史资料》,中册,第432页。

② 如《奏定初等小学堂章程》规定:凡一人出资独力设一学堂者,或家塾招集邻近儿童附就课读、人数在三十人以外者,及塾师设馆招集儿童在馆授业在三十人以外者,名为初等私小学,均遵官定章程办理。

③ 光绪《皖政辑要》学科卷52《普通》。

立,以考棚田租收入,潜川、三乐堂、崇正三书院旧有芦草田租、地租及新由县拨官田、卫田以及孙章氏捐助田亩作为常年经费。学生有37人,到宣统元年(1909)学生增至40余人。历任学堂堂长为卢国华、马昌期、徐方汉等人①。到宣统三年(1911),庐江西乡公立潜西初等小学堂已开办一年有余,学生进步很大,学堂管理也日趋规范,该堂堂长便打算将其改作高等小学堂,堂内所有一切均遵照学部定章办理。改办方案最终由庐江县令详请庐州府核示立案②。

合肥高等小学堂在光绪三十四年(1908)三月由附生刁维翰等人开办,位于梁乡龙华山,系公立,以各庙田租及学费为常年经费,学生有27名③。合肥城内亦分别设立城东官立高等小学堂和城西官立高等小学堂两所。前者由胡渭清等人开办,校址在旧文昌宫,至光绪三十四年(1908)共有学生90余人。该学堂能够切实办理,规章严谨,居合肥县小学堂之冠,培养了大批人才,到民国时期从该校走出的学生在合肥各级机构任职者众多。城西高等小学堂由蔡蓬山等人于光绪三十一年(1905)三月开办,校址在多公祠,到光绪三十四年(1908)共有学生40余人。该学堂亦为合肥小学堂中较佳者,与城东高等小学堂齐名。在蔡蓬山病故后,高有谷、陈香岩接管,其后由吴旸谷继任堂长。

在学堂办理过程中,合肥县沈知县还在城内筹设了中西两等小学堂三四所,影响盛于一时,合肥四乡也相继开办小学堂多所。但好景不长,与前任截然不同的新任郑知县,极端仇视学务,对全赖官款补助的劝学所和城东、西两所高等小学堂漠然视之,致其难以支持。更为甚者,当学堂遭遇匪徒捣毁时,郑知县非但不缉拿匪徒,还责怪堂长不善办理④。

根据学制规定,初等小学堂应开设课程有修身、读经讲经、中国

---

① 光绪《皖政辑要》学科卷52《普通》。
② 《潜西小学禀请改办高等》,《申报》1911年7月25日。
③ 光绪《皖政辑要》学科卷52《普通》。
④ 《合肥通信·合肥学界之可危》,《安徽白话报》1908年第1期。

文字、算术、历史、地理、格致、体操等8科,但贫瘠地区的师资比较缺乏,多数学堂进行了变通,特开设简易科,将修身与读经合为一科,历史、地理则和格致合为一科,加之中国文字、算术和体操,共计5科[①]。即便如此,有些学堂还是达不到办学条件。合肥城东、城西两等小学堂的课程设置最初以学制为准,定为修身、读经讲经、国文、算术、历史、舆地、格致、体操等,图画为高等小学堂必修、初等小学堂选修。由于学堂初建,课程无法开齐,只得先开修身、读经讲经和国文课,其他课程次第开设,后来还增加了音乐。但城西两等小学堂开办之初,读经讲经课居然占了每周总课时36节中的40%。经四年发展,合肥城东两等小学堂的甲班学生在毕业考试中,各门功课都取得了优秀成绩,但经学没有合格,为此,学堂增加了课时进行补习[②]。值得指出的是,庐江县成义初等小学堂在宣统元年(1909)即开设英文科目,远远超出了清末课程设置的要求。

另外也可看出,学堂有官立、公立与私立之别,这是就学堂经费性质所进行的划分。经费是教育普及的基础,各学堂除了建筑费、开办费外还需要维持学堂运转的常年经费。据学部报告,在常年经费方面,各省岁入教育经费共有官款、公款、产业租入、存本利息、乐捐、派捐、学生缴纳、杂收等八项,此为新式学堂经费的主要来源。如何筹措常年款项,成为各级官吏和学堂的首要问题。

就合肥地区学堂经费来源途径而言,拨官款设立者名为官立,动用地方公款设立者名即公立,私立之名则比较容易理解。但官款与公款在地方上的界限非常模糊,带来学堂间争夺经费的纠葛,学部为此要求各地划分官立、公立、私立之名以厘正关系:"今日官立学堂,几无不糜费巨万者,究其费之所由出,则莫不出于杂捐,其实此项杂捐皆外国所谓附加税,正地方所取以为公立学校经费者,是名为官立,实公立也。公立之费轻而易举,故列国高等小学以下几无不为公

---

① 璩鑫圭、唐良炎编:《中国近代教育史资料汇编·学制演变》,上海教育出版社1991年版,第302—303页。

② 《补习经学》,《申报》1908年3月21日。

立者,至高等小学以上,如专门、实业各学校,则出自官立者多,今宜将现有学堂孰为官立,孰为公立、私立划分界限,以便上下有所依据。"①不过即便学堂性质已经划分清楚,主持学堂日常事务者主要还是地方绅董,在这一点上,三者之间没有本质性的区别。就光绪《皖政辑要》记载的合肥地区所开办学堂的性质来说,官立 6 所,公立 30 所,私立 15 所。结合具体的史料记载,对这几类小学堂开办者的身份进行分析,可以看到地方士绅在推广新式教育方面权势日重,公立、私立学堂开办者的身份自不待言,而所谓的官立学堂的日常管理、监督工作也多由士绅承担,开办者并不事必躬亲。也正如日本学者市古宙三所指出的,士绅集团因科举废除后,学堂也能授予相应的旧式功名,他们便转变了态度,不仅送其子弟入学,还积极出资开办学堂;不仅创办私立学堂,还发起并创办了大部分公立学堂②。

其实,学堂官与私的区分不在于举办者的身份差别,因为,对于官、公、私立学堂来说,主其事者总是地方士绅,在这一点上,三者间没有本质的区别,"学堂所以作育人材,朝廷责之疆吏,疆吏责之地方官,举凡筹款项、定章程、建校舍、招生徒,官不能自办,必委之地方董事"③,他们之间的区别主要是在经费筹措动用方面。学堂每年费用动辄数十金或数百金。清末,在巨额军费、外债的逼迫下,国家财力已困窘至极,根本无力支付兴办新式教育所需的大量经费。传统教育资源也就成为各地官员诉诸的对象,"查兴办学堂者……以去冬开办为最多……大半系旧日书院改装面目而已"④。教育资源是个广义词,既包括书院、官学等教育机构的基础设施,也包括教育经费。地方旧式教育经费主要有官学与各类书院的田房租息、宾兴款产、地方派捐等几类。官立、公立学堂的开办费用多由主事者动用旧式教育

---

① 《论设学部办法》,《南方报》乙巳九月初四日,《东方杂志》第 2 年第 12 期摘录。
② [日]市古宙三:《1901—1911 年政治和制度的改革》,载[美]费正清:《剑桥中国晚清史》,下卷。
③ 《学堂董事说》,《申报》1905 年 3 月 12 日。
④ 《安徽全省学堂调查表》,《申报》1905 年 3 月 21 日。

经费,或动用地方公有款产筹措。如合肥县初等小学堂计八所:"官立者一,在西区西北大街,光绪三十四年二月由绅士刘钊开办,以本区米捐、棉皮捐及马神庙田租为常年经费,学生二十八名。公立者三,一在城中试院包公祠内,三十二年正月开办,以木厘项下拨款为常年经费,学生六十名;一在东乡龙泉寺内,名曰明伦,三十二年九月由张先科开办,以本寺田租、山林、竹木为常年经费,学生二十一名;一在东乡店埠镇,名曰养正,三十三年二月由绅士郭炜章开办,以包城寺房租、存款利息及米厘、杂货捐为常年经费,学生三十二名。"①

私立学堂多由地方士绅召集志同道合者联手开办,或由某一家族开办,推举族内有学识者进行管理。光绪三十四年(1908)初,合肥北乡双墩集由陈顾三等人组织小学一所,经数月紧张筹备,一切准备就绪,于当年九月十五日开学,招生数人②。以宗族名义开办的学堂可称之为族学,其费用来自族产,辅以族中热心助学者捐资。由个人开办的学堂,其开办费用自筹,招收学生后酌情收取学费。与官立、公立学堂相比,私立学堂的经费规模稍显细弱。合肥地广人稠,多巨绅大族,如西乡的周氏、童氏,埠里的李氏,六家畈的吴氏,城内的殷氏、刘氏等,因此该县的学堂有很多为巨绅大族所创办,或由其主持校务。其中,吴氏创办的私立养正小学到20世纪30年代还有学生100余人,是合肥私立学堂中历史最长的。巢县共有初等小学堂31所,其中私立者11所,其经费均由开办人捐助,学费为常年经费,但是新民初等小学堂、崇实初等小学堂则提取文昌会田租作为经费来源,圣功初等小学堂有翟氏祠田租以资补助③。女学堂为另一种类型的私立学堂,巢县女学堂全称为私立新民女学堂,位于城内薛家巷,光绪三十一年(1905)二月由附生曹安荣开办,以县署贴助及学费为常年经费,每年收入约310两,学堂资产为200两,学生32名。

清末合肥地区兴学过程中,出现了值得书写的慷慨捐资助学的

---

① 光绪《皖政辑要》学科卷52《普通》。
② 《合肥通信·初等小学定期开学》,《安徽白话报》1908年第1期。
③ 光绪《皖政辑要》学科卷52《普通》。

事例,如庐江县民妇孙章氏虽目不识丁,但热心兴学。她拥有奁田507亩,坐落在县境大孟庄、孙家塘、大墩堰等处,在临终之际,嘱咐将妆奁田产捐助庐江县学堂,田产契据由学堂执业,经县评估,田产值银4000两,每年可收租谷300余石。孙章氏的义举由提学使转详具奏,请准予为已故去的孙章氏建立牌坊,题写"乐善好施"匾额,以昭激励,光绪皇帝下旨"著照所请"。

表 10-3-1　清宣统元年合肥地区教育经费统计表(单位:两)

县份	岁入	岁出	赢余	支绌
庐州府	6619	13569		6950
合肥县	11181	18947		7766
庐江县	7158	7563		405
巢县	5691	6326		635

资料来源:《安徽学务杂志》第1期。

表 10-3-2　清光绪年间合肥地区部分小学堂经费一览表(单位:两)

地址	学堂名称	岁入	岁出	资产
合肥县	公立肥东高等小学堂	217	133	2520
	官立模范两等小学堂	93	100	1800
	官立城东两等小学堂	1051	2104	4690
	官立城西两等小学堂	581	1710	4070
	公立通正两等小学堂			
	官立西一区初等小学堂	223	414	238
	公立城中试院初等小学堂			
	公立明伦初等小学堂	149	152	514
庐江县	官立高等小学堂	2853	3320	无
	公立潜川广益两等小学堂			
	公立育英两等小学堂			
	公立罗溪两等小学堂			
	公立潜西初等小学堂	286	608	3584

（续表）

地址	学堂名称	岁入	岁出	资产
巢县	官立高等小学堂	3416	1644	25800
	公立新民两等小学堂	165	210	163
	公立城东初等小学堂	165	175	164
	公立城南初等小学堂	165	166	164
	公立城北初等小学堂	165	160	164
	公立普惠初等小学堂	120	120	720
	公立中垾初等小学堂	134	83	700
	公立崇义初等小学堂	100	100	128
	公立崇新初等小学堂	30	30	无
	公立民志初等小学堂	75	75	无
	公立自治初等小学堂	110	110	400
	公立育德初等小学堂	333	268	332
	公立夏阁初等小学堂	105	105	280
	公立蜀山初等小学堂	157	95	260
	公立育英初等小学堂	50	132	285
	公立圆通初等小学堂	147	117	695
	公立上生初等小学堂	280	289	1270
	公立启蒙初等小学堂	未注	教员收学费作薪水	无
	公立毓材初等小学堂	100	100	500
	公立遗爱初等小学堂	93	93	无
	公立集蒙初等小学堂	150	98	93
	私立端本初等小学堂	21	21	无
	私立务本初等小学堂	55	55	无
	私立圣功初等小学堂	90	88	500
	私立崇实初等小学堂	49	23	无
	私立明新初等小学堂	42	42	无
	私立要则初等小学堂	未注	教员收学费作薪水	无
	私立养性初等小学堂	未注	教员收学费作薪水	无

（续表）

地址	学堂名称	岁入	岁出	资产
巢县	私立养正初等小学堂	304	304	无
	私立新民初等小学堂	未注	教员收学费作薪水	无
	私立稚养初等小学堂	50	50	无
	私立蛾术初等小学堂	未注	教员收学费作薪水	无

资料来源：光绪《皖政辑要》学科卷56《经费》。

为解决学堂经费不足的问题，清政府还采取了"庙产兴学"的政策。康有为早在光绪二十四年（1898）所上《请尊孔圣为国教立教部教会以孔子纪年而废淫祀折》中就提出"庙产兴学"的看法。张之洞在《劝学篇》的"设学"中提出佛道寺观是兴学可资利用的场所的观点："可以佛道寺观改为之，今天下寺观，何止数万，都会百余区，大县数十，小县十余，皆有田产。其物业皆由布施而来，若改作学堂，则屋宇田产悉具，此亦权宜而简易之策也。……大率每一县之寺观，取什之七以改学堂，僧道仍食其三，计其田产所值，奏明朝廷旌奖，僧道不愿奖者，移奖其亲族以官职，如此则万学可一朝而起也。"①

"癸卯学制"和《劝学所章程》有数处涉及"庙产兴学"：（1）"初等小学堂现甫创办之始，可借公所寺观等处为之，但须增改修葺，少求合格，讲堂体操场尤宜注意"②；（2）"各省府厅州县，如尚有义塾善举经费，皆可酌量改为初等小学堂经费。如有赛会演戏等一切无益之费积有公款者，皆可酌提充小学堂经费"③；（3）"计算年龄儿童之数，须立若干初等小学。……查明某地不在祀典之庙宇乡社，可租赁为学堂之用"④；（4）"考查迎神会演戏之存款，绅富出资建学，为禀请地

---

① （清）张之洞：《劝学篇·设学》。
② 《奏定初等小学堂章程·初等小学章程·屋场图书器具章第五、第一一节》，朱有瓛主编：《中国近代学制史料》，第二册上，华东师范大学出版社1987年版，第188页。
③ 《奏定初等小学堂章程·立学总章第一、第五节》，朱有瓛主编：《中国近代学制史料》，第二册上，第175页。
④ 《学部奏定劝学所章程·推广学务二·兴学》，朱有瓛主编：《中国近代教育史资料汇编——教育行政机构及教育团体》，上海教育出版社1993年版，第60页。

方官奖励……"①。光绪三十四年(1908)春,庐江县师范学堂毕业生许逢甲等人具禀提学司开办初等小学堂一所,提取实际寺田租作为学堂常年经费②。

提取寺产作为学堂常年经费或借用僧房作为教室,给寺庙利益带来了一定的损害,导致僧人起而反抗,发生了多起僧人毁学事件。如庐江县罗溪小学堂拨提灵泉寺寺产作为开办经费,但寺僧秀清等人不甘就范,双方积成嫌怨,适值地方痞棍意图染指学堂,从中挑拨,遂酿成剧烈冲突。在冲突中,僧人捣毁学堂,殴伤师生多人。此事最终惊动了安徽巡抚冯煦,虽命人勘查详报,但时过四个月仍未具覆③。合肥县肥西劝学员孔宪矩等以小学堂教室狭窄,商请暂借白露寺僧屋一间作为课堂,分拨学生20名,教习3人,作为临时上课处所,本与该寺秋毫无犯,但长镇坊祯祥寺僧人法文出头干预,率领僧众进入学堂滋闹寻事,将书籍桌椅等物捣毁一空,院中堆积的柴草亦被焚毁殆尽,所幸教员学生没有受伤。合肥县令亲自前往勘查,据实禀报省台核示遵办④。

二、中学堂的设立

《奏定中学堂章程》规定:"设普通中学堂,令高等小学毕业者入焉,以施较深之普通教育,俾毕业后不仕者能够从事各项实业,进取者升入各高等专门学堂均有根柢。"《章程》还规定,中学堂"各府必设一所,如能州县皆设一所最善;惟此初办不易,须先就府治或直隶州治由官筹费设一中学堂,以为模范,名为官立中学。其余各州县治可

---

① 《学部奏定劝学所章程·推广学务六》,朱有瓛主编:《中国近代教育史资料汇编——教育行政机构及教育团体》,第60页。
② 《请提寺产兴学》,《申报》1908年3月31日。
③ 《斥寺僧抚批两则》,《申报》1909年7月9日。
④ 《寺僧捣毁学堂》,《安徽白话报》1908年第5期。

量力酌办,如能设立者听"①。升入中学者为高等小学毕业生,学习年限为五年,学习科目共 12 科,分别为修身、读经讲经、中国文学、外国语、历史、地理、算学、博物、物理及化学、法制及理财、图画、体操等,除去法制及理财外,其余科目均为必修。

合肥县境内只有一所中学即庐州中学堂,光绪三十年(1904)由合肥士绅李经方改办庐阳书院而来,位于县城内三元街。除去庐阳书院原有产业外,另由庐州府属五县酌提公产若干作为校产,其资产规模为 74200 两,资产数仅次于省内的桐城县公立县中学堂,常年经费以田亩、山林、房店、场厂存款利息、洲滩圩田为主,每年收入约为 6900 两,支出 14160 两,学生有 66 名。此后又募集捐款,建筑校舍,亭台楼阁,巍然大观。光绪三十年(1904)春开学时,李经方任监督,但实际上主持校政者是蔡杞香。光绪三十三年(1907),李经方奉清廷之命出使英国,改聘严复为监督,但严复始终没有到校,仅派代表主其事。翌年,严复辞职,由庐州太守聘请李国松、李国筠任名誉监督,张文运、戴寿宁先后任驻堂监督。监督之下又设舍监一职,专司学生管理,盛笠亭为第一任舍监。

光绪三十四年(1908),庐州中学堂改制为庐州府官立中学堂,当时经费不敷,每年仅三四千元,均由名誉监督拨充。全校共有学生 120 余人,设置的课程主要有温经、算学、词章、历史、舆地、英文、博物、物理、化学、理财、体操等 11 科,英文则直接由英国人吉普德教授,领一时之先。但在学堂日常教学中,经史文学仍占较多的课时。堂每周 36 节课,其中温经 9 节,约占总课时的 25%。庐州中学堂为社会培养了一批人才,曾在该校读过书的周亮荪、杨保明、刘乃赓、殷寿彭、吴佰华、金巽甫、毛北屏、万宴南、杨武之、杨保君、吴亮天等人日后都成了教育界或社会名流②。

---

① 《奏定中学堂章程(光绪二十九年)》,舒新城编:《中国近代教育史资料》,中册,第 506 页。

② 卞国金:《庐阳书院变迁述略——从庐阳书院到合肥一中》,《安徽史学》2000 年第 3 期。

庐州府中学堂在开办之初，因财力困难，学科未及完备，后按照学部定章厘定，展限一年，补足课程，至宣统元年（1909）下学期，甲班学生六年届满，考试毕业并由安徽提学使司遵照新章调省覆试，取合格学生李永庆等13名，汇具清册上报学部，咨请查核给奖。

学部据奏定章程，发现中学堂学习年数应以五年为限，另在上一年九月，学部奏定新章规定："嗣后中学堂毕业生经本堂考试毕业后，由提学使调省覆试一次，程度相符者咨部奏奖。其计算分数之法，应先以覆试分数与本学堂毕业考试分数平均之，再与历期历年总平均分数平均，作为毕业覆试之总平均分数。奏奖之时，似以此项分数为准。"所以，学部认为庐州府中学堂甲班学生在开办之初，虽按照定章有缺略，既经延期补习，程度均尚相符各科分数，按照新章核算，亦均能合格，准许照章给奖，以资鼓舞。最后取列最优等李永庆、金炎猷、李经魁等12名奖给拔贡生，取列优等史文楷一名应请奖给优贡生①。

到宣统二年（1910）下学期，庐州府中学堂乙班14名学生满足五年毕业年限要求，覆试列等办法亦与学部定章相符，学部准予按照中学堂奖励章程办理，以示鼓励。取最优等潘耀荣、金猷譔二名，奖给拔贡；取优等生张振民、徐守一、黄坤、虞葆初、朱宗畲、冯延景、王兴贵、沈秉钧、张振声9名拟奖给优贡，取中等谢家禧、谢震、蔡希尧3名拟奖给岁贡②。而其余6名学生因学期不足留校补习，满足毕业年限要求后，经毕业考试，送安徽提学使司覆试，取最优等程式玉、谭声丙二名奖给拔贡，取列优等田清华、娄定礼、陈衡漳、娄道礼6名奖给优贡，最后上报学部允准备案③。

---

① 《庐州府中学堂甲班毕业班照章请奖折》，《学部官报》1910年第129期。
② 《学部奏安徽庐州徽州怀宁等府县中学堂毕业请奖折》，《安徽官报》1911年六月下旬。
③ 《学部奏安徽太平庐州两府中学堂学生毕业汇案请奖折》，《内阁官报》1911年第81期。

三、师范传习所与实业学堂的兴办

对视为整个教育母体的师范教育的重要性,时人有所论述:"即就教育而论,不论官立学堂、民立学堂,莫不公认师范为当今唯一之急务矣。"①据"癸卯学制"可知,师范学堂分为初级与优级两类,初级师范学堂是小学教育普及的基础,每州县必须设置一所,招收高等小学堂和初等小学堂的教员,除学习普通知识外,还要学习学堂教授管理之法,每日上课6小时,五年毕业。

在不具备开设初级师范学堂条件的州县,宜急设师范传习所,择省城初级师范学堂简易科毕业生之优等者,分往传习,招收学生以"向在乡村市镇以教授蒙馆为生业而品行端谨、文理平通、年在三十以上五十以下者,无论生童,均可招集入学传习,限定十个月为期。毕业后给以准充付教员之凭照,即令在各乡村市镇开设小学。"学习科目分为12科,分别为修身、读经讲经、中国文学、教育学、历史、地理、算学、博物、物理及化学、习字、图画、体操。另外视地方情形,可加开外国语、农业、商业、手工中的一种或数种科目②。合肥县师范传习所为殷葆森创办,光绪三十四年(1908)又创建附属模范小学,学生30余人。因合肥县域较大,四乡学堂虽然很多,但教员合格者非常少,师范传习所的设立,对学堂师资的培养非常重要,合肥县的小学堂教员有相当一部分都出自该师范传习所。

新政推行伊始,清廷即意识到"中国农、工、商各业固步自封,则以实业教育不讲故也",计划在各省全面推广农工商诸科实业教育。据《奏定实业学堂通则》可知,实业学堂主要分为高等实业学堂、中等实业学堂和初等实业学堂三等,其中高等实业学堂程度等同于高等学堂,中等实业学堂程度等同于中学堂,初等实业学堂程度等同于高

---

① (清)刘汝骥:《陶甓公牍》卷10《禀详·徽州府详办初等农业学堂文》。
② 《奏定初级师范学堂章程(光绪二十九年)》,舒新城编:《中国近代教育史资料》,中册,第673—675页。

等小学堂。《通则》指出:"实业学堂所以振兴农、工、商各项实业,为富国裕民之本,"要求各省"酌量地方情形,随时择宜兴办。"①同时,清政府还颁布了《奏定农工商实业学堂章程》《奏定中等农工商学堂章程》《奏定高等农工商学堂章程》《奏定实业补习普通学堂章程》《奏定艺徒学堂章程》和《奏定实业讲习所章程》,对各类各级实业教育予以规范。合肥地区田土肥沃,林木森茂,兴办农学,实为要端。因此,合肥县县令沈益斋建议开设农林学堂一所,招收学生课习农务,并令拥有田亩的地主与佃户在农闲之时,挑浚塘工,兴修水利,并兼选各种树秧,遍植山林空阔之地,俾地无旷土,民有余利。经紧张筹备,庐州农林学堂开办,招收了数十名学生,学习农林知识②。

光绪三十一年(1905),与现代医学专科学校相类似的仁寿医学在巢县开办。主其事者为该县祖氏士绅,以中医作为学堂教授的主要科目,有效地缓解了乡村医疗资源匮乏的局面。

从制度层面来说,庐州府构建了一个从小学堂、中学堂到师范学堂等层次的,相互之间能够衔接的教育体系。遍布城乡的小学堂满足了大众的识字要求,而中学堂为继续深造者提供了机会,师范学堂则解决了初等教育迫切需要的师资问题。在合肥这样一个独立的地域范围内,新式教育构成了一个比较合理完善的体系。

四、教育行政机构渐次设立

随着近代新式教育的逐步推进,传统教育管理体制也在悄然改变。中央教育行政管理机构是光绪三十一年(1905)设立的学部,省级教育行政管理机构则为学务处。光绪三十二年(1906)四月,清廷下令裁撤各省学政,于各省立提学使司,设提学使一员,"统辖全省学

---

① 璩鑫圭、唐良炎编:《中国近代教育史资料汇编·学制演变》,第478—479页。
② 《农事新闻·庐州创办农林学堂》,《江西农报》1907年第9期。

务,归督抚节制"①。于各厅州县则设劝学所,废止各府州县儒学之教授、学正、教谕及训导各署,在城乡市镇一律推行,此为近代中国地方教育行政机关之滥觞。

劝学所以本地方长官为监督,另设专职总董一员,由县视学兼充,综核各州县学务和劝导各地兴办学堂。各州县内划分若干学区,各区设劝学员一人,由总董选择本区土著之绅衿,禀请地方官札派,其薪水、公费多寡各就本地情形酌定。劝学员于本管区内调查筹款兴学事项,与总董拟定办法,劝令各村董切实举办。此项学堂经费,皆责成村董就地筹款,官不经手,劝学员只是随时稽查报告于劝学所。另外,劝学员随时登记学龄儿童,挨户劝导,并任介绍送入学堂之责,以使学务日见推广。宣统二年(1910),由于《地方学务章程》的颁布,劝学所与地方自治机构在行政职权上发生争执,地方学务由地方自治机构办理,而劝学所作为地方教育机关的辅助机构,仅有赞助、监督教育的职责②。合肥县劝学所于光绪三十三年(1907)三月成立,经费由县署筹拨,每年经费收入为1200元,支出360元。巢县劝学所于光绪三十三年(1907)二月成立,每年经费收入为2285元,支出仅431元。

教育会则为教育行政补助机关,以推进新式教育为目的。光绪三十二年(1906)七月,学部在请求设立教育会的奏章中提出:"教育之道,普及为先。中国疆域广远,人民繁庶,仅恃地方官吏董督率以谋教育普及,戛戛乎其难之也;势必上下相维,官绅相通,藉绅之力以辅官之不足,地方学务乃能发达。"③根据定章,教育会设立的宗旨是辅助教育行政,以图教育普及。省治设总会,统辖全省教育,议绅、省

---

① 《学部奏陈各省学务官制折(光绪三十二年四月)》,舒新城编:《中国近代教育史资料》,上册,第282页。
② 《学部奏改订劝学所章程折(附章程)》,舒新城编:《中国近代教育史资料》,上册,第288—289页。
③ 《学部奏拟教育会章程折(附章程)》,舒新城编:《中国近代教育史资料》,上册,第361页。

视学、各学堂监督堂长及学界素有声誉者,均有发起总会之责。府厅州县各设分会,以期与学务公所及劝学所联络一气,鼓励教育之进行,学务总董、县视学、劝学员、各学堂监督堂长及学界素有声誉者,均有发起分会之责。

安徽教育总会几经变更,光绪三十一年(1905)十一月,安徽士绅李经畬等人禀请在江宁设立安徽学会,第二年,学部颁发《教育会章程》,安徽学会遂改为教育总会,正会长为陆军部主事童挹芬,副会长为湖南永顺府知府吴传绮,会员95人,会所仍驻江宁,但议决在安庆设立事务所,以通全省之声气。光绪三十三年(1907)十一月,在籍绅士洪恩亮等人呈请将总会遵章移回安徽,在江宁设立事务所,公开选举副会长两人,一居安庆,一驻江宁。安徽省以"长江界分南北,而南阻群山,北连大陆,交通不便,风气闭塞,各属分会设立无多,仅恃总会,或虑调查难遍"[①],便于光绪三十三年(1907)十一月在安庆成立皖北教育分会,直属该会管辖的有庐州府、凤阳府、颍州府、滁州、和州、六安州、泗州等七地,正会长为湖北候补道李国棣;于光绪三十四年(1908)三月在芜湖成立皖南教育分会,直属该会管辖的有安庆府、徽州府、宁国府、池州府、太平府、广德州等六地,以补总会之不足。

合肥县教育会于光绪三十二年(1906)三月成立,正副会长为范家煌、李绪昌,会员有16人。巢县教育会于光绪三十三年(1907)二月成立,初任正副会长为杨鼐、曹安荣,后由杨鼐一人独任。教育会均由绅、民发起,经提学使批准后,陈请地方官立案,方为成立。教育会处理日常事宜,如设立教育研究会与师范传习所,调查境内官立、私立各学堂管理教授情况,对境内教育作统计报告,筹设宣讲所、图书馆、教育品陈列所、教育品制造所,并搜集教育标本,刊行有关教育书报等[②]。合肥地区的教育会成立后,经常派人到各学堂视察学务,督办学堂,对新式教育的发展起到了积极的推动作用。

---

① 光绪《皖政辑要》学科卷50《建置》。
② 《学部奏定教育会章程》,参见光绪《皖政辑要》学科卷50《建置》。

第十一章
辛亥革命与合肥

清末十年，清政府为了摆脱自身统治危机不断进行变革，但无论是新政还是立宪都已改变不了清朝覆灭的命运，也正是清政府的一系列变革培养了自身的掘墓人，留学东洋、开阔了视野、接受了新思想的新型知识分子组织起来，谋求国家的变革。合肥地区能够顺利光复，与该地新型知识分子的积极活动密不可分，他们成立了革命组织，开展革命活动，辛亥三杰便是其中的佼佼者。在革命党人的努力下，庐州顺利光复，从而也在一定程度上有力地推动了辛亥革命的进程。

第一节 合肥地区革命组织的出现与同盟会的活动

鸦片战争之后，中国社会步步滑入半殖民地半封建社会，颟顸无能的清政府面临外国列强的紧逼，不断地割地求和，引起了爱国志士的极大愤慨。早在维新变法期间，合肥籍的蒯礼卿、万福华、李诚安、卢仲农、刘醒吾、宋祝生等人就力主维新之论，产生了广泛的社会影响。新政时期，创办新式教育，育才兴学成为各界共识，在地方官绅的推动下，合肥地区的新式教育发展迅速，培养出一个新的知识分子群体。与学堂兴盛相对应，留学风潮也造就了一批踌躇满志的新青年，留学日本的学生更是接受了资产阶级民主革命的学说，成为同盟会的中坚力量。

由中国同盟会最初三年会员名册可知，同盟会会员共有960名，其中安徽籍59人，人数列各省第5位。在安徽籍同盟会会员中，合肥籍8人，分别是高荫藻、王善达、蒯寿枢、吴旸谷、吴春生、吴春旸、殷葆田、王天培；巢县籍3人，分别为傅家珍、刘家敬、刘光沂；庐江籍3人，分别为吴炎世、吴弱男、吴亚男，三人是兄妹，吴弱男和吴亚男系巾帼英雄，为姊妹。当时加入同盟会的做法是参加者按原籍由本省主盟人办理宣誓入盟手续，吴氏兄妹三人就是由吴旸谷介绍宣誓入会的,其中吴炎世在同盟会成立后第五天就入会了,是继程家柽、吴旸谷之后安徽籍最早加入同盟会者。吴弱男、吴亚男也与秋瑾、何香凝成为最早加入同盟会的四任女会员①。吴氏一家兄妹三人同年加入同盟会,投身革命潮流,成为辛亥革命史上的一段佳话。

与传统士人相比,接受了新思想的青年学生因求学而聚合,由聚合而呼应,形成了一种社会群体。他们把学到的新知识转化为评判时代的激扬文字,通过创办近代报刊广泛传播新社会思潮,宣传革命思想,动员群众,并进而兴办学堂,将之作为革命的宣传机构,培养革命新生力量。如吴旸谷在合肥创办了模范小学和速成师范班,主持城西学堂事务;胡渭清在合肥开办了城东小学堂。可以说,清末合肥地区的新式教育机构大多掌控在同盟会成员之手,成为培养社会变革力量的摇篮。而借助学堂和报刊,合肥地区的革命志士与安徽其他各地的革命机构和团体形成了一种关系密切的网络,互相配合,互通声气,形成了强大的革命声势。

欲图推动革命顺利开展,必须要有相应的革命组织,以集结分散的群众力量,引导广大民众为实现革命目标而不懈奋斗。合肥地区的革命志士认识到建立革命组织的重要意义,不仅积极参与全国性资产阶级革命政党同盟会的组建工作,在安徽建立了同盟会的分支机构,而且筹措创办地区性的革命组织——合肥学会。

在兴中会时期,合肥人吴旸谷就加入了华兴会。同盟会成立的当年,吴旸谷由日本返回合肥,组织成立同盟会的分支机构,即安徽同盟会支部,吸收了胡渭清、张践初、李诚安、沈斌、殷曦樵、龚石云、龚嘘云、杨完贞、张仲民、刘焕文、黄健六、黄梅村、许世钦、范质夫等人参加。其后不断有新成员进来,壮大了声势。为推进合肥革命形势的发展,吴旸谷等人从文化教育入手,倡议组织了合肥学会,王兼之、吴阳初、殷季樵、王和甫、范肃甫等人皆纷起响应。合肥学会虽然

---

① 夏冬波:《庐江吴氏三兄妹——吴炎世、吴弱男、吴亚男》,安徽省文史馆、安徽省政协文史资料委员会编:《安徽辛亥英杰》,黄山书社2011年版,第178—184页。

对外冠以学会之名,但实际上是合肥地区组织群众、宣传革命运动的总枢纽,可视为同盟会的外围组织。为培养后备人才,革命党人借助合肥学会,占据了地方新式教育机构的重要位置。

吴旸谷等人为开通民智,改变风气,早在清政府下令废除科举兴办学校之初,就在合肥城内的文昌宫开设了识字义塾和藏书楼,领风气之先。新式教育正式举办后,蔡蓬山等人开办了合肥城西小学堂,胡渭清等开办了合肥城东小学堂。在蔡蓬山病故后,高有谷、陈香岩接管城西小学堂。吴旸谷还联合同人,赶走地方恶霸阎文昭,沉重打击劣绅蒯二跛子,争得庐州书院,开办了模范小学和师范速成班。在城西小学堂高有谷去职后,吴旸谷继任堂长,经其改造,该学堂聘任的教师杨完贞、刘焕文、黄梅村等人皆发展成为同盟会会员。全校200多名师生中,也有许多优秀的积极分子分别担任同盟会的组织联络工作,他们四处奔走,积极宣扬革命思想。

在合肥的地方教育行政机构方面,同盟会成员也趁机占据了重要位置,如吴阳初担任合肥县劝学所所长,殷季樵任合肥县教育会会长,殷羲樵任模范小学堂堂长兼师范讲习所所长,龚嘘云、张仰民等人担任小学堂教员,许世钦任天王寺小学堂堂长,胡渭清任文昌宫小学堂堂长。沈气寒、范章甫还聘请孙万乘、周世平、吴伯奎等人联合创办了城南小学堂。王兼之不仅担任自治研究所的坐办,而且还兼任商会的坐办,在合肥公共事务中颇具影响力[①]。

暑期学术研究所,亦对清末合肥地区的革命运动产生了重要推动作用。该组织是由同盟会会员发起的,负责联络城乡各地有志于革命的青年学生。热血沸腾的青年人斗志昂扬,敢于直面不合理的社会现象,他们曾自发组织起来,迫使戴生昌轮船公司下掉在内河行

---

① 龚嘘云:《辛亥前后合肥的革命活动与军政分府的成立》,中国人民政治协商会议安徽省委员会文史资料研究委员会编:《辛亥风雷》,安徽人民出版社1987年版,第138—141页。

驶的小轮上所悬挂的日本旗①。与此同时,李光炯等人在芜湖创办安徽公学,以培养革命骨干,散播革命种子为教育主旨。李光炯还动用一切关系,从全国范围内聘请知名革命党人前来任教或短期讲学。刘师培、陈独秀、苏曼殊、柏文蔚、江彤侯、俞子夷等人先后在该校进行过教学。"在学校内部,除由教师经常讲说革命道理外,并指导学生传阅革命书籍刊物。"②光绪三十一年(1905)冬,吴旸谷从日本返回国内,带来同盟会规章、报刊及其他宣传品,在学生中间传播开来,一时间各校园里的革命形势日趋高涨,老师和学生加入同盟会甚多。来自合肥的孙万乘、倪映斗、刘绍熙、许明生等,都是其中的佼佼者,故而有安徽省同盟会员"除寿县外,合肥特多"之谓。

合肥的革命志士除了利用已掌握的知识开办教育,进行革命宣传外,还充分认识到武力的重要性,积极投笔从戎,在军队中扩充革命力量。当时,安徽大力编练新军,分为步、马、炮、工、辎各营,同盟会成员得以加入各营,并在营中发展士兵参加同盟会。如宋芳滨任督练公所总办,吴旸谷、李纯安加入炮营充当学兵,经其游说宣传,炮营官兵参加同盟会者约有数十人。倪映典领导广州起义时,合肥革命党人如朱不堪、叶萃武、许文生、孙万乘等,皆应召参加,起义失败之后,他们被迫返回合肥。

第二节 庐州光复

1911年10月10日,武昌起义爆发,湖北军政府于次日成立,宣告独立。湖北高涨的革命形势迅速影响到周边省份,湖南、陕西等地

---

① 龚嘘云:《辛亥前后合肥的革命活动与军政分府的成立》,中国人民政治协商会议安徽省委员会文史资料研究委员会编:《辛亥风雷》,第138—141页。

② 安徽省政协文史工作组:《辛亥革命安徽文教界的革命活动》,中国人民政治协商会议安徽省委员会文史资料研究委员会编:《辛亥风雷》,第44页。

随即响应,安徽革命党人也在积极迎接革命的到来。安庆、庐州、寿州、颍州、芜湖等地先后光复,安徽风云激荡的革命斗争成为全国性辛亥革命的重要组成部分。

庐州能够顺利和平光复,很大程度上归因于合肥籍的革命党人制定了灵活的斗争策略。在数年的苦心经营下,革命党人占据了合肥地方公共机构的大部分位置,对地方上的各种势力比较熟悉,既能结交社会上层人士,也能沟通广大普通民众,构筑了发动革命的社会基础。特别是革命党人对社会形势有着清醒的判断,巧妙地利用了地方武装,增强了革命力量。

一、庐州光复的过程

据亲历过革命、时为安徽政法学堂学生的夏仲谦回忆,武昌起义爆发时,在省城安庆读书的合肥籍学生得知消息后,立刻齐集在合肥旅省同学会,商量对策。当天到会的有省城各校合肥籍同学40余人,其中孙万乘、李次宋、戴膏吾等人已是同盟会会员。其实,早在该学期开学之初,吴旸谷就到安庆秘密会谈,认为黄花岗一役掀起了革命高潮,年内可能会有更大规模的起义,届时应该做好准备。经过几次密商,旅省各校同学决定到时一致参加,是留在安庆工作还是回合肥起义则各从其便。孙万乘、李次宋、戴膏吾、陈兴之、周梦兰、夏仲谦等十余人决定回合肥发动起义。

1911年10月13日,夏仲谦等人搭乘招商局的轮船起程返回合肥,一上船就接到革命党人散发的《讨爱新觉罗氏檄文》,檄文通篇仿唐代骆宾王讨伐武则天的文体,激荡人心。当内河小轮抵达巢县时,进城就看到有人在向民众讲解"驱除鞑虏、建立民国"的意义,连手持警棍的警士也跟随众人听讲、鼓掌,可见革命的氛围已日趋浓厚广泛。16日清晨,夏仲谦赶到自治会与王兼之会面,了解到合肥的革命党人正在筹划起义,经商讨,双方认为首先要解决三大问题:一是如何消灭起义障碍;二是怎样取得武器,组织起义队伍;三是如何筹集起义经费①。

  当时对合肥起事形成不利条件的是地方巨绅李国松及其所掌控的武装力量。李国松是李鸿章三弟李鹤章的孙子、云贵总督李经羲长子，以在籍四品京卿身份担任宪政筹备自治会总办、县商会会长，并兼任庐州中学监督，因其显赫身份在地方权倾一时，影响颇著，大小文武官员无不仰其鼻息。李国松曾购置套筒毛瑟枪 100 支，存放在庐州中学堂内，由学生用来操练，1910 年取出交与金贻堂创办民团，雇佣团丁 120 人。其后李国松为保自己身家性命，又以保卫地方名义，向安徽巡抚朱家宝商请借调一营巡防营驻扎合肥，该营装备套筒毛瑟枪 200 支，官带为季光恩②。合肥另一支武装力量为清军驻防绿营兵，但兵丁皆吸食鸦片，力量暗弱不堪。此外，淮军将弁刘、张、周、唐等四乡圩户武装也拥有新式枪械，装备齐全，对革命具有一定的阻碍力量。

  为消除起义屏障，增强革命力量，革命党人采取了灵活策略，四处周旋。同盟会会员王兼之因担任合肥自治研究所和商会坐办，平素以办理地方自治名义联络绅商学界。他机警灵活，不露痕迹，与李国松交往甚多，并得以与府县官吏频繁接触，"李国松集团对于革命党人不但不加怀疑，相反地却把革命党人当作心腹。因之，那些一贯听李摆布的府县官吏，亦以上宾礼节款待革命党人，遇有疑难问题，还经常和王兼之商量解决的办法"③。这就为合肥革命活动的顺利开展创造了一个有利条件。武昌起义的消息传到合肥后，李国松惶惶不可终日，六神无主，王兼之便出面假意劝说李国松避难上海，李国松连夜仓皇逃到上海后，合肥各级官吏顿时失去了主心骨，一时间谣言四起，人心动摇。恰在此时，同盟会中部总会派孙万乘由上海回到

---

  ① 夏仲谦：《辛亥合肥光复亲历记》，《安徽文史资料全书》编委会编：《安徽文史资料全书·合肥卷》，上册，安徽人民出版社 2007 年版，第 64 页。
  ② 闻始：《辛亥革命爆发后的庐州光复》，《安徽文史资料全书》编委会编：《安徽文史资料全书·合肥卷》，上册，第 74 页。
  ③ 龚啸云：《辛亥前后合肥的革命活动与军政分府的成立》，中国人民政治协商会议安徽省委员会文史资料研究委员会编：《辛亥风雷》，第 138—141 页。

合肥策划起义。孙万乘与同盟会合肥分会会长李诚安,同王兼之、胡渭清、殷羲樵、王和甫等人秘密进行策划和指挥,并派人到合肥四乡各圩户商借枪支弹药,劝说自卫队归顺,号召在南京、芜湖、安庆等地读书的合肥籍学生赶回合肥参加起义。

李诚安把合肥起义事权交给孙万乘负责,另让其弟李纯安与合肥总团练长袁斗枢火速赶回合肥县城相助,在处理好合肥相关事宜后,李诚安于10月26日赴上海请求支援。当时在上海负责为革命军筹措饷械的是合肥人范鸿仙,因江浙联军正在进攻南京,需饷甚急,而柏文蔚部第一军也刚刚组建,亦由范鸿仙筹建饷械。范鸿仙面对李诚安提出的要求,只得以"我为全国筹,不能为一县筹也"为辞加以推托。李诚安劝说道:"合肥与南京密迩,义兵若起,东下滁、和,张勋兵心必动摇,诸攻宁亦较易。且合肥为君之故乡,咸、同间,曾、左、李皆用乡人成军,克成大功。君能助品骏成事,异日亦君之辅翼也。"李诚安言词诚恳,辩论激切,惊动了在座宾客。范鸿仙开始答应拨短枪200支,子弹万发,炸弹百枚,由葛质夫押运回合肥。因巢湖水涸,舟行滞缓,这批军火尚未到达合肥,合肥就已光复了[①]。

李诚安离开合肥后,合肥城乡谣言纷传,宣称革命党已大批进城,并携有大量手枪炸弹,即将起事,风声四播,官绅失色。11月5日,袁斗枢与李纯安率团丁数十人荷枪实弹,由肥西进入城内。孙万乘与李纯安相见后,提出将于最近起义,因季光恩依凭巡防营反抗,自己又无枪械,只有率同党与之肉搏。李纯安认为此举非但不能成事,还徒增伤亡,孙万乘若听其计划,可不费一兵、不伤一人而成事。孙万乘听闻其言,以为李纯安是在诓骗他,实际上李纯安的计划是通过袁斗枢去劝降季光恩。袁斗枢之所以能担任合肥总团练一职,是由李纯安的兄长李诚安向合肥地方上有名的乡绅推荐,再由乡绅呈请庐州府加以委派,李诚安此举的目的就是为即将到来的革命做准

---

① 《辛亥庐州光复记》,张湘炳、蒋元卿、张子仪编:《辛亥革命安徽资料汇编》,第339—340页。

备。袁斗枢才识灵敏,豁达大度,平素服膺李纯安的识见,而其又与合肥巡防营管带季光恩有旧交,所以李纯安才敢如此放言。

李纯安采取的策略是通过袁斗枢劝降季光恩,他向袁斗枢嘱咐道:"武昌此次起义,定可成事;君欲主动,在此时矣。革命党人集合肥者多,且夕欲动,雨农素与革命为仇,合肥势将糜烂,君有保卫地方之责,若以大势劝雨农从,即可免此难,此责任惟在君耳。"①袁斗枢欣然答应,去拜见庐州知府穆特恩、合肥知县李维源,故意恫吓他们说革命党已经进城,将携炸弹起义,官府如果逮捕革命党人,又会激成地方变乱。穆特恩是旗人官员,素无主见,面对将要发生的革命惶恐不安,便连夜逃跑。合肥知县李维源见形势已不可逆转,也不敢与革命党为敌,连忙召见季光恩,告诫他合肥的革命党将响应武昌起事,不必固执旧见,与革命党相抗衡。季光恩本一介武夫,粗莽无识,一向依恃李国松为靠山,此时李国松与知府穆特恩已仓皇出逃,知县又如此告诫,自然不敢轻举妄动。袁斗枢得知李维源劝说季光恩成功,又再次拜见,当面说明利害关系,季光恩才应允从命,表示愿意归顺革命力量②。

此后,孙万乘又派宋惠霖与民团团长金贻堂取得联系,金贻堂是王兼之的亲戚,两人平常互有往来,见大势已去,也就接受了宋惠霖的劝告,主动交出全部人、枪,听候改编。孙万乘又从西乡圩户运来一些杂色枪支,并派县府马快徐茂和联系了府卫队阎红脸,陆华庭也集结了110人作为基本敢死队③。李国松的财产总管事刘访渠和李家开设的同太钱庄掌柜邓鹤仙也同意从李家仓库和钱庄提款充作起义经费。合肥帮会头目夏永伦原先关押在合肥监狱,被释放后表示愿意召集手下人等组成革命队伍,很快就扩大成为一营。这时候不

---

① 《辛亥庐州光复记》,张湘炳、蒋元卿、张子仪编:《辛亥革命安徽资料汇编》,第340页。
② 连边:《袁斗枢生平事略》,《安徽文史资料全书》编委会编:《安徽文史资料全书·合肥卷》,下册,第1620页。
③ 曹步萧:《庐州军政分府组织的来龙去脉》,《安徽文史资料全书》编委会编:《安徽文史资料全书·合肥卷》,上册,第71页。

仅革命形势发展得更为有利,而且革命党人的兵力也大为充实增强。

李纯安见合肥城的官与兵障碍俱已撤除,便请孙万乘、袁斗枢到自己家中相见,约好不带一兵一器,孙、袁二人见后猜忌冰释,发誓共同革命起事。他们决议次日在合肥大书院召开地方民众大会,宣布革命宗旨,改悬五色国旗。为顺利光复,他们还做了简单部署:民团维持城内秩序;巡防营担任城防工作;敢死队集合在天后宫广场,准备专门担负警备责任。李纯安自肥西抵达合肥县城后,终日斡旋各方势力,五日五夜未尝入睡。至第六日始觉精神不支,熟睡了一天[①]。

11月9日下午,同盟会召集全体人员到天后宫广场举行大会,更换了清廷的龙旗,共同推举孙万乘为革命党北伐军驻庐总司令,方绋言任副司令。会后又在合肥大书院成立了军政分府,分府自总司令以下分为五部:民政部由李维源任部长,其后李维源要求去职,由周履平担任;巡警部设立在博济医院内,张践初任部长;财政部设立在文昌宫内,邓鹤仙任部长;参谋部设立在军政分府内,刘亮章任部长;执法部亦设在军政分府内,许拙云任部长。此外还设有经理处,由李馨斋任处长;徐炎东任秘书长,顾问处不设处长[②]。11月12日,江浙联军总司令徐绍桢发来委任状,任命孙万乘为庐州军政分府总司令,并颁发关防一颗[③]。

二、庐州光复之初的社会秩序

庐州光复之初,合肥城内一片混乱,革命党人面临的重要任务就是稳定社会秩序。首先是厘清军政府内部的关系。起初,王兼之答应设计杀死季光恩,但临期却坚辞不就,孙万乘气其误事,遂于11月

[①] 《辛亥庐州光复记》,张湘炳、蒋元卿、张子仪编:《辛亥革命安徽资料汇编》,第340—341页。
[②] 龚嘘云:《辛亥前后合肥的革命活动与军政分府的成立》,中国人民政治协商会议安徽省委员会文史资料研究委员会编:《辛亥风雷》,第138—141页。
[③] 《辛亥庐州光复记》,张湘炳、蒋元卿、张子仪编:《辛亥革命安徽资料汇编》,第341页。

10日命部下杀之。李纯安作为参谋长,射杀王兼之的命令必须经过他的同意才能执行。李纯安便劝说孙万乘:"王才极长,又为商人所信仰,筹饷事正赖其力,何可杀也?"①孙万乘听其言才作罢。以后军政分府的内外诸事,俱赖王兼之处理。光复次日,有地痞在城北殴毙乡民,参事处闻知此事,认为此类地痞如不严办,宵小匪徒恐生二心,社会将更为不治。孙万乘即令士兵捉拿肇事者,押解巡游通衢而后枪毙。农历九月,乡人进城卖米,夜间在米市头枕米袋当门而卧,流氓王五故意在乡人头上拉屎,乡人惊醒,互相纠打,又来流氓数人假意调解,乘势扛走米袋,事后王五被纠送军法处,通过群众大会公审,执行枪决。11月11日,合肥人李文辅垂涎其族人李国松家资富饶,伙同李十一、王传柱等人,打着革命的旗帜号召乡人,率领武装乡团10余人盘踞李家仓房,抢劫李氏典业,典当朝奉刘访渠联合数百家商号向总司令部控告。孙万乘命季光恩擒住李文辅,责其扰乱地方秩序。但李文辅以革命者自居,大肆咆哮,孙万乘告之曰:"革命须同盟会统系,有总理及会长命令,或为地方人公举乃可,否则抢劫人民,是乱徒非革命也。"②当日以破坏革命罪行在司令部前将李文辅枪毙。

革命亲历者夏仲谦当时在财政部工作,他对庐州军政分府的财政情形比较了解。财政部的收入来源主要为以下几部分:一、征收合肥本年钱粮,旧欠在民的豁免;二、没收大清银行资本;三、没收盐局存仓官盐;四、收取旧庐阳书院和地方各财团公共房地产租金;五、提用同太钱庄资金和李经羲、李经方在城内开设两处典当的资本,宣布只赎不当,所有收入悉数解交军需处,冬季三个月,共解现金一百五十多万。另外,不属财政部范围的还有一笔大宗现款,由征收机关直接解送军需处,即自起义之日起议决裁撤的内地水陆码头厘局,只留运漕大关一处,所有进出口货物,只需在运漕完税一次,这笔款项的

---

① 《辛亥庐州光复记》,张湘炳、蒋元卿、张子仪编:《辛亥革命安徽资料汇编》,第341页。
② 《辛亥庐州光复记》,张湘炳、蒋元卿、张子仪编:《辛亥革命安徽资料汇编》,第341页。

数目巨大,远超财政部的收入①。

庐州军政分府成立后,便着手扩大军队力量,购买军火。军政分府集合本地原有枪支,并由上海购买新枪,另向江浙联军总司令徐绍桢请领大炮,编成两个旅,下分步兵八营,卫兵一营,炮兵一营,骑兵一连。并对各部军官作了调整,袁斗枢为第一旅旅长,刘亮章为第二旅旅长,团长则有季光恩、李孟周、陶印清、李晓岚,营长则为夏叙长、李相三、李海波、叶粹武、季仙九等,参谋长由刘亮章兼任②。

合肥既定,庐州军政府便令方绖言出兵光复庐江,李新乔光复无为、含山,李性存光复舒城,张信斋光复含山、巢县。在庐州光复后的三天内,上述各县均已悬挂五色旗,于是庐州境内方圆数百里,"当国变之际,闾阎安堵,盗贼不兴,人民称颂不已"③。庐州能够顺利光复,很大程度上端赖于孙万乘的真诚勇决,终成大事,李纯安、王兼之及左右诸人忠心辅助,使其措置得当,秩序井然。

1912年元旦,孙中山就任临时大总统,柏文蔚被任命为安徽都督,驻扎安庆。南京临时政府要求各省统一政令,实行军民分治,撤销各地光复过渡机构的军政府。孙万乘率先响应,于1912年2月通电取消庐州军政分府:

民立报转孙大总统、黎副总统、黄陆军部长、孙大都督暨各省都督、各军政分府、各司令钧鉴:

万乘去年九月光复庐州,设立军政分府,数月以来,黾勉从事,人民安堵,幸无陨越。今清帝逊位,民国统一,军政分府自应取消,军队亦应归陆军部统辖,庶事权划一,脉络贯通。万乘谨先取销分府名

---

① 夏仲谦:《辛亥合肥光复亲历记》,《安徽文史资料全书》编委会编:《安徽文史资料全书·合肥卷》,上册,第64页。

② 曹步萧:《庐州军政分府组织的来龙去脉》,《安徽文史资料全书》编委会编:《安徽文史资料全书·合肥卷》,上册,第72页。

③ 《辛亥庐州光复记》,张湘炳、蒋元卿、张子仪编:《辛亥革命安徽资料汇编》,第342页。

义,所有各营军队,请陆军部另委贤能接带;至地方民政事宜,改归行政厅管辖。万乘十余年奔走国事,惟希驱除鞑虏,建立民国,本无丝毫权利之心。今幸天佑,中原民志齐一,数月间竟改专制政体而达共和,此诚古今万国所未有之盛事。万乘目的已达,愿归田求学,遂我初服,想我中原豪杰当亦同具斯情也。

庐州军政分府孙万乘①

庐州军被改编为国民革命军第十五师,孙万乘任师长,下辖两旅四团,袁斗枢、刘文明分别任一、二旅旅长,团长仍由季光恩等人担任,营长为叶粹武、夏叙长、季仙九,师参谋长由刘亮章兼任。该师拥有三千支枪,四门大炮,百余匹马。1913年师部移驻芜湖,扼守长江,屏障金陵,孙中山巡视芜湖时,孙万乘护卫迎送。由于军民分治,军政府过渡机构撤销后,成立县公署,由省都督任命县知事,掌管县政②。

第三节 辛亥三杰的革命活动

在孙中山领导下,辛亥革命推翻了清政府,结束了中国两千多年的封建君主专制制度,民主共和观念深入人心。值得指出的是,有三位合肥人在辛亥革命中舍生忘死,取得了卓越功绩,因对革命的贡献,他们死后备极哀荣,被国民政府追赠为陆军上将,引发后人的无尚崇敬之情。他们就是领导发动广州新军起义的倪映典,光复安庆的吴旸谷,中国早期革命新闻事业的先驱、铁血军总司令范鸿仙。

---

① 《庐州军政分府孙万乘报告光复庐州经过电》,《民立报》1912年2月23日。
② 曹步萧:《庐州军政分府组织的来龙去脉》,《安徽文史资料全书》编委会编:《安徽文史资料全书·合肥卷》,上册,第72页。

一、倪映典领导广州新军起义

1906年,倪映典经新军三十三标标统赵声介绍,担任南京新军第九镇炮营队官,其后参加同盟会,与同盟会成员常在鸡鸣寺秘密活动。1907年8月,倪映典返回安庆,担任安徽新军第三十一混成协炮营管带,与该营队官熊成基、步队管带薛哲等共谋起事大计,但不料因事泄而返乡避难。由于两江总督端方严令通缉,倪映典只得远走他处,由上海乘船至广州投奔赵声,经赵声介绍,得以与革命党人朱执信、胡毅生等相识。倪映典奉命打入清军内部,改名倪端,任广州新军炮队见习排长,在士兵中通过讲述历史故事的形式宣扬反清排满思想,营造了革命氛围,发展了不少同盟会会员。1908年秋,熊成基发动安庆马炮营起义,得到消息的倪映典决定响应,并由巡防营发起,后因消息走漏,计划流产。

1909年春,广东新军步、炮、工、辎各营次第建立,成为一支可观的军事力量,革命党人决计以此为依托在广州起义。同年6月,倪映典、朱执信、胡毅生等在白云山能仁寺召开会议讨论起事细节,当场发给每人200张同盟会会票,大力发展会员。炮营管带齐汝汉得知倪映典行动可疑,便寻机将其撤职。倪映典在广州天宫里寄园巷五号设立机关居中联络,经数月努力,广东新军中加入同盟会的士兵达到3000多人。10月,同盟会南方支部成立,胡汉民任支部长,倪映典任运动新军总主任。随着新军起义的条件逐步成熟,倪映典专程到香港向同盟会南方支部和香港分会报告起义筹备情况,计划于次年元宵节起事,得到同意,远在海外的孙中山也对之勉励有加。

但而后因新军一标长官发现了同盟会会票,广东总督袁树勋和水师提督李准下令没收新军军营中的枪支弹药,倪映典迅速到香港汇报了此事,力图把可能受到的破坏降到最低,并把从香港运来的军火、文件、旗帜等贮藏在雅荷塘、清水壕等9处。1910年2月9日农历除夕,新军步队二标二营华宸衷因故与警察发生冲突,二标士兵捣毁警署多处。广东总督袁树勋一边派人安抚,一边部署镇压,令人将二、三标营的枪机拆下,并宣布全协初二不放假,士兵驻守军营不许外出。此举引起了一标士兵的不满,认为他们是受到牵连,事情与他们无关,却不能安生过年,又加上听说水师提督李准正在调兵攻打陆军防营,一标士兵纷纷夺械出防,决心一较高低。

2月12日清晨,从香港返回广州的倪映典看到形势如箭在弦上,非常危急,便决定改变原定计划,即刻起义。当日上午,倪映典带领随从赶到燕塘炮一营,看见管带齐汝汉正对士兵训话,当即令其交出兵权,齐汝汉试图反抗,被倪映典击毙。士兵们在倪映典振臂高呼下齐声响应,一标营、工程营、辎重营的官兵也一致拥护起义,并公推倪映典为总司令。步、炮、工、辎等七营的3000多名官兵在倪映典带领下,分成三路向广州进军。一路由广九路向大南门进发,一路由北校场攻打龟山火药局;倪映典则率领1000余名士兵由中路经沙河进攻东门,此处由水师提督李准亲自指挥,防守严密,并派统领吴宗禹在牛王庙一带布防。

下午一时,两军遭遇,倪映典身着蓝袍,手举红旗,往来驰骋指挥。早已被李准收买的卫队管带童常标假装调停,诱使倪映典上前会面。倪映典不知是诈,疏于防范,当面劝说,以争取防营行动,他说:"君与我系乡谊故交,当以诚告。今为我革命军起事之日,君当助我以共光汉族。君若许我,则交谊益亲,吾党亦必推重君。建功立业当此时矣,请速图之。"① 童常标认为新军有枪无弹,不足以举事,劝倪映典投降。倪映典回应道:"君以我无子弹耶? 我有香港接济,早至,已派人运至军中矣;君以为防军子弹多,便可恃耶? 革命大义,早已深入军心,迟早必倒戈相向,尚祈审择而处之,毋后悔。吾之来,非尽恃武器也,所恃者主义耳;且君既知新军无子弹也,而其皆肯死,且皆愿速死,是其心之苦,亦可知矣。君岂非轰轰烈烈者乎? 甚望君即请

---

① 转引自戴健:《广州新军起义的"主干人物"——倪映典》,安徽省文史馆、安徽省政协文史资料委员会编:《安徽辛亥英杰》,第142—149页。

军门刻日赞成革命,宣布独立,以拯我汉族于沉沦;否则我新军决不退,任君等屠杀可也。"①言罢,痛哭流涕,童常标假惺惺地安慰几句便迅速离去。当时恰有一队清军从杨箕村进攻至黄冈,紧紧追逼起义军,倪映典跃马当先,奋勇向前冲锋。到横枝冈处,倪映典中弹落马,被清军掠去,最终被砍首示众,年仅27岁②。倪映典牺牲后,起义军仍然奋起抗击,与清军浴血激战到第二天傍晚,终因伤亡惨重,弹药不继,全为清军所镇压,起义惨遭失败。此次起义阵亡者100多人,因伤被俘者40多人,溃散者1000多人,大部分被收容遣送回原籍,少数逃亡到香港。

广州燕塘新军起义,又名"庚戌广州新军之役",虽然最终宣告失败,但以倪映典为代表的革命烈士在枪支弹药严重不足的情况下临危不惧,表现出英勇的革命气概,他们以鲜血唤醒了民众,在全国范围内掀起了革命的浪潮,客观上促进了辛亥革命的到来。黄花岗起义、武昌起义等继之而起,在革命风暴席卷下,各省纷纷宣告独立,清政府土崩瓦解,退出了历史舞台。中华民国成立后,倪映典等为革命献出宝贵生命的烈士被安葬在广州先烈路陵园,倪映典被国民政府追封为陆军上将,孙中山称其为"广州革命的主干人物"。

合肥人民为了缅怀倪映典的功绩,于1932年将县立第八完全小学更名为合肥县立映典小学,1936年,社会各界在校内建造了倪映典纪念塔,时任蒙藏委员会委员长吴忠信为纪念塔题词,豫皖督办卫立煌亲撰塔铭。该塔为混凝土结构,分为塔顶、塔身、塔座三部分,高约5米。塔身为须弥座形,方柱体四面各镶一块汉白玉石碑,碑上刊有祭文。1954年修建长江路时,纪念塔被埋于地下,1992年,长江路拓宽改造时,得以重见天日。

---

① 《倪映典与广东新军举义》,中国人民政治协商会议安徽省委员会文史资料研究委员会编:《辛亥风雷》,第209页。

② 邹鲁:《中国国民党史稿》,张湘炳、蒋元卿、张子仪编:《辛亥革命安徽资料汇编》,第262页。

二、吴旸谷领导安庆光复

1905年春天,吴旸谷在同乡李诚安的推荐下,东渡重洋,留学日本。到日本不久,吴旸谷就在安徽休宁人程家柽的引见下拜会了孙中山,并参与筹建了同盟会。1905年7月30日,孙中山在东京赤坂区桧町三番黑龙会会场召开建党筹备会,安徽籍的吴旸谷、程家柽、孙毓筠等人参加,正式商定组织名称为中国同盟会,参会者当场签名并填写誓约。8月20日,同盟会成立大会召开,讨论并通过同盟会章程,推选出总理及各部负责人,吴旸谷任安徽省分会长。同年冬,吴旸谷受孙中山委派,从日本回国发展同盟会组织,他路过南京,与岳王会会员柏文蔚、倪映典、胡维栋等人联络,将孙中山的主张、组织章程和革命思想传达给他们。时隔不久,柏文蔚领导的岳王会南京分部会员宣布全体加入同盟会。吴旸谷在其间所起的作用在柏文蔚的回忆中得到了清晰体现:"是年秋,孙中山先生派吴旸谷来组织长江流域同盟会,余首先领导岳王会全体同志加入。……由吴君呈报中山先生批准,特派员赍印信及委任状到宁,并送发会章,公布革命纲领为:'驱逐鞑虏,恢复中华,建立民国,平均地权'。从此以后,我们革命党人在孙中山先生的领导下,集中意志,遵照会章,积极向前发展焉。"①

吴旸谷回到安徽后,又创设了同盟会江淮别部——武毅会,并倡议成立合肥学会以作为同盟会的外围组织。该组织虽以学会名,但实际上是组织群众、宣传革命运动的总枢纽。为了更好地开展工作,吴旸谷与殷羲樵、殷季樵、胡渭清等同盟会成员在合肥新式教育机构中取得了重要位置,吴旸谷担任合肥城西两等小学堂堂长,并开办了师范讲习所及附属模范小学堂,由殷羲樵担任讲习所所长兼小学堂堂长。吴旸谷在城西学堂的三年时间里,除了认真组织教学,精心处

---

① 柏文蔚:《五十年经历》,《近代史资料》1979年第3期。

理学堂大小事宜外,始终没有放松革命工作。他安排暗中发展的几位同盟会会员担任学堂教师,教唱学生革命歌曲,宣传革命思想,以便为革命储备力量。

1911年夏,吴旸谷从合肥前往上海,参与同盟会中部总会活动,与范光启、宋教仁、陈其美等人"日谋光复事",决定在长江中下游地区发动起义。10月7日,吴旸谷由上海到安庆,不久武昌起义爆发,各地纷纷响应,吴旸谷遂"密约王天培、胡维栋二君谋举安徽以应"[①]。但是安徽巡抚朱家宝为了应付革命党人起事,早早做了准备。其时安徽有新军第三十一混成协,下辖第六十一、六十二两标,第六十一标驻扎安庆城东门外的五里庙,第六十二标驻扎距城20里的集贤关。由于"皖军于全国中起义最早,一挫再挫,豪健散亡,士气较弱,将校压制,猝不易发",吴旸谷、王天培虽然四处奔走,积极活动,但见效甚微,吴旸谷因愤恨而发病,感叹"时事至斯,不图吾皖人心尽死,奈何奈何",竟至痛哭失声,吐血数十口而不止,其心力交瘁可见一斑。然而,革命党人并不气馁,"吴旸谷和王天培、胡维栋、韩蓍伯、史沛然、李乾瑜、陈安仁等多次在奚家花园附近的萍萃旅馆中秘密会商,决定先争取巡防营何巡抚衙门的卫队,巡防营由吴旸谷、王孟荣等接洽;六十一标由胡万泰、陈雷等联络;六十二标由队官史沛然、排长李乾瑜负责;马营由督队官骆靖坤主持;炮营由该营队官陈安仁、排长吴士英负责;工辎两队和陆军小学由史沛然联络;测绘学堂由李乾瑜联络。其他如督练公所、咨议局及高等师范学堂,推韩蓍伯、杨誊龙伺机策动"[②]。

在吴旸谷的努力下,新军各营将士倾向于革命者日渐增加,吴旸谷把相关事项略为部署便抱病赶往湖北,受到武汉革命党人的欢迎。湖北军政府都督黎元洪欣赏其才干,欲委任参谋一职,但吴旸谷慨然

[①] 《吴烈士旸谷革命史》,中国史学会主编:《辛亥革命》(7),上海人民出版社1957年版,第190页。

[②] 安文生:《安庆光复经过》,中国人民政治协商会议安徽省委员会文史资料研究委员会编:《辛亥风雷》,第107页。

曰:"北军已据武胜关,武汉处处受逼,大势一去无可为,公假我一混成协军火,合之吾皖原有枪械,当率长淮胜兵万人,出颍、亳,分趋周家口、信阳州,捣北军后路。彼后方路线自大河以南,绵亘千里,处处受攻,猝不及备,公击其前,我袭其后,彼将不战而却,然后胜负可得而计也。"黎元洪深以为然,任其为鄂皖两省联络员,并许安徽独立,即以一协军火相助①。

10月28日,吴旸谷从湖北返回安庆,听说湖北方面答应支援,"士气为之一振",聚集在安庆的革命同志还有王天培、胡万泰、孙传瑗、扬替龙、管鹏、李乾璜、龚克定、李肥等数人,因孙方瑜去世,革命党人便借其宅为机关部,分途运动,密报消息。当时的安庆,"除新军外,而巡防营、卫队犹千数百人,虑梗令,且恐乘机劫掠",吴旸谷"乃罄所携资千金,犒抚署卫队,谕巡防营以事成后当推为首功,膺重赏,无得扰商民。由是新旧军警皆感服,愿反正,悉受命令"②。吴旸谷召集革命党人开会,决定将城外军队分为三支,胡万泰为一标司令,作为主力部队先行发动;李乾玉为二标司令;王天培为学生军司令以接应,并以胡万泰为城外军事总指挥。吴旸谷率领敢死队数人在城内总司令部,筹度一切,并控摄巡防警察,相机策应。

会议决定于30日夜10时起义,在制订的作战计划中,"由驻集贤关的六十二标首先发难,由驻五里庙的六十一标和炮营响应"③。孰料胡万泰临阵逃脱,借口送母赴下游而秘密离开安庆,打乱了整个作战计划。30日"上午十时,同志知胡走,仓促改议一切,已觉措手不及。不幸六十二标之代表李乾玉在城内为候本日之改议,回营太迟,致为该标标统顾琢塘拘禁于别室,所携会议之计划,莫由外达,全标未动"。炮营陈安仁、吴士英赶走管带,会同六十一标按时起事,却只能苦苦等待六十二标的士兵赶来会合,结果贻误了战机。与此同时,

---

① 《吴烈士旸谷革命史》,中国史学会主编:《辛亥革命》(7),第191页。
② 《吴烈士旸谷革命史》,中国史学会主编:《辛亥革命》(7),第191页。
③ 安文生:《安庆光复经过》,中国人民政治协商会议安徽省委员会文史资料研究委员会编:《辛亥风雷》,第107页。

安徽巡抚朱家宝新调来了江防两营对安庆城进行严防死守,而六十一标与炮营却在城外空等了一夜,不敢贸然攻城。次日黎明,"人心弛懈,朱家宝借江防营之力,解散一标与炮营,并逼缴城内巡防营之机械,而戒备益严"①。31日下午,六十二标的革命党人奋力赶走标统顾琢塘,率领全标自集贤关奔驰二十里到安庆城下,三面攻击。王天培则带领学生从北门爬梯进入城内,但城内的江防军早已做好准备,布满城内各要道,吴旸谷率领的内应旋起旋仆,两军"弹丸如雨,终夜相持不决"。时人对这场战斗情况作了详细描写:"二更后,忽西门外老马营火起,其光烛天,约一时许,枪炮声隆隆不绝,盖新军大队攻城,江防、巡防等营登城,互相攻击,烧杀之声,震动天地。"②至天明,"一标兵见事不成亦散去,遂罢兵"。③

新军起义失败后,朱家宝趁机将新军步队、炮营、马营、工程队、辎重队连同陆军小学、测绘学堂一体解散,同时关闭城门大肆搜捕革命党人。吴旸谷在乡绅童挹芳的帮助下,混杂在人群中逃出城门。吴旸谷将安庆方面的事宜交代给王天培,再次折返湖北求援。

11月初,安徽周围的两湖地区、江西、江苏、浙江、上海等地先后宣布光复。安徽巡抚朱家宝见大势已去,无力回天,于11月8日宣布安徽独立。吴旸谷湖北之行并没有多少收获,黎元洪正忙于战事,无暇他顾,但黎元洪命詹大悲陪同吴旸谷到九江拜晤马毓宝,马毓宝亦正在备战,无力分兵。吴旸谷只得带领学生军数十人顺江东下,拟先光复芜湖,再迫使安庆独立。当吴旸谷乘船抵达安庆时,发现城楼已经白旗飘空,立刻大喜过望,知道安庆光复了。军政府得报,派军队将吴旸谷迎至城内。吴旸谷与革命党人制定了善后事宜数则:"一、通电各省布告独立;二、通电各州县照常办公,不准假名光复紊乱秩序,但驻兵处及重要地点不在此例;三、通电各地方免今年租税之半;四、照会各国领事通告独立,并担任保护之责;五、从速派人调

---

① 邹鲁:《安徽光复》,中国史学会主编:《辛亥革命》(7),第170页。
② 郭孝成:《安徽光复记》,中国史学会主编:《辛亥革命》(7),第173页。
③ 《吴烈士旸谷革命史》,中国史学会主编:《辛亥革命》(7),第192页。

查财政;六、各营即日发饷并加犒饷银一月。"①王天培等欲推举吴旸谷为安徽军政府都督,但吴旸谷声称:"东南未定,战事方殷,不能以一身羁留皖"②,遂坚辞不就,王天培得以担任都督一职。大家又改推吴旸谷为全省总经略,他又慨然言曰:"吾非逃名,但吾此出自誓,只任难不任名,为天下倡,使国民共晓然于吾党除救国之外无二心也。"③张武极力劝说:"公举大事,断非吴旸谷三字所能发号施令,举公经略,为事非为公也。"④吴旸谷听其言才勉强答应。第二天,邀请各界开全体大会,吴旸谷慷慨陈词,痛陈专制淫威,宣扬革命主旨,共和利益,倾倒满座。当时芜湖仍为清军占据,驻芜湖巡防营统领李宝岭仍在进行反抗,吴旸谷遂抱病前去芜湖劝降。11月9日,芜湖军、警、学、商各界开大会欢迎吴旸谷的到来,吴旸谷登台演讲,听者为之动容,宣布芜湖独立,成立芜湖军政分府,推举吴振黄为革命军司令。芜湖局势遂告安定,一日之内便顺利光复。

因当时南京尚未光复,吴旸谷在芜湖传令庐州、淮上各支军队进军南京,在即将启程之时,接到安庆的电报,九江黄焕章部驻扎安庆城内,因索饷不成,纵兵抢掠,安徽省咨议局、各公署、藩库、军械局皆被洗劫一空,沿街商民也无一幸免,军政府都督朱家宝逃之夭夭。吴旸谷闻知消息,急忙返回安庆,胡维栋、孙传瑗都劝他当心黄焕章的狼子野心,不可轻易身入虎穴,但吴旸谷未予留意,径直进入黄焕章的司令部,严词诘责,令其将所掠夺的军械及商民财产悉数归还,由他另为筹措军费,黄焕章诺诺遵行。吴旸谷集合各家商号议筹黄焕章退军的款项。

其时,黄焕章的参谋长王则曾经伪称黎元洪大都督代表身份,沿途招摇撞骗,被吴旸谷拘押,王则怀恨在心,便极力怂恿其杀掉吴旸谷。黄焕章听信其言,暗下命令,等吴旸谷再到司令部时,即派卫兵

---

① 《吴烈士旸谷革命史》,中国史学会主编:《辛亥革命》(7),第 192 页。
② 《吴烈士旸谷革命史》,中国史学会主编:《辛亥革命》(7),第 192 页。
③ 《吴烈士旸谷革命史》,中国史学会主编:《辛亥革命》(7),第 192 页。
④ 《吴烈士旸谷革命史》,中国史学会主编:《辛亥革命》(7),第 193 页。

将其看押。安徽士绅洪思亮、黄书霖及商学各界听闻消息后,四处奔走,设法营救,甚至恳求国外传教士出面担保,也无济于事。吴旸谷连夜致函刘焕文等人,让他们迅速出城以防不测,并作绝命诗一首:"来来去去本无因,只觉区区不忍心,拼着头颅酬死友,敢将多难累生灵……"诗未毕,黄焕章即令卫队以手枪从背后射击,吴旸谷身中七弹倒地而亡。吴旸谷的遗体被安葬在故乡双墩乡黑树棵。民国成立后,被追赠为陆军上将,其家乡合肥亦设立旸谷小学,以缅怀他的革命业绩。

三、范鸿仙领导组建铁血军

范鸿仙先后参与谋划了1908年安庆新军起义、1910年广州新军起义。1911年4月,黄兴、赵声等领导广州黄花岗起义,范鸿仙更是自始至终参与其中。因起义领导机构设在香港,他主动参与联络香港事宜,《民立报》实际上成为香港统筹部在上海的联络分部。范鸿仙还帮助输送人才参加黄兴组织的敢死队。黄兴、赵声曾计划在起义成功后分两路进行北伐,黄兴率领一路,由湖南出兵,途经武汉进军中原,赵声率领一路,由江右出兵,经南京挥师直趋北京。范鸿仙等人便在上海积极筹备,俟起义成功,赵声率部经略浙江时,即在上海予以接应。广州起义最终失败,但此役沉重打击了清朝统治,极大地鼓舞了革命党人的斗争热情,加速了革命高潮的到来,而范鸿仙对"广州之役,筹策之功实多"[①]。

1910年夏,中国同盟会总部决定组织中部同盟会,以谋图长江流域的革命。次年广州黄花岗起义失败后,革命运动陷入低迷状态,但是各地的革命党人不甘放弃,积极筹备新的起义。谭人凤在上海发起同盟会中部总会,范鸿仙与宋教仁、陈其美等人参与组织,以推

---

① 中国人民政治协商会议南京市委员会文史资料研究委员会编:《南京文史集萃·范鸿仙专辑》,江苏古籍出版社1990年版,第183页。

动长江中下游各省革命运动的开展。同年7月31日,同盟会中部总会成立大会在上海北四川路湖北小学召开,范鸿仙为参会的29人之一,并被推举为候补文事部长,负责苏、皖两省的光复起义事宜。会议还决定在南京、安徽等地设立中部同盟会分会,范鸿仙负责组织江淮同盟分会,担任分会会长,同时还主持中国同盟会机关部的日常工作,任务非常繁重。8月,范鸿仙加入了柳亚子、陈巢南、陈去病、高旭等人组织和发起的著名革命文学社团——南社。他所著述的《记宋先生遗事》《再记宋先生遗事》两文,均被刊载于《南社》第十七辑,具有较高的史料价值。

1911年10月中旬,中部同盟会决定由范鸿仙协同柏文蔚主持南京方面的军事和光复工作,以策应武昌起事。柏文蔚即赴南京,范鸿仙则留在上海筹措饷械,很快就筹得炸弹1200颗、手枪300支运送到南京,以供新军起义之需。庐州光复之际,负责其事的合肥同盟分会苦于枪弹匮乏,会长李绪昌到上海向范鸿仙求援,范鸿仙本欲以"正在筹饷械助攻南京"无暇援助庐州为由回绝,但最终仍拨给李绪昌短枪300支、子弹万余发,极大地增强了庐州革命党人的武装力量,有力地推动了庐州顺利光复。

武昌起义胜利后,范鸿仙即刻在《民立报》发表短评,将辛亥革命誉之为"诞生革命之岁",指出:"四川据长江之上游,武昌为天下之中心,今两处现象如此,未知我神圣尊严不可侵犯之君主,又何以善其后也?"[①]苏沪光复后,长江流域的重镇南京仍为清军张勋江防营部盘踞,两江总督张人骏、江宁将军铁良等试图倚此顽抗到底。为扩大革命成果,范鸿仙不顾个人安危,只身前往南京秣陵关,劝说清驻宁新军第九镇统制徐绍桢起义。他恳切陈词:"满清无道,百姓分崩。今义师奋起,海内响应,此天亡之时。将军明德英才,总兹戎重,苟动枹鼓,扶义征伐,孰敢不从?以此诛锄胡虏,匡济华夏,诚千载一时之机

---

① 范鸿仙:《短评》,《民立报》1911年10月13日。

会也。"①此番言语得到了徐绍桢的认同,范鸿仙进而为其谋划:"张勋兵临阵前,倘不奋起杀敌,必将被他宰制,当今之时,只有将士众擎协力,击败江防军,才能顺人心,振士气,而为天下之倡。"②徐绍桢的疑虑一扫而空,毅然率部起兵进攻雨花台,但因事起仓促,弹药不济,初战失利,只得退据镇江。然而镇江守军司令林述庆和柏文蔚部也仅有千余兵力,范鸿仙乃奔走于沪、镇之间,联络浙军朱瑞部、沪军洪承典部、粤军黎天才部、苏军刘之洁部及镇军万余人组成"江浙联军",共商光复南京之策。由于联军内部不统一,互相排斥争权,范鸿仙游说呼号,劝说各部将帅推举徐绍桢为联军总司令,总站设于上海,范鸿仙和于右任、史久光等人任顾问。徐绍桢得此重任,心存感激,率领全体联军将士向南京发起进攻,痛击张勋江防营,张人骏、铁良仓皇逃命,张勋窜往徐州。12月2日,南京城宣告光复。

进入南京城不久,联军内部又出现争权裂痕。镇江守军司令林述庆因率先攻入两江总督府,自恃功高,便广发告示封为苏军都督,此举引起联军其他各部的强烈不满,他们公推徐绍桢为苏军都督,双方形成抗衡局面,大有决裂的架势。范鸿仙闻讯后,立即与宋教仁等人赶至南京,连日往来于联军各部,反复调解说合。后经协商,联军各部公推程德全为江苏都督,徐绍桢为南京联军总司令(后改为南京卫戍司令),林述庆为北伐军总司令。联军各方的利益诉求得以兼顾,维系了团结的格局。程德全就任江苏都督后,为感谢宋教仁、范鸿仙二人的斡旋之功,分别委任宋、范为政务厅长和参事会长。宋教仁当即以组织中央政府为理由,谢绝了程德全的委任,范鸿仙亦辞去参事会长之职。南京光复,为孙中山建都南京打下了基础,范鸿仙也由此赢得"南京奠定、开国建勋"的赞誉。

1911年12月29日,在17省代表的临时大总统选举会上,孙中

---

① 刘文典:《范鸿仙先生行状》,《学风》第5卷第10期,1935年。
② 毛北屏:《范鸿仙与铁血军》,中国人民政治协商会议江苏省委员会文史资料研究委员会编:《江苏文史资料选辑》第6辑,江苏人民出版社1982年版。

山当选中华民国第一任临时大总统。孙中山当选临时大总统后,便积极着手组织北伐,以实现武装推翻清王朝的思想主张。作为孙中山三民主义的忠实信徒、民主革命的忠实追随者,范鸿仙大力支持孙中山的北伐。为配合北伐,他利用同盟会江淮分会会长的身份,招募5000名江淮青年,组建了铁血军。1912年1月17日《民立报》报道说:"江淮同盟会员及皖南、北军队,共同组织了铁血会军,军分四支队,每支队二千五百人,公推范鸿仙充总司令。范本江淮同盟分会长,昨已电程都督,辞去参事会长,专事练兵。"

范鸿仙亲自制定了《铁血军简章》,并在《铁血军总司令范光启宣言书》中详细解释了创设"铁血军"的原因:"铁血主义者,专制国之恶魔,而文明世界之导火线也;野蛮政府之不祥物,而保护国民之自由神也。中国民族慴服于专制政体之下者垂四千年,养成一种最恶劣之性根,不知铁血为何物。伊古迄今,历史所载,虽战争之役,事业恒有,然皆出于一二野心家之所为,曾未有为自由而战,为独立而战者。虽以东胡贱种,盗窃神器,我先祖黄帝在天之灵,丧其血食,彷徨无依,而三百年来绝未有人出全体民族之力,以光复旧物者。呜呼!此吾民族之所以不振也。迩者天佑皇权,胡运告终,鄂军倡议于先,诸省继起于后,数十日间,后先光复者十有七省。民国建立,虏族将亡,是我国民,固所深知,欲购幸福,不可不以铁血为代价。然而虏巢犹未覆也,袁贼犹未诛也,鲁、豫各省犹未尽光复也。……各军停战以后,议和之说腾播于东西,禅位之举喧传于各国。蹉跎复蹉跎,延宕愈延宕,而迄未见诸实行。彼袁贼者,固将利用此时机假数十万人之膏血,以偿其所大欲也。吾侪苟不为战事上之防备,则和议晨断,战端夕开,虽咎有攸归,而胜败之端,诚有不能预决者。吾以为今日之势,欲制虏族之死命,非使吾同胞人人有铁血思想不可,尤非使吾江淮同胞人人尽为军国民,以铁以血与虏族相周旋不可。……自今以往,铁血军不以铁血为宗旨而不主张北伐者,天厌之!铁血军主张北伐而行有不能践其所言者,天厌之!"①

范鸿仙将招募来的5000名江淮壮士编为第一、第二支队,各2500人,于1912年2月3日开赴南京,分别驻在安徽会馆、淮军公所和安庆会馆,朱介荪和龚振鹏分任第一、二支队长,下各设三个大队,进行整训。铁血军第三、第四支队也有5000人左右,主要为庐州军政分府孙万乘帐下的民军。庐州光复后,孙万乘将原庐州西乡的自卫队、原合肥县团总袁斗枢部与原江防营季雨农部进行整编,在得知范鸿仙组织铁血军进行北伐的消息后,便将所部交由范鸿仙统率。对于此事件,《民立报》在1912年1月22日进行了报道:"庐州军政分府孙万乘至宁晤范鸿仙,将庐州所有军队悉改编为铁血军,由范君统率。昨范、孙向陆军部领大炮四尊,快枪二千枝。今日孙君专船装载枪炮,向颍州进发。""范鸿仙所统之铁血军,有五千驻庐州,现从沪上运回机关枪十余尊,又从陆军部领回快枪二千枝,大炮四尊。均陆续向颍州进发。"铁血军还有一营500人左右的决死队,据《民立报》报道可知:"铁血军司令范鸿仙,编练决死队一营,所有中下级军官,均同盟会暗杀党员。"②该决死队由原安徽都督王天培所部改隶而来,其前身则系安庆原有之混成协,拥有机关炮十尊。

铁血军共万余人,主要来源于新招募的良家子弟和原有民军两部分,"召各郡之良家,集旧日之同志,蒙我伯叔兄弟不弃,亦越万人,为之汰其庞倪,加以继练,壁垒易色,旗帜一新"③。铁血军有两大特点:一是政治素质较高,其成员皆为"良家子弟"和"旧日之同志",各级将领和军官都是当年同盟会的革命志士,加入铁血军是为了实现革命的理想和目标,而不计个人得失。二是铁血军士兵皆"训练之师也",组织纪律比较严明,战斗力强,而不像其他各省民军④。铁血军的这两个特点,范鸿仙在宣言书中作了交代,"所有将士,皆昔日之同

---

① 《铁血军总司令范光启宣言书》,《民立报》1912年2月2日。
② 《民立报》1912年1月22日。
③ 《铁血军总司令范光启宣言书》,《民立报》1912年2月2日。
④ 史全生:《范鸿仙与铁血军》,《安徽史学》2012年第2期。

盟会员,而富有军事知识者","将校皆昔年同志也";"当满清专制时代,诸同志之呼号同事,至于毁家而破难者,不知凡几。今民国幸而成立,诸同志方欣幸之不暇,何有于金钱,更何有于权利,是以任职以来,皆担任义务,不取俸薪,惟以北伐为宗旨,虽肝脑涂中原,亦有所不恤"。铁血军"所收士兵,或以巡防旧部改编,或以退伍征兵充选,既谙军令,尤悉戎机,一经编制即可出发"。特别是"江淮诸地所产人物,素以耐劳苦,习战事,为历史所称。今乃聚吾昆弟而训练之,以此制敌,何敌不摧? 以此图功,何功不克? 其特色二"①。

为筹集铁血军的军饷,范鸿仙绞尽脑汁,四处奔走。范鸿仙除了向上海都督府财政部长沈缦云筹得饷项32400余元,还查封了李鸿章家族开设的"仁源""源记""富源"三家当铺,"停当取赎,以充军资"②。铁血军组建后,第一、二支队开赴南京进行整训外,第三、四支队和决死队即刻开拔颍州参加北伐,"铁血军第三、第四支队驻扎庐州,内机关枪两队,陆军炮一营,昨接范司令命令向颍州出发"③。

范鸿仙在将士北伐之际,发表了《铁血军檄满将校部曲文》,用风雷万钧之言向清军阐述了武昌起义之后的革命形势:"兴师致诛,电扫霆击,长驱万里,旬月之间,光复者十有五六省。四奥咸路,万邦协和,真天下之壮观也。伪孽逆酋,拥带幽、燕,凭险逆命,依陪娄潢潦之固,幸逃灵诛,实鱼游沸釜,立即消烂,燕巢飞幕,期于覆亡也。"范鸿仙倡呼"北方贤智,诚能深审安危,明鉴成败,自求多福。举事立功,则伴踪先哲,驰身当世,功在百代,禄享万钟,孰与屈膝穹庐,効命奔亡之虏也哉"。而此时"我师向淮、泗以角其前,鄂军发汉水以犄其后,闽、粤陆师泛海以攻山左,陇上之众振旅以出秦、川。数道并进,而虏之朝命至矣。六师虎步,其会如林。雄戟一放,玉石俱碎;虽欲悔之,将何及哉! 檄到,详思此旨如律令"④。

---

① 《铁血军总司令范光启宣言书》,《民立报》1912年2月2日。
② 《民立报》1912年1月29日。
③ 《民立报》1912年2月3日。
④ 《民立报》1912年2月5日。

但是,北伐军尚未与清军交战,孙中山就在西方列强和以袁世凯为首的北洋派军人以及革命阵营内妥协派势力的共同压力下,重开谈判并达成协议,由民国政府承诺优待清室八项条款,袁世凯逼迫清帝退位,孙中山即辞去临时大总统职务,改选袁世凯为临时大总统。2月12日,清帝正式宣布退位,13日孙中山即宣布辞职,15日临时参议院选举袁世凯为临时大总统,南北实现了表面上的统一。

范鸿仙对袁世凯有着清醒的认识:"伪孽虽去,袁贼未殄,北庭诸将,各仗强兵,跨州连郡,人自为守,而无降心。今权一时之势,以安易危,共和之政,不三稔矣。"[①]一贯追随孙中山的他随之毅然辞去了铁血军总司令之职,并"商准陆军部,将铁血军名目取消,遵照陆军部新章重新编制",在南京整训的第一、二支队5000人,被改编为陆军第一旅团,由龚振鹏统带,直隶于陆军部;第三、四支队5000人改编为一旅团,隶属于安徽都督府,仍驻扎庐州分府。军队改制结束后,范鸿仙于4月返回上海,复任《民立报》主笔兼总理,继续从事革命活动。

中华民国成立后,同盟会总部由东京迁至上海,辞去临时大总统的孙中山亟待整顿党务,于1912年3月13日任命范鸿仙为同盟会本部政务干事,主持同盟会的日常工作。同年8月25日,以宋教仁为主,改组同盟会为国民党,范鸿仙为首批党员之一。

---

① 王气冲:《范鸿仙传》,《学风》第5卷第10期,1935年。

大 事 记

元（1351—1368）

元顺帝至正十一年（1351）

五月初，白莲教首领韩山童、刘福通等在颍上县聚众起义。事泄，山童被捕，妻及子林儿逃匿武安山（今江苏徐州市境内）中。刘福通突出重围，再次举兵，克颍州，元末农民大起义正式爆发。

元至正十二年（1352）

春，白莲教首领彭莹玉率军攻打江州、饶州、徽州、信州等地，巢县人赵普胜率巢湖水师与之配合，南下攻占无为、铜陵、繁昌、安庆、池州等地，配合彭莹玉在江南的攻势。至年底，赵普胜所部军队已"号百万"。

元至正十三年（1353）

是年，彭莹玉战死瑞州，天完政权都城蕲水陷落。迫于形势，赵普胜率水师退居黄墩，与李普胜、俞廷玉、廖永安兄弟、赵伯仲兄弟及合肥人张德胜、叶升等"以战船千余结水军屯巢湖捍盗"。

元至正十四年（1354）

是年，南方红巾义军左君弼部攻占庐州。天完政权在庐州置汴梁行省，以左君弼为行省首脑，负责淮南军政。

元至正十五年（1355）

春，朱元璋欲渡江取采石，苦于无舟楫。赵普胜等同意助朱元璋渡江，但李普胜欲趁机谋害朱元璋，并吞其所部。朱元璋闻之，借机将李普胜杀死。赵普胜闻讯后,率部分水师归附天完政权,而俞廷玉、俞通海、廖永安、廖永忠、张德胜、叶升、桑世杰、华高等巢湖水师则投奔朱元璋。

元至正二十三年(1363)

二月,张士诚派遣部将吕珍进攻韩林儿、刘福通于安丰(今安徽寿县),左君弼助吕珍攻之。城陷,刘福通被杀。

三月,朱元璋率徐达、常遇春出击安丰,击败吕珍。左君弼又出兵助珍,被常遇春击败,退走庐州。朱元璋命徐达等移师庐州,攻围凡三月,不克。

六月,因洪都(今江西南昌)战事吃紧,朱元璋令徐达、常遇春还师援洪都,庐州围解。

元至正二十四年(1364)

四月,徐达等再率兵攻庐州。左君弼闻讯遁入安丰,令其将张焕、殷从道等守城。徐达等至,督兵围之。至七月,徐达、常遇春攻克庐州。至此,庐州遂为朱元璋所有。

九月,朱元璋置合肥卫。

是年,朱元璋对庐州行政区划进行调整,改庐州路为庐州府,于此置江淮中书行省,命巢县人平章俞通海摄行省事。

元至正二十八年　明太祖洪武元年(1368)

正月,朱元璋在应天府即皇帝位,国号明,年号洪武,是为太祖高皇帝。

八月,大都降明,元在全国范围内统治结束。洪武初,以庐州府领六安、无为二州,合肥、舒城、庐江、巢、英山五县。合肥为庐州府附郭县及庐州府府治所在地。时庐州府直属南直隶管辖。

明(1369—1644)

明洪武二年(1369)

是年,合肥县知县张义重建县学。

明洪武三年(1370)

十月,朝廷制定矾课征收办法。户部建言:"庐州府黄墩、昆山及安庆府桐城县皆产矾,岁入官者二十二万七百斤,每三十斤为一引,共七千三百五十八引,每引官给工本钱一百五十文。其私煎者,论如私盐法。"得到太祖朱元璋认可。

是年,改合肥卫为庐州守御千户所。

是年,巢县知县桂廷用重建县学。

明洪武五年(1372)

是年,庐江县境内设冷水关巡检司。

明洪武六年(1373)

二月,明朝制定养马之法,命应天、庐州、镇江、凤阳等府,滁、和等州民养马。江北以便水草,一户养马一匹,江南民十一户养马一匹。官给善马为种,率三牝马置一牡马。每一百匹为一群,群设群头、群副掌之。

明洪武七年(1374)

是年,庐江县知县傅铉重建县学。

明洪武十一年(1378)

是年,工部定天下岁造军器之数。其中,庐州府甲胄一百五十、步军刀四百、弓二百八十八、矢五万。

明洪武十三年(1380)

正月,朱元璋罢中书省,升六部,改大都督府为五军都督府,布告天下。其诏书中,将庐州千户所归中军都督府统辖。

八月,改庐州千户所为庐州卫指挥使司。

是年,朱元璋下诏:陕西、山东、北平等布政司及凤阳、淮安、扬州、庐州等府,民间田土,许尽力开垦,有司毋得起课。

明洪武十五年(1382)

是年,庐江县设置掌管佛教事务机构——僧会司,设僧会一员,以僧人有戒行者充任。

明洪武十六年(1383)

十一月,朝廷命庐州府制造水磨明甲一百。

明洪武十七年(1384)

是年,庐江县设立官办医疗机构——医学,设训科一员,以精医药者为之。

明洪武十八年(1385)

是年,庐江县设立管理地方阴阳活动机构——阴阳学,设训术一员,以精星历之学者为之。

明洪武二十年(1387)

八月,太祖朱元璋诏令,以典牧所系官马、牛分给庐州府属县民牧养。

明洪武二十五年(1392)

十一月,朱元璋诏令凤阳、滁州、庐州、和州等处,每一民户种桑、枣、柿各二百株。

明洪武二十九年(1396)

十月,朝廷将全国原有按察分司四十八道归并整合为四十一道,庐州府归属淮西道治理。

明成祖永乐四年(1406)

二月,朝廷令庐州等府州所辖州县,各增设州判官一员,县主簿一员,专理马政。

五月,户部言:直隶常州、安庆、庐州及六安等州县水,民饥。成祖命给米稻赈济。

是年,废齐王为庶人,安置于庐州。

明永乐十五年(1417)

九月,朝廷再定应天、凤阳、滁、和等府州养马例,议定凤阳、庐、扬、滁、和在江北者,五丁养一马。

明仁宗洪熙元年(1425)

是年,庐江县知县黄惠重建县学。

明宣宗宣德元年(1426)

是年,僧人净观募众重建巢县境内的金城寺。

明英宗正统三年(1438)

三月,应巡抚山东两淮行在刑部右侍郎曹弘奏请,在合肥县境内设护城、长桥二驿。

是年,庐州府大水。

明正统六年(1441)

六月,庐州府民许再兴等十五人,各出谷千石有奇赈济。

明正统七年(1442)

五月,巢县民饥,发官稻五千三百余石赈贷。

明正统八年(1443)

二月,庐州府民王景等各出稻、麦千石有奇,佐官赈济。

明正统十一年(1446)

三月,应庐州知府卫宗孟等人奏请,巢县境内置焦湖巡检司。

是年,僧人普宽重建巢县境内定林慈氏寺。

明正统十二年(1447)

三月,朝廷下令免庐州府并庐州卫被灾秋粮、子粒一万四千五百余石、草一万七千二百六十余包。

明正统十三年(1448)

十月,户部主事沈翼奏:奉命踏勘庐州府及庐州、六安二卫田地未起科者五千六百八十九顷有奇,从轻起科,得粮一万一千九百九十九石九斗有奇,乞下所司每岁如数征纳。得到英宗允准。

明代宗景泰六年(1455)

二月,朝廷下令免庐州府所属州县及庐州卫去年灾伤秋粮、子粒八千七百三十余石、谷草一万五千一百余包。

十月,庐州民戴庸等各出谷千石以上,助官赈恤。

十二月,朝廷因灾减免庐州府及庐州卫等处当年秋粮、子粒、草。

明宪宗成化元年(1465)

十一月,朝廷根据巡视金都御史吴琛上奏,减免庐州府等地方粮草。

成化四年(1468)

庐州府大旱。

明成化六年(1470)

七月,朝廷减免庐州府及庐州卫等处被灾秋粮、草。

明成化十年(1474)

四月,朝廷因去秋水灾减免庐州府所属州县及庐州卫等处秋粮子粒米、豆、马草。

明成化十一年(1475)

三月,朝廷因水灾减免庐州府所属成化十年税粮、马草。

六月,朝廷因水灾减免庐州府合肥县等处秋粮、豆。

明成化十四年(1478)

正月,合并庐州府金斗、坡冈二驿为金斗水马驿。

是年,巢县县学教谕陈瑞、训导桂珽,与诸生合力将学宫后五显行祠改建为尊经阁。

明成化二十年(1484)

八月,朝廷因水旱灾减免庐州卫等处去年秋粮子粒米、豆、马草。

明成化二十一年(1485)

五月,朝廷因去年水旱灾伤减免庐州府及庐州卫等处秋粮米豆、草。

明孝宗弘治六年(1493)

冬,合肥县雨雪凡三月,越平地雪深丈余,积寒沍冻,树木摧折,禽兽多冻馁而死。

明武宗正德元年(1506)

是年,庐州知府马汝砺邀杨循吉来合肥编纂《庐州府志》。

明正德二年(1507)

五月,合肥雨水泛溢,市可通舟。

明正德三年(1508)

九月,庐州府等地方发生重大旱灾,朝廷命吏部左侍郎王琼随宜赈济。

明正德六年(1511)

正月,朝廷以水灾减免庐州府等地方正德五年粮草子粒。

十一月,朝廷命户部右侍郎兼佥都御史丛兰巡视庐州府等地方,兼理赈济。

明正德九年(1514)

八月,为应对"虏警",朝廷发太仆寺银二十二万五千两,遣官市马于山东、辽东、河南、庐、凤等四府、保定等六府,共一万五千匹。

明正德十二年(1517)

十一月,朝廷因水灾,以两淮、两浙盐价银赈济庐州府等地方。

十二月,朝廷以水灾减免庐州府等地方秋粮。

明正德十三年(1518)

正月,朝廷因水灾故,留庐、凤、淮、扬并徐州兑运粮五万五千石,并折粮脚价银四万两及两淮、两浙盐价银各三万两,分发庐、凤等府赈济。

九月,朝廷以庐州府等处水灾,命巡抚都御史丛兰、李充嗣发所在仓库赈济。

明正德十四年(1519)

四月,朝廷以灾伤减免庐州府等地方税粮。

四月,南京御史张翀等、给事中王纪等上奏称,庐州府等诸郡水灾重大,请求户部予以赈给。得到武宗允准。

明世宗嘉靖元年(1522)

十一月,朝廷以灾伤减免庐州府等地方税粮。

明嘉靖二年(1523)

四月,户部条上修省事宜,提及:山东、河南、庐、凤诸府被兵者,敕有司招抚流移,存恤死亡。得到世宗允准。

是年,庐江县自三月末无雨,至秋八月民大饥。知县李谟设粥赈济,然亦难遍,有饥死者。

是年,合肥县大旱,人相食,官府施粥赈济。然人久枵腹,得食辄死,继而大疫,死者相枕藉,士民去其半。

明嘉靖三年(1524)

四月,世宗下诏,以应天、太平、庐州等府灾,停岁造缎匹。

是年,庐江县大饥,人相食,官为作粥以食之。然人久枵腹,得食辄死,继而大疫,死者无算。

是年,巢县大疫,死者枕藉。

明嘉靖四年(1525)

是年,庐州知府龙诰在合肥县治东建惠民仓。

明嘉靖五年(1526)

是年,庐江县知县周良会在汉代人毛义读书处创建毛公书院,延师以教乡之俊秀。

明嘉靖七年(1528)

是年,合肥、巢县发生蝗灾。

明嘉靖十三年(1534)

是年,庐江县旱。蝗自北来,飞蔽天日,食禾稼。

明嘉靖十四年(1535)

七月,巢县大旱且蝗灾。

闰十二月,巢县雷电大雪。

是年,庐江饥,蝗。

明嘉靖十八年(1539)

是年,庐江县大旱,高田无收。江潮大涌,湖田尽没。

明嘉靖二十三年(1544)

九月,朝廷以庐州府等地方灾伤重大,命正兑米俱准折免。

是年,巢县大旱,地产莘荠,民赖济饥。

是年,庐江县大旱饥甚,民多流殍,触目痛心;谷价腾贵倍常。

明嘉靖三十一年(1552)

是年,庐江县大旱,居民钱龙等见巢湖水涸滩出,告县开垦新丰、新兴二圩,本年成熟,知县何汝璋踏验取租。

明嘉靖三十九年(1560)

七月初,庐江县大水浸城,东西二郭外船渡两月余,九月始涸。城墙南倾百余丈。

是年,巢县大水,城四门俱行舟。

明嘉靖四十年(1561)

是年,合肥县大水,东郭街市可行舟。自是年至隆庆二年(1568),东南圩田连遭淹没,民多逃亡。

是年,庐江县大水,圩田尽没。

明嘉靖四十一年(1562)

十月,朝廷以庐州府所属州县卫所等处发生水灾,蠲免上述地方秋粮。

明嘉靖四十三年(1564)

是年,庐江县知县刘裁在境内推行乡约,以正风俗。

明穆宗隆庆四年(1570)

十月,朝廷以水灾改折直隶庐州府、淮安卫所屯粮有差。

明神宗万历三年(1575)

是年,巢县知县李宾阳主导修筑李公圩。

明万历十五年(1587)

十月,神宗以灾伤,诏庐、凤、淮、扬、徐、滁、和等处民屯钱粮征免改折有差。

明万历十六年(1588)

三月,淮扬巡按御史刘怀恕奏:"庐、凤、淮安灾甚,请各仓本、折米、麦、草料等岁运在十二年以前积逋未输者,免十三年、十四年者,暂停追呼。十五年运解如额。其米、豆积多者,亦以灾伤轻重,分别改折之数。"得到神宗允准。

明万历十七年(1589)

十月,督理荒政右给事中杨文举上奏称,"据徐州道揭报灾数,庐、凤为甚",建议加大赈恤力度。得到神宗允准。

是年,巢县大旱,米价一两五钱。疫大行。

明万历二十八年(1600)

二月,金吾左卫百户吴镇奏:"抽太平、安庆、庐州、淮、扬、常、镇等处商货船税。"奉旨:"南直沿江一带往来船只遗税,每年可得银八万两,有裨国用。着暨禄不妨原务带管,督率原奏官员吴镇,为首土民钱文朋前去会抚按征收解进,不许侵越钞关疆界,重叠征收,困累商民,载入庐州等府敕内。"

明万历三十六年(1608)

五月下旬,因江水暴涨异常,导致巢县境内发生罕见水灾,"无不破之圩"。民居多漂没,乃群搭栅于冈阜。六月十六日,又增水一尺,水入城,直至谯楼门内。

是年,合肥人、致仕官僚窦子偶捐窦家池田地一庄为府学学田。

明万历四十一年(1613)

是年,无为、巢县大水,圩田无不没者。

明万历四十四年(1616)

八月初旬,巢县飞蝗北至,蔽天集地,厚数寸,食稻过半乃去。

明万历四十五年(1617)

是年,合肥、无为、庐江发生蝗灾。

明万历四十八年(1620)

十一月,舒城、无为、巢县大雪,至次年二月始霁。雪上多黑点如烟煤,散落山阴处,积至丈余,人以为黑雪。

是年春夏,巢县境内雨水盛,圩田多不耕种。

明熹宗天启四年(1624)

是年,巢县境内雨水盛,圩田淹没无收获。

明天启六年(1626)

是年,合肥、庐江大旱。巢县地震。

明思宗崇祯八年(1635)

正月,农民起义军首领张献忠自凤阳趋庐州。会同混天王等攻围庐州府城,未克而退。

正月二十一日,起义军攻下巢县重镇柘皋。

正月二十七日,起义军攻陷庐江县城。

十二月,张献忠自鄂东光山、固始东进,再次进攻庐州。因守城官军早有防备,又侦知官军援兵分路将到,未作久攻,即分兵转战,攻克巢县、含山、和州等地。

是年,农民起义军渡过黄河,"充斥江左"。朝议添设庐州兵备道。

明崇祯九年(1636)

是年春,起义军再围庐州,不克。

明崇祯十年(1637)

七月,以史可法为右佥都御史,巡抚安、庐、池、太等处军务。

明崇祯十四年(1641)

是年春,巢县米价涌贵,一石价三两三钱,至市中无米可籴。民大饥,饿死者数千人,倒横街市者踵接。

是年夏,巢县大疫,死者万余人。

是年,巢县旱,湖水涸。

明崇祯十五年(1642)

五月初,张献忠、革里眼等率兵攻陷庐州府城,打破"铁庐州"坚不可摧神话。

七月六日,张献忠堕毁庐州城。

八月四日,张献忠大治舟舰于巢湖,训练水师。

明崇祯十六年(1643)

是年夏,巢县大水,圩田间有存者。

明崇祯十七年　清世祖顺治元年(1644)

五月十七日,史可法上疏议设江北四镇以御清军。弘光帝允准,并分封各镇主将,其中靖南侯黄得功驻庐州,辖滁、和,经理光、固一路招讨事。

是年夏秋,巢县大旱,圩田中亦无水,山居有去十里二十里外汲水者。

清(1645—1911)

清顺治二年(1645)

五月,南明安庆副将、都督同知马逢知降清,奉靖远大将军、和硕英亲王阿济格之命,招抚安庆、庐州、池州、太平等府文武官员及所统兵马,庐州等各地易帜。

是年,清廷置庐州府,隶属江南省,由江南布政使司管辖。

是年,江南粗定,礼科给事中合肥人龚鼎孳等接连上疏,吁请清廷在江南开科取士。

是年,因山贼啸聚,始设六安营,守备徐志高统兵五百名为援兵,向道驻六安。凤抚王一品因无为、巢县多变,江北各府俱有专防,于五年题设庐州营参将一员,随大兵往六安援剿山贼。后虽平定,以六之西山接连楚豫,恐六营兵少,不足弹压,遂将庐营驻六,六营驻庐。

清顺治三年(1646)

是年,清廷设安庐道,庐州府属之。

是年,清军协领鄂屯自江宁驻防率兵镇压巢县抗清义军,"复其城"。

清顺治四年(1647)

十月,凤阳巡抚陈之龙派清军标将王永昌前往庐江,镇压抗清义军。

清顺治五年(1648)

正月,安庆人冯宏图诳言史可法未死,假托史阁部名义,起兵数千,相继攻克无为、巢县,进围庐江城。旋败死。此间,厉豫、朱国材等人响应冯宏图在巢县起兵。

清顺治七年(1650)

是年,庐州府改属庐六道。

清顺治八年(1651)

是年,庐州知府吴允升捐俸修建文庙。

清顺治十四年(1657)

是年,江宁巡抚刘宗韩上奏称:庐、凤等府开垦荒田三千余顷。

清顺治十六年(1659)

七月,郑成功部自海上攻至巢县,因正值水涨,"舟尾高城堞丈余",城中情形尽收眼底,巢城旋被攻破。守城知县赵熿因丢失城池而伏法。

是年,郑成功部兵临庐州城下,庐州知府王业兴拼力防守,得以保全。

清顺治十八年(1661)

是年,清廷设江南左、右布政使司。庐州府隶属江南左布政使司管辖。

清圣祖康熙三年(1664)

是年,以庐营驻六,六营驻庐,名实不符。题将六安营改为庐州营,永驻庐州;庐州营改为六安营,永驻六安。

清康熙四年(1665)

十一月,清廷将原凤阳巡抚辖下庐州、凤阳二府和滁州、和州划归安徽巡抚管辖。

清康熙六年(1667)

七月,清廷改江南左布政使为安徽布政使,安徽正式建省,庐州府属之。

清康熙十年(1671)

是年,巢县旱、蝗,至生子遍地。岁大饥。

清康熙十八年(1679)

是年,六安卫归并庐州卫。

清康熙二十九年(1690)

是年,无为、巢县大旱,冬奇寒,河冰数尺,竹木冻死;庐江大旱,蠲赈。

清康熙四十一年(1702)

五月,合肥县大水,圩田尽淹。

清康熙四十三年(1704)

是年,合肥县大水,平地水深三尺,圩田尽淹。

清康熙四十四年(1705)

是年,庐州知府张纯修创建庐阳书院。

清康熙五十年(1711)

是年,朝廷以六安、合肥、舒城、霍山、寿州、霍邱六州县,并庐州、凤阳右二卫秋灾,蠲免地丁银二万八千五百四十三两有奇,米麦九十二石有奇,并赈济饥民。

清康熙五十八年(1719)

五月,合肥洪水入城,一日夜始退,倾颓民房无数。庐江大水,坏民居,舟行城市。

清世宗雍正元年(1723)

四月,蠲免合肥等十八州县卫被灾地丁银四万八千四百六十余两、米麦豆四千三百余石,并动用积谷赈济灾民。

是年,巢县大旱、蝗。

雍正二年,升六安州为直隶州,辖英山、霍山二县。

清雍正五年(1727)

是年,庐江、舒城水,无为大雨,圩田尽破,饥民食草根、树皮殆尽。

是年,巢县水,湖多产菱,民采以为食。

清雍正十二年(1734)

是年,巢县人朱谌创建巢湖书院。

清高宗乾隆元年(1736)

是年,清廷在安徽设寿春镇,驻寿春,分领寿县、六安、庐州、颍州、亳州、泗州、龙山等营。

乾隆四年(1739)

是年,庐凤兵备道改名为庐凤颍兵备道。

清乾隆三十一年(1766)

是年,庐江县知县李天植与绅士吴崇诰、王昌僖集赀创建潜川书院。

清乾隆三十三年(1768)

是年,合肥县境内设梁县巡检司。

清乾隆三十六年(1771)

是年,合肥县境内设官亭巡检司和青阳巡检司。

清仁宗嘉庆七年(1802)

是年,庐州知府张祥云大修文庙,使文庙焕然一新。

清嘉庆二十年(1815)

是年,苏、皖、鄂、赣等省发现印有九龙木戳之匿名揭帖,后在巢县捕获为首者方荣升。

清道光二十年(1840)

6月,鸦片战争爆发,一般以为中国近代史之开端。

清文宗咸丰二年(1852)

是年,合肥人李文安"著圩寨图说、团练规条"。

清咸丰三年(1853)

4月24日,从前任皖抚周天爵请,改庐州府为安徽省城。

11月12日,太平天国翼王石达开命春官正丞相、护国侯胡以晃、殿左一检点曾天养等,率军万余自安庆出发,往攻庐州府城。

12月11日,胡以晃领大军自舒城启程,傍晚进据肥西上派。12日黎明,兵临庐州城下。

是年底,李文安因户部侍郎王茂荫奏保,回籍办团练。

清咸丰四年(1854)

1月14日,太平军攻克庐州,安徽巡抚江忠源身受重创,投水而死。布政使刘裕鉁、池州知府陈源衮、都司戴文兰等大批文武官员被杀,署庐州府知府胡元炜投降。随后太平军攻占巢县,18日克庐江,2月占据无为。加上此前已攻克舒城,至此,庐州府属4县(合肥、庐江、舒城、巢县)1州(无为州)均为太平军控制,改称庐州郡,巢县改称聚粮县。

3月,张树珊及吴毓芬兄弟率团练随李文安参加庐江白石山之战,解合肥围。

9月,太平天国在庐州地区开始实行计亩征粮制度。

是年,李鸿章随副都统忠泰在巢县、含山一带作战,因功赏给知府衔,换戴花翎。

清咸丰五年(1855)

11月10日,清军攻陷庐州。城内太平军守将周胜坤退守三河,陈宗胜被戕。

是年,庐江人吴长庆受皖抚福济委派办理庐江、舒城团练。

是年,李文安、李鸿章父子率勇进攻巢县,被太平军击败。李文安回到家中于7月病故,李鸿章从巢县前线回乡奔丧。适太平军猛扑巢湖清军营,清军忠泰部全军覆没,忠氏仅以身免,李鸿章因在丧次幸免于难。后皖抚福济、江南提督和春率军围攻庐州城,李鸿章随大营参赞。

清咸丰六年(1856)

9月16日,清军克三河。

9月18日,清军克庐江。

10月,李鸿章率团练,随福济、郑魁士等克复巢县、和州、东关等地,赏加按察使衔。李鸿章因此以"知兵"闻名。

11月,清廷依皖抚福济之议,将安庆、庐州、六安、滁州、和州、凤阳、颍州、泗州八府州团练事宜归按察使及庐凤道分统稽查,由皖抚福济居中调度;安徽按察使、庐凤道及各府知府、各直隶州知州分别加督办团练、协理团练等衔,各县知县及各府属州知州专管本属团练事宜,卓著功绩、力保地方者加协理团练衔。

清咸丰七年(1857)

是年秋,太平军联合捻军再攻庐州。庐州知府马新贻苦于城内兵力不足,商请周盛传等带练助防。

清咸丰八年(1858)

7月下旬,陈玉成、李秀成等太平军百余将领齐聚枞阳望龙庵,订约会战,决定先攻庐州,以解京围。

8月23日,太平天国陈玉成部攻克庐州。大局粗定后,太平军重建东、西、南、北、梁园5个乡官基层政权;恢复税收;发布告示,招徕流亡,垦荒种植;组织民众,兴修水利,改善农业生产条件。

8月31日,清廷谕旨任命胜保为钦差大臣,督办安徽军务,所有皖境各军均归节制,立即进攻庐州;命安徽巡抚翁同书帮办军务;命湖广总督官文知照江宁将军都兴阿、巡抚衔浙江布政使李续宾酌分劲旅由桐城、舒城一带赴援庐州,力扼安庆太平军北上之路。

11月15日,太平军取得三河大捷,全歼湘军精锐近五千人。湘军悍将李续宾毙命,曾国藩胞弟曾国华死于乱军之中。

清咸丰九年(1859)

1月13日,李鸿章赴江西建昌,拜谒曾国藩,被留充幕僚。

11月,旨授李鸿章福建延建邵遗缺道。李鸿章权衡久之,力辞未就,仍留在曾幕中。

清咸丰十一年(1861)

12月,李鸿章开始通过书信与庐州团首进行联络、招募淮勇。

清穆宗同治元年(1862)

1月2日,因有人奏庐州于皖南鞭长莫及,且距江较远无从设防,旨命曾国藩等筹议安徽省城是否迁回安庆以及添设江防提督事宜。

2月13日以后,李鸿章首批招募的树(张树声)、铭(刘铭传)、鼎(潘鼎新)、庆(吴长庆)四营陆续开到安庆集中。

4月8日,李鸿章率亲兵营、开字营抵沪。

4月25日,李鸿章署理江苏巡抚。

5月13日,清军攻陷庐州。

12月3日,李鸿章实授江苏巡抚。淮军成为在苏南同太平军对抗的一支重要军事力量。

清同治四年(1865)

7月22日,旨准安徽添设安庐道一员,分巡安庆、庐州二府。

是年,甘凉道李鹤章倡劝淮军文武捐钱一万八千两助修庐州府学文庙,并请五属复抽亩捐。

是年冬,两江总督李鸿章札行庐州府唐景皋与各级官员督修庐州府学文庙,大成殿、两庑、戟门、泮池、棂星门一律遵照旧式重加修建。

清同治七年(1868)

是年,巢县知县陈炳立"正堂陈示"碑。严禁庐剧演出。

清德宗光绪十六年(1890)

是年,中华基督总会派遣传教士在庐州建立宣教区,开始传教活动。

清光绪十九年(1893)

3月,庐州电报局成立。

清光绪二十一年(1895)

是年,德国天主教传教士戴尔第从六安进入合肥县传教,在德胜街建教堂。

清光绪二十二年(1896)

是年,中华基督总会派美籍传教士徐鸿藻到合肥传教。

清光绪二十三年(1897)

是年,法国天主教传教士林福恒进入巢县,在城内北隅建教堂。

清光绪二十四年(1898)

是年,美国基督教传教士、眼科医生柏贯之在合肥创办第一所西医诊所。

清光绪二十五年(1899)

是年,德国天主教传教士戴尔第在合肥德胜街兴办义学。

清光绪二十六年(1900)

是年,美国基督教传教士泰德师在巢县县城建教堂。

清光绪二十七年(1901)

十月,庐州邮政分局成立,由芜湖总局派遣并管代办各铺商,内设邮政供事、局役、信差、邮差等,定远县、三河、舒城县、梁园、店埠、桃溪各城镇隶属之。此为合肥近代邮政之发轫。

清光绪三十年(1904)

2月,李鸿章之子李经方在合肥城内原庐阳书院旧址创办庐州中学堂。

清光绪三十一年(1905)

是年,巢县高等小学堂、庐江高等小学堂开设。

清光绪三十二年(1906)

3月,合肥县教育会成立。

清光绪三十三年(1907)

2月,巢县劝学所、巢县教育会成立。

3月,合肥县劝学所成立。

11月,庐州、凤阳、颍州、滁州、和州、六安和泗州七属士绅组成皖北教育会,推举李国棣为会长。

是年,中华基督总会派美籍教士方淑美到合肥办学。所办学校招收女学生,教读认字,编织毛线,命名为"女学"。该学校后更名为"三育女子小学""三育女子中学"。

清光绪三十四年(1908)

3月,合肥高等小学堂开设。

5月,清廷裁撤安庐滁和道,将庐州划归皖北道。

是年,庐州中学堂改制为庐州府官立中学堂。

清宣统二年(1910)

8月,清廷举行第二次庚子赔款赴美留学考试,录取七十名。其中包括二名合肥学生,分别为合肥人殷源之、李锡之。

清宣统三年(1911)

11月9日,革命党人召开民众大会,宣布庐州独立,成立庐州军政分府。推举孙万乘为革命党北伐军驻庐总司令,方悖言为副司令。

1912年

2月29日,孙毓筠接奉南京临时政府电令,要求省内各军政分府遵命撤销。庐州军政分府通电解散。

参考文献

一、正史、政书

（明）宋濂等.元史[M].北京：中华书局,1976.

（清）张廷玉等.明史[M].北京：中华书局,1974.

（民国）赵尔巽等.清史稿[M].北京：中华书局,1977.

明实录[M].台北：台湾"中央研究院"历史语言研究所,校勘本.

清实录[M].北京：中华书局,2008年影印本.

（清）张廷玉等.清朝文献通考[M].杭州：浙江古籍出版社,2000年影印本.

（清）刘锦藻.清朝续文献通考[M].杭州：浙江古籍出版社,1998.

（清）贺长龄辑.皇朝经世文编[M].光绪己亥孟春上海中西书局校阅石印本.

万历《大明会典》[M].扬州：江苏广陵古籍刻印社,1989.

光绪《钦定大清会典事例》[M].《续修四库全书》本.

光绪《皖政辑要》[M].合肥：黄山书社,2005.

（民国）朱寿朋编.光绪朝东华录[M].北京：中华书局,1958.

（清）素尔讷等.钦定学政全书[M].上海：上海古籍出版社,1995.

（清）顾祖禹.读史方舆纪要[M].北京：中华书局,2005.

（清）奕䜣等.钦定剿平粤匪方略[M].北京：中国书店,1985.

二、方志

天顺《大明一统志》[M].《四库全书》本.

万历《庐州府志》[M].明万历三年刻本.

康熙《庐州府志》[M].清康熙十二年刻本.

嘉庆《庐州府志》[M].清嘉庆七年刻本.

光绪《续修庐州府志》[M].清光绪十一年刻本.

乾隆《庐州卫志》[M].清乾隆十二年刻本.

万历《合肥县志》[M].明万历元年刻本.

康熙《合肥县志》[M].清康熙三十六年刻本.

雍正《合肥县志》[M].清雍正八年刻本.

嘉庆《合肥县志》[M].清嘉庆八年刻本.

光绪《合肥县志》[M].清抄本.

康熙《巢县志》[M].清康熙十二年刻本.

雍正《巢县志》[M].清雍正八年刻本.

道光《巢县志》[M].清道光八年刻本.

光绪《巢湖志》[M].抄本.

顺治《庐江县志》[M].清顺治十三年刻本.

康熙《庐江县志》[M].清康熙三十七年刻本.

雍正《庐江县志》[M].清雍正十年刻本.

嘉庆《庐江县志》[M].清嘉庆八年刻本.

光绪《庐江县志》[M].清光绪十一年刻本.

嘉庆《无为州志》[M].清嘉庆八年刻本.

同治《六安州志》[M].清同治十一年刻本.

光绪《寿州志》[M].清光绪十六年刻本.

乾隆《池州府志》[M].清乾隆四十三年刻本.

嘉庆《旌德县志》[M].清嘉庆十三年刻本.

民国《芜湖县志》[M].民国八年刻本.

民国《冶父山志》[M].民国二十五年刊本.

光绪《重修安徽通志》[M].清光绪七年刻本.

民国《安徽通志稿》[M].民国二十三年铅印本.

东亚同文会编.安徽省志[M].日本大正六年(1917)刊本.

康熙《江南通志》[M].清康熙二十三年刻本.

乾隆《江南通志》[M].清乾隆二年刻本.

乾隆《武乡县志》[M].清乾隆五十五年刻本.

同治《上江两县志》[M].清同治十三年刻本.

合肥市地方志编纂委员会编.合肥市志[M].合肥:安徽人民出版社,1999.

肥东县地方志编纂委员会编.肥东县志[M].合肥:安徽人民出版社,1990.

肥西县地方志编纂委员会编.肥西县志[M].合肥:黄山书社,1994.

长丰县地方志编纂委员会编.长丰县志[M].北京:中国文史出版社,1991.

巢湖地区地方志编纂委员会编.巢湖地区简志[M].合肥:黄山书社,1995.

安徽省地方志编纂委员会编.安徽省志·文化艺术志[M].北京:方志出版社,1999.

三、文集

(明)杨循吉.庐阳客记[M].《四库全书存目丛书》本.

(明)李维桢.大泌山房集[M].《四库全书存目丛书》本.

(明)吴子玉.大鄣山人集[M].安徽巡抚采进本.

(明)吴应箕.楼山堂集[M].《续修四库全书》本.

(明)黄金.皇明开国功臣录[M].明正德刊本.

(明)何乔远.名山藏[M].福州:福建人民出版社,2010.

（明）孙宜.洞庭集[M].北京：北京图书馆出版社，1998.

（明）张瀚撰、盛冬铃点校.松窗梦语[M].北京：中华书局，1985.

（明）鲍应鳌.瑞芝山房集[M].《四库禁毁书丛刊》本.

（明）孙承恩.文简集[M].《四库全书》本.

（明）黄瑜.双槐岁钞[M].北京：中华书局，1999.

（清）钱谦益.国初群雄事略[M].北京：中华书局，1982.

（清）计六奇撰，魏得良、任道斌点校.明季北略[M].北京：中华书局，1984.

（清）黄宗羲著、沈芝盈点校.明儒学案[M].北京：中华书局，2008.

（清）彭孙贻辑.平寇志[M].上海：上海古籍出版社，1984.

（清）查继佐.罪惟录[M].杭州：浙江古籍出版社，1986.

（清）纪昀等纂.四库全书总目提要[M].北京：中华书局，1997.

（清）裴宗锡.抚皖奏稿[M].北京：全国图书馆文献缩微复制中心2005年影印本.

（清）李文安.李光禄公遗集[M].沈云龙主编《近代中国史料丛刊》第7辑.台北：文海出版社，1967.

（清）李国杰编.合肥李氏三世遗集[M].沈云龙主编《近代中国史料丛刊》第7辑.台北：文海出版社，1967.

（清）周天爵.周文忠公尺牍[M].沈云龙主编《近代中国史料丛刊》第20辑.台北：文海出版社影印本.

（清）朱景昭.无梦轩遗书[M].民国二十二年刻本.

（清）吴保初.北山楼集[M].合肥：黄山书社，1990.

（清）方宗诚.柏堂集续编[M].清光绪七年刊本.

故宫博物院明清档案部编.李煦奏折[M].北京：中华书局，1976.

（清）魏源.魏源集[M].北京：中华书局，1976.

（清）刘汝骥.陶甓公牍[M].《官箴书集成》第10册，合肥：黄山书社，1997.

（清）陈澹然.江表忠略[M].上海图书馆藏.

（清）姚永朴.旧闻随笔[M].合肥：黄山书社，2011.

（清）李鸿章.李鸿章全集[M].海口：海南出版社，1997.

（清）周馥.秋浦周尚书（玉山）全集[M].台北：文海出版社，1967.

（清）柴萼.梵天庐丛录[M].太原：山西古籍出版社，1999.

（清）田实发.玉禾山人集[M].清末民国影印本.

（清）江忠源.江忠烈公遗集[M].台北：文海出版社，影印本.

（清）徐子苓.敦艮吉斋文存[M].清光绪三十二年合肥李氏刻集虚草堂丛书甲集本.

（清）王定安.湘军记[M].长沙：岳麓书社，1983.

（清）朱孔彰.中兴将帅别传[M].长沙：岳麓书社，1989.

（清）梅英杰等撰.湘军人物年谱[M].长沙：岳麓书社，1987.

（清）孙孟平辑.桐城孙先生遗书[M].稿本.

（清）胡林翼.胡文忠公全集[M].上海：世界书局，1936.

（清）曾国藩.曾国藩全集[M].长沙：岳麓书社，1985.

（清）王茂荫.王侍郎奏议[M].合肥：黄山书社，1999.

（清）刘体智.异辞录[M].北京：中华书局，1988.

（清）周家驹续辑.周武壮公遗书[M].台北：文海出版社，1969.

（清）张树声撰、（清）何嗣焜编.张靖达公奏议[M].台北：文海出版社，影印本.

（清）刘铭传撰，马昌华、翁飞点校.刘铭传文集[M].合肥：黄山书社，1997.

刘文典.刘文典全集[M].合肥：安徽大学出版社，2013.

《马克思恩格斯全集》[M].北京：人民出版社，1972.

四、族谱

《天启渭南朱世荣分家簿》，明天启刊本.

《肥东葛氏宗谱》，清道光十九年刻本.

《合肥义门王氏续修宗谱稿》，清代刊本.

《合肥龚氏宗谱》,清光绪刊本.

《蔡氏宗谱裡公支谱》,民国九年刊本.

五、报刊

《申报》

《大公报》

《民立报》

《益世报》

《内阁官报》

《北洋官报》

《学部官报》

《安徽官报》

《东方杂志》

《江西农报》

《安徽白话报》

六、资料汇编

中国史学会主编.捻军[M].中国近代史资料丛刊.神州国光社,1953.

中国史学会主编.太平天国[M].中国近代史资料丛刊.上海:上海人民出版社,1957.

中国史学会主编.辛亥革命[M].中国近代史资料丛刊.上海:上海人民出版社,1957.

台湾"中央研究院"近代史研究所编.海防档[M].台北台湾艺文印书馆,1957.

朱士嘉编.19世纪美国侵华档案史料选辑[M].北京:中华书局,1959.

舒新城编.中国近代教育史资料[M].北京:人民教育出版社,1961.

太平天国历史博物馆编.太平天国史料丛编简辑[M].北京:中华书局,1963.

中国人民政治协商会议江苏省委员会文史资料研究委员会.《江苏文史资料选辑》第6辑[M].南京:江苏人民出版社,1982.

太平天国历史博物馆编.吴煦档案选编[M].南京:江苏人民出版社,1983.

中国人民大学清史研究所、档案系中国政治制度史教研室合编.清代的矿业[M].北京:中华书局,1983.

中国人民大学历史系、中国第一历史档案馆编.清代农民战争史资料选编[M].北京:中国人民大学出版社,1984.

张海鹏、王廷元.明清徽商资料选编[M].合肥:黄山书社,1985.

朱有瓛主编.中国近代学制史料[M].上海:华东师范大学出版社,1987.

张湘炳、蒋元卿、张子仪编.辛亥革命安徽资料汇编[M].合肥:黄山书社,1990.

璩鑫圭、唐良炎编.中国近代教育史资料汇编[M].上海:上海教育出版社,1991.

王钰欣、周绍泉主编.徽州千年契约文书[M].石家庄:花山文艺出版社,1991.

彭雨新编.清代土地开垦史资料汇编[M].武汉:武汉大学出版社,1992.

朱有瓛主编.中国近代教育史资料汇编——教育行政机构及教育团体[M].上海:上海教育出版社,1993.

聂宝璋、朱荫贵编.中国近代航运史资料[M].北京:中国社会科学出版社,2002.

中国科学院地理科学与资源研究所、中国第一历史档案馆编.清代奏折汇编——农业·环境[M].北京:商务印书馆,2005.

杜家骥编.清嘉庆朝刑科题本社会史料辑刊[M].天津:天津古籍出版社,2008.

合肥市档案局编.《庐州碑文百篇》(内刊),2011年6月.

七、传记、笔记、档案及相关资料

王钟翰点校.清史列传[M].北京:中华书局,1987.

金松岑编.淮军诸将领传[M].稿本.

黄书霖辑.合肥李文忠公墨宝[M].民国七年石印本.

蚌埠市各界追悼柏文蔚筹备会编印.柏委员烈武事略[M].1974年.

柏文蔚.五十年经历[J].《近代史资料》:1979(3).

(清)薛福成.庸庵笔记[M].南京:江苏人民出版社,1983.

(清)刘体乾等.刘秉璋行状[M].清光绪三十一年刻本.

《顺治六年六月十六日淮扬巡按张㵆为上陆目击水患情形事题本》[J].《历史档案》:1988(4).

八、研究著作

郭绍虞编选、富寿荪校点.清诗话续编[M].上海:上海古籍出版社,1983.

邮电史编辑室编.中国近代邮电史[M].北京:人民邮电出版社,1984.

乌丙安.中国民俗学[M].沈阳:辽宁大学出版社,1985.

[美]费正清等编.剑桥中国晚清史(1800—1911)[M].北京:中国社会科学出版社,1985.

舒位等著.三百年来诗坛人物评点小传汇录[M].郑州:中州古籍出版社,1986.

韩儒林主编.元朝史[M].北京:人民出版社,1986.

钱仲联.清诗纪事[M].南京：江苏古籍出版社，1987.

中国人民政治协商会议安徽省委员会文史资料研究委员会编.辛亥风雷[M].合肥：安徽人民出版社，1987.

中国人民政治协商会议南京市委员会文史资料研究委员会编.南京文史集萃·范鸿仙专辑[M].南京：江苏古籍出版社，1990.

龙盛运.湘军史稿[M].成都：四川人民出版社，1990.

翁飞等著.安徽近代史[M].合肥：安徽人民出版社，1990.

方明主编.合肥纵横[M].合肥：安徽人民出版社，1990.

王鹤鸣、施立业.安徽近代经济轨迹[M].合肥：安徽人民出版社，1991.

徐川一.太平天国安徽史稿[M].合肥：安徽人民出版社，1991.

马昌华.捻军调查与研究[M].合肥：安徽人民出版社，1992.

肥西县政协文史资料委员会编.肥西淮军人物[M].合肥：黄山书社，1992.

陈田辑撰.明诗纪事[M].上海：上海古籍出版社，1993.

欧阳发、洪钢编著.安徽竹枝词[M].合肥：黄山书社，1993.

张南等著.简明安徽通史[M].合肥：安徽人民出版社，1994.

丁德照、陈素珍编著.李鸿章家族[M].合肥：黄山书社，1994.

张海鹏、王廷元主编.徽商研究[M].合肥：安徽人民出版社，1995.

罗尔纲.增补本李秀成自述原稿注[M].北京：中国社会科学出版社，1995.

陈学恂主编.中国教育史研究·明清卷[M].上海：华东师范大学出版社，1995.

曹树基.《中国移民史》第五卷《明时期》[M].福州：福建人民出版社，1997.

钟敬文主编.民俗学概论[M].上海：上海文艺出版社，1998.

王化隆、王艳玉主编.中国邮政简史[M].北京：商务印书馆，1999.

郑学檬主编.中国赋役制度史[M].上海：上海人民出版社，2000.

赵世瑜.狂欢与日常——明清以来的庙会与民间社会[M].北京：生活·读书·新知三联书店，2002.

顾长声.传教士与近代中国[M].上海：上海人民出版社，2004.

陈贤忠、程艺主编.安徽教育史[M].合肥：安徽教育出版社，2006.

苏云峰.中国新教育的萌芽与成长[M].北京：北京大学出版社，2007.

《安徽文史资料全书》编委会编.安徽文史资料全书·合肥卷[M].合肥：安徽人民出版社，2007.

梁方仲编著.中国历代户口、田地、田赋统计[M].北京：中华书局，2008.

邱云飞、孙良玉.中国灾害通史·明代卷[M].郑州：郑州大学出版社，2009.

王世华、李琳琦主编.安徽通史·明代卷[M].合肥：安徽人民出版社，2011.

汤奇学、施立业主编.安徽通史·清代卷[M].合肥：安徽人民出版社，2011.

安徽省文史馆、安徽省政协文史资料委员会编.安徽辛亥英杰[M].合肥：黄山书社，2011.

陈恩虎.明清时期巢湖流域农业发展研究[M].合肥：黄山书社，2014.

九、研究论文

刘文典.范鸿仙先生行状[J].《学风》第5卷第10期，1935.

王气冲.范鸿仙传[J].《学风》第5卷第10期，1935.

竺可桢.中国近五千年来气候变迁的初步研究[J].《考古学报》1972年第1期.

邱树森.左君弼事迹考略[J].《元史及北方民族史研究集刊》第 5 辑,1981.

王达.双季稻的历史发展[J].《中国农史》1982 年第 1 期.

吴光大.见闻粤匪纪略[J].《安徽史学》1984 年第 2 期.

贾熟村.苗沛霖与太平天国[J].《安徽史学》1987 年第 3 期.

[日]渡边惇著、钱保元译.清末时期长江下游的青帮、私盐集团活动——以与私盐流通的关系为中心[J].《盐业史研究》1990 年第 2 期.

王宇尘.清代安徽粮食作物的地理分布[J].《中国历史地理论丛》1992 年第 2 辑.

赵德馨.论太平天国的城市政策[J].《历史研究》1993 年第 2 期.

徐建青.清代前期的酿酒业[J].《清史研究》1994 年第 3 期.

王社教.清代安徽农业生产的地区差异[J].《中国农史》1999 年第 4 期.

卞国金.庐阳书院变迁述略——从庐阳书院到合肥一中[J].《安徽史学》2000 年第 3 期.

任放.我国传统市镇浅谈[N].《光明日报》2001 年 9 月 11 日 B03 版.

蔡继钊.蔡悉述论[J].《安徽史学》2008 年第 3 期.

陈恩虎、惠富平.明清时期巢湖流域圩田的维护[J].《中国社会经济史研究》2008 年第 3 期.

陈恩虎、惠富平.明清时期巢湖流域圩田的经营与管理[J].《农业考古》2008 年第 4 期.

陈恩虎.明清时期巢湖流域圩田兴修[J].《中国农史》2009 年第 1 期.

陈恩虎.明清时期巢湖流域农业发展研究[J].南京农业大学 2009 年博士学位论文.

史全生.范鸿仙与铁血军[J].《安徽史学》2012 年第 2 期.

陈恩虎、丁龙庆、吕君丽.明清时期巢湖流域水稻的生产和分布[J].《湖北第二师范学院学报》2012 年第 11 期.

赵春辉.蔡悉理学源流考[J].《安徽史学》2014 年第 5 期.

后　记

　　本书是集体合作的成果。其中，绪论，第一、二、三章，大事记由陈瑞撰写，第四、八、十、十一章由张小坡撰写，第五、六、七章由张绪撰写，第九章由方英撰写。全书由陈瑞负责统稿。

　　在本书写作过程中，《合肥通史》学术指导委员会各位主任、顾问、委员及《合肥通史》编纂委员会办公室的各位领导和工作人员，曾提供不同形式的指导和帮助；作为《合肥通史》编纂委员会办公室指定的明清卷评审专家，安徽大学汤奇学教授对本卷书稿提出了许多中肯的、富有建设性的修改意见。对于上述各位领导和专家为本书付出的辛劳和帮助，谨致衷心的感谢。

陈　瑞